AL QAIDA UNDERCOVER

MORTEN STORM

MET PAUL CRUICKSHANK EN TIM LISTER

Al Qaida undercover

Uitgegeven door Xander Uitgevers bv
Hamerstraat 3, 1021 jt Amsterdam

www.xanderuitgevers.nl

Oorspronkelijke titel: *Agent Storm*
Oorspronkelijke uitgever: Viking/Penguin Books, Londen
Vertaling: Gerrit-Jan van den Berg
Omslagontwerp: Andrew Smith, www.asmithcompany.co.uk
Omslagbeeld: Shutterstock
Auteursfoto: Polfoto/TopFoto
Zetwerk: Michiel Niesen, ZetProducties

Eerste druk 2014

isbn 978 94 0160 306 5 / nur 402

INHOUD

Kaart van Jemen

Rode Zee

Dammaj

AL JAWF

Sanaa

MARIB

J

SHABV

Ataq

Lawdar

Taiz

ABYAN

Shaqra

Jaar

Zinjibar

Aden

DJIBOUTI

Golf van Aden

SOMALI

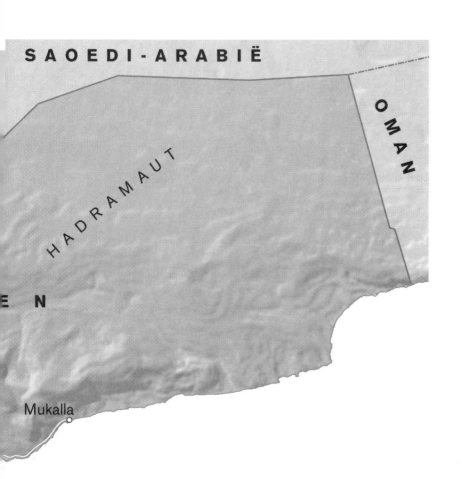

SAOEDI-ARABIË

OMAN

HADRAMAUT

E N

Mukalla

Arabische Zee

OPMERKING VAN DE SCHRIJVERS

Elke spion die in de openbaarheid treedt wordt steevast uiterst kritisch bekeken, vooral iemand die beweert als dubbelagent te hebben gewerkt voor niet minder dan vier westerse inlichtingendiensten, en dat alles in het kader van enkele van hun meest geheime contraterroristische operaties sinds 11 september 2001.

Wat Morten Storms verhaal zo uniek maakt is de buitengewoon grote hoeveelheid audiovisueel bewijsmateriaal en elektronisch berichtenverkeer die hij tijdens zijn werkzaamheden als spion heeft weten te verzamelen, en die zijn relaas niet alleen bevestigen maar ook verrijken.

Het materiaal waar we vrijelijk toegang toe hadden, omvatte onder meer:

- e-mails die hij wisselde met de invloedrijke geestelijke Anwar al-Awlaki;
- videobeelden opgenomen door Awlaki en de Kroatische vrouw die naar Jemen reisde om daar met de geestelijke in het huwelijk te treden, een huwelijk dat mogelijk werd gemaakt door Storm, terwijl de vs op dat moment jacht maakten op Awlaki;
- tientallen vercijferde e-mails tussen Storm en terroristische agenten in Arabië en Afrika, die zich nog steeds op de harde schijven van zijn computers bevinden;
- overzichten van betalingen aan een terrorist in Somalië;
- sms'jes met agenten van de Deense inlichtingendienst die nog steeds op zijn mobiele telefoons zijn opgeslagen;
- door Storm gemaakte geheime geluidsopnamen van gesprek-

ken met zijn *handlers* van de Deense en Amerikaanse inlichtingendiensten, waaronder een dertig minuten durende opname van een ontmoeting met een CIA-agent in Denemarken in 2011, waarin enkele missies werden besproken waarbij Storm moest helpen terroristen te neutraliseren;
- handgeschreven missieaantekeningen;
- videobeelden en foto's van Storm terwijl hij kort na zijn ontmoeting met Awlaki in 2008 door de buitengebieden van Jemen rijdt;
- videobeelden van Storm met agenten van de Britse en Deense inlichtingendiensten in het noorden van Zweden gemaakt in 2010.

Tenzij het in het nawoord anders staat aangegeven, zijn alle e-mails, brieven, Facebook-berichten, sms'jes en geluidsopnamen van gesprekken die in dit boek worden geciteerd, woord voor woord gereproduceerd.

Storm heeft ook foto's ter beschikking gesteld waarop hij met enkele van zijn handlers van de Deense inlichtingendienst staat afgebeeld, en die op IJsland zijn gemaakt. Verslaggevers van de Deense krant *Jyllands-Posten* waren dankzij hun bronnen in staat de identiteit van deze agenten te bevestigen.

Verschillende personen die in dit boek worden genoemd, hebben essentiële elementen van Storms verhaal bevestigd. Voor hun eigen veiligheid hebben we van sommigen niet de volledige identiteit vrijgegeven. Van de westelijke inlichtingendiensten was niemand bereid ons te woord te staan.

Storm heeft ons zijn paspoorten laten zien, met daarin alle in- en uitreisvisa van al zijn in het boek beschreven reizen buiten Europa vanaf het jaar 2000. Hij heeft ook hotelrekeningen overlegd die zijn betaald door 'Mola Consult', een pseudobedrijf dat door de Deense inlichtingendienst als dekmantel werd gebruikt en dat volgens de Deense Kamer van Koophandel vlak voor Storm in de openbaarheid trad is geliquideerd. Verder heeft hij ons tientallen Western Unionreçu's overlegd, waaruit een lijst van betalingen van de Deense inlichtingendienst (PET) kan worden samengesteld. Zijn PET-handlers hebben op die papieren Søborg, de wijk in Kopenhagen waar het PET gevestigd is, als vestigingsplaats aangegeven.

We hebben in dit boek voor drie mensen een schuilnaam gehanteerd, om zo hun veiligheid of hun identiteit te beschermen. We zullen dit laten weten zodra er voor het eerst aan hen wordt gerefereerd. Uit veiligheids- of juridische overwegingen hebben we van verschillende andere personen alleen de voornaam gebruikt. Achter in het boek is een *Dramatis personae* toegevoegd. In het boek staan hier en daar Arabische zinnen en begroetingen; als ze voor het eerst gebezigd worden, zijn ze van een vertaling voorzien. Achter in het boek hebben we in een kleurenbijlage een aantal foto's en ander visueel bewijsmateriaal van Storms werkzaamheden opgenomen. Daar zit een foto bij van een koffer met daarin een beloning van 250.000 dollar, afkomstig van de CIA, handgeschreven aantekeningen van een ontmoeting met Awlaki, vercijferde e-mails, reçu's van overgemaakte geldbedragen, en videobeelden en foto's die tijdens trips naar de geestelijke in de Jemenitische provincie Shabwah zijn gemaakt.

Paul Cruickshank en Tim Lister, april 2014

1

WEG DOOR DE WOESTIJN

Medio september 2009

Ik zat in mijn grijze Hyundai en tuurde uitgeput en ongerust in het bijna vloeibare duister. Uitgeput omdat mijn dag al ruim voor zonsopgang in Sanaa was begonnen, de ruim driehonderd kilometer naar het noordwesten liggende hoofdstad van Jemen. Ongerust omdat ik geen flauw idee had met wie ik straks te maken zou hebben en ook niet wanneer ze zouden arriveren. Zouden ze me begroeten als een kameraad of me overmeesteren als verrader?

De woestijnnacht had een intensiteit die ik in Europa nog nooit had gezien. Op de weg die van de kust naar de bergen van de provincie Shabwah liep, een wetteloos deel van Jemen, waren nergens lichten te zien. Af en toe was er ook nauwelijks sprake van een weg. Op het gloeiend hete asfalt was een dun laagje zand gewaaid. Nog lang na zonsondergang stond er vanuit de Arabische Zee een klam briesje.

Mijn bezorgdheid kwam voort uit schuld: ik kon dit niemandsland, waar de aanwezigheid van Al Qaida toenam in dezelfde mate als het gezag van de regering afnam, alleen maar binnenrijden omdat Fadia, mijn jonge Jemenitische echtgenote, naast me zat.[1] Onder het voorwendsel dat we bij haar broer op bezoek gingen, was het ons gelukt om op de gevaarlijke reis naar het zuiden de ene na de andere wegversperring te passeren.

Bij mijn zoektocht om opnieuw contact te maken met Anwar al-Awlaki, een Amerikaans-Jemenitische geestelijke die een van de invloedrijkste en meest charismatische personen binnen Al Qaida was geworden, besefte ik maar al te goed dat ik mijn leven op het spel zette. Het leger en de inlichtingendiensten van Jemen hadden hun pogingen om de invloed van Al Qaida op het Arabische schiereiland terug te dringen recentelijk opgevoerd. De AQAP (Al Qaida on the Arabian Peninsula) was een van de gevaarlijkste onderafdelingen van Osama bin Ladens organisatie geworden. De kans bestond dat ik in een hinderlaag zou lopen, dat er bij een controlepost een vuurgevecht zou uitbreken, of dat er sprake zou zijn van een misverstand, met fatale gevolgen.

Ook bestond het gevaar dat Awlaki, die nu in de westerse pers 'Al Qaida's rockstar' werd genoemd, me niet langer meer vertrouwde. Ik maakte mijn reis op zijn verzoek. In een e-mail die hij had achtergelaten in de conceptmap van een anoniem e-mailaccount waarvan we beiden gebruikmaakten, had hij me laten weten: 'Kom naar Jemen. Ik wil je spreken.'

Het was al weer bijna een jaar geleden dat ik Awlaki voor het laatst had gezien, en in die periode was hij met zijn meedogenloze, rampzalige werk door blijven gaan. De radicale prediker die Al Qaida zo'n warm hart toedroeg was binnen de organisatie een invloedrijke figuur geworden, en was niet alleen op de hoogte van de plannen om in het buitenland terreurdaden uit te voeren, maar was er zelfs bij betrokken.

Ik had al een rendez-vous met hem gemist. Awlaki had me uitgenodigd voor een bijeenkomst van de belangrijkste jihadisten van Jemen, die zou worden gehouden in een afgelegen deel van Marib, een woestijnprovincie waar volgens de overlevering eeuwen eerder de koningin van Sheba zou hebben gewoond. Het was de bedoeling dat Omar, Awlaki's jongere broer, mijn reis naar Marib zou regelen, maar hij had erop gestaan dat ik me als vrouw zou verkleden, volledig gesluierd in *nikab*, zodat hij me wat gemakkelijker langs wegversperringen kon loodsen. Maar met een lengte van 1 meter 85 en een gewicht van iets meer dan 110 kilo, had ik zo mijn twijfels. Ik had bedankt voor de uitnodiging, hoewel de chauffeur die me naar deze gezochte lieden zou brengen een politieman was. Dit soort tegenstellingen kwam je in Jemen overal tegen. Maar het feit dat ik zo'n belangrijke bijeenkomst van Al Qaida-leiders in Jemen niet had kunnen bijwonen, was wel aan me blijven knagen. Dus een paar dagen later hadden mijn vrouw en ik deze odyssee naar Shabwah toch ondernomen.

Na enkele minuten hoorde ik in de verte het gedempte gegrom van een motor, toen zag ik koplampen en kwam er een Toyota Land Cruiser aangereden die vol zat met ernstig kijkende jongemannen die met AK-47's zwaaiden. Het escorte was gearriveerd. Ik pakte de hand van mijn vrouw beet. Binnen een paar seconden zouden we weten of de situatie faliekant uit de klauwen was gelopen.

De hele dag hadden we de beknopte aanwijzingen van Awlaki gevolgd, alsof het om hints bij een bizarre zoektocht naar een schat ging. 'Neem deze weg, sla links af en doe tegenover de politie net alsof je van plan bent langs de kust naar Mukalla te rijden.'

Van opgaan in de plaatselijke bevolking was nauwelijks sprake. Als nogal zwaargebouwde Deen met een weelderige bos rood haar en een lange baard, had ik in dit land vol pezige Arabieren met hun donkere huid moeiteloos voor een buitenaards wezen kunnen doorgaan. In een land waar ontvoeringen en stammentwisten, een schietgrage politie en militante jihadisten reizen tot een onvoorspelbare onderneming maakten, mocht de aanblik van iemand als ik, met een tengere Jemenitische vrouw aan zijn zij, zittend in een kleine huurauto en op weg naar het opstandige zuiden op z'n minst ongewoon worden genoemd, om het mild uit te drukken.

De dag was prima begonnen. De ochtendkoelte die had geheerst voordat de intense hitte had toegeslagen, was verkwikkend. Bij de eerste controlepost buiten Sanaa, altijd de lastigste, waren we een tijdje opgehouden. Waarom zou iemand de relatieve veiligheid van de hoofdstad willen verruilen voor het woeste gebied ten zuiden ervan. Ik keuvelde wat in het Arabisch, wat bij mijn ondervragers steevast nogal wat indruk maakte, terwijl mijn vrouw, haar gezicht en haren aan het oog onttrokken door een zwarte nikab, zwijgend op de passagiersstoel zat. Het was niet toevallig dat de cd in de auto verzen uit de Koran ten gehore bracht. Ik vertelde ze dat we op weg waren naar de broer van mijn vrouw en dat we van plan waren aan de kust een bruiloft bij te wonen en via Aden wilden rijden, de belangrijkste haven van Jemen aan de Arabische Zee en hét economische centrum van het land.

De politie bij de wegversperring had nogal wat moeite om mijn paspoort te ontcijferen. Er waren maar heel weinig politiemensen die Arabisch konden lezen, laat staan dat ze in staat waren het Romeinse alfabet te doorgronden. Ik kreeg de indruk dat ze dachten dat ik een Turk was, misschien wel omdat alleen al het idee van een Europeaan die door Jemen reist voor hen niet te vatten was. Mijn brede glimlach en de ogenschijnlijke gemoedsrust die ik leek uit te stralen waren wat hen betrof voldoende. Misschien hielp ook wel dat het niet alleen september was, een gloeiend hete maand in Arabië, maar dat het ook midden in de ramadan was. Deze mannen waren het vasten meer dan beu.

Zodra we die eerste controlepost waren gepasseerd, bestond de grote uitdaging uit het proberen op de weg te blijven, of op z'n minst te voorkomen dat anderen ons van de weg zouden rijden. Een keer of wat ving ik langs de steile rotshellingen een glimp op van het roestende karkas van een vrachtwagen of autobus. De wegen in Jemen leken alleen maar voetgangers met een doodswens aan te trekken, of soortgelijk gestemde kamelen, honden, koeien en kinderen. Die leken er geen enkele moeite mee te hebben om midden op de weg te gaan lopen terwijl het verkeer hun kant op denderde.

De ochtendtinten maakten plaats voor de witte hitte van de middag, en het kostte me moeite om me op de weg en de risico's van onze reis te blijven concentreren. Geleidelijk aan lieten we de bergen achter ons en bereikten we de kustvlakte, de Tehama. In de verte lag de havenstad Aden. Sinds de ineenstorting van Zuid-Jemen en de meedogenloze militaire campagne onder leiding van de president van het noorden, Ali Abdullah Saleh, die het gedeelde land Jemen halverwege de jaren negentig wilde verenigen, had de stad vreselijk te lijden gehad. De mensen in het zuiden voelden zich achtergesteld. Een separatistische beweging kreeg steeds meer aanhang, waardoor Al Qaida-militanten de Jemenitische regering alleen maar nog nadrukkelijker begonnen uit te dagen.

In mijn achteruitkijkspiegeltje zag ik de bergen het dreigende zonlicht verzwelgen. Ik probeerde mijn weg door de chaotische buitenwijken van Aden te vinden, om op een gegeven moment op de lange kustweg uit te komen die ik volgens een van Awlaki's sms'jes moest nemen.

Anwar al-Awlaki was lid van een machtige clan uit de bergachtige provincie Shabwah. Zijn vader was een gerespecteerd academicus geweest en minister in de Jemenitische regering, en was op jonge leeftijd op een Fulbright-beurs naar Amerika vertrokken, waar hij aan de universiteit van Nebraska in de filosofie was afgestudeerd. De jonge Awlaki was universitair docent in Sanaa geweest nadat hij in de nasleep van 11 september halsoverkop de Verenigde Staten had verlaten, omdat hij bang was (terecht, bleek later) dat de FBI hem wilde arresteren. Enkele maanden voor de aanslag op het WTC had hij contact gehad met de twee kapers uit Californië, hoewel er geen bewijzen zijn dat hij van hun plannen op de hoogte was.

Zeven jaar later was het landschap – en Awlaki – veranderd. President Saleh zat steeds wanhopiger om Amerikaanse hulp verlegen en kwam onder steeds grotere druk te staan om harder tegen Al Qaida-sympathisanten op te treden. In september 2008 had er al een zelfmoordaanslag op de Amerikaanse ambassade plaatsgevonden, waarbij tien mensen om het leven waren gekomen, terwijl Al Qaida-gevangenen massaal uit gevangenissen waren ontsnapt die verondersteld waren heel goed bewaakt te zijn. Jemen was het favoriete rekruteringsterrein van Al Qaida. Al voor 11 september 2001 was een gestage stroom jongemannen met nauwelijks enige opleiding vanuit Jemen naar Osama bin Ladens trainingskampen vertrokken. Sommigen van hen hadden deel uitgemaakt van bin Ladens lijfwacht, maar vielen in handen van de Amerikanen toen ze in Afghanistan de bergen van Tora Bora probeerden te ontvluchten, waarna ze naar Guantánamo Bay werden gestuurd.

Nu was Jemen de basis voor Al Qaida's onderafdeling in Jemen, AQAP, en de belangrijkste bestemming voor Europese en Amerikaanse militanten die ervan droomden aan de jihad deel te nemen. En Awlaki's strijdbaarheid had zich verhard. Zijn preken, die via YouTube de hele wereld over gaan, waren voor aspirant-jihadisten leidend. In plattelandsgemeenten in Pennsylvania, benauwde flats in Engeland en in de voorsteden van Toronto verslonden jongemannen elk woord dat hij zei.

Voor de CIA en MI6 vertegenwoordigde Awlaki de toekomst van Al Qaida. Zijn kennis van de westerse maatschappij, het feit dat hij vloeiend Engels sprak en zijn beheersing van de sociale media vormden een nieuwe en aanzienlijk dodelijker bedreiging dan de korrelige videobeelden en mysterieuze verklaringen van Bin Laden.

In 2006 werd hij gearresteerd op beschuldiging van betrokkenheid bij vage plannen voor de een of andere ontvoering. Hij had anderhalf jaar in Sanaa in de gevangenis gezeten en had daar zelfs bezoek gehad van FBI-agenten die meer wilden weten van zijn ontmoeting met de kapers van 11 september. En toen was hij in het uitgestrekte en meedogenloze binnenland van Jemen verdwenen.

En nu reed ik vanuit Aden in oostelijke richting, bezig met de laatste etappe van mijn reis door Jemen waarvan ik niet wist waar die zou eindigen. We kwamen bij de zoveelste geïmproviseerde controlepost aan, een paar gebutste borden met het woord 'STOP' erop, met ertussenin een uit golfplaten opgetrokken hokje dat de verzengende hitte alleen maar erger maakte. Op verschillende manieren vormde dit hokje een grens, en markeerde het de effectieve begrenzing van het gezag van de centrale overheid. Erachter lag een weg die buitenlanders alleen maar konden volgen als ze door soldaten werden geëscorteerd, een onheilspellend gebied waar Al Qaida-strijders en bandieten in ronddwaalden.

We herhaalden het verhaal over de bruiloft en ik vertelde ze dat ik wist hoe ik langs de kust naar Mukalla moest rijden en dat ik Arabisch sprak. Maar toen kregen we te horen dat als we geen gebruik maakten van een escorte, we naar Aden terug moesten om daar een document te ondertekenen waardoor de autoriteiten gevrijwaard zouden zijn van elke verantwoordelijkheid met betrekking tot onze veiligheid.

Een uur later was de zon verdwenen, maar zijn rode stralen verlichtten nog steeds de schemering. Met het betreffende document in de hand keerden we naar de controlepost terug. Rond dat tijdstip stonden de bewakers op het punt hun ramadanvasten te verbreken met de maaltijd die bekendstaat als *iftar*. Het interesseerde ze geen barst meer wat er allemaal met deze krankzinnige Europeaan en zijn zwijgende Jemenitische bruid kon gebeuren.

De zuidkust van Jemen had een perfecte vakantiebestemming kunnen zijn: eindeloze stranden met zacht zand, warm water en uitstekende mogelijkheden om te vissen. Het was onaangeroerd maar triest genoeg ook onbereikbaar, de buitenrand van een mislukte staat, slechts onderbroken door sjofele kustplaatsjes als Zinjibar, waar verspreid liggende gasbetonblokken getuigden van projecten die nooit waren voltooid of nooit van de grond waren gekomen.

Tijdens de rit werd onze stemming, nu we de laatste barrière waren gepasseerd, steeds beter. De adrenaline joeg door mijn lichaam.

De laatste sms-instructie van Awlaki kwam binnen. Ik moest de politie vertellen dat ik benzine moest tanken en dan koers zetten naar het noorden.

Shaqra was weinig meer dan een vissersdorpje. Op deze warme avond lag het er verlaten bij en er was alleen af en toe een hond te zien die over de doorgaande weg strompelde. Het zag er nog erger vervallen uit dan toen we er een jaar eerder doorheen waren gereden, op weg naar onze vorige ontmoeting met Awlaki.

Buiten het plaatsje markeerde een imponerend, langgerekt verkeersplein met een billboard waarop een glimlachende president was te zien, het punt waar de weg zich splitste en waar een weg landinwaarts draaide en naar het opstandige binnenland leidde, terwijl de andere de kust bleef volgen. Ik wist dat ik nooit toestemming zou krijgen om naar het binnenland te rijden, maar mijn instructies luidden dat ik bij de controlepost tegen de politie moest zeggen dat ik de kustweg zou blijven volgen, maar dat ik eerst moest tanken bij het benzinestation dat een paar kilometer verderop langs de andere weg lag. Dat was een list die duidelijk al eerder had gewerkt. De politie, die door de iftar al wat slaperiger was geworden, gebaarde dat we konden doorrijden. Ze zouden ons niet terugzien.

En nu zat ik naast Fadia – onze harten gingen op deze woestijnweg als een gek tekeer – min of meer verblind door de koplampen van een voertuig dat vol zat met gewapende mannen.

Een bebaarde man van rond de vijfendertig met scherpe, donkere ogen en een roodgeblokte sjaal om zijn hoofd, kwam uit een stofwolk tevoorschijn die langzaam langs de lichtbundels uit de koplampen van de Land Cruiser trok. Aan de manier waarop de rest van de groep zich achter hem opstelde, was duidelijk te merken dat Abdullah Mehdar de leider was. Hij stond bekend om zijn onverschrokkenheid en zijn militante neigingen. Toen hij op ons afliep bekeek ik zijn gezicht aandachtig.

'*As salaam aleikum* [Vrede zij met u],' zei hij uiteindelijk, de bekende Arabische groet, en er verscheen een brede glimlach op zijn gezicht. Alle spanning gleed onmiddellijk uit me weg en ik omhelsde na Mehdar ook al zijn metgezellen. Ze hadden eten meegebracht, bananen, brood, en we maakten samen snel een einde aan het ramadanvasten. Voor het eerst die dag voelde ik me veilig. Ik was in gezelschap van enkele mannen die in Jemen tot de meest gezochte behoorden, een groepje gewapende mannen die ik niet kende, 's avonds laat, op weg naar het woeste binnenland van Shabwah. Maar het leek wel alsof ik me in een cocon bevond, was toegelaten tot een broederschap van eenvoudige overtuigingen en onomstotelijke loyaliteiten.

Mehdar was Awlaki's persoonlijke afgezant, en net als hij lid van de Awalik-stam en Jemen was een land waar loyaliteit aan de stam belangrijker was dan al het andere. Omdat hij wist dat ik door Awlaki was uitgenodigd en bevriend was met de geestelijke, behandelde hij me eerbiedig en beleefd.

Na een minuut of wat zei hij dat we moesten gaan. Dit was een gebied waar regelmatig roofovervallen plaatsvonden en waar misdadigers even zwaarbewapend waren als militante strijders. Het was al na negenen toen het konvooi zijn bestemming bereikte: de Land Cruiser reed achter mijn kleine Hyundai aan, ongetwijfeld de eerste keer dat er in deze verlaten uithoek van Shabwah een huurauto te zien was. We reden met vrij hoge snelheid over een onverharde weg vlak buiten een in duisternis gehuld gehucht, waarbij de voertuigen nogal wat stofwolken opwierpen. Voor ons uit doemden bergen op, maar in deze maanloze nacht was niet te zien waar het land eindigde en de uitgestrekte hemel begon.

Ik was me dat toen niet bewust, maar ik bevond me in de omgeving van al-Hota, een nederzetting in de schaduw van een hoog rotsplateau in het district Mayfa'a in de provincie Shabwah, midden in Al Qaida-gebied.

We kwamen bij een indrukwekkend, twee verdiepingen tellend huis dat was omgeven door een hoge muur. De poort ging open en werd weer snel achter ons gesloten door twee mannen die een AK-47 aan hun schouder hadden hangen. Even voelde ik paniek bij me opkomen. De reis naar mijn ontmoeting met Anwar al-Awlaki was volbracht, maar als de Jemenitische veiligheidsdienst nou eens van mijn plannen af wist en me deze trip welbewust had laten maken, of als Awlaki zelf me niet langer meer vertrouwde? En dan was daar Fadia nog. Ze kende Awlaki, en ze wist dat we bevriend waren, maar ze had geen flauw idee van mijn ware bedoelingen.

Voor ik de paar treden naar de entree beklom keek ik nog snel even naar de sterrenhemel. Mijn voeten voelden aan als lood, de paar passen naar het huis leken een eeuwigheid te duren. Een weg terug was er niet meer. Beelden van Nick Berg en Daniel Pearl, twee mannen die door Al Qaida op gruwelijke wijze waren vermoord en waarvan de onthoofding op video was vastgelegd, flitsten door mijn hoofd.

Fadia werd naar achteren begeleid, waar het vrouwvolk van de stam al op haar wachtte. In dit deel van Jemen werden de vrouwen nog strikt van de mannen gescheiden en bestond er geen sociaal verkeer tussen beide seksen. Later vertelde ze me over het stoïcisme van de vrouwen, van wie in veel gevallen de echtgenoot tijdens de jihad het leven had gelaten. Het was heel normaal dat zo'n weduwe later met een andere jihadist hertrouwde, maar dat was geen enkele garantie voor een rustig, huiselijk bestaan.

De grote, nagenoeg lege hal bood toegang tot een nog grotere ontvangstruimte, en het eerste wat ik zag was een rij wapens die keurig tegen de muur waren gezet. Nog meer AK-47's, antieke geweren en zelfs een RPG, een in Rusland gemaakte granaatwerper. Dit was duidelijk een groep die op korte termijn kon worden ingezet, maar de vijand kon net zo goed een rivaliserende stam zijn als het Jemenitische leger of politie.

Rond een grote zilveren schaal die op de grond was neergezet en gevuld was met kip en rijst met saffraan, zaten een man of twaalf. Ze waren allemaal nog vrij jong; een paar jaar geleden waren het nog maar simpele dorpsjongens geweest. En te midden van hen zat Anwar al-Awlaki, tenger, verzorgd, met de intelligente ogen die al zo veel rusteloze zielen in Europa en Amerika hadden weten te verleiden. Met een vriendelijke glimlach op zijn gezicht kwam hij overeind en omhelsde me toen.

'As salaam aleikum,' zei hij hartelijk. Hij straalde een soort natuurlijk gezag uit en maakte een weids gebaar door het vertrek alsof hij wilde onderstrepen dat hij heer en meester was over zowel het huis als de aanwezigen.

Awlaki droeg zoals altijd zijn karakteristieke witte gewaad, dat er ondanks het stof en de hitte onberispelijk uitzag, terwijl de bril zijn intellect nog eens leek te benadrukken. Ik werd getroffen door het verschil tussen de eenvoudige en waarschijnlijk ongeletterde plattelandsjongens die hier verzameld waren en deze islamgeleerde, een filosoof die de geestelijk leider van de jihad was geworden. Nadat hij me had begroet, kwam het hele gezelschap overeind om me welkom te heten. Ze hadden allemaal groot ontzag voor 'de Sjeik', wiens aantrekkingskracht ondanks zijn afgezonderde bestaan nog steeds onverminderd groot was.

'Kom, eet wat,' zei Awlaki met zijn Amerikaanse accent waarin te horen was dat het al weer heel wat jaren geleden was dat hij naar zijn Arabische geboorteland was teruggekeerd.

Hij leek blij te zijn met mijn bezoek, een welkome onderbreking van zijn intellectuele afzondering. Maar eerst moest hij voor zijn gast zorgen. Nadat Awlaki me aan de mannen op de vloer had voorgesteld, maakte hij tussen hen in ruimte voor me vrij en begon de gemeenschappelijke maaltijd. De gasten werkten de kip en de rijst naar binnen met hun handen, en hoewel ik redelijk bekend was met de Jemenitische zeden en gewoonten, kon ik het toch niet nalaten om een lepel te vragen. Dat zorgde voor grote hilariteit. Ik merkte dat een paar opmerkingen van mijn kant die van enige zelfkritiek getuigden en mijn Arabisch, dat in de ruim tien jaar dat ik in Jemen had gewoond of er op reis was geweest geleidelijk aan steeds beter was geworden, hen op hun gemak stelde.

Toen ik Awlaki eens wat beter bekeek zag ik iets wat op afstandelijkheid leek, terwijl hij ook iets melancholieks had, alsof zijn geïsoleerde bestaan in Shabwah en de jacht die er van Amerikaanse kant op hem werd gemaakt hun tol begonnen te eisen. Het was nu bijna twee jaar geleden dat hij, dankzij de tussenkomst van zijn machtige familie, uit de gevangenis was vrijgelaten. Begin 2008 had hij Sanaa verlaten en had hij zijn toevlucht gezocht in het gebied waar zijn voorvaderen vandaan kwamen. Volgens de verhalen luidde de wapenspreuk van de Awlaki-stam: 'Wij zijn de vonken van de hel. Eenieder die ons dwarszit zal branden.'

In het jaar dat was verstreken sinds ik hem voor het laatst had gesproken, waren Awlaki's gangen aanzienlijk heimelijker geworden, vandaar mijn odyssee ten behoeve van deze korte ontmoeting. De Sjeik was constant onderweg, van het ene onderduikadres naar het andere, waarbij hij zich af en toe ook terugtrok in een schuilplaats in de bergen langs de randen van het zogenaamde 'Lege Kwartier', de oceaan van zand die zich tot ver in Saoedi-Arabië uitstrekte.

Ondanks de afzondering van de prediker bleef hij onlinepreken de wereld in sturen en via e-mailaccounts en teksten met volgelingen communiceren. Zijn boodschappen waren steeds scherper geworden. Misschien kwam dat wel door de maanden die hij in de gevangenis had gezeten, waar hij het grootste deel in eenzame opsluiting had doorgebracht, maar het kon ook zijn dat zijn interpretatie van de islamitische leer bij hem tot een meer radicale zienswijze had geleid. En misschien dat zijn verbanning naar het bergachtige achterland hem een stuk vijandiger ten opzichte van de wereld had gemaakt.

Toen de maaltijd achter de rug was, stond Awlaki op en vroeg hij me of ik met hem mee wilde gaan naar een wat kleiner vertrek.

Ik keek hem aandachtig aan.

'Hoe gaat het met u?' vroeg ik, niet wetend wat ik anders tegen hem zou moeten zeggen.

'Hier woon ik tegenwoordig,' zei Awlaki met een vleugje fatalisme. 'Maar ik mis mijn familie, mijn vrouwen, mijn kinderen. Ik kan niet naar Sanaa en het is voor hen veel te gevaarlijk om hiernaartoe te komen. De Amerikanen willen me dood. Ze zetten de regering steeds meer onder druk.'

Er zaten regelmatig drones in de lucht, zei hij, maar hij was niet bang voor die onbemande vliegtuigjes.

'Dit is het pad van de Profeten en godvruchtige mannen: de jihad.'

Hij zei dat de 'broeders' teleurgesteld waren dat ik Marib niet had weten te bereiken, want ze hadden veel over me gehoord. Onder het praten werd me duidelijk dat Awlaki zich niet echt door de Jemenitische regering bedreigd voelde, die het Al Qaida-probleem het liefst in Shabwah geconcentreerd zou zien in de hoop dat het daarna vanzelf zou verdwijnen, dan te proberen de vetes tussen de verschillende stammen op te lossen waardoor de militante strijders de ruimte hadden gekregen zich te vestigen en te organiseren.

Awlaki vertelde me dat hij een eind aan de regering van Saleh wilde maken, omdat hij die als seculier en als een pion van de Amerikanen beschouwde. Met groot genoegen beschreef hij hoe tijdens een recente overval op regeringstroepen zware wapens buit waren gemaakt, waaronder antitankraketten, en de vijand zware verliezen waren toegebracht. Misschien konden die wapens in handen worden gespeeld van de islamisten in Somalië, die dat soort spullen hard nodig hadden, mijmerde hij hardop.

De geestelijk leider was kwartiermeester geworden.

Een paar maanden daarvoor had Awlaki een boodschap gestuurd naar Al-Shabaab, de militante islamitische groepering die de sharia over een groot deel van Somalië had verspreid. Ze lieten, vertelde hij, de moslims zien hoe ze terug moesten vechten.

'Het stembiljet heeft ons in de steek gelaten, maar dat geldt niet voor de kogel,' had Awlaki geschreven. 'Als de omstandigheden het zouden toelaten, zou ik geen moment twijfelen en had ik me bij jullie gevoegd om soldaat te zijn onder de soldaten.'

De man die in de periode dat hij nog in Amerika woonde de aanslagen van 11 september had omschreven als onislamitisch, had recentelijk op zijn blog geschreven: 'Ik bid dat Allah Amerika en al zijn bondgenoten moge vernietigen [...] We zullen met het zwaard Allahs heerschappij over de aarde ten uitvoer brengen, of de massa dat nou leuk vindt of niet.'

Hij was ook begonnen zijn boodschap over te dragen op moslims die in het Westen woonden, waarbij hij hun situatie vergeleek met die van de Profeet Mohammed en zijn volgelingen in het pre-islamitische Mekka, waar ze werden vervolgd en werden gedwongen de reis naar het noorden te maken – de *hijra* – naar Medina.

En nog maar enkele weken voor mijn bezoek, schrijvend vanuit zijn buitenpost in Shabwah, had Awlaki zware kritiek geuit op de samenwerking tussen moslimlanden en de Amerikaanse strijdkrachten, en had daarvan gezegd 'dat de schuld daarvoor geheel gezocht moest worden bij soldaten die bereid zijn bevelen op te volgen [...] die bereid zijn voor een paar dollar hun godsdienst te verloochenen'.

Dat argument zou korte tijd later grote indruk maken op een officier van het Amerikaanse leger, majoor Nidal Hasan, die al enkele e-mails met Awlaki had gewisseld.

Awlaki vertelde me dat het in de jihad was geoorloofd burgers te laten lijden en te doden. Het doel heiligde de middelen. Ik ging daar onmiddellijk tegen in, in de wetenschap dat mijn openhartige opvattingen deel uitmaakten van mijn beroep op Awlaki, die op basis van zijn interpretatie van de Koran en de *Hadith* maar al te bereid was om erover te discussiëren.

Enkele maanden eerder was een jongeman uit de groep rond Mehdar naar een aangrenzende provincie afgereisd waar hij zichzelf en vier Zuid-Koreaanse toeristen bij een zelfmoordaanslag had opgeblazen.

'Hij is nu in het paradijs,' vertelde een van zijn vrienden me tijdens de maaltijd. Het was me niet helemaal duidelijk of Mehdar zelf ook nog een rol had gespeeld bij de aanslag of er zelfs maar mee akkoord was gegaan, maar de betrokkenheid van deze strijders ging veel verder dan retoriek.

Ik zei tegen Awlaki dat ik achter aanvallen op militaire doelen stond, maar liet hem toen ondubbelzinnig weten dat ik niet van plan was om hem op welke manier dan ook steun te verlenen bij zaken die tegen burgerdoelen waren gericht. Ik had geen zin om Europa af te struinen op zoek naar apparatuur waarmee bommen konden worden gemaakt die uiteindelijk tot burgerdoden zouden leiden.

'Dus je bent het oneens met de moedjahedien?' vroeg Awlaki.

'Op dit gebied zijn we het niet met elkaar eens.'

Ik meende ook een wat fellere vijandigheid jegens Amerika te bespeuren, alsof Awlaki het gevoel had dat hij daar als moslim een derderangsburger was geweest. Hij was in San Diego een keer gearresteerd – maar nooit in staat van beschuldiging gesteld – wegens het aanspreken van prostituees. Die vernedering knaagde nog steeds aan hem: de manier waarop de FBI hem 'had laten weten' dat Awlaki's gedrag niet bepaald overeenkwam met wat van een imam mocht worden verwacht. Een duidelijke steek onder water ten teken dat ze zijn persoonlijke integriteit in twijfel trokken.

Tijdens ons gesprek, dat tot in de kleine uurtjes duurde, bleek dat Awlaki door het onderwerp 'vrouwen' behoorlijk in beslag werd genomen. Zijn zelf opgelegde verbanning betekende dat hij niet langer persoonlijk contact had met zijn twee echtgenotes. Een daarvan kende hij al sinds zijn jeugd en ze waren al voor hun twintigste met

elkaar getrouwd. Kortgeleden had hij er een tweede vrouw bij genomen, die toen ze met elkaar in het huwelijk traden nog geen twintig
was geweest. Maar, vertelde hij me, hij had het gezelschap nodig van
een vrouw die begreep welke offers een jihadist in het leven moest
brengen en bereid was die met hem te delen, kortom, iemand die
bereid was vanwege de goede zaak met hem te trouwen.

'Misschien kun je in het Westen naar iemand voor me uitkijken,
een blanke zuster die zich heeft laten bekeren,' opperde hij.

Dit was al de tweede keer dat hij trouwen met een vrouw uit het
Westen ter sprake had gebracht en ik besefte dat hij het meende. Dat
zou niet gemakkelijk worden en er waren risico's aan verbonden.
Maar ik wist dat er in het Westen heel wat vrouwen rondliepen die
Awlaki als een geschenk van Allah zouden beschouwen.

En hij had nog enkele andere verzoeken. Hij vroeg me 'op zoek
te gaan naar broeders die bereid waren zich in te spannen voor de
goede zaak en in Europa geld bijeen te brengen en er wat spullen aan
te schaffen'.

Hij wilde ook dat ik militante jongelui rekruteerde, die dan in Jemen getraind zouden worden, om 'daarna naar huis terug te keren,
klaar om in Europa of Amerika met de jihad te beginnen'. Over het
soort training wijdde hij verder niet uit, en hij vertelde er ook niet bij
wat ze zouden kunnen verwachten. Maar na ons twee uur durende
gesprek had ik duidelijk het gevoel dat Awlaki van plan was een serie
terreuraanslagen in Europa en de Verenigde Staten te organiseren.

De volgende ochtend was Awlaki verdwenen. Of dat om veilig-
heidsredenen was of omdat hij naar een volgende bijeenkomst
moest, kreeg ik niet te horen. Daardoor was ik in de gelegenheid om
een tijdje met Abdullah Mehdar te praten, het stamhoofd door wie ik
de avond ervoor was opgehaald. Ik had onwillekeurig bewondering
gekregen voor deze ogenschijnlijk zo respectabele man en zijn rots-
vaste loyaliteit aan Awlaki. Hij wekte de indruk geen enkele behoefte
te hebben het Westen aan te vallen, maar hij wilde wel dat Jemen een
islamitische staat zou worden waar de sharia van kracht zou zijn.
Zijn toewijding was zo intens dat, toen een van de jonge strijders die

voorging in het gebed het over de belofte van het paradijs had, de tranen in zijn ogen stonden.

Ze mochten dan een verwrongen wereldbeeld hebben, bedacht ik, maar deze mensen waren absoluut niet hypocriet. Hun loyaliteit was eenvoudig en totaal.

Ik had haast om te vertrekken: de volgende avond zou ons vliegtuig vanuit Sanaa naar Europa vertrekken, en wie wist hoe lang die terugreis nog zou gaan duren? Fadia kwam uit het vrouwenvertrek en we maakten ons klaar voor vertrek.

Toen de dreigende poort openging, ontdekte ik dat onze auto een lekke band had, wat misschien niet zo heel vreemd was na een snelle rit door de bergen.

Abdullah kwam snel naar buiten en hielp me het wiel te verwisselen. Er stonden opnieuw tranen in zijn ogen: hij leek een bepaald gevaar te voorvoelen.

'Mochten we elkaar nooit meer zien, dan komen we elkaar in het paradijs weer tegen,' zei hij terwijl de tranen over zijn wangen rolden.

De moedjahedien escorteerden ons naar de hoofdweg en namen toen afscheid van ons. We hadden de cocon verlaten.

Ik besefte maar al te goed dat in drie verschillende westerse hoofdsteden mensen ongeduldig zaten te wachten tot ze in detail op de hoogte waren van de uren die ik bij Anwar al-Awlaki had doorgebracht. Ik moest zo snel mogelijk in Sanaa zien te komen, en dan als een haas het land uit.

2

BENDES, MEIDEN, EN GOD

1976-1997

Het pad naar mijn ontmoeting met Anwar al-Awlaki in de bergen van Jemen was – mild uitgedrukt – een nogal onwaarschijnlijke. Ik ben geboren op de tweede dag van 1976 in een winderig kustplaatsje op het Deense eiland Seeland. Het verschil tussen Korsør, met zijn keurige, uit rode baksteen opgetrokken huisjes, en het buitengebied van Jemen had nauwelijks groter kunnen zijn. Aan de rand van de glooiende akkers keek het plaatsje over het grijze water van de Grote Belt in westelijke richting uit naar het eiland Funen.

Korsør logenstraft het gebruikelijke beeld van Scandinavische tolerantie en progressiviteit. Het is een nogal ongepolijst arbeidersstadje met zo'n 25.000 inwoners, waaronder een klein aantal immigranten uit Joegoslavië, Turkije en de Arabische wereld.

Het gezin waaruit ik kwam behoort tot de lagere middenklasse, maar eigenlijk vormden we niet eens een gezin meer. Mijn aan alcohol verslaafde vader vertrok toen ik vier was. In feite is hij gewoon verdwenen. Tijdens het weekend werden er geen bezoekjes afgelegd, er ging niemand met me vissen en ook dagjes uit kwamen bij ons niet voor. Mijn moeder Lisbeth leek een zwak te hebben voor foute mannen. Ze hertrouwde, maar mijn stiefvader was een sombere, zwartgallige man van wie altijd een bepaalde dreiging uitging en die van het ene op het andere moment een woedeaanval kon krijgen. Dat kon zijn omdat ik mijn vork verkeerd vasthield of vanwege iets wat ik net had gezegd. Er werd niet gewaarschuwd, er werd alleen onmiddellijk een keiharde klap uitgedeeld. Mijn moeder werd ook regelmatig door hem mishandeld en ze is zelfs een paar keer weggelopen, en kwam alleen naar huis terug als hij beloofde zijn leven te beteren. Maar er veranderde helemaal niets, en toch is ze bijna twintig jaar bij hem gebleven.

'Ik ben niet trots op de jeugd die ik je heb gegeven,' merkte ze jaren later triest op. 'Ik heb het gevoel dat het mijn schuld is dat je geworden bent zoals je bent.'

Als kind struinde ik de stranden, bossen en weilanden rond Korsør af. Ik had alle tijd van de wereld en ik wilde van 's ochtends vroeg tot 's avonds laat het liefst zo min mogelijk thuis zijn. Ik bouwde hutten met vriendjes en slingerde me met behulp van een touw over ijskoud water, om er regelmatig luid schreeuwend in te vallen.

De paar foto's die ik nog heb uit die tijd laten een gezicht zien waarop alleen maar onzekerheid is af te lezen. Mijn ogen hebben iets bedachtzaams en brengen talloze onplezierige herinneringen bij me naar boven. Maar ik had ook een bijna manische energie, energie die alleen maar tot ellende leek te leiden.

Mijn dertiende verjaardag vierde ik door met twee vriendjes, Benjamin en Junior, mijn eerste poging tot een gewapende overval te ondernemen. Zowel planmatig als qua uitvoering mocht het niet bepaald een triomf worden genoemd. We hadden gekozen voor een klein winkeltje dat werd gerund door een al wat oudere man die bekendstond om zijn krenterigheid en goedkope sigaren. Met een bivakmuts over ons hoofd wachtten we in de schemering tot de winkel zou gaan sluiten en probeerden er op het moment dat de winkelier de zaak wilde sluiten binnen te dringen, waarbij Benjamin met de .22-revolver van zijn vader zwaaide.

Maar de kracht waarover de man beschikte stond in schril contrast met zijn leeftijd, en hij probeerde dan ook de deur alsnog van binnenuit op slot te draaien. Misschien was zijn verzet het gevolg van zijn angst de inhoud van de kas kwijt te raken. Hoe dan ook, hij slaagde erin ons buiten de deur te houden.

Vernederd liepen we naar een afhaalrestaurant dat een eindje verderop lag. Deze keer werd ik met het wapen naar binnen gestuurd. Toen ik de revolver tevoorschijn haalde, zonk de moed me in de schoenen. Ik herkende de jonge vrouw die achter de balie stond, het was een vriendin van mijn moeder. Ik probeerde ouder te klinken dan ik was en liet mijn stem dalen, waardoor ik het gevoel had dat het geluid dat ik voortbracht nog het meest leek op een grammofoonplaat die op de verkeerde snelheid wordt afgespeeld.

'Dit is een overval.'

Het klonk niet bepaald overtuigend.

De vrouw keek me over de balie aan, eerder enigszins in verwarring gebracht dan bang.

'Morten, ben jij het?'

Ik draaide me om en zette het op een lopen. We reageerden onze frustratie af op een oud vrouwtje dat we op straat van haar tas beroofden. Maar ze viel en brak haar heup, waardoor binnen de kortste keren de politie bij ons op de stoep stond.

Het was het begin van een spiraal. Op school genoot ik van geschiedenisles, muziek, en van de gesprekken over godsdienst en cultuur, maar van huiswerk moest ik niets hebben. Niet een van mijn onderwijzers slaagde erin daadwerkelijk tot me door te dringen, ze leken me niet eens te zien, terwijl ik ze het bloed onder hun nagels vandaan haalde. Ze reageerden dan door me een bordenwisser naar het hoofd te smijten of in snikken uit te barsten, terwijl het in de klas één grote chaos werd.

Ik werd naar een 'speciale school' gestuurd, een voor onhandelbare, hyperactieve jongens, waar vooral aandacht werd besteed aan sport en activiteiten buiten, en waar de leerlingen nooit langer dan twee uur per dag in een klas zaten. Ik werd met een kettingzaag het bos in gestuurd en mocht mezelf uitputten op het voetbalveld. Avontuur genoeg. De school organiseerde reisjes naar het buitenland, in de hoop dat de kinderen in keurige burgers zouden veranderen. De bedoeling was goed, maar de resultaten waren teleurstellend. Een reis naar Tunesië zorgde ervoor dat ik belangstelling kreeg voor verre landen en avontuur, maar we maakten onze leraren emotioneel helemaal kapot en zagen zelfs kans hun kleding aan de plaatselijke bevolking te verkopen.

Toen ik veertien was, was ik niet meer te houden. Samen met een emigrant uit het voormalige Joegoslavië die Jamal heette rolde ik in de schoolgangen brandslangen uit en spoten we honderden liters water in elke hoek van het gebouw. De school waar je eigenlijk niet vanaf gestuurd kon worden, had het helemaal gehad met me.

Ik kreeg nog één kans, op een middelbare school in de buurt van Korsør, waar een wiskundeleraar die oog had voor mijn sporttalenten zich over me ontfermde. Binnen de kortste keren speelde ik op een redelijk hoog niveau voetbal bij de junioren. Het gerucht deed de ronde dat mijn vorderingen in de gaten werden gehouden door scouts van verschillende belangrijke clubs. Maar mijn schoolrapporten, waarin het barstte van de disciplinaire maatregelen, snelden me vooruit. Met name één lerares wilde me zo snel mogelijk van school hebben. Toen ik op een gegeven moment voor het Deense schoolelftal werd geselecteerd dat aan een toernooi in Duitsland mocht meedoen, nam ze me even apart. Ze had haar ogen half dichtgeknepen en met een grimmig soort voldoening vertelde ze me dat ik niet mee mocht omdat mijn cijfers niet goed genoeg waren. Ze wist heel goed dat ik dolgraag aan dat toernooi had willen meedoen. Ik trapte het bekertje koffie dat ze vasthield uit haar handen.

Het was het allerlaatste wat ik in een schoolgebouw nog zou doen. Op zestienjarige leeftijd, slechts enkele weken voor mijn eindexamen, kwam er een eind aan mijn schoolloopbaan. Maar mijn opleiding op straat kon nu beginnen. Ik werd lid van een groepje dat door de plaatselijke politie de 'Raiders' werd genoemd omdat we door het stadje zwierven met honkbalpetjes van de Oakland Raiders op ons hoofd, terwijl we verder ook nog slobberbroeken aanhadden.

De Raiders bestonden hoofdzakelijk uit Palestijnse, Turkse en Iraanse moslims. We vormden een onwaarschijnlijk groepje: de jonge Deen met rood haar en stevige biceps (ik zag eruit als een Scandinavische zeerover) en zijn moslimvriendjes. Ik voelde me tot de Raiders aangetrokken omdat ik, net als heel wat immigrantenkinderen, het idee had dat ik in Korsør een buitenstaander was, en ik identificeerde me nu eenmaal altijd met de underdog. Onze vooruitzichten waren zeer beperkt en we hadden tijd genoeg. Het overgrote deel van onze energie ging zitten in het drinken van zo groot mogelijke hoeveelheden goedkoop bier, voor zover we daar geld voor hadden, en het scoren van zo veel mogelijk meiden, voor zover ze ons in hun buurt lieten komen. Mijn islamitische tienervriendjes namen hun geloof niet al te serieus. Ze dronken alcohol en feestten net zo makkelijk als de anderen. Toen er in Denemarken een steeds nadrukkelijker anti-islamstemming begon te ontstaan, verdedigden ze hun geloof uiteraard, maar ze hadden geen zin om zich aan de meer veeleisende beperkingen van hun geloof te houden.

Hun families hadden zich in Denemarken gevestigd om aan het geweld of de armoede in hun geboortelanden te ontsnappen. Zo rond 1990 had zich in Denemarken, net als in de andere Scandinavische landen, een vrij grote immigrantenbevolking gevestigd. Aan duizenden gezinnen uit Turkije, Joegoslavië, Iran en Pakistan werd de vluchtelingenstatus verleend, terwijl vele andere families naar Denemarken waren gekomen om er naar werk te zoeken. In de eerste tien, twaalf jaar van mijn leven is het aantal 'niet-westerse' emigranten in Denemarken meer dan verdubbeld. Deze instroom zette de reputatie van Denemarken als een liberale en vooruitstrevende maatschappij steeds meer onder druk. Af en toe kwamen met stokken en stangen bewapende groepen skinheads naar Korsør, maar de Raiders waren er klaar voor. Ik was altijd wel in de buurt als er gevochten werd en ik merkte dat zo'n krachtmeting verslavend werkte.

Wat hielp was het feit dat ik niet onverdienstelijk bokste en dat ik heel wat tijd in de sportschool doorbracht. Een van de weinige wapenfeiten waar Korsør zich misschien op zou kunnen laten voorstaan, was dat het de vertrekplaats was geweest van Noormannen die duizend jaar eerder naar Engeland waren vertrokken om daar eens stevig te gaan plunderen. Dus leek het alleen maar passend dat het ook de woonplaats van de bekendste bokser van Denemarken was, Brian Nielsen, die zelfs nog tegen Evander Holyfield en Mike Tyson heeft gevochten.

Nielsen was betrokken bij een bloeiende amateurclub in Korsør, waar het jeugdprogramma werd gerund door een profbokser die Mark Hulstrøm heette. Hoewel hij zwaargewicht was en al tegen de dertig liep, bokste Hulstrøm nog steeds wedstrijden. Hij had de lichaamsbouw van een os, was nagenoeg kaal, had een klein sikje en liet verder bijna nooit iets van emoties merken. Maar hij was wel degelijk onder de indruk van mijn potentieel als jong weltergewicht. Op mijn voetenspel was niets aan te merken, ik kon een snelle directe uitdelen, ik had een keiharde rechtse hoek in huis en beschikte over een stevige kaak. En ik hield van de lichamelijke inspanning. Boksen, net als jiujitsu, vormde een uitlaadklep voor de woede die ik voelde ten opzichte van mijn meedogenloze stiefvader en alle pogingen die waren ondernomen om me in het gareel te krijgen.

Ik heb drie jaar lang op de sportschool gezeten, een anoniem grijs gebouw. Op een dag, kort na mijn zestiende verjaardag, nam Mark me even apart.

'Je hebt echt klasse,' zei hij terwijl zijn donkerbruine ogen glommen. 'Je zou best tot de olympische ploeg kunnen doordringen, misschien zelfs wel prof kunnen worden.'

Mark ging bij mijn moeder langs om uit te leggen waarom ik meer aan mijn bokstraining moest doen. Hoewel hij jong genoeg was om te beseffen hoe chaotisch het leven van een tiener kon zijn, was hij ook oud genoeg om iemand met gezag te zijn. Meer dan wie ook vervulde hij wat mij betrof de rol van plaatsvervangend vader.

Mijn bokstalent maakte dat ik mee kon doen aan toernooien in Tsjecho-Slowakije en Nederland. De nationale coach van de Deense boksploeg kwam naar me kijken en ik werd geselecteerd voor de ploeg die naar de nationale sportschool mocht. De club in Korsør had in het verleden al heel wat Deense olympische boksers afgeleverd en het was heel goed mogelijk dat ik later ook tot die elitegroep zou gaan behoren.

Een tijdlang droomde ik ervan bokser te worden. Maar tot grote teleurstelling van Hulstrøm kon ik de discipline die daarvoor nodig was niet opbrengen en minstens net zo vaak gebruikte ik mijn bokstraining bij allerlei vechtpartijen op straat als in de ring.

Mijn moeder, het toonbeeld van Deens fatsoen zoals dat in de lagere middenklasse werd ervaren, had ten opzichte van mij al lang geleden alle hoop laten varen, en toen ik zestien was kwam ik nog maar nauwelijks thuis. Ik had helemaal geen zin meer om met haar afkeurende blik te worden geconfronteerd en bleef dan ook bij mijn Raider-vrienden slapen. Ik wist van tevoren nooit waar ik de volgende nacht mijn hoofd op een kussen zou leggen. Vaak gebeurde dat pas ver na middernacht, want ik had in de loop van de tijd de sjofele cafés en clubs in Korsør leren kennen.

Kort voor mijn zeventiende verjaardag werd er in Korsør een groot straatfestival gehouden. Op een gegeven moment werd ik door een of andere kleine crimineel aangesproken, die beweerde dat ik achter zijn vriendin aan zat. Ik sloeg hem met één klap tegen de grond, waarbij hij bijna het bewustzijn verloor. Het werd een druk weekend. Het vriendje van weer een andere knaap bedreigde me met een vleesmes. Toen hij dat tegen mijn keel zette, nam mijn weltergewichttraining het automatisch van me over. Ik deed kalm een stapje achteruit en gaf hem een rechtse hoek. Twee stoten, twee knock-outs. Misschien waren de Olympische Spelen toch nog haalbaar voor me.

Doordeweeks ging ik naar Hulstrøms boksclub. In de weekenden vocht ik ook, maar dan zonder handschoenen. Dankzij mijn snelheid en het precies aanvoelen wanneer ik wel eens geraakt zou kunnen worden, liep ik nauwelijks verwondingen op. De combinatie feestvieren, drinken en vechten was aanzienlijk leuker dan negen minuten in de ring. En ik nam mijn vrienden in bescherming als ze in een club weer eens racistisch werden bejegend. 'Smerige Paki', 'Zwart varken', de beledigingen vlogen door de lucht. Dan stapte ik naar voren en sloeg de boosdoener met een paar welgerichte stoten tegen de grond.

Hulstrøm was een man met meerdere ijzers in het vuur. Afgezien van zijn boksclub dreef hij in Korsør ook nog een disco, de Underground. Daar was ik heel wat avonden van de week te vinden, hoewel mijn muzikale voorkeur eerder uitging naar Metallica en death metal dan naar Abba. In de Underground ontmoette ik mijn eerste liefde, een slank, roodharig meisje dat Vibeke heette.

Vibeke werkte bij de post, maar haar grote passie was dansen, en ze volgde in Kopenhagen balletles met het soort toewijding dat ik niet kon opbrengen. Ze had een kalmerende invloed op me. Ik vond werk als leerling-meubelmaker en wellicht had Vibeke in de loop van de tijd mijn wildere kant wat kunnen temmen.

Maar ik leek constant achtervolgd te worden door problemen. Op een avond, nadat ik behoorlijk wat bier achterover had geslagen, papte ik op de jeugdclub van Korsør met een ander meisje aan. Helaas hoorde haar vriendje ervan. Hij bedreigde me met een aanvalsgeweer van het Deense leger en werd vervolgens door de politie gearresteerd. Het is onvoorstelbaar, maar enige uren later werd hij al weer vrijgelaten zonder dat er een aanklacht tegen hem was ingediend. Misschien hadden ze bij de politie wel begrip voor de bedreiging omdat die tegen Morten Storm was gericht.

Ik besloot het recht in eigen hand te nemen. Op een gegeven moment hoorde ik dat het vriendje bij een feestje in een sombere flat in een buitenwijk van Korsør zou zijn opgedoken. Toen ik daar met drie vrienden arriveerde, beweerde de bewoner van het appartement bij hoog en bij laag dat hij er niet was. Omdat we ervan overtuigd waren dat hij loog, beukten we op hem in met potten en pannen die we in de keuken aantroffen.

Dat vriendje heb ik niet gevonden, maar de politie van Korsør vond mij wél. Ik werd beschuldigd van het toebrengen van zwaar lichamelijk letsel en werd tot vier maanden jeugddetentie veroordeeld.

Mijn vooruitzichten waren niet bepaald rooskleurig. Ik was van vijf scholen gestuurd en mijn moeder had haar handen van me afgetrokken. Verder had ik ook nog een strafblad. De kans dat ik voor het 'goede, rechte pad' zou kiezen werd met de dag kleiner. En in plaats van de misdaad uit de weg te gaan, maakte mijn leertijd in de jeugdgevangenis me alleen maar hardvochtiger.

Mijn achttiende verjaardag, die ik in de gevangenis doorbracht, was niet bepaald aanleiding die uitbundig te gaan vieren, maar toen ik uiteindelijk vrijkwam mocht ik wel mijn rijbewijs halen, en dat bleek een mogelijkheid om gemakkelijk aan geld te komen. Mark Hulstrøm vulde zijn inkomen uit de sportschool aan met verdiensten uit een bloeiende sigarettensmokkel uit Polen via Duitsland naar Denemarken. We noemden het de 'Nicotinedriehoek'.

Halverwege de jaren negentig was de sigarettensmokkel in Duitsland de op twee na omvangrijkste illegale activiteit, na het smokkelen van drugs en illegaal gokken. Het businessmodel was heel eenvoudig. Weinig accijns en geen uitvoerrechten betekenden dat een slof sigaretten in Polen ongeveer een derde kostte van de prijs per slof die in Duitsland of Denemarken betaald moest worden.

Als dekmantel hanteerden we het verhaal dat we in Duitsland auto-onderdelen kochten, waar ze goedkoper waren, om die dan zogenaamd in Denemarken door te verkopen. Hulstrøm beschouwde me als een loyale, onverschrokken medewerker. Ik sprak een beetje Duits en mocht het geld wisselen. We maakten van huurauto's gebruik om de verliezen te beperken in het geval de chauffeur mocht worden aangehouden en de auto in beslag werd genomen. De auto's liepen weliswaar af en toe een deukje op, maar het was een lucratieve handel.

Het distributiecentrum was een afgelegen boerderij in de buurt van de Poolse grens. Bij het hek van de boerderij gebaarde een onverzorgde bewaker die naar zure kool rook dat ik het terrein op kon rijden. Vervolgens legde ik een stapel Duitse marken op tafel, en een paar minuten later werd er dan een compleet toilet opzijgeschoven, waardoor een kelder zichtbaar werd die vol stond met dozen sigaretten.

Op de rit terug naar huis keek ik altijd naar buitenlanders uit, het liefst lieden met een donkere huid, die naar de Deense grens op weg waren, en die volgde ik dan. Gewoonlijk had de Deense grenspolitie meer belangstelling voor hen – ze werden uitgebreid ondervraagd en moesten hun paspoort laten zien – dan voor een jonge Deen in een bestelwagen. Af en toe stak ik de grens tussen Duitsland en Denemarken ook via paden en onverharde binnenweggetjes over. Het leverde ervaringen op waar ik later nog veel nut van zou hebben.

Soms maakte ik zo'n trip twee of drie keer per week, en verdiende dan elke keer het equivalent van zo'n duizend dollar. Niet alleen het geld was prettig: ik vond het heerlijk om leerling-gangster te zijn, op mijn hoede te moeten zijn voor de politie, de smokkelwaar goed verborgen te houden, niet zenuwachtig te worden bij een grensovergang en te kunnen omgaan met dikke stapels knisperende bankbiljetten.

Al enkele maanden nadat ik zonder een cent op zak uit het jeugd-detentiecentrum was gekomen, barstte ik van het geld, droeg ik mooie kleren en leidde ik een prachtig leven. Mark Hulstrøm vertrouwde me de sleutels van de Underground toe, die nu regelmatig werd bezocht door escortedames uit Kopenhagen die lucht van het geld hadden gekregen. Voor het eerst in mijn leven voelde ik me belangrijk, had ik het gevoel dat ik deel uitmaakte van iets groots. Ik mocht het boksen dan misschien hebben opgegeven, ik vond het nog steeds leuk om te sparren en ik wilde graag in conditie blijven. Ik bleef trainen in Hulstrøms sportschool, en naarmate ik zwaarder werd schoof ik langzaam maar zeker op naar de lichtzwaargewicht-klasse.

Mijn biologische vader was naar Nyborg verhuisd, aan de overkant van de Grote Belt. Ik had hem ruim tien jaar niet gezien, maar ik was nu volwassen en voelde me verplicht om contact met hem te zoeken, hoewel ik niet bepaald uitkeek naar iets wat op z'n best een pijnlijke ontmoeting zou worden. Mijn neef Lars was bereid met me mee te gaan en samen namen we op een grijze ochtend de veerboot van Korsør naar Nyborg.

Mijn voorgevoel bleek terecht. Mijn vader was nors en toonde geen enkel berouw over het feit dat hij mij en mijn moeder aan ons lot had overgelaten. Hij rook, zelfs midden op de dag, naar alcohol. Nog geen uur later stapten we al weer op; ik was terneergeslagen en boos.

Lars en ik stapten in Nyborg een bar binnen om weer wat bij te komen. Dat bleek een grote vergissing. Een dronken kerel stoorde ons bij een potje biljarten en probeerde vervolgens een vechtpartij uit te lokken. Ik deed mijn best hem te negeren, maar toen hij op het punt leek te staan naar me uit te halen, reageerde ik met een scherpe uppercut. De barkeeper zei dat hij de politie zou bellen en dat de zaak dichtging, waarna Lars en ik maar vertrokken. We gingen uit elkaar, maar Lars werd vrijwel onmiddellijk gearresteerd en ik even later, nadat ik in Korsør was teruggekeerd.

Ik werd veroordeeld voor mishandeling en ik verdween voor de tweede keer achter de tralies, deze keer voor een half jaar, in Helsingør. Het feit dat de man het had uitgelokt maakte geen enkel verschil. Ik had nu een 'strafregister', zoals dat werd genoemd, waarin stond dat ik gewelddadig was. Vanuit de gevangenis stuurde ik een brief naar Vibeke waarin ik alles opbiechtte. Ik was nu eenmaal zo, schreef ik haar, en vertelde erbij dat ik waarschijnlijk immer door problemen achtervolgd zou worden. Maar we konden altijd nog proberen samen verder te gaan, voegde ik eraan toe. In gedachten zag ik ons beiden als Amerikaanse gangsters, waarbij Vibeke dan mijn 'Bonnie' zou zijn, terwijl ik mijn brief ondertekende met 'Je Clyde'.

Ik zag voor mezelf eigenlijk geen andere mogelijkheid dan te leven van de misdaad, waarbij de eventuele gevangenisstraf maar als beroepsrisico moest worden gezien en ik me bewust was van het feit dat gewelddadigheid nooit ver weg zou zijn. Als ik iemand sloeg, gaf me dat bijna nooit voldoening; mijn vrienden hebben nog nooit gezegd dat ik gemeen ben. Maar ik was ongelooflijk loyaal en stond als eerste klaar om, als we bedreigd werden, anderen en mezelf te verdedigen. Ik was niet iemand die de confrontatie uit de weg ging.

En ik moest nog een rekening vereffenen, eentje die al een hele tijd lag te wachten.

Kort na mijn vrijlating uit de gevangenis in april 1995 kregen mijn moeder en mijn stiefvader tijdens een verjaardagsfeestje plotseling hooglopende ruzie met elkaar. Hij kon vreselijk giftig uit de hoek komen en wist precies hoe hij haar kon kwetsen. Ik waarschuwde hem dat hij moest inbinden, maar hij bleef op haar afgeven. Zonder me te bedenken stapte ik op hem af en sloeg hem midden in zijn gezicht. Hij was verbijsterd. Hij leek plotseling te beseffen dat de jongen die hij zo lang had mishandeld een man was geworden, en ook nog eens veel sterker was dan hij. Zijn bril ging aan diggelen en hij tuimelde achterover over een tafel. Ik zag hem vallen, waarbij een tafelkleed zich als een soort lijkwade om hem heen wikkelde.

Er heerste een geschokte stilte. Mijn moeder keek me aan met een mengsel van afgrijzen en dankbaarheid, misschien was het wel de vreemdste uitdrukking die ik ooit op haar gezicht heb gezien. Ik liep naar buiten, terwijl mijn knokkels pijn deden, maar mijn ogen glommen van trots.

Het was niet gemakkelijk om na mijn vrijlating uit de gevangenis werk te vinden. Ik was twee keer veroordeeld, ik had geen enkel diploma en bezat slechts een paar vaardigheden. Maar ik had wel een stuk of wat nuttige contacten. Tijdens mijn verblijf in de gevangenis had ik Michael Rosenvold leren kennen, een belangrijk lid van de Bandidos-motorclub. Ik denk dat hij me wel mocht omdat ik als enige bajesklant niet bang voor hem was.

Denemarken kende nogal wat bloeiende motorbendes, en de Bandidos waren in een gewelddadige strijd verwikkeld met de Hells Angels. Het motto van de Bandidos was: 'Wij zijn de mensen waar onze ouders ons voor hebben gewaarschuwd.' Ik zou daar perfect in passen.

De 'Grote Nordische Bikeroorlog' woedde al langer dan een jaar en had zich over heel Scandinavië verspreid. Er waren al meer dan tien man vermoord en aanzienlijk meer hadden in de strijd ernstige verwondingen opgelopen. In Zweden was op een clubhuis van de Hells Angels een antitankraket afgevuurd. Het conflict werd nog eens extra aangewakkerd door de drugshandel die vanuit Zuid-Europa oprukte.

Rosenvold stelde me aan andere bendeleden voor als 'de jongste psychopaat van Denemarken'. Dat was schertsend bedoeld, maar ik had wel degelijk een indrukwekkend lichaam: groot, met brede schouders en stevige biceps. Ik kreeg al snel de smaak te pakken van de camaraderie tussen de leden en de constante aanvoer van drugs en meiden. In die tijd liet ik ook mijn eerste tatoeage zetten, op mijn rechterbiceps: 'STORM'. Het duurde niet lang voor ik werd geaccepteerd: betrouwbaar in het gevecht en altijd bereid om te feesten. De Bandidos waren de Raiders, maar dan op steroïden.

Hoewel ik af en toe in de gevangenis zat, was Vibeke me trouw gebleven. In een stadje waar nauwelijks iets te doen was, vond ze mijn relatie met de onderwereld opwindend en genoot ze van de manier waarop ik net deed alsof ik geld als water had. Toch vond ze enkele aspecten van mijn manier van leven minder prettig. Tijdens een feestje in Korsør verscheen ze in een coltrui en met haar haar in een paardenstaart. De meeste Bandidos-vrouwen waren al dan niet echte blondines met een enorme boezem en waren veelal gekleed in uiterst kleine outfits, bij voorkeur van materiaal met tijger- of luipaardprint.

Toen Vibeke onder haar bed een sporttas aantrof vol vuurwapens, explosieven, hasj en speed die ik daar tijdelijk had gestald, ontstak ze in razernij. Ze gooide de tas het raam uit en schreeuwde me toe dat ik onmiddellijk haar flat uit moest en nooit meer terug hoefde te komen.

In maart 1996 openden bendeleden van de Hells Angels even buiten het vliegveld van Kopenhagen met mitrailleurs en nog wat andere wapens het vuur op een groep Bandidos, waarbij één persoon om het leven kwam.

Rosenvold belde me.

'Ik wil dat je in Korsør een groep organiseert, mensen die we kunnen vertrouwen en die hun mannetje staan,' zei hij. 'En ik heb jou nodig als een van de jongens om me heen. Ik ben blijkbaar doelwit geworden.'

Op mijn twintigste gaf ik als jongste leiding aan een chapter van de Bandidos in Denemarken. Het leek wel of ik eindelijk in een warme familie terecht was gekomen. Loyaal aan de zaak zijn was het allerbelangrijkste.

De eerste paar maanden was ik Rosenvolds lijfwacht en 'bezetten' we Korsør en directe omgeving. Er vonden op straat complete veldslagen plaats en er werd in nachtclubs gevochten. Een avond was niet geslaagd als er niet een flinke vechtpartij had plaatsgevonden, en we wisten precies hoe we er een moesten uitlokken, of de Angels nu een eindje verderop stonden of nergens te zien waren.

Om te beginnen genoot ik van de adrenaline die door mijn lichaam joeg en van het gevoel belangrijk te zijn. Maar naarmate 1996 op zijn einde liep, begon ik me steeds meer zorgen te maken dat ik aan mijn manier van leven wel eens verslaafd zou kunnen raken: aan de drugs, aan het nodeloze geweld en aan het constante feesten. Voor een relatie, of voor gemoedsrust, was geen plaats meer.

Twee gebeurtenissen maakten mijn onbehaaglijkheid steeds concreter. Op een ijskoude avond, kort voor oudejaarsavond, brak er in een kroeg in Korsør een vechtpartij uit tussen twee potige jongens en een stuk of wat Bandidos. Niets bijzonders. Maar deze keer kwam er een uitsmijter tussenbeide, die een van de Bandidos naar buiten sleepte en hem daar een stevig pak slaag gaf. Dat konden we natuurlijk niet over onze kant laten gaan.

De volgende morgen ging ik samen met een ander bendelid bij de uitsmijter op bezoek. Toen we daar aankwamen maakte het ijzige grijs plaats voor een duistere zwaarmoedigheid. Ik had onder mijn jack een honkbalknuppel verborgen. We trokken een bivakmuts over ons hoofd en klopten bij hem aan. Hij had nog maar nauwelijks opengedaan of we werkten hem tegen de vloer. Ik haalde uit met mijn knuppel en raakte hem een keer of wat vol op zijn heupen en knieën.

In de dagen na deze kloppartij lukte het me maar niet om het geluid van zijn gekreun uit mijn hoofd te bannen. Ik hoorde nog steeds het breken van zijn knie en zag nog steeds zijn gebroken arm naar beneden hangen. Onwillekeurig schaamde ik me. Misschien had Rosenvold gelijk en was ik echt een psychopaat.

Af en toe keek ik naar andere jongens die op het punt stonden eenentwintig te worden, en die ergens voor studeerden, gingen werken, een auto hadden of een vaste vriendin hadden. Met routine kon ik niet omgaan, maar ik begon me zorgen te maken dat de constante uitbarstingen van geweld en de drugs wel eens mijn dood zouden kunnen betekenen. Daardoor ging ik steeds vaker vraagtekens plaatsen bij het doel van mijn leven, en wat daarna nog zou kunnen komen. Diep vanbinnen ging ik een steeds grotere hekel krijgen aan de persoon die ik langzamerhand was geworden. Zou ik nog gewelddadiger worden dan mijn stiefvader?

De tweede gebeurtenis die mijn twijfels voedde, was een ontmoeting in een van de clubs in Korsør met een twintigjarige vrouw die Samar heette. Nadat ik door Vibeke op straat was gezet had ik dringend behoefte aan een vriendin. Al snel overwoog ik een relatie met Samar aan te knopen, en niet alleen omdat ze er exotisch uitzag: ze had wel iets van een zigeunerin, met haar prachtige donkere ogen, volle lippen en ravenzwart haar, en een persoonlijkheid die ik onweerstaanbaar vond.

Samar was Palestijnse die het christelijke geloof aanhing, en kwam uit een grote immigrantenfamilie. Binnen de kortste keren behandelde haar moeder me als een zoon. Ik voelde me gewenst, en niet alleen omdat ik bij een vechtpartij de doorslag kon geven.

Enige tijd later vroeg ik haar ten huwelijk en haar familie organiseerde een verlovingsfeestje. Dat begon als een keurig nette bijeenkomst in een plaatselijk zaaltje, totdat er enkele Bandidos ten tonele verschenen. Samars oma keek toe hoe ze in hun leren jacks op de muziek van Arabische popsongs in het rond sprongen en tussen de couscous en de baklava lijntjes coke opsnoven.

Desondanks bleef de familie van Samar me aardig vinden. Toen ik wat beter nadacht over de mogelijkheid dat ze wel eens mijn partner zou kunnen worden, ging ik onwillekeurig anders tegen de Bandidos aankijken. Mijn ziel begon uitputtingsverschijnselen te vertonen. Ondanks alle hoogtepunten was mijn leven binnen de bende zinloos geworden.

We brachten de avond van mijn eenentwintigste verjaardag samen door, en ik was gelukkig: een gevoel dat zo zeldzaam was dat ik er bijna van schrok. Ik was bang dat gevoel weer kwijt te raken. Als Samar in de weken erna niet bij me in de buurt was, lag ik nachtenlang wakker. Dan zag ik een vechtpartij voor me waardoor ik opnieuw achter de tralies zou belanden, of een overdosis, of hoe ik werd neergestoken. Er waren manieren genoeg om uit de roulatie genomen te worden. En dan zou Samar alleen achterblijven.

Op een ongewoon heldere ochtend, een paar weken na mijn verjaardag, kwam ik op een gegeven moment in de stadsbibliotheek terecht. Ik had een leeg gevoel en zocht een plekje waar ik tot rust kon komen.

De bibliotheek, een gebouw van twee verdiepingen van golfplaten en beton, stond vlak bij het water. Die ochtend vond ik er warmte en beschutting tegen de koude bries die elke hoek van Korsør wist te vinden. Ik staarde een tijdje naar het ruwe water en de overspanning van de brug over de Grote Belt. Ik liep doelloos langs de kasten met boeken, me vaag bewust van het gebabbel in de hoek met kinderboeken, maar werd onwillekeurig toch aangetrokken door de afdelingen geschiedenis en religie, onderwerpen die me ondanks mijn weggegooide schooltijd toch altijd waren blijven boeien.

Ik had nooit het gevoel gehad godsdienstig te zijn, ik was zelfs van catechisatie gestuurd. De dominee had mijn moeder verteld dat ik veel te veel problemen veroorzaakte, zelfs voor God. Maar ik had het idee dat er toch een soort leven na de dood moest zijn. Ik was door mijn immigrantenvrienden – Palestijnen, Iraniërs en Turken – toch af en toe met de islam in contact gekomen, en was altijd jaloers geweest op hun sterke familiebanden, de manier waarop ze samen de maaltijd gebruikten, de manier waarop ze ondanks armoede en discriminatie met elkaar verbonden bleven.

Misschien ging ik daarom wel in een hoekje zitten met een boek over het leven van de Profeet Mohammed. Binnen enkele minuten was ik zo in het verhaal verdiept dat de wereld om me heen niet meer leek te bestaan.

In het boek werd met verleidelijke eenvoud de principes van de islam uitgelegd en het leven beschreven van de stichter ervan. De vader van Mohammed stierf voor zijn geboorte. Toen zijn moeder, Aminah, naar haar eerste zoon keek, hoorde ze een stem. 'Het beste wat de mensheid te bieden heeft is geboren, dus noem hem Mohammed.'

Ze had hem de woestijn in gestuurd, zodat hij zou leren onafhankelijk te zijn en om het Arabisch te leren zoals dat door de bedoeïenen werd gesproken. Maar Mohammed was nog maar zes toen Aminah overleed, waarna hij aanvankelijk door zijn grootvader werd opgevoed, en vervolgens door zijn oom.

Wat me onmiddellijk aantrok aan zijn leven was zijn waardigheid en eenvoud. Als jongeman werd Mohammed 'al-Saadiq' genoemd (de Waarheidslievende) en al-Amin (de Betrouwbare). Hij had een slaaf die hij ooit had gekregen de vrijheid geschonken en hem tot zijn eigen zoon verklaard.

Ik ontdekte dat Mohammed een succesvol handelaar was geweest die door Arabië had gereisd en zelfs Syrië had bezocht. Maar tegelijkertijd was hij een zeer gelovig man, en als dertiger trok hij zich regelmatig terug in een grot in de berg Hira, vlak in de buurt van Mekka, om daar te mediteren. Daar kreeg hij ook bezoek van de aartsengel Gabriël, die hem kwam vertellen dat hij Gods boodschapper was.

'Verkondig in de naam van uw Heer die schiep! / Die de mens schiep uit gestold bloed.'

Terwijl aan de Scandinavische hemel de zon steeds verder zakte, las ik gefascineerd over de gebeurtenissen in de zevende eeuw. In gedachten zag ik voor me hoe Mohammed zijn toevlucht zocht in een grot om te voorkomen dat hij in handen zou vallen van zijn vijanden, de Qoeraisj uit Mekka, die naar hem op zoek waren. Door een goddelijk wonder, werd er gezegd, had een spin zijn web in de opening van de grot gesponnen en had een vogel vlakbij eieren gelegd, waardoor de directe omgeving een onaangetaste indruk maakte en verder niet werd doorzocht. Het verhaal staat in de Koran. 'Toen de ongelovigen hem naar buiten dreven, had hij slechts één metgezel bij zich; ze waren met z'n tweeën in de grot en hij zei tegen zijn metgezel: "Wees niet bang, (want) Allah is met ons."'

Ik had niet eens in de gaten dat het buiten al bijna donker was. Mohammeds verhaal was er een van strijd leveren tegen de verdrukking in, want hoewel hij werd vervolgd bleef hij proberen de islam te verspreiden. Hier was sprake van een man, met een klein groepje volgelingen, die bereid was te vechten voor zijn overtuiging. In de woorden van de Koran: 'Toestemming om te strijden wordt gegeven aan diegenen tegen wie strijd wordt geleverd, omdat ze onrechtvaardig zijn behandeld, en God bezit voorwaar het vermogen hen te helpen. Zij zijn degenen die ten onrechte uit hun huizen zijn verdreven omdat ze verklaard hebben: onze heer is God.'

Strijden voor een zaak sprak me wel aan, het zorgde voor een gevoel van solidariteit en loyaliteit.

In gedachten zag ik de tocht van Mekka naar Medina voor me, de veldslagen die Mohammed en zijn paar honderd volgelingen in de woestijn leverden en zijn triomfantelijke terugkeer naar de heilige stad, waar hij zich tegenover de Qoeraisj barmhartig toonde, ondanks hun talrijke pogingen de jonge godsdienst te onderdrukken.

Ik had het gevoel dat ik me beter kon identificeren met de strijd die Mohammed als man had moeten leveren, dan met een of andere vage godheid met een baard. Als Allahs boodschapper vond ik hem een geloofwaardiger historische figuur dan Jezus. Ik vond het idee dat God een zoon zou hebben belachelijk. Ook werd ik getroffen door het feit dat Mohammeds woorden elk aspect van het leven besloegen, van het huwelijk via het conflict tot aan verplichtingen. Goede bedoelingen werden herkend en beloond. In het boek werd de Profeet geciteerd: 'Zeker, Allah kijkt niet naar je vormen [verschijning] of rijkdom. Hij kijkt alleen naar je hart en naar wat je hebt gedaan.'

Dit was een omschrijving die zowel barmhartig als medelevend was, en kans bood op vergeving van zonden. Een pad naar een leven dat voldoening biedt. Misschien dat de islam me zou kunnen helpen bij het intomen van mijn instincten en me wat zelfdiscipline kon bijbrengen.

Ik was nog steeds geboeid aan het lezen toen een bibliotheekmedewerkster naar me toe kwam om te zeggen dat de bibliotheek op het punt stond te gaan sluiten. Ik had zes uur in dat hoekje gezeten en zo'n driehonderd bladzijden over het leven van de Profeet gelezen.

Toen ik de bibliotheek verliet en op de klinkerweg stond, benam de kille wind me de adem. Een eindje verderop draaide het licht van een vuurtoren zijn rondjes. Nadat ik in de Arabische woestijn ondergedompeld was geweest en helemaal was opgegaan in goddelijke openbaringen, merkte ik dat de Scandinavische winter me mijn gevoel voor richting volledig had ontnomen. Mijn gedachten en mijn ziel waren ver weg.

3

DE BEKEERLING

Begin 1997-zomer 1997

Aan het einde van de twintigste eeuw was ik niet bepaald de enige jongeman in Europa of Afrika die zingeving zocht in een andere manier van leven en andere gedragscodes, en geloof en vriendschap vond waarvoor tot dan toe geen plaats was geweest.

In de weken nadat ik over Mohammed had gelezen ging ik met verschillende moslimvrienden over de islam in debat en las ik nog veel meer over de godsdienst en de eerste generaties die hem hadden beleden. Ook las ik de weinige andere boeken die er in de bibliotheek over de islam te vinden waren en kocht ik een exemplaar van de Koran. Aanvankelijk vond ik het moeilijk om het heilige boek te doorgronden en voelde ik me overweldigd door de vele eisen die aan de islamitische cultuur verbonden waren. Maar ik werd aangemoedigd door een Turkse vriend, Ymit, die het prachtig vond dat er nu eindelijk eens een Deen was die zijn godsdienst wilde leren kennen in plaats van er neerbuigend over te doen.

Ymit had tot de Raiders behoord en we waren met elkaar bevriend gebleven, ondanks mijn confrontaties met de Deense justitie en het toetreden tot de Bandidos. Hij was scherpzinnig en intelligent en oprecht geïnteresseerd in de wereld buiten Korsør. Hij was goed op de hoogte van de islam en nam zijn godsdienst erg serieus, ook al was hij tegelijkertijd redelijk vertrouwd met alcohol en cocaïne. Ymit vertelde me dat Mohammeds ongeletterdheid een zegen was en het geloof alleen maar zuiverder maakte.

'Dat betekent dat alles wat hij heeft gezegd een van God afkomstige openbaring is en nog niet door de mens is bezoedeld. Dat houdt in dat de Koran een wonder is.'

'Maar als je een echte moslim bent, Ymit, hoe komt het dan dat je net als ik drinkt en drugs gebruikt?'

'Omdat ik tijdens het vrijdaggebed nog steeds berouw kan tonen en om vergeving voor mijn zonden kan vragen.'

Anderen probeerden me op andere gedachten te brengen. Een Libanese vriend van me, een christen die Milad heette en die een kleine supermarkt tegenover de bibliotheek runde, was verbijsterd.

Morten Storm – biker, bierdrinker en bokser – had de godsdienst ontdekt, en ook nog eens een totaal verkeerde godsdienst.

'Waarom wil je met alle geweld een volgeling worden van die achterlijke viezerik? Mohammed was een dwaas, een bedoeïen die niet kon lezen of schrijven.'

'Hij is tenminste een mens, iemand die echt heeft bestaan en boodschappen van God heeft doorgekregen. Niemand heeft ooit gepretendeerd dat hij de zoon van God zou zijn,' repliceerde ik.

Een paar weken na mijn plotse revelatie in de bibliotheek van Korsør vroeg Ymit of ik zin had mee te gaan naar de moskee in een nabijgelegen stad om daar het vrijdaggebed mee te maken. Het gebouw zag er wat anders uit dan ik had verwacht. Het had geen gouden koepel en ook geen minaret van waaraf de muezzin de gelovigen opriep tot gebed. Het was een onopvallend gebouwtje in een zijstraat. Maar de intensiteit van de congregatie en de warme manier waarop ze mij, een vreemdeling, een bleke Europeaan, welkom heetten, vond ik ontroerend.

De imam was een al wat oudere man met waterige ogen en een dikke, poederwitte baard. Hij sprak met een zachte stem die af en toe overging in gefluister, en vroeg me naar de Profeten en de zuilen van de islam. Hij sprak nauwelijks Deens en Ymit fungeerde als tolk. Aanvaardde ik de vijf zuilen van de islam, dat er geen andere god is dan Allah en dat Mohammed zijn boodschapper is, was ik van plan de rituele gebeden uit te voeren, *zakat* te betalen (de rituele aalmoes voor de armen), te vasten in de maand van de ramadan en de *hadj* te maken (de pelgrimage naar Mekka)?

Aanvaardde ik dat Jezus niet de zoon van God was?

Ik antwoordde bevestigend, hoewel ik van de fijnere kantjes van de theologie en de doctrine nog nauwelijks iets wist.

Aan het einde van zijn serie vragen, moest ik de geloofsgetuigenis of *shahada* uitspreken.

'Er is geen andere God dan God, en Mohammed is de boodschapper van God.'

Even was het stil, en toen zei de imam: 'Je bent nu moslim. Al je zonden zijn je vergeven.'

Ymit vertaalde het voor me en omhelsde me toen.

'Nu ben je echt mijn broeder,' zei hij met glinsterende ogen. 'Maar je bent niet zozeer een bekeerling, maar eerder iemand die terugkeert. In de islam geloven we dat iedereen als moslim wordt geboren, want we zijn per slot van rekening allemaal door God geschapen en er is maar één God.

Nu zou je je eigenlijk ook moeten laten besnijden,' zei hij grinnikend, 'maar dat is niet verplicht. Belangrijker is dat je nu ook een moslimnaam aanneemt.'

Mijn leven had een gigantische verandering ondergaan. Geestelijk was het een gigantische opsteker; ik was gelouterd. Schuldgevoelens verdampten, een nieuw begin lonkte.

'Volgens mij moet je je "Murad" laten noemen,' zei Ymit. 'Dat betekent "eindbestemming" of "wapenfeit".'

Dat leek me wel toepasselijk.

Ik werd niet onmiddellijk een moslim die zich strikt aan de regels hield. Mijn vrienden hadden zelfs een nogal onconventionele manier gevonden om het te vieren: we verzamelden ons in een flat en sloegen daar ettelijke sixpacks bier achterover. Het was mijn eerste communie, op zijn Korsørs. Ik kon later altijd nog berouw tonen, zeiden ze lachend.

Eerlijk gezegd vond ik het vergeven van zonden, vergiffenis krijgen door te bidden, een van de aantrekkelijkste kanten van de islam. Al snel leerde ik een uitspraak van de Profeet uit mijn hoofd: 'Stel je voor dat er een rivier voor je huis stroomt, en dat je je daar vijf keer in baadt. Ben je daarna dan nog vies en smerig? Dagelijks vijf keer bidden is daarmee te vergelijken, want zo was je je zonden van je af.'

De Koran en de uitspraken die aan de Profeet werden toegeschreven waren vooral genereus ten opzichte van de toegewijde 'bekeerling' die zijn godsdienstige taken serieus opnam. In de woorden van een van die uitspraken, een Hadith: 'Als een dienaar de islam aanvaardt en zijn islam ten uitvoer brengt, zal Allah elke goede daad die hij heeft gedaan voor hij [naar de islam] overstapte vastleggen en zal hij elke slechte daad uit het verleden uitwissen.'

Ik vertrok niet onmiddellijk bij de Bandidos en nam zelfs een paar leden mee naar de moskee, maar dat vond de leiding van de bende maar niets. Ik werd ter verantwoording geroepen en kreeg te horen dat ik mijn geloofsovertuiging maar beter voor me kon houden.

Samar, hoewel ze uit een christelijke familie kwam, had meer begrip. Ze vond dat mijn bekering aantoonde dat ik eindelijk volwassen werd en ze zag het als een welkome breuk met mijn nogal gewelddadige manier van leven. Ze leek geen antimoslimgevoelens te koesteren en we bleven samen plannen maken.

Het was, ongelooflijk maar waar, juist de politie van Korsør die me onbedoeld tot een aanzienlijk stricter aanhanger van mijn nieuwe geloof maakte.

Op een prachtige avond in juni, enkele dagen na de langste dag van het jaar en met de zon nog hoog aan de hemel, voegde ik me in een Koerdisch restaurant in Korsør bij een stuk of wat vrienden om gezamenlijk naar het titelgevecht om het wereldkampioenschap zwaargewicht boksen te kijken, het bizarre gevecht in Las Vegas tussen Mike Tyson en Evander Holyfield.

Er reed een politieauto langs, die even later terugkeerde en stopte voor het restaurant. Er stapten twee agenten uit.

'Morten Storm,' zei een van hen met een zelfvoldane grijns op zijn gezicht, 'je staat onder arrest in verband met een poging tot het beroven van een bank.'

53

Ik had daar niets mee te maken en ik dacht dat ze me alleen maar wilden lastigvallen. In de verwachting dat ik over een paar minuten weer terug zou zijn in het restaurant, riep ik tegen mijn vrienden: 'Hou het bier koud!'

Maar ik had me danig vergist. Ik heb het bier niet geproefd en ik heb ook niet gezien hoe Tyson een hap uit Holyfields oor nam.

In plaats daarvan bracht ik de nacht door in een cel op het politiebureau, bestudeerde ik de kale muren en overdacht ik mijn situatie. Opnieuw leek ik ingehaald te worden door mijn verleden en mijn reputatie, precies op het moment dat ik vooruitgang leek te boeken en er van enige stabiliteit sprake leek.

Komt er dan nooit een eind aan, dacht ik. Ze blijven me eeuwig achtervolgen. Zolang ik in Korsør blijf wonen, ben ik een getekend man, iemand die heen en weer blijft pendelen tussen een crimineel leven in de wereld buiten en een nog crimineler bestaan achter de tralies. Ik had geen zin om de helft van mijn tijd in de gevangenis te zitten.

De volgende morgen, terwijl ik wachtte om opnieuw voor de rechter te verschijnen, zei ik simpelweg tegen mezelf: 'En nu is het afgelopen.'

Het was hoog tijd om een ander leven te gaan leiden, en dan niet alleen aan de buitenkant, voor ik in een nooit eindigende neerwaartse spiraal terecht zou komen van rechtszittingen, veroordelingen en pogingen om me weer op het rechte pad te krijgen. Ik werd tien dagen lang in voorarrest gehouden. Ik kende verscheidene Bandidos die bij de bankkraak betrokken waren maar weigerde namen te noemen. Loyaliteit was nog steeds belangrijk. Maar mijn korte verblijf in de gevangenis van Korsør was een keerpunt voor me, omdat het de waarden en zelfdiscipline die ik me als nieuwe moslim probeerde eigen te maken alleen maar versterkte.

Mijn eerste daad was een symbolische. Ik zei tegen de gevangenisautoriteiten dat ik moslim was en ik weigerde varkensvlees te eten. Toen ontmoette ik een medebekeerling, Suleiman, die onmiddellijk grote indruk op me maakte. Suleiman, met zijn kaalgeschoren hoofd, had wel iets weg van Bruce Willis. Hij zat gevangen op beschuldiging van verboden wapenbezit, maar dat weerhield hem er niet van om me te vertellen dat de islam en het lidmaatschap van de Bandidos niet samengingen.

'Je zult moeten kiezen,' zei hij op een middag terwijl we over de luchtplaats wandelden. 'Allah zal je nooit als een ware moslim accepteren als je blijft drinken, drugs blijft gebruiken en je leven leeft zonder goede bedoelingen. Het hart is het domein van Allah, dus laat niemand anders daarin toe dan Allah.'

Suleimans woorden klonken oprecht. Het was tijd dat ik de Bandidos achter me liet. De islam begon al veranderingen bij me teweeg te brengen, niet in de vorm van een wekelijkse of zelfs dagelijkse rite, maar als een geloofssysteem dat al snel alles beïnvloedde wat ik deed en uiteindelijk ook bepaalde.

Van een Palestijnse vriend kreeg ik een sleutelring waar de naam 'Allah' op was aangebracht. Die koesterde ik. Uit respect legde ik de koran op de hoogste plek die er in de cel te vinden was.

Een andere gevangene die ik in Køge ontmoette was een Palestijnse Deen die Mustapha Darwich Ramadan heette. Zijn specialiteit was gewapende roofovervallen, maar dan alleen ter meerdere glorie van de jihad. Hij zat in eenzame opsluiting maar ik hoorde hem bidden. Het lukte me hem af en toe wat vruchten aan te reiken en soms konden we heel even met elkaar praten. Later zou hij nog eens opduiken in een van de meest gewelddadige videofilms die ooit vanuit Irak het Westen hebben bereikt.

Wat betreft de overval werd er geen aanklacht tegen me ingediend en toen ik uit Køge werd ontslagen was ik vastbesloten om Denemarken zo snel mogelijk te verlaten, en uit de buurt te blijven van de leden van de Bandidos. Daar zaten lieden bij die niet konden accepteren dat ik de groep de rug had toegekeerd en soms zelfs het idee hadden dat ik op het punt stond tot de Hells Angels toe te treden. Ik had het gevoel dat ik op de vlucht was. Ik liep altijd met een geladen pistool rond en bleef nooit lang op dezelfde plaats.

Kort daarna werd Suleiman vrijgelaten. De familie van zijn vrouw kwam uit Pakistan en was uiteindelijk in Midden-Engeland neergestreken. Hij was van plan ernaartoe te verhuizen, en zijn oude bestelwagen vormde mijn ontsnappingsroute naar een nieuw leven.

Op een bewolkte dag vroeg in de zomer gingen we op weg naar Calais, van waaruit we het Kanaal overstaken. De krijtrotsen van Dover, die er op die dag maar dof bij lagen, leken me uit te nodigen voor een nieuw avontuur. Ik liet een stuk of wat woedende bikers en een chaotisch liefdesleven achter me. Ik had ontdekt dat Samar, die op seksueel gebied blijkbaar onverzadigbaar was, zich tijdens mijn tijd in de gevangenis bepaald niet engelachtig had gedragen. Ik had zelfs weer contact opgenomen met Vibeke, maar al snel besefte ik dat ik Samar terug wilde. Ze had me tijdens mijn korte verblijf in de gevangenis van Køge opgezocht en we hadden het over de islam gehad. Bij die gelegenheid had ze zelfs gezegd dat ze bereid was moslima te worden.

Een baan, een plek om te leven, nieuwe horizonten, als dat in orde was zou ik haar bellen. Ze had beloofd dan naar me toe te komen.

Mijn nieuwe thuis was in Milton Keynes, een stad in Midden-Engeland. Het was een zogenaamde *new town*, die door stedenbouwkundigen op de tekentafel was gecreëerd en in feite uit een aantal karakterloze woonwijken bestond die midden op het platteland waren gekwakt. Suleimans schoonfamilie hielp me bij het vinden van een onderkomen en zorgden ervoor dat ik werk kreeg in een magazijn. Voor het eerst in mijn leven, en aangestuurd door de islam, lukte het me wat geld te sparen. Ik hoopte dat Samar zou zien dat ik een nieuwe weg was ingeslagen en naar Engeland zou overkomen.

Elke dag spoorde Suleiman me aan toch vooral een plichtsgetrouwe moslim te zijn. Ik was een soort project voor hem geworden; hij was de bekeerder. Hij moedigde me aan vijf keer per dag te bidden en een islamitisch hoofddeksel te dragen.

'De metgezellen van de Profeet Mohammed zorgden er altijd voor dat ze iets op hun hoofd hadden,' legde hij me uit op een dag dat we naar een van de vele moskeeën reden die overal in de Engelse Midlands uit de grond schoten.

Kort daarna bad ik in m'n eentje. Ik bezat het enthousiasme van een bekeerling en zoog alle gewoonten en voorschriften van de islam in me op. Ik voelde een soort stabiliteit die ik nog nooit had gekend.

Een week of wat na mijn aankomst in Engeland had ik voldoende moed verzameld om Samar te bellen en haar te vragen naar me toe te komen. Ik hoopte dat ik haar kon overtuigen en dat we samen een nieuwe start zouden maken.

Gewoonlijk had ik nauwelijks last van zenuwen, maar toen ik in de telefooncel de munten in de gleuf van het toestel stopte, besefte ik dat mijn handpalmen nat waren van het zweet en dat mijn maag zich elk moment kon omkeren.

Na een paar keer overgaan nam ze op.

'Lieverd, je spreekt met Murad, eh, Morten. Hoe gaat het met je?'

Ze klonk niet echt enthousiast, maar ik vervolgde: 'Ik heb een prima baan en verdien wat geld. En ik heb een fatsoenlijke plek om te wonen. Milton Keynes bruist niet bepaald, maar het ligt vlak bij Londen.'

Ik klonk als iemand die telefonisch iets aan de man probeerde te brengen. Aan de andere kant van de lijn werd gezwegen. Ik ging door.

'Ik heb voldoende gespaard om een huwelijksfeest te kunnen geven, en voor een huwelijksreis. En ik ken mensen hier die me kunnen helpen met het organiseren van een ceremoniële islamitische bruiloft.'

Ze onderbrak me en zei venijnig: 'Jij en je islam kunnen barsten. Ik wil niet in Engeland wonen en in jou heb ik ook geen zin meer.'

Het duizelde me.

'Samar...'

'En bel me niet meer.' Ze verbrak de verbinding.

Ik staarde door het vuile glas van de telefooncel naar buiten. Zonder ook maar enige uitleg had ze een eind aan de verloving gemaakt, definitief. Ik wankelde de cel uit. Mijn eerste poging om samen met iemand iets op te bouwen was op niets uitgelopen. Ik was helemaal op mezelf aangewezen.

Vanaf de overkant van de straat werd me iets toegeroepen.

'As salaam aleikum.'

Een Pakistani van middelbare leeftijd herkende me dankzij mijn hoofddeksel als een medemoslim. Zijn naam was G.M. Butt en hij was eigenaar van een kiosk in de buurt van het bioscoopcomplex The Point.

We hadden tijdens mijn zeldzame bezoekjes aan zijn winkeltje begroetingen uitgewisseld. Hij was een man van goede bedoelingen en vond dat het een van zijn taken op aarde was om het Allah naar de zin te maken.

Ik vertelde hem over het telefoontje. Hij had met me te doen.

'Broeder! Kom me helpen, dan zal ik proberen jou te helpen. Ik ben niet meer de jongste en ik kan met al die dozen en bestellingen best wat hulp gebruiken.'

Dus mijn verloofde had me afgewezen vanwege mijn geloof, terwijl een man die ik nauwelijks kende me erom omarmde.

G.M. was een goed mens. Korte tijd later vertelde ik hem dat ik 's nachts vaak moest huilen omdat ik zo naar Samar verlangde. Op een dag vroeg ik hem of ik een dag vrij kon nemen, zodat ik naar Londen kon om er te bidden.

De belangrijkste moskee van Londen staat aan de rand van Regent's Park, te midden van rozenperken en prachtige edwardiaanse huizen. Sinds de bouw ervan in de jaren zeventig, grotendeels dankzij geld uit Saoedi-Arabië, is het op de een of andere manier een harmonieus geheel gaan vormen met dit lommerrijke stukje Londen. Het goud van de koepel glinsterde tussen de platanen door, de oproep tot het gebed daalde over het verkeer neer.

Ik ging naar de bij de moskee horende boekhandel. Als ik Samar een paar boeken over de islam stuurde, zou ze het misschien beter begrijpen. De beheerder van de boekwinkel verwees me naar het kantoor, of *dawa*, waar ik werd begroet door een lange, eerbiedwaardige Saoedi met een donkere huid en een lange peper-en-zoutkleurige baard.

'*Massha'Allah* [God heeft het zo gewild],' riep hij uit, opgetogen dat een Europese bekeerling naar zijn moskee was gekomen.

Hij stelde zichzelf voor als Mahmud al-Tayyib.

'Waar kom je vandaan?' wilde hij weten.

Ik vertelde hem dat ik recentelijk uit Denemarken was aangekomen en dat ik nog maar een paar maanden geleden tot de islam was bekeerd.

'Ben je getrouwd?'

Ik vertelde hem mijn treurige verhaal over Samar, dat ze had beloofd zich bij me te voegen, en over mijn plannen voor een islamitisch bruiloftsfeest.

Tayyib voelde met me mee. Op een zachtaardige manier was ook hij overtuigend. Net als Suleiman wilde hij zijn geloof maar al te graag doorgeven. Hij was een buitengewoon wijs iemand.

'Heb je zin om de islam te bestuderen? Waarom ga je niet eens naar een islamitisch land?'

Hij zei het bijna terloops, maar het was niet minder gemeend.

'Ik kan ervoor zorgen dat je naar Jemen kunt. Het is het gemakkelijkste islamitische land om, als je er wilt studeren, een visum voor los te krijgen. Heb je een paspoort?'

Dat had ik, maar ik had nog nooit van Jemen gehoord. En ik had geen flauw idee wat Tayyib als de authentieke uitdrukkingsvorm van de islam beschouwde. Hij was een van de overvloedig van financiën voorziene afgezanten die door rijke Saoedische belangengroeperingen de wereld in werden gestuurd om ervoor te zorgen dat moslims voor het wahabisme zouden kiezen. Al sinds de islamitische revolutie in Iran stelden de Saoedi's grote hoeveelheden geld ter beschikking om hun 'authentieke' vorm van de islam te promoten, terwijl ayatollah Khomeini zich daar steeds nadrukkelijker van distantieerde. Voor de puriteinse wahabieten – fundamentele soennieten – waren de sjiieten ketters die de islam alleen maar bezoedelden.

Van deze slag om de ziel van de islam, die werd uitgevochten in moskeeën overal ter wereld, wist ik nagenoeg niets. Maar ik stond op het punt een van de infanteristen in die strijd te worden.

'Er is in Jemen een theologische hogeschool. Die ligt nogal afgelegen en het is er naar Europese maatstaven nogal primitief,' vervolgde

Tayyid, 'maar daar wordt de zuivere islam onderwezen. Heel wat buitenlanders die de waarheid in de islam zoeken gaan ernaartoe. De naam ervan is Dammaaj. Ik kan wel een vliegtuigticket voor je regelen, plus mensen die je daar na aankomst opvangen.'

Zijn ogen fonkelden.

'De imam van Dammaaj is een groot geleerde en heet sjeik Muqbil. Hij is druk bezig Jemen weer terug op het juiste pad van de soenna te brengen. Maar je moet wel beseffen dat de dag lang is en dat je wat Arabisch moet leren.'

Ik was opgewonden. Ik vond reizen heerlijk en het idee Arabië te kunnen bezoeken was iets wat ik zelfs in mijn wildste dromen nooit had kunnen bedenken. Nu kreeg ik zomaar een retourticket aangeboden, plus een verblijfplaats en een kans om me onder te dompelen in mijn nieuwe geloof.

Ik nam Tayyibs aanbod met beide handen aan en vertelde hem dat ik nog wel een week of wat nodig had om mijn zaken in Engeland te regelen. Hij was opgetogen.

'Maar word geen soefi of een sjiiet,' zei hij met een spottend lachje, 'en laat je baard staan.'

4

ARABIË

Eind zomer 1997-zomer 1998

Voor een 21-jarige Deen was de verzengende hitte van Sanaa een aanval op al zijn zintuigen. Voordat ik aan het eind van de zomer van 1997 naar de hoofdstad van Jemen vloog, had ik geen flauw idee hoe mijn bestemming eruit zou zien. Ik had altijd het idee gehad dat Sanaa in Oman lag, waar westerse oliemaatschappijen waren gevestigd en een moderne sultan over een vredig koninkrijk regeerde. Ik had er niet verder naast kunnen zitten.

Ik schrok van het vervallen bouwsel dat Jemens visitekaartje voor bezoekers uit de rest van de wereld moest voorstellen. Overal in de aankomsthal barstte het van de vliegen, terwijl pezige Jemenitische mannen probeerden voor te dringen bij de paspoortencontrole.

Tayyib had geregeld dat ik zou worden opgehaald. Ik werd begroet door enkele jongemannen van Somalische komaf (veel Somaliërs waren de Golf van Aden overgestoken en hadden zich in Jemen gevestigd). Ik werd overweldigd door het lawaai en de chaos, terwijl de bergen hoog boven de stad uitstaken.

Sanaa was een aanslag op de zintuigen: de eeuwenoude gebouwen van gebakken leem in de oude wijk zagen eruit als reusachtige marsepeinen bouwsels, de lucht zat vol stof maar was ook vervuld van de geuren van allerlei kruiden, de sjofele kleding van de mannen, de vrouwen die schuilgingen achter hun zwarte gewaad, de oproep van de muezzin en het Arabisch vol keelklanken. Ik werd enigszins in de war gebracht door de aanblik van mannen die hand in hand liepen.

Maar bovenal stond ik te kijken van het grote aantal kalasjnikovs op straat. De mensen liepen er zelfs mee rond als ze bij de supermarkt boodschappen gingen doen.

Mijn eerste twee weken bracht ik door in een arme wijk van Sanaa, waar ik was ondergebracht in een woning zonder meubels, zodat ik in kleermakerszit op de vloer moest zitten als ik het Somalische eten naar binnen werkte. Het was niet alleen een tijdelijk onderkomen, het was ook nog eens een onderkomen dat maar voor de helft af was. Tayyid had me al gewaarschuwd dat het wel eens een tijdje kon duren voor ik Dammaaj zou bereiken. Dat oord lag in een vallei op zo'n 160 kilometer ten noorden van Sanaa. Afhankelijk van het politieke klimaat wilde de Jemenitische regering daar nog wel eens wat wegversperringen opwerpen om te voorkomen dat buitenlanders die kant uit zouden gaan, bang als ze was dat het een broeinest voor jihadisten zou worden.

Al na enkele dagen had ik door dat Jemen de voorkeursbestemming was voor een steeds groter aantal westerlingen die zich tot de islam hadden bekeerd, onder wie een aantal Amerikanen die op zoek waren naar datgene wat zij beschouwden als de authentieke (en nogal strenge) salafistische interpretatie van de islam. Onder degenen die ik in Saana ontmoette was een Vietnamveteraan die uit de kring kwam rond de niet onomstreden prediker Louis Farakhan. Ook waren er Britse, Franse en Canadese bekeerlingen aanwezig.

Het salafisme sprak zeer tot de verbeelding van een hele generatie moslims en bekeerlingen. Het ontleende zijn naam aan het Arabische *al-salaaf al-salih*, dat 'vrome voorvaderen' betekende, en dat stond voor de eerste drie generaties moslims. Als zodanig vertegenwoordigde het een terugkeer naar de pure en oorspronkelijke kern van de islam, vrij van interpretatie of revisionisme. Maar het salafisme was verre van coherent, want de aanhangers ervan ontleenden aan die voorvaderen onderling verschillende boodschappen. Sommigen moesten niets van politiek hebben en verafschuwden de Moslimbroederschap vanwege het politiek activisme ervan. Alleen God kon maatregelen treffen door het toepassen van de sharia. Anderen beschimpten 'ongelovigen' en niet-salafistische moslims (vooral de sjiieten), en wezen heersers af die een bondgenootschap sloten met het gehate Westen.

Ik was niet voorbereid op deze onrust onder moslims. In mijn naïviteit had ik me een godsdienst voorgesteld waarvan de volgelingen verenigd waren in gehoorzaamheid jegens Allah. In de boeken die ik in Denemarken had gelezen was ik niets tegengekomen over schisma's en haat die als een breuklijn dwars door de islam sneden. En ik was niet bekend met een begrip dat het volgende decennium van mijn leven zou domineren: jihad.

De reis naar Dammaaj zou voor mijn geloof en toewijding de eerste beproeving worden. Ik besloot samen te reizen met een van de Amerikanen die ik had ontmoet, Rashid Barbi, een Afro-Amerikaan uit North Carolina, en met een Tunesiër.

Na een uurtje in een gebutste Peugeot te hebben gezeten, stapten Rashid, de Tunesiër en ik samen met een Jemenitische gids uit om te voorkomen dat we langs een door militairen bemande controlepost moesten. We zaten in een gebied vol tribale tegenstellingen en waar regelmatig schermutselingen tussen soennitische en sjiitische groeperingen plaatsvonden.

We begonnen in de brandende zon aan een tocht door de bergen, maar waren daar slecht op voorbereid. We hadden geen water en geen beschermende kleding bij ons, niet tegen de hitte, maar ook niet tegen de kou toen het later donker werd. Ik droeg goedkope sandalen en binnen de kortste keren zaten mijn voeten vol blaren.

Toen het schemerig werd hielden we halt bij de rand van een rotspartij om te bidden, waarna het te donker was om verder te gaan. Een plotselinge stortbui maakte ons humeur er niet beter op. Ik begon me koortsig te voelen en meer dan eens vroeg ik me af waar ik in godsnaam aan begonnen was. Het was nog maar twee weken geleden dat ik uit Milton Keynes was vertrokken, maar het comfort dat ik daar had gekend, hoe eenvoudig ook, kwam me plotseling weer erg aanlokkelijk voor.

Het zou nog een hele nacht en een dag duren voor we eindelijk een vallei met lemen huizen en wat dadelpalmen binnensjokten, gelegen aan de voet van een steile helling. Het uit witgekalkte bakstenen opgetrokken complex van het Dammaaj-instituut lag te midden van een oase. Het enige geluid dat in de lome middaghitte te horen was, was het stampen van de dieselmotoren van de waterpompen in de omringende velden.

Sjeik Muqbil had aanvankelijk gedacht dat ons groepje was gearresteerd en was opgelucht toen hij hoorde dat we waren aangekomen. Hij kwam met een hele kip naar ons toe terwijl hij uitriep dat hij blij was dat de man uit 'Benimark' eindelijk was gearriveerd. Van de Europese geografie had hij duidelijk geen kaas gegeten. Rashid en ik werkten het voedsel naar binnen terwijl de sjeik en zijn lijfwachten moesten lachen om ons zonverbrande en verfomfaaide uiterlijk.

Ik was nogal overdonderd door de verschijning van de sjeik. Het was de eerste keer dat ik een man zag met een lange, verwarde baard die met henna was bewerkt, iets wat blijkbaar bij belangrijke predikers en stamoudsten in Jemen de gewoonte was.[2]

Ik werd toevertrouwd aan de zorg van Abu Bilal, een Zweeds-Ghanese student van rond de 25 die veel met zijn neus in de boeken zat, maar die me ook door het complex rondleidde. Hij sprak naast vloeiend Engels ook Arabisch. Tijdens mijn eerste weken in Dammaaj was hij of Rashid bijna altijd in de buurt om voor me te vertalen.

Ik vond het moeilijk om de intensiteit van het oord te doorzien. Als een jongetje dat voor het eerst naar de grote school gaat voelde ik me geïntimideerd door de collectieve gevoelswereld van Dammaaj en de omvang ervan. Tijdens de rondleiding vertelde Abu Bilal me dat het instituut, of *Mashid*, in een stuk of wat bakstenen gebouwtjes was begonnen, maar steeds groter was geworden naarmate de reputatie van de instelling zich verder had verspreid. Nu was er een bibliotheek en een moskee waarin plaats was voor verscheidene honderden gelovigen. Via een luidsprekersysteem werd het begin van de lessen en lezingen aangekondigd, terwijl het complex was omringd door goed verzorgde en geïrrigeerde moestuinen.

Abu Bilal legde me de regels uit: ongetrouwde mannelijke studenten was het strikt verboden het deel van het complex te betreden dat voor getrouwde mannen was gereserveerd. De vijf dagelijkse gebeden waren verplicht: elke student diende op tijd en zwijgend aanwezig te zijn. Daarnaast dienden de studenten lessen over de Koran en het leven van de Profeet Mohammed te volgen. De moskee was de enige in de moslimwereld waar de studenten hun schoenen aan moesten houden. Volgens een Hadith die door sjeik Muqbil als gezaghebbend werd beschouwd, zou de Profeet ook zo gebeden hebben, en hij was niet van plan om zijn studenten op te zadelen met een gewoonte die er in de loop der eeuwen was ingesleten. Die dienden het ware pad te volgen.

Dammaaj was een oord vol religieuze agitatie. Toen ik er aankwam waren er ongeveer driehonderd jongemannen, die bijna allemaal een baard droegen, en stuk voor stuk de vurige blik hadden van iemand die ervan overtuigd was dat hij gerechtigheid had gevonden. Ze kwamen overal vandaan en hadden met elkaar gemeen dat ze de moderne wereld krachtig afwezen.

Hoewel ik het Arabisch niet machtig was, kwam ik er al snel achter waardoor deze jongemannen, de meesten waren nog geen dertig, werden gedreven. Ze hadden het gevoel dat de moslims, en dan met name de Arabische moslims, door hun eigen leiders waren verraden en door het Westen werden uitgebuit. Dictators hadden het volk in een tsunami van corruptie beroofd, maar hadden niets gedaan om de Palestijnen te hulp te komen. Het oorspronkelijke geloof was door westerse denkwijzen aangetast. En dus was het tijd om naar de zuiverste en meest authentieke uitdrukkingsvorm van de islam terug te keren.

Er was maar weinig comfort in Dammaaj. Als onderkomen kreeg ik een kaal vertrek dat uit gasbetonblokken was opgetrokken en dat ik moest delen met Abu Bilal. We sliepen op dekens die op de betonnen vloer lagen en dat was een hele luxe, want de meeste studenten sliepen op een lemen vloer. De maaltijd bestond meestal uit rijst, bonen en gemberthee. Een ei werd als iets buitengewoons beschouwd. Het toilet was een gat in de vloer van de wasruimte. Ik moest leren me te wassen met alleen mijn linkerhand. Het afvoersysteem had geen gelijke tred gehouden met de groei van het instituut en als we aan het studeren waren kwam het regelmatig voor dat we met kwalijke geuren uit het riool werden geconfronteerd. Maar ondanks het gebrek aan comfort was het na mijn bikerjaren een hemels oord van kalmte, zelfdiscipline en toewijding.

De grote vraag van de dag was steeds weer wanneer en hoe moslims via de jihad hun religie konden verdedigen. Sjeik Muqbil weigerde steun te geven aan geweld tegen heersers, en de meeste salafisten zagen scholing als dé manier om de islam in oude luister te herstellen. Maar sommige van zijn studenten zouden hem later bekritiseren omdat hij zich niet had uitgesproken tegen de aanwezigheid van Amerikaanse troepen op Saoedisch grondgebied. Dat was voor de salafisten de grote ommekeer geweest: hoe konden ongelovigen nu ooit toestemming krijgen het koninkrijk te betreden dat de meest heilige plaatsen van de islam moest beschermen?

Op een najaarsmiddag zaten we met z'n allen onder een dadelpalm te discussiëren over het kwaad waarmee de islam worstelde, toen een Egyptische student voor nagenoeg ons allen sprak.

'Hoe is het mogelijk dat de Bewaarder van de Twee Heilige Plaatsen Amerikaanse troepen toestaat om over ons land te marcheren? Hoe is het mogelijk dat onze overheid miljarden uitgeeft aan Amerikaanse vliegtuigen en tanks? Ze keren de islam de rug toe, staan het drinken van alcohol toe, terwijl ze goedvinden dat vrouwen zich kleden alsof ze prostituee zijn. De moslims zijn de weg kwijt en het is onze taak hen opnieuw op te voeden op de manier die Allah voorstaat.'

Al heel wat leerlingen die in Dammaaj hadden gestudeerd waren naar huis teruggekeerd om overal in de moslimwereld gelijksoortige instituten en scholen op te zetten. Een deel van de aantrekkingskracht van deze radicale filosofie was gelegen in het feit dat ze voorbijging aan het religieuze establishment en direct terugging tot de bron van de islam. In die zin legde het de macht bij de armen en de vervolgden, die daardoor in staat waren het woord verder te verspreiden, ook al hadden zij niet decennialang op school de islamitische religieuze wetten kunnen bestuderen.

Sjeik Muqbil beschouwde de Hadith, de verzameling overleveringen van de activiteiten van de Profeet en zijn uitspraken zoals die door zijn vroege volgelingen zijn opgetekend, als de kern van zijn leerstellingen. De crisis binnen de islam, stelde hij, kon alleen maar worden aangepakt als er werd teruggekeerd naar de oorspronkelijke teksten en de 'vernieuwers' werden afgewezen, stervelingen die het lef hadden Gods woord 'Er is geen andere God dan God, en Mohammed is zijn boodschapper' anders te interpreteren. De stemming in Dammaaj kon worden samengevat in een Hadith: 'Het ergste wat er bestaat is iets geheel nieuws, en elke nieuwigheid is een uitvinding, en elke uitvinding is een dwaling, en elke dwaling leidt tot het hellevuur.' Daar zat maar weinig speling in voor debat.

Het was een ietwat schrale maar bevrijdende boodschap. En voor iemand als ik, die grondig de pest had aan elites en de gevestigde orde, was het stimulerend. Ik was nu getuige van de veelsoortige en elkaar overlappende worstelingen binnen de islam: tussen salafisten en anderen, en tussen salafisten onderling. En ik werd al snel een bereidwillige deelnemer aan die worstelingen, waarbij ik wetenschappelijke teksten in me opzoog en enthousiast deelnam aan debatten met andere studenten.

Met name in Dammaaj zag ik na verloop van tijd van dichtbij hoe groot de gewelddadige rivaliteit tussen soennitische en sjiitische moslims was geworden. Op de dag dat ik aankwam zag ik rijen AK-47's keurig tegen een muur van het instituut staan, terwijl een aantal studenten bewakingsdienst had en met een wapen over de schouder rondliep. Het instituut bevond zich in een deel van Jemen dat werd gedomineerd door een sjiitische sekte die bekendstond als de Houthies.[3] De sjeik deed geen enkele moeite zijn minachting voor sjiieten onder stoelen of banken te steken, en er vonden dan ook regelmatig schermutselingen plaats tussen zijn stam en de Houthies.

De leerlingen in Dammaaj deden alles samen, leren, eten, bidden. Het leven draaide om de moskee. De dag begon al voor zonsopgang met de eerste gebeden van de dag, waarna we in de schaduw van de palmen urenlang instructies kregen hoe de Koran moest worden gelezen. Ook waren we uren bezig met het uit het hoofd leren van de Koran.

We hebben nooit iets meegekregen wat ook maar in de verte op een paramilitaire training leek, maar net als veel jonge Jemenieten leerden we wel schieten, onder meer met de AK-47, op geïmproviseerde doelen in de heuvels. Een paar Amerikanen met een militaire achtergrond speelden bij die training een belangrijke rol. Een daarvan was Rashid Barbi, die met het Amerikaanse leger in Koeweit actief was geweest.

De sjeik zei dat zo'n training werd voorgeschreven door een Hadith waarin werd benadrukt dat een krachtige gelovige waardevoller was dan een zwakke, en dat alle moslims zich op de jihad dienden voor te bereiden. Hij werd door verschillende studenten benaderd die hem toestemming vroegen naar Tsjetsjenië of Somalië af te mogen reizen om daar te vechten, maar hij liet uitsluitend jongemannen gaan die zich niet helemaal honderd procent aan hun studie wijdden. Het was zijn manier om de denkers te scheiden van de lieden die alleen op actie uit waren.

Ik genoot van de puurheid van de manier van leven, de afwezigheid van mobiele telefoons en muziek, drugs en alcohol. Ik bracht enkele van mijn vrienden de eerste beginselen van het boksen bij en ging met ze joggen. Ik kreeg in ruil daarvoor, had ik het idee, hun respect. Het gaf veel meer voldoening dan alle in Korsør uitgedeelde knock-outs bij elkaar. 's Avonds, als ik naar de sterren keek, had ik het gevoel dat ik hier thuishoorde.

Af en toe schreef ik naar Samar, maar ik deed die brieven nooit op de post. Naarmate ik meer in de rituelen van Dammaaj opging leek het ook steeds minder belangrijk. Op een dag, toen ik in de weinige spullen die ik had meegebracht aan het rommelen was, vond ik tot mijn verbazing de foto's die op ons verlovingsfeest waren genomen. Zonder ook maar iets te voelen verscheurde ik ze een voor een. Als ik ooit nog eens behoefte zou hebben aan een vrouw zou dat een goede moslima moeten zijn.

De sjeik had ondanks zijn grote kennis een ondeugend gevoel voor humor, en om de een of andere reden werd ik zijn favoriete leerling. Af en toe pakte hij me bij de hand en dan wandelden we, terwijl hij Arabisch sprak, door de oase. Ik begreep slechts één op de tien woorden, maar hij bleef maar praten.

Ook tijdens de les had hij het op mij voorzien.

'Beni-marki,' riep hij dan, terwijl er een brede grijns op zijn gezicht verscheen, waarna hij me opdracht gaf te gaan staan en een Hadith te reciteren. Ik kende zo langzamerhand wel een paar zinnen Arabisch zoals dat in Jemen werd gesproken, maar ik was absoluut niet in staat een Hadith op te zeggen en mompelde dus maar enkele verontschuldigingen. Een Libische student kreeg medelijden met me en leerde me een Hadith in het Arabisch. Toen ik opstond en die reciteerde, was sjeik Muqbil opgetogen en begon hij enthousiast op zijn lessenaar te slaan. Hij vertelde de paar honderd verzamelde studenten dat mijn toewijding ervoor zou zorgen dat de islam zich over de hele wereld zou verspreiden.

'Dit is het teken dat Allah ons heeft beloofd,' zei hij. 'We moeten goed voor onze moslimbroeders zorgen en ze de islam onderrichten en geduld met ze hebben.'

Ondanks de pogingen van de Jemenitische overheid om ze tegen te houden, waren er toch heel wat buitenlandse studenten in Dammaaj neergestreken, onder wie Engelse Pakistani, woonachtig in Birmingham en Manchester, plus Tunesiërs, Maleisiërs en Indonesiërs. Ook was er nog een tweede Afro-Amerikaan, een zekere Khalid Green. Een paar man waren in Bosnië geweest, waar ze halverwege de jaren negentig samen met de moslimbevolking tegen de Serviërs en de Kroaten hadden gevochten. Sommigen van hen zouden later in hun eigen land nog een prominent strijder worden.

Om te beginnen was ik in Dammaaj de enige met een blanke huid. Dat zorgde ervoor dat ik door veel studenten en leden van plaatselijke stammen nogal nieuwsgierig werd bekeken, maar toch heb ik me door mijn etnische afkomst nooit buitengesloten gevoeld.

Later sloot een Amerikaanse bekeerling uit Ohio zich bij ons aan. Hij heette Clifford Allen Newman, had een vriendelijke stem en was in het gezelschap van zijn vierjarig zoontje Abdullah. Newman had de naam Amin aangenomen. Hij zag eruit en klonk als wat sommige Amerikanen een *redneck* zouden noemen, maar hij sprak goed Arabisch en voordat hij naar Jemen was getrokken had hij een tijdje in Pakistan gewoond. We sloten vriendschap. Net als ik leek hij gevlucht voor een relatie die op niets was uitgelopen. De Amerikaanse autoriteiten hadden een internationaal arrestatiebevel uitgevaardigd omdat hij Abdullah naar Jemen zou hebben ontvoerd, nadat de rechter het jaar ervoor bij de scheiding het voogdijschap over het kind aan zijn ex-vrouw had toegewezen, maar Newman stond erop dat zijn zoon strikt islamitisch werd opgevoed.

Ik ben vier maanden in Dammaaj geweest. Begin 1998 verliet ik de afzondering van het godsdienstige opleidingsinstituut en reisde ik terug naar de hoofdstad, waar ik een eenvoudig appartementje betrok. Newman en zijn zoontje hebben korte tijd bij me ingewoond, totdat ze zelf woonruimte hadden gevonden.

Ik nam mijn godsdienst serieus op, het was mijn kompas en ik was van plan nog eens naar Dammaaj terug te gaan. Tegen de tijd dat ik naar Sanaa terugkeerde was ik een fervent salafist. Ik kon behoorlijk op de vervloekte 'vernieuwers' afgeven.

In Sanaa werd ik voorgesteld aan enkele radicale predikers, onder wie een zekere Mohammed al-Hazmi, die drie jaar later in het openbaar de gebeurtenissen op 11 september een 'gerechtvaardigde wraak' tegen Amerika zou noemen. Een tweede prediker was sjeik Abdul Majid al-Zindani, een van de machtigste geestelijken in Jemen en een prominent lid van de oppositiepartij, die hij mede had opgericht. Al-Zindani, die al tegen de zestig liep, had duizenden volgelingen. Hij gaf leiding aan al-Iman, een universiteit in Sanaa, waarvan de bijbehorende moskee elke vrijdag met duizenden gelovigen was gevuld.[4]

Toen ik op het punt stond voor het eerst als vroom moslim met de ramadan te maken te krijgen, werd ik uitgenodigd om op een avond samen met hem wat te eten. Al-Zindani zei bij die gelegenheid dat hij graag zou zien dat ik aan de al-Iman-universiteit ging studeren.

Hij was erg rijk en had in zijn huis in Sanaa een gigantische bibliotheek.

'Wat kan ik doen om je te helpen?' vroeg hij.

Mijn antwoord had hij duidelijk niet verwacht.

'Is het waar dat u relaties onderhoudt met de Moslimbroederschap?' vroeg ik. 'Als dat zo is, leidt u mij naar het hellevuur.'

We hadden in Dammaaj geleerd dat de Moslimbroederschap, een
politieke beweging die in de Arabische wereld als een van de weinige
voor nogal wat onenigheid zorgde, de ware sharia had prijsgegeven
en dat de leden ervan er niet tegen opzagen vernieuwers te zijn als
het in hun politieke kraam te pas kwam, en in sommige landen zelfs
bereid waren het concept van democratische verkiezingen te steunen. Voor echte salafisten was dat ondenkbaar, want dat pretendeer-
de dat gewone stervelingen wetten konden opstellen.

Ik stelde de vraag zonder ook maar enige animositeit, maar al-
Zindani leek van zijn stuk gebracht. Ondanks zijn radicale profiel,
vond ik de sjeik niet militant genoeg. En als felle salafist en iemand
die geen enkel respect had voor status, was ik ook niet bang hem dat
te zeggen.

Hij was duidelijk niet gewend om door een nieuweling ter verantwoording te worden geroepen, maar hij herstelde zich snel.

'Het lijkt erop dat we, als je naar al-Iman komt, heel wat interessante debatten zullen voeren. Maar je moet niet alles geloven wat er
wordt gezegd. Zelfs goede moslims zijn soms in de war of worden
wel eens misleid,' zei hij glimlachend.

Om te laten zien dat hij door mijn onbeschaamdheid niet beledigd
was, liet al-Zindani me enkele van zijn kostbaarste boeken zien en
praatten we nog wat over de begintijd van de islam. Ik was een snelle
leerling.

Een vriend uit Dammaaj bracht me in contact met een netwerk
van jonge salafisten in de stad. Enkelen daarvan waren veteraan
en hadden in de jaren tachtig als jihadist in Afghanistan tegen de
Russen gevochten, terwijl ze recentelijk op de Balkan actief waren
geweest. Van de steeds groter wordende groep militanten in Jemen

beschouwden enkele mannen het Westen, en dan vooral Amerika, steeds vaker als een vijand van de islam. Er waren al bomaanslagen gepleegd op Amerikaanse eigendommen in Saoedi-Arabië en er werden er nog meer voorbereid. Een van de leden van dit groepje was een Egyptenaar die Hussein al-Masri heette. Hoewel hij het niet in zoveel woorden erkende, was hij waarschijnlijk lid van de Egyptische groepering Islamitische Jihad. Al-Masri, die zo rond de 35 was, werd in zijn eigen land gezocht. Hij maakte een wat verlegen indruk en had een zachte stem die in tegenspraak was met zijn ervaring als militant strijder met uitgebreide contacten in het buitenland. Hij was de eerste persoon die ik de naam Osama bin Laden hoorde uitspreken.

Rond die tijd, begin 1998, was Bin Laden al bezig Al Qaida's aanwezigheid in Afghanistan verder uit te bouwen: in Kandahar in het zuiden en rond Jalalabad in het uiterste oosten. Zijn organisatie, die door de taliban met open armen werd ontvangen, was al bezig met het plannen van aanvallen op westerse doelwitten, waaronder de bomaanslagen op de Amerikaanse ambassades in Nairobi en Dar es Salaam, die een paar maanden later plaatsvonden en waarbij honderden doden vielen.[5] Al-Masri vertelde me over de trainingskampen die Al Qaida in Afghanistan had opgezet en hoe je daar via Pakistan kon komen. Hij zei verder nog dat hij, mocht ik ooit zin hebben ernaartoe te gaan, de reis wel voor me kon organiseren.

Ik wist niet wat ik moest beslissen: enerzijds werd de avonturier in mij weer wakker, maar als salafist had ik me er nog niet bij neergelegd dat het voeren van zo'n jihad gerechtvaardigd was. Echte salafisten keken ook neer op een groepering als de taliban, waarvan ze de aanpak nogal onorthodox vonden.

Voor westerlingen mogen dat soort verschillen semantisch lijken, maar voor de leermeesters in Dammaaj of in Riyad grensde de filosofie van de taliban aan ketterij. Ze moedigden 'overvloedig' bidden aan, vaker dan de vijf keer per dag die verplicht waren gesteld door de Profeet. Sjeik Muqbil had ons geleerd dat we zelfs niet moesten overwegen bij dit soort mannen te gaan zitten. Het mochten dan misschien moslims zijn, ze konden er wel degelijk voor zorgen dat je voor eeuwig werd verdoemd.

Als hij dit punt maakte, citeerde hij daarbij graag een bekende Hadith van de Profeet: 'Mijn *Oemma* [natie] zal uiteenvallen in drieënzeventig sekten. Slechts één daarvan zal naar het paradijs gaan, en de rest naar de hel.'

Deze keer won mijn gevoel voor ideologische zuiverheid het.

Tot mijn metgezellen in Sanaa behoorde een zeventienjarige Jemeniet met een donkere huid, een gulle glimlach en een bedeesde vorm van beleefdheid. Abdul had kortgeknipt krulhaar en een beginnend baardje. Hij kan nooit zwaarder zijn geweest dan 45 kilo. Zijn benen leken wel lucifershoutjes. Maar ondanks zijn leeftijd onderhield hij uitstekende relaties met militante strijders in Sanaa, mannen die tegen de communisten in Afghanistan en tegen de Serviërs in Bosnië hadden gevochten. Abdul en ik spraken vaak tot laat in de nacht bij hem thuis, gevoed door talloze glazen suikerzoete muntthee. Ik hield van zijn natuurlijke enthousiasme en nieuwsgierigheid. Hij vroeg me honderduit over Europa en was verbaasd en opgetogen dat de islam in die noordelijke, heidense landen vaste voet aan de grond had gekregen. Hij zou graag willen reizen en vond het prettig om zijn gebrekkige Engels op mij te oefenen. Ik was onder de indruk van zijn diepe religieuze overtuiging. Hij kende de Koran uit het hoofd en hij was niet de enige, maar zijn stem was zo melodieus dat hij vaak werd gevraagd om in de moskee gebeden te reciteren.

Door mijn tijd in Jemen was mijn geloof sterker geworden. Het was nog maar net een jaar geleden dat ik voor het eerst een moskee was binnengestapt en mompelend mijn geloofsgetuigenis had uitgesproken. Nu kende ik de Koran, kon ik een Hadith reciteren en meepraten over de islamitische wetgeving. De man die me hierheen had gestuurd, Mahmud al-Tayyib, had misschien verwacht dat ik al na een paar weken naar huis was teruggekeerd, niet bij machte om te gaan met de ontberingen in het armste land van de Arabische wereld.

Maar na bijna een jaar in Jemen was ik aan verandering toe. Ik had twee keer ernstig last gehad van dysenterie, had geen geld en was het zat om op straat in Sanaa constant nagekeken te worden. Ik zocht het ticket voor de retourvlucht naar Londen op.

5

LONDONISTAN

Zomer 1998-begin 2000

Ik kwam op een benauwde dag aan het einde van de zomer van 1998 op vliegveld Heathrow aan, blij eindelijk eens van de stof en de hitte van Sanaa af te zijn en lichtelijk geamuseerd door de ordelijke aanblik van de Londense voorsteden. Korte tijd later ging ik weer bij Mahmud al-Tayyib op bezoek in de moskee in Regent's Park en vertelde ik hem mijn verhalen over Dammaaj en Sanaa.

Ik hielp bij het lesgeven aan moslims die naar de moskee kwamen en begeleidde af en toe een al wat oudere Iraakse prediker naar de Speaker's Corner in Hyde Park, waar we dan probeerden het woord van de islam te verspreiden. We zullen ongetwijfeld een vreemde aanblik hebben geboden in onze lange islamitische *thawb*, het tot de enkels reikende gewaad. Soms raakten we in verhitte debatten verwikkeld met christelijke evangelisten.

'De Koran is het zuivere woord van God,' schreeuwde ik dan, plotseling beseffend dat ik een bekend vers uit de Koran moest citeren. 'Als het door een ander dan God zou zijn gezegd, zouden ze er ongetwijfeld op allerlei manieren een contradictie in hebben gezien.'

Gewoonlijk werden we tegemoet getreden met een mengeling van onverschilligheid en achterdocht, waardoor we alleen maar nóg enthousiaster probeerden te bekeren.

Voor radicale moslims was Londen de plaats waar je moest zijn als je wilde debatteren of je tegen andere groepen wilde afzetten. Er waren heel wat echo's te horen van de gesprekken die we 's middags onder de dadelpalmen van Dammaaj hadden gevoerd. En de achterstandswijk Brixton, op de zuidoever van de Theems, was wat deze worsteling om de moslimziel betrof het epicentrum geworden.

In het begin van de jaren tachtig hadden er in Brixton rellen plaatsgevonden, waarbij Afro-Caribische jongeren slag hadden geleverd tegen de Metropolitan Police. Daarna waren de onlusten overgeslagen naar nog een stuk of tien steden. Vervolgens waren er wat verbeteringen in de wijk doorgevoerd, maar de huizen bleven vervallen en er heerste nog behoorlijk wat armoede. Zelfs op een mooie zomerdag in 1998 maakte de hoofdstraat nog steeds een deprimerende indruk: een verzameling sjofele winkels en straten die vol lagen met ontsnapte plastic zakken. Maar met de moskee in Brixton ging het prima, en zijn reputatie als het centrum van het Engelse salafisme zorgde ervoor dat er overal uit Europa gelovigen naartoe kwamen. Ik hoorde pas voor het eerst over deze moskee toen een paar Britse moslims die ik in Jemen had ontmoet hem ter sprake brachten.

De meeste van mijn vrienden en huisgenoten hadden dezelfde ideeën. Ze waren gefascineerd door mijn ervaringen in Jemen, en vooral door mijn tijd in Dammaaj. Ik liep zelfs een paar keer de zanger Cat Stevens tegen het lijf. Hij had zijn naam veranderd in Yusuf Islam en was een soefi-moslim geworden. Ik heb enkele geanimeerde gesprekken met hem gevoerd over het ware pad van de islam. Salafisten minachtten soefi-moslims vanwege hun verering van heiligen en de manier waarop ze het geloof naar hun hand willen zetten.

Ik nam allerlei tijdelijk baantjes aan, voornamelijk als chauffeur, waardoor ik de radicale moskeeën in Londen wat gemakkelijker kon vinden: in Hounslow, Shepherd's Bush en Finchley. Niet een daarvan was zo groot en indrukwekkend als die in Regent's Park. Sommige waren weinig meer dan een armoedige benedenverdieping, maar er ging door de heftigheid waarmee werd gediscussieerd een energie van uit die voor de meer gematigde predikers, en voor de Britse veiligheidsdiensten, niet alleen een uitdaging vormde maar zonder meer zorgwekkend was.

Tot de nieuwe kring waarin ik terechtkwam behoorden heel wat woedende jongemannen die op zoek waren naar een manier om wraak te nemen op het Westen omdat datzelfde Westen de moslims had vervolgd. Er zaten er een paar bij die duidelijk emotionele of psychologische problemen hadden en enorme stemmingswisselingen konden laten zien of last hadden van een ontluikende paranoia, maar de meesten werden voortgedreven door het onwankelbare besef dat ze de juiste manier hadden gevonden om Allah te gehoorzamen en dat die gehoorzaamheid eiste dat er een jihad moest worden gevoerd. Een verrassend groot aantal Franse bekeerlingen was naar Brixton gekomen, waaronder iemand die zich Mukhtar noemde. We spraken over van alles, deelden een passie voor oosterse vechtsporten en bezochten samen de moskee.

Mukhtar was ergens in de dertig, had een schriel voorkomen en dicht bij elkaar staande donkere ogen. Hij deed me een beetje aan de Franse voetballer Zinedine Zidane denken. We ontmoetten elkaar voor het eerst in de moskee van Brixton, waar hij me vertelde dat hij naar Londen was gekomen om te ontsnappen aan de gewelddadige manier waarop de Parijse politie optrad in de armoedige buitenwijk waar hij had gewoond.

Korte tijd later ontmoette ik zijn Frans-Marokkaanse flatgenoot, een zekere Zacarias Moussaoui. Ze woonden in een vervallen huurkazerne uit de jaren zestig waar het stonk naar verval. Hun flat was helemaal leeg: geen bedden, geen banken, alleen maar een paar matrassen en ruwe juten matten op de vloer. Het was een typisch salafistisch onderkomen.

Moussaoui was net dertig geworden. Hij was goedgebouwd maar begon toch een buikje te ontwikkelen. Een dunne zwarte baard liep van zijn bakkebaarden langs zijn kaaklijn en hield vervolgens ergens onder zijn kin op. Hij had het weinige haar dat hij nog had strak naar achteren gekamd. Hij maakte vaak tajine, een soort stoofpot, en couscous klaar voor iedereen.

Moussaoui was onmiskenbaar intelligent en had recentelijk zijn doctoraal gehaald aan South Bank University in Londen, die niet ver bij Brixton vandaan lag. Meestal was hij nogal zwijgzaam en bescheiden, maar hij had ook iets broeierigs. Hij praatte nauwelijks over zichzelf en al helemaal niet over zijn familie. Maar hij had wel een passie voor vechtsporten, en dan vooral een Filippijnse versie van het vechten met messen.

Af en toe sprak hij in algemene termen over de jihad in Afghanistan, en ook over Tsjetsjenië, waar de jihadisten toentertijd nogal aan de weg timmerden. Islamistische opstandelingen waren daar het gevecht aangegaan met het machtige Russische leger. We waren het er allemaal over eens dat we verplicht waren de rebellen te steunen, door te bidden, geld bijeen te brengen of desnoods zelf aan de jihad deel te nemen.

'We zijn zondaars als we niet op z'n minst proberen geld te verzamelen,' zei Moussaoui op een gegeven moment met zijn zachte Franse accent terwijl we in kleermakerszit op de vloer zaten.

Het was de begintijd van onlinevideo en we keken naar hortende, onduidelijke beelden op websites die de worsteling van de Tsjetsjenen verheerlijkten: Russen die in hinderlagen werden gelokt, maar ook vaak beelden van wreedheden die Russen in de Tsjetsjeense hoofdstad Grozny tegenover Tsjetsjeense burgers begingen. Moussaoui staarde met glinsterende ogen naar het scherm en schudde zijn hoofd.

'*Kafir* [ongelovige] Russen,' mompelde hij op een dag. 'Ik zou het niet erg vinden om in Grozny te sterven, als ik dan maar wel een heel peloton Russen mee de dood in kan nemen.'

Wat hij ons nooit had verteld was dat hij al een keer in Tsjetsjenië was geweest, waar hij voor de opstandelingen had gewerkt. Hij had ze met zijn it-vaardigheden geholpen hun verhaal aan de wereld te vertellen. Hij had ook geholpen buitenlanders te rekruteren voor de strijd in Tsjetsjenië. En wat hij ons ook niet vertelde was dat hij in het voorjaar van 1998 in een Al Qaida-kamp in Afghanistan had gezeten. Terwijl de rest van ons over de jihad debatteerde, had Moussaoui het allemaal al meegemaakt.

In oktober 1999 begonnen de Russen een grondoffensief tegen Grozny. Televisiebeelden en video-opnamen die online werden gezet lieten de echte verschrikkingen zien van wat in feite tot een tactiek van de verschroeide aarde was geworden, waardoor tienduizenden burgers gedwongen waren hun huis en haard te ontvluchten.

Duizenden kilometers ervandaan was mijn kleine salafistenkringetje in Brixton niet bij machte zijn woede te bedwingen. Op een heldere ochtend kwamen we woedend uit de moskee in Brixton omdat de voorganger niet had gevraagd voor de Tsjetsjenen te bidden, laat staan dat hij had opgeroepen om het Tsjetsjeense verzet te steunen. Door hun strijd tegen een overweldigende overmacht waren ze wat ons betreft helden. Ook wisten we dat honderden buitenlandse strijders, onder wie jongens die in Dammaaj hadden gestudeerd, de Russische Kaukasus hadden weten te bereiken.

'Zie je,' zei ik tegen Moussaoui en de anderen, 'opnieuw heeft het establishment ons in de steek gelaten, waardoor de atheïsten de kans krijgen ons volk te vermoorden en te verminken zonder ook maar met hun ogen te knipperen. Onze predikers zijn doodsbang dat ze in conflict komen met de politie: ze zijn maar al te blij met hun comfortabele leventje in Londen.'

We postten voor de moskee en eisten dat het Tsjetsjeense verzet met geld en andere middelen zou worden gesteund.

Op 21 oktober sloegen er op een markt in Grozny Russische raketten in, waarbij tientallen vrouwen en kinderen om het leven kwamen. Ik moest onmiddellijk denken aan de beschieting van de markt in Serajevo door Bosnische Serviërs, waarbij in 1995 tientallen moslims de dood hadden gevonden. De televisiebeelden waren hartverscheurend en brachten ons nagenoeg tot razernij en we verdubbelden onze pogingen om de leiding van de moskee zo ver te krijgen dat ze in het openbaar zou erkennen dat de Tsjetsjenen het erg moeilijk hadden. Soms gaven we uiting aan onze woede door een dienst mee te maken in een moskee een eindje verderop, die werd gerund door Nigerianen die de jihad in Tsjetsjenië openlijk steunden.

In het najaar veranderde er iets in Moussaoui's gedrag. Het broeden werd woede. Hij kwam regelmatig in camouflage-uniform naar de moskee van Brixton en ging steeds vaker om met de meer militante elementen van de moskee in Finsbury Park, in het noorden van Londen. Tot degenen die achter hem aan liepen behoorde een lange Engelsman van Jamaicaanse afkomst die Richard Reid heette, een knaap met een lang, mager gezicht, een verwilderde baard en onverzorgd krulhaar dat hij in een soort paardenstaart bijeen had gebonden. In een andere tijd had hij voor hippie door kunnen gaan. Reid was een kleine crimineel die naar de islam was overgestapt en er altijd uitzag of hij in dagen niet fatsoenlijk had gegeten.

Het was duidelijk dat Reid grote bewondering had voor Moussa-oui. Hij sloot zich bij onze groep aan en zei weinig, hij maakte een eenzame indruk. Eind 1999 verloor ik het contact met beide mannen en dacht eigenlijk nauwelijks meer aan hen, vooral niet aan Reid, die volgens mij een slappeling was en gemakkelijk beïnvloedbaar. Het gerucht deed de ronde dat ze naar Afghanistan waren afgereisd en ik vroeg me af of dit tweetal echt door Al Qaida was getraind. Toch stond ik perplex toen ik twee jaar later plotseling hun naam en gezicht op het televisiescherm en op de voorpagina's van de kranten zag.

Moussaoui zou kort voor 11 september in Minnesota worden gearresteerd. Hij was naar de Verenigde Staten vertrokken om daar vlieglessen te nemen en zou korte tijd later bekend worden als de 'twintigste kaper'. Reid nam op 22 december 2001 het vliegtuig van Parijs naar Miami, nadat hij eerst explosief poeder in zijn schoenen had verborgen. Toen hij probeerde de ontstekingen te activeren, slaagden passagiers en stewardessen erin hem te overmeesteren, en werd hij bekend als de 'schoenbommer'.

Naarmate mijn connecties met radicale islamisten zich uitbreidden, stond ik steeds weer te kijken van degenen die de Rubicon van alleen praten naar daadwerkelijke terreur overstaken. Het waren zelden de mensen van wie ik dat verwachtte. Maar het was al in 1999 duidelijk dat Londen, en dan vooral de moskee in Finsbury Park, het coördinatiecentrum was van waaruit tientallen militante strijders eropuit trokken om terroristische aanslagen te plegen. Hun achtergrond was vaak dezelfde: een moeilijke of gewelddadige jeugd gehad, nauwelijks een opleiding genoten en zonder vooruitzichten; werkloos, ongetrouwd en vol haatgevoelens.

De Britse veiligheidsdiensten, zich bewust van de militante retoriek die in moskeeën als die in Finsbury Park te horen was, begonnen steeds meer belangstelling voor de jihadistische scene in Londen te krijgen. Maar net als veel andere westerse inlichtingendiensten leken ze alleen maar achter de feiten aan te lopen, probeerden ze de omvang van het probleem te bepalen, erachter te komen wie de leiders waren, hoe er gereisd werd, waar het geld vandaan kwam en of er in radicale kringen sprake was van rivaliteit. Brixton en Finsbury Park werden het slagveld voor Londonistan, waarbij pro-Saoedische salafisten zoals de oude Tayyib het moesten opnemen tegen woedende jihadisten die de Saoedische koninklijke familie ten val wilden brengen, tegen de Russen in Tsjetsjenië wilden vechten en de moslimwereld van westerse invloeden wilden zuiveren.

Wat mij betreft zorgden boeken, lezingen en gesprekken tot diep in de nacht ervoor dat ik steeds verder opschoof naar het steunen van de jihad, dat ik steeds meer de neiging had de wapens op te nemen om het geloof te verdedigen. Ik begreep maar niet waarom de imams van de meeste moskeeën in Londen, onder wie Abdul Baker in Brixton, angstvallig hun best deden het woord jihad maar niet te laten vallen, laat staan fatwa's uit te vaardigen waarin werd opgeroepen ten strijde te trekken. In Dammaaj hadden we dagelijks te horen gekregen dat de plicht tot de jihad een onvervreemdbaar onderdeel vormde van onze religie.

Tijdens de laatste dagen van 1999 ging ik naar een lezing in Luton, een stadje ten noorden van Londen. De lezing werd gegeven door sjeik Yahya al-Hajuri, een van de predikers in Dammaaj. Hij was duidelijk verrast toen hij me zag.

'Wat doe jij hier?' vroeg hij me toen ik hem na de lezing opzocht. 'Je wordt geacht in Jemen te zitten.'

Ik schrok enigszins van zijn toon. Had ik het ware pad verlaten? Stond mijn geloof in Europa aan vreemde invloeden bloot? Ik ging naar huis en bad om sturing, een teken van Allah dat ik diende terug te keren naar wat op meerdere manieren de bakermat van mijn godsdienstige toewijding mocht worden genoemd.

Dat kwam een paar weken later, op een vrijdagochtend. Ik was voor een goedkope maaltijd naar de keuken in de kelder van de moskee in Regent's Park gewandeld. Er kwam een bezorgd kijkende vrouw met een donkere huidskleur naar me toe.

'Broeder, zou je me alsjeblieft even met mijn man willen helpen. Hij wil graag bidden, maar het lukt hem niet om van de auto hierheen te lopen.'

Samen met haar ging ik naar boven. Het stel kwam uit Mauritius. Haar al wat oudere echtgenoot zag er zo broos uit dat ik bang was dat hij zou breken zodra ik hem aanraakte. Hij zat achter het stuur van een oude Mercedes.

'Er is niets aan de hand, broeder,' zei hij. 'Ik moet alleen even uitrusten en weer een beetje op adem komen.'

Ik pakte een inhaler die op de vloer van de auto lag, maar hij werd alleen maar bleker. Het leek wel of hij voor mijn ogen verdampte. Hij ging steeds moeilijker ademhalen, dat werd begeleid door een rustig hijgen dat vanwege het verkeerslawaai nauwelijks te horen was. Hij sloot zijn ogen en viel terug in zijn stoel. In zijn keel klonk een zwak gerochel en zijn ogen gingen weer open, waarmee hij afwezig door de voorruit staarde.

Heel even dacht ik dat hij zich hersteld had van een of andere aanval, maar al snel fluisterde ik in het Arabisch 'Er is geen andere God dan Allah' om hem zo te helpen bij zijn reis naar het paradijs. Hij hoestte zwakjes en overleed.

Terwijl zijn vrouw hysterisch begon te schreeuwen, tilde ik de oude man uit de auto en besefte een ogenblik lang hoe surrealistisch de aanblik moest zijn: een grote Viking die een nietige Afrikaan tussen het Londense verkeer door naar de overkant van de weg brengt. Een parkeerwachter kwam naar me toe geheld om te zeggen dat hij een ambulance had opgeroepen, maar daar was het al te laat voor.

Het greep me enorm aan. Het besef dat we allemaal mensen van het moment zijn. Ik hielp in de moskee van Wembley mee bij het klaarmaken van zijn lichaam voor de teraardebestelling, die volgens de islamitische gebruiken plaats zou vinden. Terwijl ik zijn grijze huid waste, dacht ik na over de manier waarop ik hem de wereld had zien verlaten en hoe goed het was geweest dat er een medemoslim in de buurt was om tijdens het overlijden voor hem te bidden.

Het was een teken. Ik mocht hier niet te midden van de kafir doodgaan. Ik wilde omringd zijn door mensen die hetzelfde geloof hadden als ik. Allah had dat voorgeschreven. Het was een zonde als je tussen de ongelovigen stierf. Of zoals het in een Hadith staat verwoord: 'Degene die zich tussen de ongelovigen vestigt, die hun feesten viert, in hun vreugde deelt en te midden van hen sterft, zal net als zij op de dag van de wederopstanding ter verantwoording worden geroepen.'

De wereld was verdeeld in gelovigen en ongelovigen, en de ergste moslim was beter dan de beste christen.

Maar als ik naar de moslimwereld wilde terugkeren, dan had ik een paspoort nodig. Dat van mij was tijdens het heen en weer reizen in het ongerede geraakt. Ik ging naar de Deense ambassade in Londen om te proberen een nieuw aan te vragen. Maar ze hadden nog heel andere zaken met me af te handelen: een nog openstaande veroordeling. In 1996 was ik betrokken geweest bij een vechtpartijtje in een bar dat was uitgebroken nadat iemand drank had gemorst. Ik had een van mijn belagers een kopstoot gegeven en een andere een harde klap verkocht. Ik werd op weg naar huis gearresteerd en later veroordeeld tot zes maanden gevangenisstraf, die ik op typisch Deense wijze pas kon uitzitten zodra er celruimte beschikbaar was. Maar voordat dat het geval was had ik Denemarken verlaten en onder de dadelpalmen in Dammaaj was ik het hele voorval vergeten. En nu bleek dat ik die straf alsnog moest uitzitten. Ik zou pas een nieuw paspoort krijgen als ik naar Denemarken terugging om daar mijn straf te ondergaan.

Ik bracht de eerste maanden van het nieuwe millennium achter de tralies door.

6

DOOD AAN AMERIKA

Begin 2000-voorjaar 2002

Na onderhandelingen met de Deense autoriteiten keerde ik naar huis terug om daar begin 2000 mijn uitgestelde veroordeling uit te zitten. Ik stelde slechts één voorwaarde: ik wilde niet in een gevangenis opgesloten worden waar ook Bandidos zaten. Maar de penitentiaire dienst trok zich van die overeenkomst niets aan en ik vermoedde dat ik wel eens voor mijn leven zou moeten vechten, totdat ik merkte dat de moslims in de gevangenis van Nyborg een groepje hadden gevormd dat bedoeld was om elkaar wederzijds te beschermen.

Ik zat mijn straf uit, waarbij ik het overgrote deel van de tijd doorbracht met gewichtheffen en hardlopen, maar het was ook een frustrerende tijd. Ik wilde graag zo snel mogelijk terug naar Jemen, maar daarvoor moest ik aan geld zien te komen. Om geld te verdienen diende je over bepaalde kwalificaties te beschikken. Met behulp van mensen van de reclassering schreef ik me bij een opleidingsinstituut in Odense in voor een cursus Business Studies (waar een maandelijkse toelage bij hoorde voor woonkosten, betaald door de Deense overheid) en ging naar de Wakf-moskee. Daar was het een levendige bedoening met veel Somaliërs, Palestijnen en Syriërs, wier theologische discussies maar al te vaak in geweld ontaardden. Tijdens een vrijdaggebed pakte ik de microfoon af van een prediker die volgens mij misleid was, want hij had het lef om zijn broek tot onder de enkels te dragen, een gewoonte die door salafisten ernstig werd afgekeurd.

'Luister niet naar hem. Hij is een vernieuwer die tot een van de 72 sektes behoort die voorbestemd zijn in de hel te branden!' schreeuwde ik.

Odense is de geboorteplaats van Hans Christian Andersen, en de oude straatjes in het centrum met hun curieuze gevels zouden in een sprookje niet misstaan. De stad is een toonbeeld van Deense vooruitstrevendheid: fietspaden, voetgangersgebieden, veel openbaar groen. Maar de buitenwijken zijn een stuk minder tot de verbeelding sprekend. Veel moslims – immigranten van de eerste en tweede generatie – wonen in de aanzienlijk minder aantrekkelijke flats in de buitenwijk Vollsmose, en net als in Londen manifesteerde het jihadisme hier zich regelmatig.

Nadat ik uit de gevangenis was ontslagen hoorde ik dat sjeik Muqbil, mijn mentor in Dammaaj, een fatwa had uitgevaardigd waarin werd opgeroepen tot een heilige oorlog tegen de christenen en de joden op de Molukken, een eilandengroep in Indonesië, waar al langere tijd een sektarische strijd woedde. Hij drong er bij niet-Indonesische moslims op aan om daar te gaan helpen bij het invoeren van de islamitische wetgeving.

De leider van de Laskar Jihad, een aan Al Qaida gelieerde groep die een groot deel van het vechten voor zijn rekening nam, was Ja'far Umar Thalib. Hij was in Dammaaj medestudent geweest. En sommigen van mijn vrienden daar, onder wie de voormalige Amerikaanse soldaat Rashid Barbi, waren naar Indonesië vertrokken om aan de strijd deel te nemen.[6]

Samen met een Pakistaanse vriend, Shiraz Tariq,[7] reisde ik naar Engeland om daar in de moskeeën geld bijeen te brengen voor de moedjahedien op de Molukken. Opnieuw was ik woedend over de halfhartige reacties van veel salafistische imams op deze flagrante aanval op ons geloof.

Voor mij was de jihad nog steeds meer een defensieve taak dan een recht om offensief ten strijde te trekken tegen ongelovigen. Ik liet me leiden door de woorden van de Koran: 'Vecht ter meerdere glorie van Allah tegen degenen die jou bevechten, maar overtreedt de regels niet, want Allah houdt niet van overtreders. Vecht op de manier van Allah tegen degenen die jou bevechten, maar begin de strijd niet. Lo! Allah houdt niet van agressors.'

Deze woorden brachten de verplichting met zich mee aan de strijd deel te nemen of hem op z'n minst te steunen, of dat nou op de Balkan was, in Tsjetsjenië of op de Molukken. Maar een jihad zonder basis was onrechtmatig.

De grenzen tussen een defensieve en een offensieve jihad waren niet altijd even duidelijk en zouden nog verder vervagen toen Al Qaida met zijn campagne voor een globale jihad begon. Ze vormden de kern van geanimeerde debatten die ik voerde met vrienden in Odense, onder wie Mohammad Zaher, een Syrisch-Palestijnse immigrant met een geprononceerde neus zoals je die in het Midden-Oosten wel vaker ziet, een kortgeknipte baard en diepliggende, ernstige ogen.

Zaher was net als ik werkloos en omdat we toch tijd genoeg hadden gingen we vaak samen vissen. Hij bestookte me met vragen over Dammaaj en sjeik Muqbil. Ik legde hem de fatwa's uit die Muqbil en andere imams hadden uitgevaardigd waardoor de jihad in Indonesië legitiem was geworden, maar benadrukte daarnaast dat willekeurige daden 'om de ongelovigen te terroriseren' niet waren toegestaan. Om dat te staven haalde ik de woorden erbij van een eminente Saoedische geestelijke die had gezegd dat de plicht tot jihad 'moest worden vervuld door moslims op verschillende niveaus in overeenstemming met hun verschillende vaardigheden. Sommigen moesten helpen met hun lichaam, anderen met hun eigendom en weer anderen met hun hersenen.'

Zaher maakte een heel gewone indruk en leek over het algemeen wel sympathiek te staan tegenover het idee van een jihad, maar niet zo extreem als sommige andere jongemannen die ik kende. Toch stond ik weer te kijken toen zo'n doodgewoon iemand in staat leek tot iets buitengewoons. In september 2006 werd hij gearresteerd voor wat de Deense autoriteiten toen 'de ernstigste samenzwering die ooit in het land was ontdekt' noemden.

Ik was mijn doel, terugkeren naar de moslimwereld, niet vergeten, maar zoals gewoonlijk had ik nauwelijks geld en moest ik proberen slechts met een bescheiden beurs mijn studie te voltooien. Maar mijn talenten als spierbundel kwamen me weer eens goed van pas.

In Odense bevond zich een behoorlijk grote en licht ontvlambare Somalische gemeenschap. Op een middag werd ik gebeld door een Somalische vriend die me vroeg of ik tussenbeide wilde komen bij een bruiloft waar een vechtpartij was uitgebroken.

Toen ik ter plekke arriveerde, zag ik iets wat de laatste tijd al vaker tot problemen had geleid. Tegen de wil van de plaatselijke imam in hadden de seksen zich vermengd en schetterde er muziek uit de speakers. Dit soort westerse gewoonten werd door de salafisten verafschuwd.

Ik was nog maar nauwelijks met mijn interventie begonnen of een bruiloftsgast haalde met een mes uit naar de imam. Gelukkig lieten mijn reflexen, die ik in de clubs van Korsør steeds verder had weten te ontwikkelen, me niet in de steek en sloeg ik het mes uit zijn hand. Wat ik niet zag, was zijn medeplichtige, die me met een fles keihard op het achterhoofd sloeg. Terwijl het bloed langs mijn nek liep, werd de man bij me vandaan gesleurd.

Bang dat iemand het opstootje bij de politie zou melden, verzekerde de leiding van de gemeenschap me dat de man met het mes volgens de shariawetgeving zou worden gestraft. Ik mocht kiezen: ik kon de fles op zijn hoofd kapotslaan, ik kon hem vergeven, of ik kon bijna 3000 dollar aan zoengeld aannemen. Ik had helemaal geen zin het hem te vergeven, en ik had ook weinig trek om de gevangenis weer in te draaien omdat ik een fles op iemand hoofd kapot had geslagen, maar het zoengeld betekende dat ik weer zou kunnen reizen.

Recentelijk was ik begonnen af en toe eens wat bemiddelingssites op internet te bekijken, in de hoop daar een geschikte godsdienstige maar tegelijkertijd redelijk aantrekkelijke partner te vinden. Deze sites werden nooit datingsites genoemd en zagen er aanzienlijk netter uit dan hun westerse tegenhangers. De vrouwen die er hun bijzonderheden hadden geplaatst, zeiden maar weinig over hun persoonlijke voorkeuren en aversies, en zegden voornamelijk toe dat ze deugdzame, gehoorzame en toegewijde echtgenotes zouden zijn. Ze hadden stuk voor stuk een hidjab om en maakten een onderdanige indruk. Toch trok een ervan mijn aandacht, een vrouw die in de hoofdstad van Marokko woonde. Karima sprak Engels, had een uitstekende opleiding, hield zich strikt aan haar religieuze verplichtingen, en had me benaderd met één simpele onlinevraag: zou ik met haar willen trouwen?[8]

Rijk dankzij een gebroken fles, met een splinternieuw Deens paspoort op zak en met mijn schuld aan de gemeenschap volledig afgelost, zat ik binnen de kortste keren weer in het vliegtuig.

Ik werd in Rabat afgehaald door haar broer – de ballotagecommissie. Nog voor mijn eerste ontmoeting met Karima ging ik eerst nog even naar een paar meer radicale moskeeën in Salat, een wat armere wijk van Rabat. Ook hier bloeide het salafisme: het feit dat ik in Jemen was geweest en sjeik Muqbil kende opende allerlei deuren. Ook de familie van Karima was onder de indruk.

Karima was klein en tenger, ze had een geelbruine huid en een ingetogen manier van doen die bij haar diepe geloofsovertuiging paste. Ik vond haar zowel aantrekkelijk als intelligent. Ze had er al over nagedacht om samen met mij naar Jemen of Afghanistan te emigreren, om daar naar een zuiverder bestaan op zoek te gaan. Binnen enkele dagen traden we in het huis van haar familie in het huwelijk. Het lijkt misschien bespottelijk dat twee mensen met elkaar trouwen terwijl ze elkaar nog maar een paar dagen kennen, maar dat was nu eenmaal de manier die door ons geloof werd voorgeschreven. Van afspraakjes maken en met z'n tweeën ergens gaan eten om elkaars gedachten en emoties beter te leren kennen was geen sprake. Allah zou voor alles zorgen.

En de Deense overheid zou de verhuizing naar Jemen financieren. Studiebeurzen voor jongeren was slechts één aspect van het alomvattende sociale zekerheidssysteem. Ik meldde me in Sanaa aan bij het taleninstituut CALES om er Arabisch te leren, en ontving prompt een beurs. Er werden geen vragen gesteld. Karima bleef in Marokko, terwijl ik voorbereidingen trof voor ons nieuwe leven in Jemen.

In april 2001 vloog ik weer naar Sanaa. Ik had het vreemde gevoel dat ik er thuishoorde. Wat tijdens mijn eerste bezoek nog een aanslag op mijn zintuigen was geweest, was nu op een plezierige manier vertrouwd. De chaos op straat was uitnodigend in plaats van overweldigend. Het vooruitzicht mijn kennissen terug te zien en lange avonden op dakterrassen met hen over het geloof en de wereld te discussiëren, gaf me een opwindend gevoel. En ik voelde een echte affiniteit met dit arme hoekje van het Arabisch schiereiland. Hier vond de worsteling om de ziel van mijn geloof plaats.

De buurt in Sanaa waar ik ging wonen leek een stuk spontaner dan de karakterloze, strak geordende buitenwijken in Denemarken. Ik moest glimlachen toen ik de eenvoudige karretjes met vruchten en groenten door magere jongemannen door de straten geduwd zag worden, de kleine kiosken waar kauwgom en sigaretten werden verkocht, de oude mannen die met hun gebedssnoeren op de hoek van de straat bijeenkwamen.

De bureaucratie in Jemen was er de oorzaak van dat het nog heel wat maanden zou duren voor Karima zich in Sanaa bij me kon voegen. Diezelfde bureaucratie had grote moeite mijn voormalige salafistische kameraden op het spoor te blijven, die tijdens mijn afwezigheid nog actiever en radicaler waren geworden. En het stond nu vrijwel vast dat Al Qaida Jemen zag als een 'ruimte' waar het aanslagen kon plegen op westerse belangen. Een paar maanden voor mijn terugkeer waren terroristen met een bootje naar USS Cole gevaren, een Amerikaans oorlogsschip dat in de haven van Aden op bezoek was. Ze hadden naar de bemanningsleden aan boord gezwaaid en hadden vervolgens een paar honderd kilo C4-explosieven tegen de romp van de Cole tot ontploffing gebracht. Zeventien Amerikaanse marinemensen verloren het leven en het scheelde een haartje of het schip was gezonken.

De jonge Abdul, die bij mijn vertrek een magere tiener was geweest, was nu een zelfverzekerde jongeman met een steeds groter wordend jihadistisch netwerk en hij sprak aanzienlijk beter Engels dan toen. Hij kwam vaak naar het huis dat ik had gehuurd en we voerden weer lange gesprekken over het geloof. Hij drong er bij me op aan geen boeken te lezen die waren geschreven door salafisten die de jihad niet ondersteunden en we keken aandachtig naar websites met nieuws over de conflicten op de Molukken en in Tsjetsjenië.

Op een avond ging ik bij hem op bezoek in het huis van zijn moeder, een eenvoudige, uit gasbetonblokken opgetrokken woning aan een ongeplaveide straat in Sanaa. Uitgemergelde katten zwierven tussen het vuil, terwijl kinderen voetbalden of met een hoepel rondholden. Hussein al-Masri, de Egyptische jihadist die al eens had aangeboden een plaatsje in een kamp van bin Laden voor me te regelen, was er ook toen ik daar binnenstapte.

Toen we op de vloer zittend thee dronken, werd al snel duidelijk dat Abdul tijdens mijn tijd in Londen niet had stilgezeten. Hij vertelde me kalm maar met onmiskenbare trots dat hij naar Afghanistan was geweest, daar een tijdje in een van Bin Ladens kampen had gezeten en er zelfs, beweerde hij, Osama bin Laden had ontmoet.

'Hij doet Allahs werk,' zei Abdul. 'Die aanslag op dat Amerikaanse oorlogsschip en die ambassades is nog maar het begin,' vervolgde hij, verwijzend naar de bomaanslagen die Al Qaida in 1998 op de Amerikaanse ambassades in Nairobi en Dar es Salaam had gepleegd. 'Goede moslims uit de hele wereld zitten nu in Kandahar en Jalalabad.' Hij en al-Masri vertelden me dat ze ervoor konden zorgen dat ik naar Afghanistan kon afreizen, waar ik dan kon meehelpen bij het opbouwen van het beloofde land. Ik vroeg me soms af of Abdul zijn wapenfeiten en ontmoetingen niet wat aandikte, maar hij beschikte wel over behoorlijk wat actuele kennis over Afghanistan, en van de Al Qaidaleden die ik later ontmoette, sprak niet een zijn verhalen tegen.

Ik kwam in de verleiding om te gaan. Mijn godsdienstige denkbeelden vormden niet langer een obstakel. Eenmaal terug in Jemen, aangemoedigd door Abdul, had ik boeken van pro-jihadistische geleerden verslonden en ik had er zelfs een paar in het Deens vertaald. Ik had mijn salafistische zuiverheid losgelaten en beschouwde de voorbereidingen voor de jihad als iets noodzakelijks.

Maar het was niet alleen religieuze hartstocht die me in verleiding bracht naar Afghanistan te gaan. Iemand uit mijn kennissenkring in Londen, half Barbadaans, half Engels, had me verhalen verteld over de training in Afghanistan en stimuleerde het gevoel van avontuur dat altijd ergens in me was blijven kriebelen. Hij had het over het zwerven door de majestueuze bergen, het trainen met wapens en de intense kameraadschap tussen de strijders.

'De kans bestaat dat ik binnenkort weer terugga,' zei Abdul. 'De sjeik zei dat mensen als jij eigenlijk ook zouden moeten komen,' voegde hij eraan toe, naar Bin Laden verwijzend. Hij liet me een in Afghanistan gemaakte videofilm zien met beelden van Al Qaida-rekruten die oefenden op een soort hindernisbaan en raketten afvuurden, beelden die later iconisch zouden worden.

'Ik zou best willen,' zei ik. Ik kon mijn opwinding over samen met de moedjahedien in Afghanistan actief zijn nauwelijks de baas. Mijn nieuwe echtgenote zou binnenkort naar Sanaa overkomen, terwijl ik alleen maar aan trainen voor de jihad kon denken.

'We kunnen een ticket naar Karachi voor je regelen, dan word je daar door iemand opgehaald en naar Afghanistan gebracht,' zei Abdul.

Karima kwam midden in de zomer, maar toen zat ik met een dilemma. Ik besefte dat ik haar niet zomaar in haar eentje in Sanaa kon achterlaten terwijl ik naar de Hindoekoesj verdween, ondanks het feit dat ze besefte dat het mijn religieuze taak was om me op de jihad voor te bereiden. Maar ze kende in Sanaa helemaal niemand.

'Ik wil met de moedjahedien in Afghanistan trainen,' zei ik hem.

'Masha'Allah, dat is goed. Volgens de sharia kun je je vrouw niet achterlaten als ze niet in het gezelschap is van een familielid dat te vertrouwen is, zoals een vader, een broer of een oom. Maar voor de jihad wordt er een uitzondering gemaakt. Je vrouw kan in je huis in Sanaa blijven wonen en de huisbaas kan dan als haar familie fungeren.'

Als het om de heilige oorlog ging, leken de regels buitengewoon flexibel.

Abdul, die net terug was uit Afghanistan, kwam met heel ander advies, en vertelde me dat als ik daarnaartoe wilde, ik mijn vrouw mee moest nemen, zodat we *hijra* konden maken: emigreren naar een moslimland. Hij legde uit dat Osama bin Laden een beroep op jihadisten deed om toch vooral familie mee te brengen. En heel wat mannen deden dat: toen later dat jaar Al Qaida's laatste bolwerk in Tora Bora werd opgerold, bevonden zich onder de doden en de mensen die op de vlucht waren geslagen heel wat vrouwen en kinderen.

Ik besloot Karima niet mee te nemen, een beslissing die uiterst verstandig bleek toen ze me in augustus vertelde dat ze zwanger was. Desondanks vond ze het nog steeds goed dat ik op korte termijn zou vertrekken.

Op een ochtend, nadat ik van de gebedsdienst was teruggekeerd, ving ik een glimp van haar op terwijl ze moeizaam de trap af kwam. Ze had het moeilijk in de hitte en ze was duidelijk verzwakt door ochtendziekte en pijn in haar rug. Ze zag bleek en mijn instinct om haar, en mijn ongeboren kind, te beschermen, smoorde mijn droom om een geoefende strijder voor Allah te worden, voorlopig althans.

'Ik blijf bij je,' zei ik haar. 'Je kunt hier niet alleen achterblijven, zwanger en zonder een cent in een vreemde stad, zogenaamd onder bescherming van de huisbaas.'

Ze begon te huilen. Ik voelde me allesbehalve de galante echtgenoot, alleen het feit al dat ik überhaupt had overwogen weg te gaan. En het vooruitzicht vader te worden maakte de teleurstelling niet naar Afghanistan te kunnen afreizen wat minder groot.

In plaats van naar een trainingskamp te vertrekken, ging ik voor een kort bezoek naar Dammaaj terug. Sjeik Muqbil, de belangrijke salafistische religieus leider, was in juli in Saoedi-Arabië overleden toen hij daar voor een leveraandoening werd behandeld. Zijn begrafenis vond in Mekka plaats, maar in het theologisch instituut werd een herdenkingsdienst gehouden. Honderden voormalige leerlingen uit de gehele Arabische wereld kwamen daar bij elkaar, en velen konden tijdens de gebeden hun tranen niet bedwingen. Zonder hem leek er een vacuüm te zijn ontstaan. Mijn vriend Clifford Newman, de Amerikaanse bekeerling, en zijn zoon behoorden tot de treurenden. Clifford liet me een uzi-pistoolmitrailleur zien die hij had aangeschaft om zich te beschermen tegen de sjiitische stammen die in de buurt woonden.

Mijn opschuiven naar totale strijdbaarheid werd zichtbaar op 11 september 2001. Op die dag ging ik 's middags laat naar een kapperszaak in Sanaa. In een hoekje stond een televisie die op de Arabische nieuwszender Al Jazeera was afgestemd. Kort nadat ik er naar binnen was gestapt, kwamen de livebeelden uit New York door. Uit de bovenste verdiepingen van het World Trade Center kolkte rook. Uit het adembenemende commentaar maakte ik al snel op dat het om een terroristische aanslag ging.

Ik holde naar huis en zette de radio aan, die met steeds meer details kwam. Tot die dag had de naam Osama bin Laden de gemiddelde salafist maar weinig gezegd. Hij werd gerespecteerd omdat hij zijn rijkdom van zich af had geschud en in Afghanistan strijd leverde om daar een islamitische staat te vestigen. Maar van de steeds groter wordende slagkracht en ambities van Al Qaida was maar weinig bekend. Ondanks de aanslagen op de Amerikaanse ambassades en USS Cole, had niemand die ik kende verwacht dat Al Qaida de strijd naar Amerikaans grondgebied zou verleggen. Sommigen vonden de aanslag misplaatst, anderen keurden hem af omdat hij tegen burgers was gericht. Maar onder mijn kennissen in Sanaa, en dan vooral degenen die die avond de moskee van sjeik Mohammed al-Hazmi bezochten, heerste boven alles euforie en werd elk iets gematigder standpunt ten opzichte van de aanslag overstemd.

Al-Hazmi was populair bij jonge militante moslims in Sanaa. Toen hij die avond de massaal toegestroomde menigte in een verstikkende hitte toesprak, liet hij geen enkele twijfel bestaan.

'Wat zich zojuist heeft afgespeeld is slechts vergelding voor de Amerikaanse onderdrukking van moslimlanden,' zei hij, verwijzend naar de aanwezigheid van Amerikaanse strijdkrachten in Saoedi-Arabië en elders in het Golfgebied.

Als blijk van dankbaarheid jegens Allah wierp de congregatie zich ter aarde. Op dat moment wist ik nog niet wie de aanslagen hadden gepleegd en had ik net gehoord dat er wel eens 20.000 doden konden zijn gevallen. Ik had maar weinig beelden gezien en wist niet precies hoe ik op zoiets moest reageren, zelfs als de aanslag als jihadistische daad door medemoslims was gepleegd. Ik had nog zo veel vragen. Stond de islam zo'n zelfmoordaanslag eigenlijk wel toe? Was burgers aanvallen in zo'n ver land wel te rechtvaardigen?

Heel wat salafisten, zelfs in Sanaa, stonden kritisch tegenover de aanslagen van 11 september, en zeiden dat er nergens in de islam een rechtvaardiging voor te vinden was. Maar voor mij kwam het theologische antwoord een paar dagen later, en dat hielp me bij het versterken van het gevoel verplicht te zijn aan de jihad deel te nemen. Een Saoedische geestelijke, sjeik Humud bin Uqla, publiceerde een lange fatwa ter ondersteuning van de aanslagen van 11 september, waarin hij beweerde dat het was toegestaan om burgers te doden als ze zich met strijders hadden 'vermengd', en hij maakte een vergelijking met een Amerikaanse aanval in 1998 op een complex in de Soedanese hoofdstad Khartoem waarvan werd beweerd dat het door Al Qaida werd gebruikt.

'Toen Amerika een farmaceutisch bedrijf in Soedan aanviel, waarbij het gebruikmaakte van vliegtuigen en bommen, waarbij dat bedrijf werd vernietigd en iedereen die daar aanwezig was werd gedood, zowel de staf als het personeel, hoe werd dat toen genoemd? Moet die Amerikaanse actie tegenover dat Soedanese bedrijf niet als een terroristische daad worden beschouwd?' vroeg de sjeik zich af.

Ik zoog de fatwa in me op, hoewel sjeik Bin Uqla door andere geestelijken werd veroordeeld. Hij was al voor 11 september 2001 een belangrijk aanhanger van de taliban, en werd daarom constant onder vuur genomen door het Saoedische religieuze establishment. Maar in die koortsachtige dagen na 11 september waren zijn argumenten precies dat wat ik wilde horen.

Uiteindelijk accepteerde ik het feit dat ik in deze botsing tussen culturen tot de moslims behoorde. Enkele weken na de aanslagen van 11 september, terwijl de Verenigde Staten zich opmaakten om

Afghanistan binnen te vallen, sprak president George W. Bush: 'Of je staat aan onze kant, óf je behoort tot de terroristen.' Daardoor had ik geen enkele keus meer, ik kon onmogelijk de kant van de kafir kiezen. Osama bin Laden was zuiver, hij was een held. President Bush geloofde niet in Allah, en ook aanvaardde hij niet dat Mohammed zijn boodschapper was. Hij was een kruistocht tegen de islam begonnen. Hij had dat woord zelfs doelbewust gekozen en dat dreef veel twijfelaars naar het kamp van de moedjahedien.

In het debat over hoe moslims moesten reageren raakte ik veel salafistische vrienden kwijt. Wat mij betrof waren het lafaards, want ze hadden medemoslims de rug toegekeerd. Maar ik kreeg er weer veel andere vrienden voor terug, en dat waren jihadisten. Veel ervan trokken naar Afghanistan. Sommige militanten verwachtten dat Jemen elk moment door de Amerikanen kon worden binnengevallen. Ik zei zelfs tegen Karima dat het veiliger was als ze weer naar Marokko zou terugkeren.

Abdul en ik bespraken hoe het nu verder moest.

'Ik moet je iets vertellen, Murad,' zei hij op een avond. 'Ik heb voor sjeik Osama nogal wat reizen gemaakt. Ik heb boodschappen van hem rondgebracht. Herinner je je die trainingsvideo nog die ik je heb laten zien? Die heb ik zelf Afghanistan uit gesmokkeld.'

'Masha'Allah!' reageerde ik. Het was niet netjes om iemand rechtstreeks te prijzen. Alles diende van God te komen.

'Op die videofilm is een van de kapers te zien, het is de knaap die van achteren gefilmd is toen hij het stuk luchtdoelgeschut bediende. Toen ik daar was heb ik hem ontmoet. Maar niemand heeft me verteld wat er werd voorbereid.'

Ik was onder de indruk. Abdul, nog maar nauwelijks twintig, verkeerde in hogere jihadistische kringen.

Op 7 oktober, de dag dat er Amerikaanse kruisraketten op Afghanistan werden afgevuurd, bevond ik me bij vrienden thuis in Sanaa. We zagen bij de slag om Afghanistan twee duidelijke partijen. Aan de ene kant de taliban, die ondanks al hun tekortkomingen de islam vertegenwoordigden, en daartegenover een goddeloze alliantie die bestond uit Amerika, communisten, Tadzjiekse warlords en sjiieten.

Ik haatte de salafistische geleerden die nalieten het conflict met de Verenigde Staten af te schilderen als een heilige oorlog in het kader van de defensieve jihad. In die tijd werd in ons kringetje een Hadith nogal populair: 'Als je in Khorasan [Afghanistan] zwarte vlaggen ziet verschijnen, sluit je er dan bij aan.' Het leek wel of de Profeet operatie Enduring Freedom als een oorlog om de toekomst van de islam had voorspeld.

Clifford Newman, mijn Amerikaanse salafistische vriend, voelde het net zo. Begin december kwam hij opgewonden naar mijn huis.

'Murad, heb je het nieuws gezien?' bracht hij hijgend uit. 'Die Amerikaan die ze in Afghanistan gevangen hebben genomen en op televisie hebben laten zien. Ik ben degene die die knaap daarnaartoe heeft gestuurd.'

Hij refereerde aan John Walker Lindh, de zogenaamde 'Amerikaanse taliban' die net door CNN in Afghanistan was geïnterviewd nadat hij daar gevangen was genomen. Lindh had het jaar ervoor aan het CALES-taleninstituut gestudeerd, was van daaruit naar Pakistan gevlogen en was toen over de grens naar Afghanistan getrokken. Newman vertelde me dat hij hem bij de reis had geholpen.

Wat mij betrof betekende de aanval op onze moslimbroeders dat elke moslim nu verplicht was aan de jihad deel te nemen. Als aandeel in de strijd was ik vast begonnen geld bijeen te brengen voor de taliban en de strijders waar ik me hopelijk op een dag bij zou kunnen aansluiten, maar dat trok de aandacht van de Jemenitische inlichtingendiensten. Ik werd gesommeerd me bij het comité te melden dat leiding gaf aan de moskee en dat gewoonlijk zitting hield in Sanaa.

'Murad,' zei een tengere, al wat oudere man, 'dit is een moskee waar alle moslims welkom zijn, en we hebben een verplichting ten opzichte van onze gehele congregatie. Sommige mensen maken zich zorgen, net als wij, dat deze heilige plaats het verkeerde soort aandacht krijgt. Misschien heb je gezien dat er aan de overkant van de weg mannen staan die ons constant in de gaten houden. En ze houden jou ook in de gaten. We willen niet dat leden van deze congregatie deze moskee gebruiken om geld te verzamelen voor oorlogen in het buitenland.'

Hij zweeg even en wierp een zijdelingse blik naar de rest van het comité.

'We hebben te horen gekregen dat het beter is als je hier niet meer komt, dat is beter voor jou en het is ook beter voor ons. Ik hoop dat je dat begrijpt.'

Ik begon achterom te kijken als ik op straat liep. Meer dan eens was ik ervan overtuigd dat een man plotseling bleef staan om in een etalage te kijken of van het ene op het andere moment van richting veranderde. Ik controleerde zelfs mijn auto, om te zien of iemand met de remmen had geknoeid of er iets aan had vastgemaakt. Ook meende ik af en toe klikjes op mijn telefoon te horen, of trad er plotseling een storing op. Het werd buitengewoon onaangenaam allemaal. Het was tijd om uit de hoofdstad te vertrekken, zodat ik in de laatste dagen van 2001 met Karima naar het zuiden trok.

De stad Taiz is een van de meest historische in Jemen en ligt te midden van hoge bergketens ongeveer halverwege tussen Sanaa en Aden. In het regenseizoen worden de bergtoppen verlicht door elektrische stormen. De bewoners van de stad beschouwen de inwoners van Aden als lui en achterlijk, en er heerst in Taiz inderdaad meer ondernemingszin. Maar erg pittoresk was het niet. In de buitenwijken staan afschuwelijke cementcentrales en vervallen fabrieken die in het Westen onmiddellijk gesloten zouden worden. Maar de moskeeën van de stad zijn prachtig. Veel jongemannen daar toonden dezelfde strijdlustigheid waar ik in Saana getuige van was geweest. Ik ging naar een moskee die nadrukkelijk veteranen verwelkomde die in Bosnië en Tsjetsjenië hadden gevochten, maar ook de strijders die in Bin Ladens kampen in Afghanistan waren opgeleid. Toen ze hoorden dat ik door de Jemenitische veiligheidsdiensten in de gaten werd gehouden, werd ik onmiddellijk in hun midden opgenomen. Al snel doorkruiste ik de stad en nam ik deel aan bijeenkomsten thuis bij enthousiaste jonge militanten, van wie er heel wat op zoek waren naar een manier om aan de nieuwe oorlog deel te nemen.

Tussen de jongemannen die ik in Taiz leerde kennen, zaten er een stuk of wat die in oktober 2002 betrokken zouden zijn bij de zelfmoordaanslag in de Golf van Aden op een onder Franse vlag varende tanker, MS Limburg.

Een paar maanden nadat we in de stad waren aangekomen, in de eerste week van mei 2002, schonk Karima het leven aan een zoon, die we Osama noemden. Toen ik mijn moeder belde en liet weten welke naam we hem hadden gegeven, krijste ze door de telefoon: 'Néé! Zo kun je hem toch niet noemen! Ben je soms gek geworden?'

'Mam,' antwoordde ik, 'als dat zo zou zijn, kan niet één westerse familie hun zoontje nog George of Tony noemen. Dat zijn degenen die de islam de oorlog hebben verklaard.'

We spraken duidelijk niet dezelfde taal.

7

FAMILIEVETES

Zomer 2002-voorjaar 2005

Ook al had ik mijn eerstgeborene Osama genoemd, toch vond ik dat zijn grootmoeder het recht had hem te zien. Bovendien was het een goed moment om even uit Jemen weg te zijn. De veiligheidsdiensten, ongetwijfeld aangemoedigd door de Amerikanen, leken een stuk vastbeslotener buitenlandse 'activisten' in de gaten te houden.

Op een aangename nazomerdag in 2002 bleek een keurige doorzonwoning in de buurt van mijn geboorteplaats Korsør uitbundig met Marokkaanse en Deense vlaggetjes versierd te zijn. Het was het welkom dat mijn familie had voorbereid voor een nogal onwaarschijnlijk koppel: de Deense jihadist en zijn Marokkaanse bruid. Tantes, ooms en nieuwe overgrootouders, iedereen was aanwezig om een nieuwe generatie te begroeten, een drie maanden oud jongetje met een dikke bos zwart haar dat Osama heette.

Mijn stiefvader hield zich mokkend op de achtergrond, hij was nog niet vergeten dat ik hem het ziekenhuis in had geslagen. Mijn moeder probeerde haar boosheid over het feit dat we haar kleinzoon Osama hadden genoemd te verbergen, zoals ik probeerde mijn minachting jegens haar te verbergen omdat ze een niet-moslim was. Ik probeerde (dat was nu eenmaal mijn plicht) haar over te halen naar de islam over te stappen, maar slaagde daar maar niet in, terwijl ze het ook niet kon opbrengen mij Murad te noemen. Maar gelukkig vond ze enige troost in mijn geloofsovertuiging, want ik zou in elk geval niet langer het criminele pad opgaan. Misschien zou ze wat dat betreft heel wat minder zeker van haar zaak zijn geweest als ze wat van de mensen had gekend die ik in Sanaa en Taiz tot mijn vrienden rekende. Ze had geen idee hoezeer ik was geradicaliseerd. Ik denk dat dat deels kwam omdat ze in een soort ontkenningsfase verkeerde. Ze wilde het simpelweg niet weten.

Na 11 september 2001 verhardde in Denemarken de houding ten opzichte van moslims. Karima droeg op straat een nikab, zodat alleen haar ogen te zien waren. Ze droeg, zelfs 's zomers, handschoenen. Ik droeg een traditionele lange thawb. Alles bij elkaar werden er behoorlijk wat argwanende blikken onze kant uit geworpen.

Na een paar maanden begon ik me toch wat minder welkom bij mijn moeder te voelen en ik merkte dat ik steeds meer begon te walgen van de aangeharkte omgeving waarin we ons bevonden. In de nasleep van de aanslag op MS Limburg had ik van mijn contacten in Taiz te horen gekregen dat het verstandig was om voorlopig nog niet naar Jemen terug te keren. De 'broeders' werden met tientallen tegelijk gearresteerd. Als ik dan toch in Denemarken moest blijven, zat ik liever tussen mijn 'eigen' mensen in een van de grijze flats in Vollsmose, een buitenwijk van Odense, waar aanzienlijk meer moslims woonden dan autochtone Denen. Veel van hen waren Somalische, Bosnische en Palestijnse immigranten. Er verschenen steeds meer verhalen in de Deense media over de misdaadcijfers in Vollsmose, verhalen die koren op de molen waren voor ultrarechtse groeperingen.

We verhuisden naar een kaal vierkamerappartement. Hoewel Karima het prettiger vond om Arabisch op straat te horen en andere gesluierde vrouwen te zien, kon ze ons bescheiden onderkomen maar matig waarderen, en ook vond ze het maar niets dat ik liever over de jihad discussieerde dan naar een of ander ondergeschikt baantje zocht. In Vollsmose deden zich heel wat moeilijkheden rond bendes voor en af en toe werden we 's nachts wakker van pistoolschoten.

Ik legde al snel weer contact met oude kameraden zoals Mohammed Zaher, met wie ik enkele jaren daarvoor regelmatig was gaan vissen. Ik merkte dat Zaher een stuk militanter was geworden, terwijl hij een maatje had dat zich kortgeleden tot de islam had laten bekeren.

Abdalleh Andersen, die als onderwijsassistent werkzaam was, had een kaalgeschoren hoofd met daarop een pluk zwart haar, en een vlezig, rond gezicht. Hij was onzeker en timide, gemakkelijk te beïnvloeden, terwijl hij enorm naar Zaher opkeek.

Aan niets was te merken dat ze korte tijd later plannen zouden beramen om in Denemarken terreur te zaaien.

In september 2006 werden Zaher, Andersen en nog verscheidene anderen in Vollsmose gearresteerd nadat de Deense inlichtingendienst, de PET, met behulp van een informant een undercoveroperatie op touw had gezet. Woedend vanwege de publicatie van een controversiële spotprent waarin de Profeet werd gehekeld, had de groep de mogelijkheid besproken om aanslagen te plegen op het Deense parlement, het raadhuisplein in Kopenhagen en de kantoren van de Deense krant *Jyllands-Posten*. De politie vond in een glazen flesje in Zahers badkamer vijftig gram explosieven. Hij werd schuldig bevonden en tot elf jaar veroordeeld. Andersen verdween voor vier jaar achter de tralies.

Ik ontdekte dat ik in het meer radicale deel van Vollsmose min of meer bekend was geworden dankzij een interview met een Deense krant waarin ik had geweigerd de aanslagen van 11 september te veroordelen zolang de mensen in het Westen de sancties weigerden te veroordelen die tot de dood van zo veel Iraakse kinderen hadden geleid. Het was een vergelijking die nogal kort door de bocht was, maar het leverde me in de wat radicalere moskeeën wel heel wat vrienden op.[9]

Ik had geen werk maar ik kreeg nog steeds een toelage van de Deense overheid vanwege mijn studie in Jemen, hoewel ik nu al bijna 25 was, in Denemarken woonachtig was en niet eens op school zat. Door dat inkomen was ik in staat dagelijks te bidden. Ik plaatste berichten op islamitische chatforums en keek naar het steeds groter wordende archief met jihadistische videofilms. Ik begon een *takfiri*-standpunt te ontwikkelen, waarbij ik andere moslims steeds vaker als kafir ging beschouwen, lieden die vanwege hun ideeën geen haar beter waren dan ongelovigen. Een van hen was Naser Khader, een in Syrië geboren immigrant en het eerste moslimparlementslid in Denemarken, die in het openbaar beweerde dat islam en democratie best samen konden. Vervolgens had hij steeds vaker kritiek op de shariawetgeving. Ziedend van woede schreef ik op een islamitisch onlineforum: 'Hij is een *murtad* [afvallige]. Er is geen fatwa voor nodig om hem om te brengen.'

Mijn toewijding aan de goede zaak ging veel verder dan alleen woorden. Ik sloot me aan bij andere toekomstige jihadisten, onder wie Zaher en mijn Pakistaanse vriend Shiraz Tariq, en we trainden dan op een paintballterrein. Maar voor ons was het geen spelletje. We gebruikten geen beschermende kleding, dus als we door een pellet werden getroffen, deed dat echt pijn. Bij een bepaalde oefening rende een teamlid alsof het om een soort zelfmoordactie ging naar voren om vuur van het andere team uit te lokken. Hoewel ik dat toen nog niet wist, werden mijn activiteiten, vooral die online, nauwgezet gevolgd door de Deense inlichtingendiensten. Mijn situatie had iets belachelijks: van het ene ministerie kreeg ik geld, het tweede zorgde voor onderdak, en het derde ministerie hield me in de gaten.

Overal waar ik kwam werden de militante groepen steeds groter en verenigden ze zich en de inlichtingendiensten moesten alle zeilen bijzetten om diegenen te identificeren die van plan waren de grens tussen theorie en daadwerkelijk terrorisme over te steken.

Karima vond Odense niet prettig, heel Denemarken trouwens niet, en begin 2003 was ze zwanger van ons tweede kind. Ik hoopte dat ze wat beter zou aarden in Groot-Brittannië. Voor de tweede keer reisde ik naar Engeland af om daar werk en een woning te zoeken, zodat de vrouw in mijn leven mij zou kunnen volgen. En voor de tweede keer had die vrouw heel andere ideeën. Toen ik naar huis belde, werd er dagenlang niet opgenomen. Ik belde naar ziekenhuizen, naar de politie, naar mijn familie. Niemand had Karima gezien. Uiteindelijk kwam ik na een telefoontje met haar broer in Rabat te weten dat ze samen met Osama naar Marokko was teruggekeerd.

Onze relatie stond al een tijdje onder druk. Ze was nog steeds erg vroom, maar ze leek ook te verlangen naar een wat comfortabeler leven in Europa. Een verwaarloosd appartement voldeed niet aan haar verwachtingen, en ze had me steeds vaker verweten dat ik niet goed voor haar zorgde. Onwillekeurig begon ik te vermoeden dat de nederigheid en het respect die ze in Rabat had getoond een toneel-stukje waren geweest.

Woedend en gefrustreerd vloog ik naar Marokko. Het kostte me een maand en heel veel geld om Osama te mogen zien, en bovendien stond Karima erop dat de aanstaande geboorte in een privékliniek zou plaatsvinden. Met behulp van vrienden slaagde ik erin het geld bijeen te schrapen. Begin augustus werd onze dochter Sarah gebo-ren.

Het was een onrustige tijd. De Amerikaanse inval in Irak, waarbij de zogenaamde 'shock and awe' wel iets weg had van een Hollywood-scenario, was in maart begonnen. Ik zag videobeelden van Ameri-kaanse soldaten die met een bijbel in de hand Irak binnentrokken, alsof ze de moslims ermee wilden provoceren. Ik, en niemand on-der mijn bekenden, had ook maar enige sympathie voor een tiran als Saddam Hussein, die we als een atheïst beschouwden. Maar nie-mand van ons geloofde de bewering van president Bush als zou het regime van Saddam met Al Qaida hebben samengewerkt en zou het massavernietigingswapens verborgen houden. Wij beschouwden de invasie als de zoveelste oorlogsverklaring aan de moslims en voor ons was het dan ook de zoveelste reden om aan de jihad deel te ne-men.

De vernedering van weer een moslimland leek compleet. Ameri-kaanse tanks waren binnen enkele dagen tot Bagdad opgerukt. Het Iraakse leger was verpletterd en de leiding ervan had zich óf over-gegeven, óf was op de vlucht geslagen. Overal in het land wapperde de stars-and-stripes. De doeleinden die de Verenigde Staten zich in deze oorlog hadden gesteld waren arrogant. Ze zouden van Irak een baken van democratie maken, waarna de rest van de Arabische we-reld dankbaar zou volgen. De islam kon barsten.

Maar ik had voorlopig andere, persoonlijke dingen aan mijn hoofd. Als ik mijn huwelijk niet stuk wilde laten lopen, moest ik op korte termijn werk zien te vinden en onze levensstandaard opkrikken. In Denemarken werd ik achtervolgd door mijn strafblad, waardoor ik een baan wel kon vergeten. In Engeland had ik veel meer kans op werk en op iemand bij wie ik kon intrekken, de voormalige gedetineerde Suleiman, met wie ik zes jaar eerder met de veerboot was aangekomen. Karima en ik maakten een afspraak: als ik in Engeland werk zou vinden, zou zij met de kinderen naar me toe komen.

Suleiman was van Milton Keynes naar een klein appartement op de begane grond in Luton verhuisd, even boven Londen. Nadat ik uit Marokko was teruggekeerd, vond ik werk als vorkheftruckchauffeur in een distributiecentrum in het nabijgelegen Hemel Hampstead. Niet bepaald een eindbestemming voor een eerzuchtige jihadist, maar als ik mijn kinderen wilde terugzien, zou ik toch echt iets moeten doen.

Mocht in Vollsmose de strijdlust sudderen, in Luton kon die elk moment overkoken. Er woonden erg veel Pakistaanse immigranten uit Kasjmir, en werkeloosheid en discriminatie waren wijdverbreid. Veel van hun kinderen hadden geleidelijk aan steeds meer afstand genomen van het Britse maatschappelijke leven en stonden afwijzend tegenover de pogingen van hun ouders om te assimileren. Ze hadden voor de radicale islam gekozen en de oorlog in Irak had het vuur bij hen alleen maar aangewakkerd.

Ik had net voldoende geld gespaard om een onopvallend rijtjeshuis te kunnen huren en eind 2003 had mijn ongewone vlaag van zelfdiscipline eindelijk resultaat. Karima, Osama en Sarah arriveerden en begonnen aan een anoniem bestaan op Connaught Road, ergens achteraf in Luton. Het was een dicht opeen gebouwde straat met na-oorlogse woningen die vol stond met auto's en bestelbusjes. Voortuintjes waren er niet, alleen wat tegels met vuilnisemmers erop. Karima was er een stuk gelukkiger. Geheel gesluierd zag ze er net zo uit als honderden andere vrouwen in Luton. Maar om precies dezelfde reden trok de stad ultrarechtse groeperingen aan en het kwam dan ook vaak tot rassenrellen.

In Luton sloot ik me al snel bij gelijkgestemde broeders aan. We hingen wat rond, aten kip en friet en praatten over de jihad. Ik kreeg volgelingen omdat ik enkele van de bekendste radicale figuren uit de Arabische wereld had ontmoet. De islamistische opstand in Irak had ons verder aangemoedigd en vormde een platform voor een radicale prediker die Omar Bakri Mohammed heette, een man die precies wist hoe hij een mensenmenigte moest opzwepen.

Ik hoorde hem voor het eerst prediken in het voorjaar van 2004, in een klein gemeenschapshuis aan Woodland Avenue, waar sommige van de meest militante moslims in Luton bijeenkwamen.

Het was er razend druk met dichte rijen jonge, bebaarde mannen die *salwar kameez* in talibanstijl droegen. Geheel in het zwart gehulde vrouwen stonden in het aparte gedeelte helemaal achter in de zaal.

Het geroezemoes verstomde toen de geestelijke, een grote, gezette gestalte, het toneel op stapte, waarbij hij zich vanwege zijn omvang met een wandelstok moest ondersteunen. Hij had een veel te grote bril op en was in het bezit van een dikke baard.

'Broeders, ik breng u belangrijk nieuws. De moedjahedien in Irak vechten terug en zijn aan de winnende hand. Ze jagen de Amerikanen de stuipen op het lijf,' bulderde hij in een taaltje dat een soort kruising was tussen wat er in zijn geboorteland Syrië wordt gesproken en een Oost-Londens accent.

Het verzet in een bepaalde stad had de jihadisten reden tot hoop gegeven. Falluja, zo'n tachtig kilometer ten westen van Bagdad, was een soennitisch bolwerk waar de bevolking altijd al niets van de Amerikanen had moeten hebben. Binnen enkele dagen nadat die daar waren neergestreken en een school hadden gevorderd, waren er relletjes uitgebroken die volkomen uit de hand waren gelopen. Amerikaanse troepen hadden het vuur geopend, waarbij verscheidene bewoners om het leven kwamen. De Amerikanen waren recentelijk in die stad een offensief begonnen nadat de deels verkoolde lichamen van vier Amerikaanse beveiligingsmedewerkers door de opstandelingen aan een brug waren opgehangen. Maar de Amerikanen waren op fel verzet gestoten, en overal ter wereld zagen jihadisten de strijd in Falluja als dé slag die Irak moest redden van de afvalligen. Aangemoedigd door het onvermogen van de Amerikanen om de stad te veroveren, riepen de jihadisten een islamitisch emiraat uit, en begonnen ze de shariawetgeving toe te passen.

'*Subhan'Allah, Allahu Akbar!* [Hemelse gelukzaligheid aan de God, God is groot!]' bulderde Bakri Mohammed. 'Ik heb zojuist de hartelijke groeten van onze broeders uit Falluja in ontvangst mogen nemen, en ze zeggen dat de strijd gunstig verloopt. Ze vragen ons te blijven werken aan ons koninkrijk. Sjeik Abu Musab al-Zarqawi doet ons ook de groeten,' donderde hij.

Zarqawi, een Jordaniër die bezig was een nieuwe Al Qaida-dependance op te zetten, werd in extremistische kringen snel bekender en werd door hen als de vaandeldrager van het verzet tegen de Amerikaanse bezetting beschouwd.

Bij het horen van Omar Bakri's opmerking kwam het publiek als één man overeind. Dit was duidelijk iemand die geen last had van gebrek aan zelfvertrouwen. Hoewel zijn vertolking van Korancitaten te wensen overliet, had hij charisma en antwoorden op de vragen van die dag en had hij opmerkelijke contacten. Wat me vooral aansprak was de manier waarop hij de Koran, Hadith en eeuwenoude islamitische wetten uitlegde om Bin Ladens strijd te rechtvaardigen.

Omar Bakri stond aan het hoofd van al-Muhajiroun, een radicale groep in Engeland die als cheerleaders van Al Qaida fungeerde, en die constant op het slappe koord tussen vrijheid van meningsuiting en aanzetten tot terrorisme balanceerde. Hij had de kapers van 11 september de 'verheven negentien' genoemd, en zijn onlinepreken, die door honderden militante jongeren werden gevolgd, rechtvaardigden de jihad tegen degenen die zich in Irak en Afghanistan 'kruisvaarders' noemden.

Tijdens de volgende paar lezingen die ik bijwoonde was zijn boodschap zonder meer opruiend. Omar Bakri zei dat de Verenigde Staten moslims afslachtten en dat het de taak van alle moslims was om terug te vechten. Maar al te graag citeerde hij een specifiek vers uit de Koran: 'De straf voor degenen die strijd leveren tegen Allah en zijn Profeet en eropuit zijn onheil in het land te stichten, is de volgende: zij dienen te worden vermoord of gekruisigd, of hun handen en voeten dienen aan weerszijden te worden afgehakt, of ze moeten worden opgesloten.'

Zijn assistenten zetten soms een projector klaar waarmee beelden werden getoond van Irakezen die door de Amerikanen zouden zijn gedood. Er waren ook opnamen te zien waarop in de Abu Ghraib-gevangenis in de buurt van Bagdad gevangenen werden mishandeld, iets wat net bekend was geworden. Dit soort vernederingen van moslims maakte me razend.

Omar Bakri hield ons ook voor dat er in deze oorlog geen onderscheid werd gemaakt tussen burgers en niet-burgers, schuldige en onschuldige mensen. Het enige echte onderscheid was dat van moslims en ongelovigen, en het leven van een ongelovige had geen enkele waarde. Bakri had al-Muhajiroun in 1996 in Engeland opgericht en de organisatie was geleidelijk aan steeds radicaler geworden, vooral na 11 september 2001. Hoewel hij door heel wat mensen als een oproerkraaier werd beschouwd, luisterden zijn volgelingen, van wie er heel wat slechts een oppervlakkige kennis van de islam bezaten, aandachtig naar elk woord dat hij zei en waren ze maar al te vaak geneigd hun toevlucht tot geweld te nemen. Al een stuk of wat van zijn volgelingen waren bij terroristische complotten betrokken geweest, waaronder een, gefinancierd door Al Qaida, waarbij zware, op kunstmest gebaseerde bommen tot ontploffing zouden worden gebracht op plaatsen waar veel mensen bij elkaar kwamen, zoals bijvoorbeeld bij de Ministry of Sound, een nachtclub in Londen. Hij had een opmerkelijke staat van dienst wat betreft het aansturen en onderwijzen van militante jongeren, die vervolgens allerlei gewelddaden wilden gaan plegen, maar nooit kon worden bewezen dat hij daarbij betrokken was of er anderszins van wist.

Nadat twee Britse mannen in Tel Aviv een zelfmoordaanslag op een bar hadden gepleegd, ging hij er prat op dat een van hen een door hem gegeven cursus over islamitisch recht had gevolgd, maar hij beweerde bij hoog en bij laag dat hij niet had geweten wat de jongens van plan waren. Hij had het ook over een 'veiligheidsconvenant', wat inhield dat in Groot-Brittannië wonende moslims daar geen jihad mochten voeren, maar dat ze dat wel in het buitenland mochten doen. Hij vertelde een verhaal over de metgezellen van de Profeet Mohammed, die in het door christenen bestuurde Abessinië bescherming en gastvrijheid vonden. Daarom was in de Koran het concept over zo'n convenant opgenomen, waarbij het moslims werd verboden inwoners aan te vallen van een land waarin ze gastvrij waren opgenomen. Het was een slimme manier om te voorkomen dat hij problemen zou krijgen met de buitengewoon strenge antiterrorismewetgeving van het Verenigd Koninkrijk.

Tijdens de lezingen van Omar Bakri zette een rustige Brit van Pakistaanse afkomst die Abdul Waheed Majeed heette helemaal achter in de zaal de officiële notulen van de bijeenkomst op papier. Hij woonde in Crawley, een slaperig marktplaatsje ten zuiden van Londen, maar reed voor de lezingen steeds naar Luton. Hij behoorde tot het groepje jongemannen die door Omar Bakri in Crawley werden onderwezen, van wie enkele van plan waren geweest de Ministry of Sound-nachtclub in de Londense wijk Southwark op te blazen. Majeed was niet bij de plannen betrokken, maar zou jaren later voor Al Qaida het ultieme offer brengen.

Al snel woonde ik Omar Bakri's zogenaamde 'vip-lezingen' bij, waaraan slechts een beperkt aantal van zijn naaste volgelingen mocht deelnemen, en een daarvan was Abdul Majeed. Omar Bakri was onder de indruk van het feit dat ik in Jemen had gewoond en van de naam die ik aan mijn zoon had gegeven. Hij noemde mij bij voorkeur Abu Osama (de vader van Osama).

Deze sessies werden meestal door zes tot tien personen bezocht en werden minstens één keer per week gehouden in het huis van een van de volgelingen in Luton. Deze bijeenkomsten werden gevolgd door een uitgebreide maaltijd waarbij de gastheer voor lamsvlees en kip zorgde. Omar Bakri hield van lekker eten.

Maar achter gesloten deuren had hij een heel andere boodschap.

Bij een gelegenheid meldde hij dat hij een fatwa uitvaardigde die toestond om in Engeland ongelovigen, de kafir, te doden, omdat de Britten volgens hem deel uitmaakten van een groter conflict. Toen een van de aanwezigen, een rood bebaarde opticien van Pakistaanse komaf uit Birmingham, vroeg of het was toegestaan om kafir op straat neer te steken, bevestigde hij dat zoiets volkomen legitiem was.

Omar Bakri was naar het Verenigd Koninkrijk gekomen om niet in Saoedi-Arabië vervolgd te worden, maar gaf ondertussen in alle rust zijn zegen aan volgelingen om in de straten van het land waar hij nu woonde willekeurige mensen te doden.

Ik maakte deel uit van een klein groepje volgelingen die billboards en posters vernielden waarop schaars geklede vrouwen stonden afgebeeld en we hadden in het centrum van Luton een stand van waaruit we folders verspreidden en met behulp van een megafoon mensen probeerden te bekeren. Wat mij betrof leek het net of ik lid van weer een andere bende was geworden, maar de vijandelijke sfeer – het aantal bedreigingen van moslimvrouwen nam alleen maar toe – zorgde ervoor dat we wel degelijk het gevoel hadden dat we onze gemeenschap moesten verdedigen. We verbleven weliswaar niet in Falluja, maar het maakte deel uit van dezelfde strijd.

We sloegen dronkaards in elkaar die gesluierde vrouwen lastigvielen. Bij een gelegenheid zaten een ander lid van al-Muhajiroun en ik achter twee knapen aan die in het Arndale Shopping Centre moslimvrouwen hadden gemolesteerd. Een ervan kreeg ik in een Boots-drogisterij te pakken, werkte hem tussen de schappen met cosmetica tegen de grond en deelde enkele rake klappen uit, om nog net op tijd weg te komen voor de politie arriveerde. Als voetbalclub Luton Town een thuiswedstrijd speelde, waar over het algemeen nogal wat neonazistische skinheads naartoe kwamen, had ik vaak een honkbalknuppel of een hamer bij me. En mijn kringetje wees pogingen van andere moslims om in Engeland politiek actief te zijn resoluut van de hand, want we vonden dat zinloos en in strijd met de islam.

Ik ondervond de islamofobie aan den lijve, vooral op vliegvelden, waar ik steevast werd onderworpen aan een 'extra visitatie'. Toen ik een keertje uit Denemarken terugkeerde, werd ik op het vliegveld Luton twee uur lang vastgehouden, terwijl mijn bagage zorgvuldig werd doorzocht en mij de gebruikelijke vragen werden gesteld.

'Doet u dit soms omdat u de pest hebt aan moslims? Want dat is de enige reden, hè?' vroeg ik op beschuldigende toon. Ze waren duidelijk beledigd. Een van hen ging een collega halen, een Brits-Pakistaanse vrouw die een hijab droeg.

'Ik ben ook moslim en ik kan u verzekeren dat dit niets met uw religie te maken heeft,' zei ze.

'U bent geen moslim. U doet zich alleen maar voor als moslim. In feite bent u alleen maar hypocriet,' beet ik haar toe.

Het salafisme van de jihad was niet bepaald een alomvattende geloofsgetuigenis.

Vanwege mijn boksersachtergrond benoemde Omar Bakri me tot 'trainingsemir' van de groep. Op de sportschool gaf ik aan een klein groepje Muhajiroun boksles, en ik organiseerde voor jonge Britse extremisten expedities naar de Barton Hills, een natuurgebied ten noorden van Luton, waar ze een paramilitaire training ondergingen, maar dan zonder wapens.

Ik stelde de oefeningen ter plekke samen, waarbij ik me liet inspireren door de Al Qaida-trainingsvideo's die ik online had gezien. Het hoogtepunt was altijd als ik mijn leerlingen eerst door een ijskoud beekje liet tijgeren, waarna ze tegen een steile oever op moesten rennen. Ik vond het heerlijk om in de buitenlucht te zijn, en dat gold ook voor mijn pupillen. Ze speelden de hele dag moedjahedien, en de kreet 'Allahu Akbar!' weerklonk regelmatig langs de beboste hellingen.

Al snel was er zo veel vraag naar de training, dat ik twee keer per week met enkele tientallen jongemannen de heuvels in trok. Ze kwamen helemaal uit Birmingham om mee te doen.

Tot degenen die ik in Luton ontmoette behoorde ook Taimour Abdulwahab al-Abdaly, een jongeman van Iraakse afkomst die een groot deel van zijn jeugd in Zweden had doorgebracht. We liepen elkaar tegen het lijf op de afdeling herenmode van het grote warenhuis waar hij werkte. Al-Abdaly had donkerbruine ogen en een weelderige bos zwart haar. Hij had zonder meer voor filmster kunnen doorgaan. Maar hij woonde nu eenmaal in Luton, en dat was een oord waar de mogelijkheden niet voor het oprapen lagen. We voetbalden met elkaar en gingen samen naar de sportschool, en uiteraard zagen we elkaar bij het vrijdaggebed.

Af en toe kwam Taimour naar al-Muhajirouns open discussieavonden, maar meer uit nieuwsgierigheid dan uit overtuiging. Hij was stil en kwam zelden met een mening over de brug. Van tijd tot tijd raakten we in een theologisch debat verwikkeld, en dan zette hij behoedzaam wat vraagtekens bij mijn onwrikbare omarming van het takfiri-standpunt. Net als mijn Deense vrienden in Vollsmose leek het zeer onwaarschijnlijk dat hij later ooit nog eens voor het terrorisme zou kiezen. Zijn vrouw ging niet geheel gesluierd, in een nikab, gekleed, maar droeg een modernere, losse hijab. Jaren later zou ook Taimour me versteld doen staan.

Extremisten zoals ik vonden het zonder proces in Guantánamo Bay gevangen houden van mannen die al dan niet lid van Al Qaida zouden zijn, en uiteraard ook het schandaal in Abu Ghraib, onverteerbaar. Mijn vriendenkring in Luton sprak spottend over 'sjeik Bush' als ze het over president Bush hadden, omdat het Saoedische religieuze establishment de Amerikanen zo respectvol behandelde en wél de terroristische aanslagen in Irak veroordeelde, maar het nooit had over de gewone Irakezen die door toedoen van de Amerikaanse strijdkrachten om het leven kwamen.

Op 7 mei 2004 werd Nick Berg, een Amerikaans staatsburger, in Irak geëxecuteerd door Abu Musab al-Zarqawi, de Jordaanse jihadist voor wie wat gewelddadigheid en wreedheid betrof geen grenzen bestonden. Zarqawi zorgde ervoor dat Bergs onthoofding werd gefilmd. Hij was degene die het zwaard hanteerde en kreeg binnen mijn kring in Luton een nog grotere aanhang dan Osama bin Laden.

De videobeelden van het executeren van Berg, en van aanslagen op Amerikaanse strijdkrachten in Irak, werden bij de jihadisten in Luton en elders in het Verenigd Koninkrijk razend populair en werden ook uitgebracht op dvd's, die dan door al-Muhajiroun werden gedistribueerd.

Ook ik heb de beelden van Bergs executie gezien, maar ik hoorde pas veel later dat de man rechts van hem, de man die Berg vasthield terwijl Zarqawi zich voorbereidde op de fatale houw, Mustapha Darwich Ramadan was, met wie ik in 1997 in een Deense gevangenis had gesproken. Nadat Ramadan was vrijgekomen was hij opnieuw in de problemen geraakt en was hij eerst naar Libanon gevlucht en vervolgens naar Irak, waar hij zich een *nom de guerre* had aangemeten, Abu Mohammed Lubnani, en waar hij zich had aangesloten bij de militante islamitische groepering Ansar al-Islam.

Lubnani en zijn zestienjarige zoon sneuvelden in Fallujah toen ze samen met Al Qaida tegen Amerikaanse troepen vochten.

De wreedheid van de in Irak opgenomen videobeelden stootte me niet af, want ik vond het een gerechtvaardigde straf voor het binnenvallen van een moslimland. Ze zorgden ervoor dat de vijand de stuipen op het lijf werd gejaagd. Allah had Mohammed voorgehouden dat je in een oorlog de vijand beter kon afslachten dan dat je hem gevangennam. In de woorden van de Koran: 'Een Profeet dient niemand gevangen te nemen voor hij in het land een bloedbad heeft aangericht. Jij verlangt naar de verleidingen van deze wereld en Allah verlangt (voor jou) het Hiernamaals, en Allah is machtig en wijs.'

Ik kon deze verre oorlogsgebeurtenissen los zien van mijn dagelijkse omgeving op een manier waartoe veel volgelingen van Omar Bakri niet in staat waren. Voor jongemannen die zijn privélezingen bijwoonden, zoals de opticien, was de vijand overal, in uniform en zonder uniform, in Bagdad en Birmingham. Ze waren tot een heel simpele conclusie gekomen: het waren de discipelen van Allah tegen de ongelovigen.

Ik vond het erg moeilijk om die simplistische formule te accepteren. Misschien dat mijn elementaire menselijkheid me ervan weerhield de wereld als een worsteling tussen goed en kwaad te zien, en waar het kwaad ook bestond uit gewone mensen die probeerden een gezin draaiende te houden en aan het werk te blijven. Ondanks de fatwa's die de aanslagen van 11 september rechtvaardigden, begon er met betrekking tot het op de korrel nemen van burgers toch iets aan me te knagen. Voor mij was de jihad nog steeds een defensieve actie om het geloof te beschermen. En op persoonlijk niveau vond ik het gewoon prettig als de mensen me aardig vonden en het maakte niet uit of dat nou moslims waren of andersdenkenden. Of het nu ging om een praatje met de caissière van een supermarkt of met een buschauffeur, een gesprekje over voetbal in het distributiecentrum of iemand te hulp schieten die met zijn boodschappen aan het worstelen was. Ik zag de niet-moslims die ik kende als medemensen, maar dan wel misleide medemensen.

Ik raakte bedreven in het onderscheid maken tussen mijn toewijding aan de zaak – en aan al-Muhajiroun – en de verstandhouding die ik ontwikkelde met gewone mensen die ik leerde kennen.

Ik was een stuk minder bedreven in het overeind houden van mijn huwelijk. Ik had ontslag genomen als vorkheftruckchauffeur en werkte nu af en toe als uitsmijter bij een nachtclub. Ik had daarvoor in elk geval de juiste lichaamsbouw en ik verdiende meer dan toen ik nog een vaste baan had. Het contant betaald worden door de clubs en pubs in Luton en nabijgelegen plaatsen bracht nog een extra voordeel met zich mee: de belasting op mijn inkomen verdween nu niet rechtstreeks in de schatkist van de Britse overheid, die daarvan toch maar in het buitenland oorlog tegen moslims voerde.

Maar Karima was niet gelukkig. Ze had last van enorme stemmingswisselingen en moest niets hebben van mijn manier van leven als 'moslimuitsmijter'. Ze voelde zich eenzaam en kon de kinderen slechts met grote moeite aan. Osama was uitgegroeid tot een onstuimige, luidruchtige kleuter. Op een gegeven moment, tijdens een ruzie over mijn vaak langdurige afwezigheid op Connaught Road, spuwde ze me in het gezicht.

Op een sombere avond in het najaar van 2004, het motregende ook nog, kwam ze met een eenvoudig verzoek.

'Zou je willen vertrekken?' vroeg ze. 'Ik wil je hier niet meer om me heen hebben.'

113

Karima vroeg me om een 'scheiding op z'n islamitisch' en wilde zelfs dat ik haar hielp bij het vinden van een nieuwe echtgenoot. Ik moest er niet aan denken dat een man die ik niet kende in hetzelfde huis zou gaan wonen als waar mijn jonge kinderen verbleven, dus ging ik zelfs zo ver haar aan een Turkse vriend van me voor te stellen. Hij werd haar nieuwe echtgenoot, in elk geval volgens de islamitische wet, en wellicht niet volgens de Britse wetgeving, en trok bij Karima in. Maar drie dagen later vertrok hij al weer.

'Ik begrijp niets van die vrouw,' verzuchtte hij. We lachten erom.

Nu ik min of meer dakloos was en het gevoel had gefaald te hebben, raakte ik in een dip die wel iets weg had van de tijd dat ik naar Denemarken moest om daar mijn gevangenisstraf uit te zitten. Toen was mijn reactie totaal anders geweest: geen misdaad meer, op zoek gaan naar discipline en weer zelfrespect zien te krijgen door te proberen een goed moslim te worden. Begin 2005 zorgde alle beroering juist voor het tegenovergestelde effect: alsof ik werd teruggeworpen tot in mijn Bandido-dagen. In de Koran stond niets waaraan een uitsmijter van een nachtclub zich qua gedrag kon vasthouden. Toen ik bezoekers van de club betrapte op het bezit van cocaïne, konden ze kiezen: óf ze gaven het spul aan mij óf ik leverde ze uit aan de politie. Binnen de kortste keren had ik behoorlijk wat cocaïne en ging ik het na zeven jaar zelfverloochening weer gebruiken. Ook had ik een nogal wilde partner, een blondine die Cindy heette,[10] die bij een autodealer werkte en de rest van haar tijd vulde met keihard feesten.

Nog geen drie minuten nadat ik haar en een vriendin voor het eerst zag – dat gebeurde voor een van de clubs waar ik werkte – wierp Cindy me een wellustige blik toe.

'Ik vind het heerlijk als iemand me op mijn billen slaat,' zei ze.

'Waarmee wil je dat ik je sla?' repliceerde ik.

Ze noemde een bepaalde zweep die in sadomasochistische kringen blijkbaar heel bekend was en gaf me haar telefoonnummer.

Of ik technisch gezien nog met Karima was getrouwd of niet, de Koran stelde voor seks buiten het huwelijk strenge straffen in het vooruitzicht.

'De vrouw en de man die overspel plegen dienen elk gekastijd te worden met honderd zweepslagen; en vat inzake Gods religie geen genegenheid voor hen op als u gelooft in God en de Laatste Dag.'

Het was het soort straf dat Cindy wellicht zou kunnen waarderen. Maar de daaropvolgende maanden leefde ik een leven vol tegenstellingen, gaf ik toe aan alle mogelijke verleidingen, om vervolgens berouw te tonen door te bidden. Ik was hopeloos de weg kwijt en kwam terecht in een maalstroom van seks, drugs en vechtpartijen, af en toe onderbroken door het tijdelijk hervinden van het geloof.

Een van de clubs waar ik werkte bevond zich in het stadje Leighton Buzzard. De Shades was een deerniswekkend oord: een vreselijk litteken in wat ooit een prettige straat in een landelijk stadje was geweest. Er werd regelmatig gevochten en ik verdiende er redelijk. Tony, de hoofdportier, was een vriendelijke knaap van begin veertig en intelligenter dan de gemiddelde uitsmijter. Hij kon diepzinnig zijn en had belangstelling voor van alles, in tegenstelling met de hufters die wij gewoonlijk de Shades uit trapten. Ik was de eerste moslimbekeerling met wie hij samenwerkte en hij was nieuwsgierig naar de reden waarom ik voor de islam had gekozen.

Op een bitterkoude avond in februari 2005 pikte Tony me met zijn bejaarde Honda Accord bij het station van Leighton Buzzard op. Gewoonlijk hadden we het dan over boksen, het werk of wat dan ook. Maar op die avond, terwijl we voor een stoplicht stonden te wachten, draaide hij zich plotseling naar me om en vroeg hij simpelweg: 'Waarom verlangt Allah van mensen dat ze andere mensen doden? Denk je ook niet, Murad, dat Allah veel liever zou zien dat je andere mensen leert lezen?'

Ik stamelde iets, maar kwam vervolgens al snel met standaardantwoorden over de brug over de noodzaak van de jihad om mijn godsdienst te redden, die constant met westerse onderdrukking te maken had. Maar de directheid waarmee Tony de vraag had gesteld bracht me in verwarring. Sinds ik zeven jaar eerder moslim was geworden, had ik geleerd vijanden te cultiveren of ze me voor te stellen: sjiieten, de Moslimbroederschap, de racisten in Luton en meer recentelijk de

Amerikaanse overheid. Op de een of andere manier kon ik worden geïdentificeerd aan de hand van de mensen of zaken waar ik van walgde. Vijanden boden een uitlaatklep voor mijn woede. Maar ze camoufleerden tegelijkertijd de werkelijke reden waarom ik de haat omarmde. Al sinds mijn jeugd maakten woede en frustratie deel van me uit. Het was een stuk gemakkelijker om te haten dan om je te verzoenen.

Mijn automatische reactie als ik met pijnlijke vragen werd geconfronteerd, was om de duivel ervan te beschuldigen dat hij probeerde mijn geloofsovertuiging te ondermijnen. Sinds ik moslim was geworden, hadden imams en geleerden me voortdurend voorgehouden dat Satan er altijd op uit was om twijfel te zaaien. In de Koran was geschreven: 'Satan zei: "O, mijn Heer! Omdat U me hebt misleid, zal ik het dwaalpad voor de mensheid op aarde waarlijk verfraaien, en ik zal hen allen misleiden. Met uitzondering van de slaven die door U zijn uitverkoren."'

Te midden van het hedonisme van het leven met Cindy voelde ik me zwak, alsof ik weer teruggleed naar mijn tijd in Korsør, de tijd waarin ik voornamelijk aan het matten was. Ik moest daaruit zien te ontsnappen voor het drijfzand me zou opslokken. En het was mijn ex-vrouw die me, voorlopig althans, de reddingsboei toewierp.

'Wil je terugkomen?' was Karima's simpele vraag nadat ik de telefoon had opgenomen. Het was begin voorjaar 2005. Ze klonk eerder uitgeput dan dat ze wanhopig op mijn gezelschap zat te wachten. Toch was ik opgetogen over deze kans om met mijn kinderen herenigd te worden. Ik zou de seks met Cindy zeker missen, maar niet haar ongebreidelde levensstijl, om nog maar te zwijgen over de doelloosheid van dit soort leven.

Berouw is een formidabele kracht en die hielp me om dit wilde intermezzo achter me te laten. Terwijl ik door de achterafstraten van Luton liep, reciteerde ik de woorden van Allah: 'Het zijn de ware gelovigen die, wanneer ze een zonde begaan of hun ziel onrecht aandoen, zich Allah herinneren en vergeving vragen voor hun zonden. En wie anders dan Allah kan vergeving schenken?'

8

MI5 KOMT NAAR LUTON

Voorjaar-najaar 2005

Op 30 april 2005 publiceerde het Amerikaanse tijdschrift *Newsweek* een artikel dat tot grote commotie leidde. Amerikaans militair personeel in Guantánamo Bay had de Koran ontheiligd en gevangenen vernederd.

Het tijdschrift meldde dat 'ondervragers, in een poging verdachten te stangen, een koran door het toilet hebben gespoeld en een gevangene met de halsband van een hond om de nek op handen en voeten hebben laten rondkruipen. Een woordvoerder van het leger bevestigt dat vanwege het mishandelen van gevangenen disciplinaire maatregelen zijn genomen tegen tien Gitmo-ondervragers, onder wie een vrouw die haar uniformjasje heeft uitgetrokken, haar vinger door het haar van een gevangene heeft gehaald en vervolgens op de schoot van de gevangene is gaan zitten.'

Later herriep *Newsweek* een deel van het verhaal, maar toen waren overal ter wereld moslims al in razernij ontstoken. Er vonden in Afghanistan rellen plaats waarbij veel doden vielen, terwijl in Pakistan de politicus Imran Khan, die tot de oppositie behoorde, het artikel gebruikte om het gezag van de militaire leider van het land, generaal Pervez Musharraf, te ondermijnen. Overal riepen jihadistische gemeenschappen om wraak, waaronder uiteraard ook onze broederschap in Luton.

Medio mei hielp Omar Baktir bij het organiseren van het protest bij de Amerikaanse ambassade aan Grosvenor Square, en ik reed er vanuit Luton met een heel stel van zijn volgelingen in konvooi naartoe.[11]

Online zijn er nog steeds videobeelden te vinden van die demonstratie, en tussen de schreeuwende Pakistaanse en Arabische mannen is ook nog een breedgeschouderde Deen te zien die op een Amerikaanse vlag staat die smeulend op het Londense plaveisel ligt, terwijl hij glimlachend roept: 'Bom, bom, bombardeer de vs!' en 'Vergeet nooit, nooit de elfde september!' De spreekkoren waren zo provocerend mogelijk. Toen we neerknielden om te bidden, zag ik tot mijn verbijstering dat de pakweg tweehonderd betogers zich geleidelijk aan al terugtrokken, alsof een paar slogans voldoende waren geweest om het zelfrespect van de islam te herstellen, en de diplomaten van de grote satan nu trillend en bevend achter het kogelvrije glas van hun ambassade zaten.

Ik was woedend. Net op het moment dat de adrenaline bij mij goed en wel begon te stromen, was de demonstratie al ten einde. Deze zogenaamde militanten waren watjes. We hadden op z'n minst de plicht het politiekordon aan te vallen en te proberen het ambassadeterrein binnen te dringen. Daar zouden we ongetwijfeld verwondingen bij oplopen en worden gearresteerd, maar dat waren speldenprikken vergeleken bij datgene wat ons geloof was aangedaan. Ik was gefrustreerd, teleurgesteld door Omar Bakri. Hij had een vurige toespraak gehouden en was toen naar zijn comfortabele auto teruggekeerd. Het was alleen maar praten voor de bühne geweest. Bovendien begon ik te twijfelen of hij wel echt contacten onderhield met mensen in Irak en andere jihadistische slagvelden.

Toen ik die avond naar Luton terugkeerde, was ik vastbesloten de opscheppers aan de kaak te stellen die weliswaar de jihad hadden uitgeroepen, maar beslist hun lunch niet wilden mislopen. Met de passie van iemand die zojuist weer op het rechte pad was teruggekeerd, wierp ik me op de studie van het salafisme en de jihad. Als eenvoudige moslim besefte ik heel goed dat ik nooit een fatwa kon uitvaardigen, maar ik was wel van plan een brochure uit te geven met de titel 'De ontmaskering van nepsalafisten'.

In de weken daarna werkte ik dag en nacht aan een pamflet dat vervolgens een scriptie werd en ten slotte uitmondde in een verhandeling: meer dan 140 bladzijden beargumenteerde retoriek, vol citaten uit de Koran en van geleerden uit het verleden. De nepsalafisten praatten graag maar werkten in het geheim samen met de kafir die de moslimlanden waren binnengevallen.

'De nepsalafisten van nu gebruiken duizend-en-een excuses om onder de verplichting van de Jihad Fard Ayn in Irak en andere moslimlanden uit te komen, en ze ontkennen ook dat degenen die de ongelovigen bij deze kruistocht tegen de islam helpen afvalligen zijn,' schreef ik.

Mijn conclusie was een oproep om ten strijde te trekken.

'Uw taak als ware moslim is steun verlenen aan uw moslimbroeders en -zusters die op dit moment door de neokruisvaarders en joden worden gedood. Wees in elk geval zo goed dua's [gebeden] voor hen te uit te spreken, geld voor hen in te zamelen en te proberen uw best te doen de frontlijn te bereiken waar uw broeders zich inspannen, of help op z'n minst iemand ernaartoe te gaan.'

Intellectueel gezien bevond ik me al op het slagveld.

Op een ochtend in juni 2005 werd ik in mijn studie gestoord toen er op de voordeur van ons halfvrijstaande huis werd geklopt. (We waren even daarvoor naar Pomfret Avenue verhuisd, nog zo'n onbeduidende straat in Luton.) Ik keek door het slaapkamerraam en zag een politieman staan. Er werd nog eens geklopt. Ik fluisterde tegen Karima dat ik niet thuis was.

Vanaf de overloop luisterde ik wat er werd gezegd.

'Ik ben van de politie. We zouden graag Mr Storm even willen spreken.'

'Hij is er niet.'

'Jazeker, hij is er wel degelijk, we weten dat hij thuis is.'

Ik trok mijn kleren aan en ging naar beneden.

De agent had een zachte stem, maar zei niet hoe hij heette.

'Wilt u met me meekomen, Mr Storm? Er zijn wat vragen die we u graag zouden willen stellen.'

Het klonk allemaal zeer routinematig, als iets wat hij al honderden malen eerder bij de hand had gehad.

'Nee,' antwoordde ik. 'Ik ga niet met u mee, maar u mag natuurlijk wel binnenkomen.'

Hij weigerde beleefd en ik vroeg hem wat het probleem was.

'Iemand heeft met uw auto bij een tankstation benzine getankt, voor dertig pond brandstof, waarna de bestuurder zonder te betalen is weggereden.'

Ik wist dat dit allemaal verzonnen was, maar ik had ze tot iets beters in staat geacht.

'Hier hebt u de sleuteltjes. Kijk maar naar de benzinemeter. Daar heeft echt niemand voor dertig pond brandstof in gedaan.'

Ik liep met hem mee naar buiten en deed de auto van het slot. Zodra ik het contactsleuteltje had omgedraaid, trok de politieman zich terug en ging de passagiersdeur open, en verscheen er een keurig in het pak gestoken jongeman.

'Mr Storm, ik ben Robert. Ik werk voor de Britse inlichtingendienst.'

Zijn woorden brachten me een ogenblik lang uit mijn evenwicht.

'Goed,' zei ik zwakjes terwijl ik uitstapte. 'Waar wilt u me over spreken?'

'Dit is gevaarlijk,' zei Robert, 'heel, heel gevaarlijk. Het is van het grootste belang dat we met elkaar praten.'

Ik had geen idee wát nu precies gevaarlijk was. Ik nodigde hem uit binnen te komen, maar benadrukte dat ik hem niets te vertellen had.

Hij sloeg het aanbod af en we bleven naast de auto staan. Terwijl ik mezelf langzaam maar zeker weer enigszins onder controle kreeg, viel het me op hoe jong hij nog was. Waarschijnlijk was hij net afgestudeerd. Dit was waarschijnlijk een van zijn eerste klussen op dit gebied.

Misschien, dacht ik, waren de inlichtingendiensten op de hoogte van het feit dat ik weer drugs was gaan gebruiken en dachten ze dat ik daardoor wat kwetsbaarder was geworden.

'Mag ik u enkele vragen stellen,' vervolgde hij. Aan de overkant zag ik een paar buren die naar hun werk gingen onze kant uit kijken.

'Morten,' zei hij in een poging informeel te klinken, 'momenteel hebben we in het Verenigd Koninkrijk wat het terrorisme betreft met een gevaarlijke situatie te maken.'

'Om te beginnen heet ik Murad,' reageerde ik. 'Ten tweede, u hebt niets van moslims te vrezen. U hebt met IRA-aanslagen te maken gehad, uitgevoerd door katholieken, dus waarom gaat u niet op jacht naar katholieken of naar leden van de Spaanse ETA? Waarom zit u steeds moslims dwars? Moslims hebben in het Verenigd Koninkrijk nog nooit een aanslag gepleegd.'

Ik begon op stoom te raken, en ik bracht Irak ter sprake. 'Hoeveel honderdduizenden kinderen hebben jullie al niet gedood? Dan is het toch logisch dat de moslims boos zijn? Jullie denken zomaar mensen te kunnen aanvallen en vinden het dan vreemd als ze terugslaan. Ik ben niet bang voor jullie. Maar als u erop staat pak ik wat kleren, dan kunt u me in één moeite door bij de gevangenis afleveren.'

Robert schudde glimlachend zijn hoofd.

'We zijn helemaal niet van plan je te arresteren. We willen je alleen wat vragen stellen.'

Daar stonden we dan, de Deense moslim en de man van MI5, in gesprek met elkaar op Pomfret Avenue, net om de hoek van Treetop Close, in Luton.

Maar daar hielden de algemeenheden op.

'Wat vind je van Abu Hamza?' vroeg hij.

Abu Hamza al-Masri was een militante geestelijke uit Egypte die door de Britse populaire tabloids vanwege zijn kunsthand 'Kapitein Haak' werd genoemd. Hij beweerde zijn hand te hebben verloren bij het opruimen van mijnen in Afghanistan. Hij was imam van de moskee in Finsbury Park in Noord-Londen geweest.[12]

'Ik weet nauwelijks iets van die man,' antwoordde ik en dat was de waarheid. Ik had hem nooit ontmoet en ik had nog nooit preken van hem gelezen. 'En ik was niet van plan hem te belasteren omdat u dat goed uitkomt. U bent een ongelovige en hij is een moslimbroeder.'

We spraken ongeveer twee uur met elkaar, bij mij voor de deur

naast de auto. Ik vroeg me constant af of ik op basis van de uitgebreide antiterrorismewetgeving die in Engeland bestond in staat van
beschuldiging kon worden gesteld. Misschien was MI5 op de een of
andere manier op de hoogte van de felle aanklacht die ik zojuist had
geschreven en waarin ik de jihad rechtvaardigde, of hadden ze me
geïdentificeerd aan de hand van de tv-beelden die tijdens de beto-
ging bij de Amerikaanse ambassade waren gemaakt. Of misschien
was ik verlinkt door het Islamic Centre in Luton, dat mij en mijn
vrienden als gevaarlijke radicalen beschouwde.

Robert vertrok. We gaven elkaar een hand en beseften beiden dat
ik deel uitmaakte van het spel. Wat ik niet wist, was dat twee agenten
van de Deense inlichtingendienst vanuit een eindje verderop gepar-
keerde auto alles hadden geobserveerd. MI5 en hun vrienden waren
duidelijk van mening dat ik het waard was om tijd aan te besteden
en probeerden er blijkbaar achter te komen of ik bereid was mijn
contacten met hen te delen.

Drie weken na dit gesprek, op 6 juli 2005, kwamen de wereldleiders
bij elkaar in het Schotse Gleneagles voor de jaarlijkse G8-conferentie,
waarbij Tony Blair als gastheer fungeerde. Na bijna acht jaar als eerste minister leek Blair onaantastbaar. Door zijn steun aan de oorlogen in Afghanistan en Irak, waar nu een groot deel van de Britse
strijdkrachten waren gestationeerd, had hij zijn land in hoge mate
door Bush op sleeptouw laten nemen, maar het thuisfront keerde
zich steeds meer tegen de oorlog. De hoofdreden voor de invasie
was onderuitgehaald doordat bekend was geworden dat met het bewijsmateriaal waaruit moest blijken dat Saddam Hussein massaver-
nietigingwapens zou hebben – op z'n zachtst gezegd – was geknoeid.

Ook veel Britse moslims waren door de oorlogen in woede ontstoken. Een aantal van hen was naar Pakistan afgereisd met de bedoeling zich bij Al Qaida, de taliban of een andere groepering aan te
sluiten. Sommigen waren er gebleven en vervolgens gesneuveld of
waren spoorloos verdwenen in de tribale gebieden. Een paar waren
naar huis teruggekeerd.

Op de ochtend van 7 juli presenteerden Blair en zijn belangrijkste ministers voor deze top een ambitieuze agenda. Op een gegeven moment gaf een assistent een briefje aan de Britse eerste minister. Drie zelfmoordenaars hadden aanslagen gepleegd op de Londense ondergrondse. Er waren slachtoffers gevallen en het leven in de hoofdstad was tot stilstand gekomen. Kort daarna blies een vierde zelfmoordenaar een Londense bus op.

Duidelijk aangeslagen kwam Blair uit de vergaderruimte tevoorschijn.

'Het is vrij duidelijk dat er in Londen een aantal terroristische aanslagen heeft plaatsgevonden,' zei hij voordat hij haastig in een helikopter stapte.

Die ochtend was ik me volkomen onbewust van het bloedbad dat zo'n vijftig kilometer zuidelijker was aangericht en ik had geen idee dat de aanslagplegers op weg naar de hoofdstad in Luton op de trein waren gestapt. Maar de hardnekkigheid waarmee ik een paar weken eerder tegenover MI5-man Robert had beweerd dat de Britten niets van moslims te duchten hadden, was plotseling van nul en generlei waarde. En terwijl het nieuws van de aanslagen zich verspreidde en er steeds meer werd gespeculeerd, werden mij – in mijn moslimuitmonstering door Luton lopend – steeds meer vijandige blikken toegeworpen, terwijl ik nog steeds geen idee had wat er in Londen was gebeurd.

Uiteindelijk werd ik gebeld door een vriend die me over de aanslagen vertelde, waarna we ons onmiddellijk naar het buurthuis aan Woodland Avenue haastten. Iedereen was bang voor de gevolgen van deze gebeurtenissen. Op dat moment wisten we dat er ongeveer vijftig doden waren gevallen en dat ettelijke honderden mensen gewond waren geraakt.

Ondanks de vele slachtoffers, allemaal burgers, vond ik toch een manier om de aanslagen te rechtvaardigen. De islamitische broeders hadden de kafir de schrik op het lijf gejaagd en hadden het financiële hart van een staat die bewust oorlog tegen de moslims voerde een stevige klap toegebracht. De aanslagen zouden de Britse economie ongetwijfeld tientallen miljoenen ponden kosten, en dat was geld dat niet meer aan de oorlog kon worden uitgegeven.

De adrenaline joeg door mijn lichaam. We hadden het met z'n allen over de jihad gehad, we hadden gejuicht om onze broeders in Irak. En nu werd er strijd geleverd bij ons op de stoep. Zou Engeland in deze godsdienstoorlog het volgende strijdtoneel worden? Alles leek mogelijk.

Toen we de volgende dag naar Londen reisden voor een moslim-bruiloft was de spanning voelbaar. Op het trottoir liep een jonge blanke man, die toen hij ons zag passeren zijn hand omhoogbracht en net deed of hij een pistool op ons richtte. Ik stopte en riep hem naar me toe. Toen hij zag dat ik blank was, dacht hij heel even dat hij een bondgenoot had bij zijn provocatie.

Ik spuwde hem in zijn gezicht, waarna hij naar zijn auto holde om een koevoet te pakken. Ik stapte snel uit, klaar om het tegen hem op te nemen, maar de anderen hielden me tegen. Het laatste waar deze brui-loftsgasten op zaten te wachten was een vechtpartij op straat in Londen.

In Luton werd een groot aantal moslims op straat lastiggevallen. Tijdens vergaderingen in wijkcentra kwamen moslimsekten bijeen die elkaar anders zo veel mogelijk probeerden te ontlopen, om sa-men de gemeenschappelijke bedreiging te bespreken.

Omar Bakri Mohammed probeerde uit de aanslagen van 7 juli voordeel te putten. Enkele dagen later ontbood hij een aantal trouwe volgelingen voor een vergadering naar Leyton in Oost-Londen. De situatie was veranderd, zei hij. Het 'veiligheidsconvenant', dat inhield dat Britse jihadisten geen aanslagen in Groot-Brittannië mochten voorbereiden, bestond niet meer.

'Nu de jihad naar het Verenigd Koninkrijk is overgeslagen,' zei hij tegen ons, 'kunnen jullie doen wat je wilt.'

Misschien wist hij dat hem niets kon gebeuren. De meeste van zijn aanhangers waren niet bereid het pad te volgen van de mannen die op 7 juli de aanslagen hadden gepleegd. Maar dat kwam niet omdat ze geen toestemming hadden.

Als er geen sprake was geweest van een oude Deense bekende en een per ongeluk achtergelaten mobiele telefoon, was de kans groot geweest dat ik naar Omar Bakri's bombastische teksten was blijven luisteren en in het Engelse heuvellandschap was blijven oefenen voor de onvermijdelijke dag dat ik geroepen zou worden door de jihad.

Ik had Nagieb ontmoet in 2000. Hij was in Denemarken afgestudeerd aan de school voor de journalistiek en was afkomstig uit Afghanistan. Hij wist dat ik in Jemen had gezeten en wilde een film maken over de moedjahedien daar. En hij wilde dat ik met hem meeging om daar deuren te openen.

Dat vooruitzicht wond me al bij voorbaat op. Ik kreeg weer energie en wilde nog steeds terug naar een echt moslimland, zoals Allah van me verlangde. Ik voelde me meer verwant met mijn vrienden daar dan met de radicale praatjesmakers in het Verenigd Koninkrijk. De opwinding van direct na de bomaanslagen in Londen was weer enigszins gaan liggen en ik was bang dat MI5 misschien weer langs zou komen, nu ze hun pogingen intensiveerden om na de gebeurtenissen in Londen meer aan de weet te komen over jihadistische cellen in het Verenigd Koninkrijk.

Ik begon zelfs mijn zoon Osama, die net drie was geworden, te indoctrineren. Soms speelden we een spelletje vraag en antwoord.

'Wat wil je later worden?'

'Ik wil moedjahedien worden.'

'Wat wil je dan gaan doen?'

'Ik wil kafir doden.'

Ik vond dat als westerse kindertjes op hun spelcomputer donkergetinte figuurtjes met een tulband mochten afschieten, ik mijn zoon mocht leren wraak te nemen. Daar had je de haat weer.

Mijn relatie met Karima was eigenlijk nooit meer goed geworden. Nadat ze me had teruggevraagd, was Cindy me een keertje komen opzoeken in ons huis in Luton, niet beseffend dat Karima daar ook aanwezig zou zijn. Het was de tweede keer dat ik de volle kracht van Karima's explosieve stemming over me heen kreeg. Ze slingerde allerlei verwensingen naar mijn hoofd, waarbij haar woede niet zozeer was gewekt door het feit dat ik met Cindy naar bed was geweest, maar omdat ze de decadentie en losse moraal van de westerse vrouw vertegenwoordigde.

Toen ik Karima vertelde van mijn plan om naar Jemen terug te keren, haalde ze alleen haar schouders even op en draaide zich toen om. Er werd verder niet over gesproken en er heerste alleen maar berusting. Ze voelde zich in de steek gelaten, ongewenst.

Dus kwam het niet echt als een verrassing toen ik op een middag haar mobiel oppakte die zojuist was overgegaan – Karima was niet thuis – en het volgende sms'je las: 'Kom naar me toe in het hotel. Ik hou van je.'

Niet het feit dat ze iemand anders had gevonden zat me dwars. We hielden al tijden niet meer van elkaar, onze relatie was meer een pact vanwege de kinderen. Het was het feit dat ze nog steeds beschutting zocht in het huis waarvoor ik de huur betaalde, dat ze nog steeds van mijn naam gebruikmaakte om haar Europese visum te kunnen behouden, niet te beroerd was om conform de islamitische wetgeving er een andere man bij te nemen, terwijl ze het vertikte om conform het burgerlijke recht van me te scheiden.

Toen ze thuiskwam, was ze nerveus. Had ik misschien haar mobiel ergens zien liggen?

Ik loog. Het ding zat in mijn zak.

'Ik wil dat je naar buiten gaat terwijl ik ernaar op zoek ga.'

Ze kon haar zenuwen nauwelijks de baas.

Ik belde het nummer dat het suggestieve sms'je had verstuurd. Een man nam op. Later ontdekte ik dat het om een Palestijn ging die in Luton woonde en wiens echtgenote Karima's beste vriendin was. Hij en Karima waren in het geheim en volgens de islamistische wetgeving in het huwelijk getreden.

Ik ging naar binnen en confronteerde haar ermee.

'Ik weet precies wat je aan het doen bent,' zei ik haar kalm. 'Ik weet waar je regelmatig naartoe gaat, ik weet alles. Ik vraag je alleen maar de kinderen aan mij te geven.'

Ze keek me vol haat aan.

'Jij zult je kinderen nooit meer zien,' zei ze. 'Nooit meer.'

Ze pakte Osama en Sarah op en probeerde de deur te bereiken. Ik hield haar tegen, maar ze draaide zich razendsnel om en sloeg me midden in het gezicht. Ze trok Osama mee aan de capuchon van zijn jack, waardoor de jongen bijna stikte. Hij huilde.

'Osama blijft bij mij,' zei ik tegen Karima, die zich op de vloer zo klein mogelijk had gemaakt.

Kort daarna verliet ik met mijn driejarige zoon het huis, om de volgende dag al te ontdekken dat de politie naar me op zoek was. Karima had ze verteld dat ik hem had ontvoerd. Ik had het gevoel dat ik op de vlucht was voor een misdaad die ik nooit had begaan.

Voor er een vorm van bemiddeling plaats kon vinden, vertrok Karima met Sarah naar Marokko, zonder mij daarover in te lichten of nog even bij Osama langs te gaan.

Uiteindelijk vond de politie me in het huis van een vriend in Luton. Als ik er niet was, zorgde zijn moeder voor Osama. Toen ik er terugkeerde, waren haar ogen rood en gezwollen.

'Ze hebben Osama meegenomen,' snikte ze. 'Ze zeiden dat ze hem meenamen naar het politiebureau.'

Ik belde een paar militante medestrijders op en met een man of tien trokken we naar het politiebureau. De wachtkamer daar zat vol baarden en gewaden.

Ik was blind van woede.

'Waar is mijn zoon?' wilde ik weten. 'Geef me mijn zoon terug.'

Tegen die tijd was Osama al onder de hoede van sociale zaken en ik werd naar een naastgelegen gebouw verwezen, terwijl de rest van onze onwaarschijnlijke delegatie in de wachtkamer van het politiebureau achterbleef.

Vanuit een kleurloze wachtkamer keek ik naar duizend tinten grijs. Luton in de herfst was niet bepaald een opbeurend oord. Er werd op de deur geklopt en Osama werd door een vrouw binnengebracht.

Tot mijn grote opluchting zei hij niet: 'Dood aan Bush en de kafir, overwinning aan de moedjahedien.' Dan was ik ter plekke de voogdij over hem kwijtgeraakt. In plaats daarvan holde hij naar me toe en sloeg zijn armen stevig om mijn nek.

'Waarom hebt u hem eigenlijk meegenomen?' vroeg ik aan de vrouw.

'Omdat ons is verteld dat u hem heeft gekidnapt,' antwoordde ze.

'Waar is zijn moeder?' vroeg ik.

'Dat weten we niet.'

'Precies,' reageerde ik, niet in staat het triomfantelijke gevoel te onderdrukken. Dat komt doordat ze in Marokko zit, samen met mijn dochter. Volgens mij moet ík aangifte doen van kidnapping.'

Ik liep het gebouw uit, hield mijn zoon stevig bij de hand en ging een groep woedend kijkende, bebaarde salafisten voor die waren gekomen om een kind dat Osama heette uit handen van de sociale dienst van het graafschap Bedfordshire te redden.

De motregen doorweekte langzaam maar zeker onze kleding.

9

ONTMOETING MET DE SJEIK

Eind 2005-nazomer 2006

In de Arabische wereld doet een populaire grap de ronde. Er bestaan verschillende versies, maar in wezen gaat het hierom. Millennia nadat hij de wereld had geschapen, keert God terug om te kijken hoe alles veranderd is. Eerst kijkt Hij naar Egypte. 'Ach, kijk eens naar de industrie, de steden, de prachtige gebouwen, ik zou ze bijna niet hebben herkend,' zegt hij vol bewondering. Vervolgens kijkt hij naar Syrië. 'De architectonische pracht, de verfijnde samenleving,' zegt Hij. Dan laat Hij zijn blik verder naar het zuiden glijden en ziet iets heel vertrouwds. 'Aha, Jemen. Nog hetzelfde als altijd.'

Ik had hetzelfde gevoel tijdens die laatste dagen van 2005, toen ik op het vliegveld van Sanaa aankwam. Jemen was een land dat aantrekkingskracht op me bleef uitoefenen, ondanks de armoede, de bijna middeleeuwse manier waarop de vrouwen er werden behandeld en het steeds dikker wordende dossier waarover de veiligheidsdienst van Jemen beschikte omtrent een zekere Murad Storm.

Ik had een uitstekende reden om terug te keren: Nagieb helpen bij het maken van zijn film en hem in contact brengen met oude vrienden, althans, voor zover die niet door de Jemenitische autoriteiten gevangen waren gezet. Ik voelde me deze keer een totaal ander mens. Ik werd binnenkort dertig en ik had mijn zoon Osama bij me. Nu kon hij eindelijk opgroeien tot een godvrezende moslim.

Een nieuwe start: blijkbaar had ik er elke anderhalf jaar een nodig. Zou het verveling zijn? De hoop ooit op een dag de ware vrouw te ontmoeten? De dwang om voortdurend onderweg te zijn?

Ik nam het geloof als moslim nog steeds zeer serieus op. Ik schreef me in op de al-Imam, de islamitische universiteit in Sanaa, die nog steeds werd gerund door sjeik Abdul Majid al-Zindani. Sinds onze laatste ontmoeting, zeven jaar eerder, toen ik zo brutaal was geweest vraagtekens te plaatsen bij zijn salafistische geloofsbrieven, had de sjeik nogal de aandacht van de Amerikaanse overheid getrokken. Hij werd nu als 'mondiale terrorist' beschouwd omdat hij voor Al Qaida geld bijeen zou hebben gebracht. Ondanks die twijfelachtige eer liet hij zich op al-Imam nog steeds zien. Hij verwelkomde me en gaf me een speciale kamer in het universiteitscomplex waar ik kon studeren. Al-Zindani was vooral verrukt van Osama, die gewoonlijk overal met me mee naartoe ging.

Ik kwam ook weer in contact met Abdul, de jonge Jemenitische koerier die zo trots was op zijn omgang met Osama bin Laden. Zijn Engels was nu een stuk beter en hij was recentelijk getrouwd. Hij had nu een aanzienlijk groter huis in Sanaa, met een verhoudingsgewijs vrij nieuwe auto voor de deur. Zijn functie als Al Qaida-koerier was blijkbaar geen beletsel voor zakelijk succes.

Het was bijzonder aangenaam om bevrijd te zijn van het oeverloze geklets van de nep-jihadisten in Engeland, en in plaats daarvan in een oord te zijn waar gevangenschap en zelfs de dood een dagelijks risico waren, een plaats in het centrum van het web dat zich uitstrekte tot aan Pakistan en Indonesië in het oosten, en Somalië in het zuiden. Ik ontdekte dat de jihadistische aanwezigheid tijdens mijn afwezigheid een stuk nadrukkelijker was geworden, ondanks het scherpere toezicht van de veiligheidsdiensten.

Al snel verspreidde zich het nieuws dat de grote Europeaan in Sanaa was teruggekeerd, die met het rode haar en de vele tatoeages. En er was een man die zodanig geïntrigeerd was dat hij me wilde ontmoeten. Hij had gehoord dat ik in 2002 in Taiz was geweest en ook dat ik een tijd in Dammaaj had gezeten.

Hij heette Anwar al-Awlaki. Hij gaf les aan de al-Imam-universiteit en ook hij was kortgeleden naar Jemen teruggekeerd.

Awlaki's vader was een eminent lid van het Jemense establishment en een belangrijk man binnen de Awalik-stam. Hij had gestudeerd in de Verenigde Staten, waar Anwar was geboren, en was in zijn vaderland een tijdlang minister van Landbouw geweest. Begin 2006 werd ik uitgenodigd voor een feestmaal in het huis van de familie Awlaki.

Awlaki had een Australisch-Poolse bekeerling die aan het taleninstituut in Saana studeerde en die zichzelf Abdul Malik noemde, gevraagd om wat jonge, in Sanaa woonachtige buitenlandse moslims te benaderen en dan met z'n allen een keertje te komen eten. Maliks echte naam was Marek Samulski. Hij was rond de 35, vrij lang en goedgebouwd, en net als meerdere westerse salafisten was hij met name geradicaliseerd door datgene wat er na 11 september 2001 was gebeurd. Zijn Zuid-Afrikaanse vrouw had hem zover weten te krijgen dat hij naar Jemen was verhuisd, zodat hun zoontjes als goede moslims konden opgroeien.

Awlaki had op dat moment al behoorlijk naam weten te maken als prediker in meer militante kringen in het Westen. Ik was slechts vaag op de hoogte van zijn in het Engels geschreven preken omdat ik er de voorkeur aan gaf naar de Arabische geestelijken te luisteren, maar ik wist dat zijn ster binnen salafistische kringen rijzende was.

Het huis van de Awlaki's was een indrukwekkend gebouw van drie verdiepingen, gemaakt van grijze steen en vlak bij de oude universiteit van Sanaa gelegen, en geheel opgetrokken in de traditionele Jemenitische stijl, met grote ramen. De jongere Awlaki bewoonde de middelste etage, die hij deelde met zijn eerste echtgenote, een vrouw uit een gegoede familie uit de hoofdstad, met wie hij had samengewoond in de Verenigde Staten.

Ik nam mijn zoon mee naar het etentje. Het was een koele avond in januari, een van de weinige maanden van het jaar dat het weer in Saana wel iets weg heeft van dat in Noord-Europa. Ik zorgde ervoor dat Osama er netjes bij liep en had voor deze gelegenheid een nieuwe thawb voor hem gekocht.

We werden naar Awlaki's appartement gebracht, dat er onberispelijk uitzag maar bepaald geen opzichtige indruk maakte. Langs de wanden stonden kasten vol boeken, voornamelijk met islamitische teksten. Samulski stelde me aan de prediker voor, die ik onmiddellijk sympathiek vond. Hij was wellevend en goed geïnformeerd, met een erudiet air om hem heen en onmiskenbaar aanwezig. Hij straalde zelfvertrouwen uit zonder als arrogant over te komen. Maar hij bezat ook een ironisch gevoel voor humor. Awlaki zag er goed verzorgd uit, met een keurig baardje en zachte bruine ogen achter een brilletje met een stalen montuur. Net als de meeste Jemenieten was hij vrij tenger, maar in tegenstelling tot zijn landgenoten was hij met zijn een meter tachtig ook vrij lang. Hij schakelde tijdens de conversatie moeiteloos van het Engels in het Arabisch over en was een genereus gastheer.

'Hoe vond je het in Dammaaj?' vroeg hij me.

'Het opende mijn ogen. En sjeik Muqbil bezat zo'n diepe kennis en begrip. Het was alleen prettig geweest als ik toen het Arabisch wat beter had beheerst.'

'En hoe staat het daar nu mee?'

'O, een stuk beter. Maar mijn godsdienstige Arabisch is beter dan mijn straatarabisch.'

Awlaki wilde graag wat meer weten over mijn contacten in Sanaa en Taiz. Hij vroeg me naar de andere buitenlanders in mijn kennissenkring en naar enkele van de Jemenieten, zoals Abdul, die ik had leren kennen. Het leek wel of hij op zoek was naar een manier om in de Jemenitische hoofdstad en elders met meer radicalen in contact te komen.

Ik vroeg Awlaki hoe lang hij in Jemen terug was.

'Alles bij elkaar een jaar of drie. Soms vind ik het hier een tikkeltje saai, maar na 11 september is wonen in het Westen een stuk lastiger geworden.'

'Hier was het ook niet echt makkelijk,' zei ik lachend.

Ons gesprek bestond eigenlijk uit weinig meer dan het uitwisselen van beleefdheden, maar later had ik het vermoeden dat hij op een onopvallende manier had geprobeerd me in te schatten, mijn betrokkenheid wilde peilen en wilde weten in welke kringen ik verkeerde.

Op een gegeven moment kwam Awlaki's zoon Abdulrahman binnen om hem wat huiswerk te laten zien. De jongen was een jaar of tien, vrij groot voor zijn leeftijd en met de ogen van zijn vader. Ze hadden duidelijk een nauwe band met elkaar. Abdulrahman leek grote eerbied voor zijn vader te koesteren, die op zijn beurt aanzienlijk hartelijker en aandachtiger was dan de meeste Jemenitische vaders die ik had meegemaakt. Abdulrahman, een vriendelijke, beleefde jongen, nam ondanks het leeftijdsverschil de taak op zich Osama bezig te houden.

Samulski, wellicht daartoe van tevoren aangespoord door Awlaki, stelde voor om een studiekring op te zetten met het doel meer over de islam aan de weet te komen, een wekelijkse bijeenkomst van een gerespecteerde groep jongemannen om actuele zaken te bespreken en de invloed die ze hadden op de islam. Awlaki vond dat een prachtig idee en bood aan om sommige van die bijeenkomsten bij hem thuis te laten plaatsvinden.

Daarna kwam Awlaki regelmatig bij mij thuis om voor ons kleine groepje Engelssprekende militanten lezingen te houden. Ik woonde in een prachtig oud huis, waarvan de muren witgekalkt waren en waar ik donkerblauw Arabisch meubilair had neergezet, en met een dik Jemenitisch tapijt op de vloer. Ik beschouwde het als een privilege, maar hij genoot onmiskenbaar van ons gezelschap. Wij waren wat wereldser dan de meeste van zijn studenten en hij genoot ervan onze mentor te zijn en te zien dat we elk woord van hem in ons opzogen. In kleermakerszit op de grond zittend, met aantekeningen om hem heen, evenwichtig en welbespraakt, vond hij het prettig om te pronken met zijn intellect en geleerdheid, waarbij hij ons af en toe over zijn brilletje aankeek.

Hij concentreerde een groot deel van zijn aandacht op islamitische jurisprudentie met betrekking tot de jihad, en rangschikte daarbij verzen uit de Koran en Hadith om zijn gelijk aan te tonen. Een van zijn populairste onlinetraktaten, *44 Manieren om de jihad te steunen*, ontstond uit de lezingen die bij mij op het tapijt werden gehouden.

Een groot deel van zijn toorn was op de Jemenitische overheid gericht, want die werkte samen met de Verenigde Staten. Een favoriete opmerking van hem was: 'Het vuil op onze stoep moet nodig worden weggeveegd.'

Na zo'n studiebijeenkomst vertrok hij weer, zonder samen met ons de lunch of het avondmaal te gebruiken, want hij wilde dat zijn relatie met de groep formeel zou blijven. Hij nam beleefd een koekje aan, maar ging daarna onmiddellijk weg. Als Omar Bakri de lekkerbek was, dan was Awlaki de asceet.

Maar naarmate ik hem beter leerde kennen, werd onze relatie een stuk informeler. Hij had een goed gevoel voor humor en hij hield van een openhartige discussie. Sommige aanwezigen bij zijn lezingen waren zo vol eerbied voor hem dat ze bijna in katzwijm raakten. Daar had ik geen last van en misschien voelde hij zich tot me aangetrokken omdat ik intellectueel gezien de degens met hem durfde kruisen.

Awlaki had het opmerkelijke vermogen om zijn wetenschappelijke kennis te combineren met het talent om te communiceren en een breed inzicht in de wereld. Ik had al zo veel islamitische geleerden ontmoet die eindeloos konden praten over de nuances van de Koran maar niet in staat waren om contact te maken met een breder publiek, en dan met name een jonger publiek.

Ik ging wat meer over zijn achtergronden lezen en vroeg hem naar zijn tijd in het buitenland, in een poging aan de weet te komen waarom hij zo'n reputatie had en wat hem dreef. Hij was in 1971 in New Mexico geboren toen zijn vader daar studeerde en was op zevenjarige leeftijd naar Jemen teruggekeerd. Hij was over de hele linie duidelijk een briljante leerling geweest en had een volledige beurs gekregen om in de Verenigde Staten te studeren.

Hij had voor Colorado State University in Fort Collins gekozen, waar hij weg- en waterbouwkunde studeerde, en hij vertelde me dat hij het heerlijk vond om te gaan vissen in de nabijgelegen Rocky Mountains. Daarna was hij korte tijd naar huis gekomen om te trouwen, waarna hij weer naar Amerika was teruggekeerd. Als populair prediker in moskeeën in Denver en omgeving kreeg hij steeds meer het gevoel dat het onderwijzen in en het verspreiden van de islam zijn roeping was. Een van de redenen, vertelde hij me later, om zijn religie 'wat serieuzer te nemen' was de door de vs in 1991 geleide campagne om Saddam Husseins troepen uit Koeweit te verdrijven.[13]

In 1996, hij was nog maar net 25, werd hij benoemd tot imam van de Rabat-moskee in San Diego, een kleine bungalow die in de buitenwijk La Mesa tussen twee enorme landhuizen in stond. Hij zei dat hij het klimaat in het zuiden van Californië erg prettig vond en hij bleef daar dan ook bijna vijf jaar wonen. Awlaki was onmiskenbaar trots op zijn wetenschappelijke staat van dienst in de vs. Nadat hij de Westkust had verlaten, begon hij te prediken in het al-Hijrah Islamic Center in het noorden van Virginia en volgde hij een voortgezette opleiding aan George Washington University, met de bedoeling een doctoraat in Human Resource Development te halen. Al tijdens zijn eerste trimester slaagde hij erin een GPA (*Grade Point Average*) van 3,85 te scoren.

De jonge geestelijke leek een glanzende toekomst tegemoet te gaan: hij was intelligent, beschikte over goede connecties en was uitstekend opgeleid. De universiteit van Sanaa verwachtte van hem dat hij naar huis zou komen, waar hij hoofd zou worden van de kort ervoor tot stand gekomen onderwijsfaculteit, om zo, in zijn arme en grotendeels ongeletterde land, een bijdrage te leveren aan het verbeteren van het onderwijsniveau.

En toen, na 11 september 2001, werd alles anders.

Tussen het grote aantal artikelen over hem die ik tegenkwam, trok een ervan, gepubliceerd op de dag na de 11 september-aanslagen, mijn speciale aandacht. Een fotograaf van de *Washington Post*, Andrea Bruce Woodall, was naar het al-Hijrah Center gegaan, waar een oecumenische gebedsdienst zou worden gehouden. Van Awlaki was van bovenaf een foto genomen, waarop zijn hoofddeksel en zijn ineengevouwen handen te zien zijn. 'Het toont het verdriet dat de moslims voelen, maar ook hun angst dat de mensen wel eens zouden kunnen denken dat zij voor deze tragedie verantwoordelijk zijn,' schreef Woodall erbij.

Kort na de aanslagen gaf Awlaki een interview aan *National Geographic*.

'De mensen die dit hebben gedaan zijn geen moslim, en als ze zeggen dat ze moslim zijn, hebben ze hun geloof misbruikt,' merkte hij op. 'Ik zou eraan toe willen voegen dat we juist door deze gebeurtenissen in de spotlights zijn komen staan. De media heeft enorm veel belangstelling voor ons en de FBI trouwens ook.'

Maar er klonk ook een waarschuwing: 'Osama bin Laden, van wie altijd is gezegd dat hij een extremist is en radicale denkbeelden heeft, zou wel eens de heersende trend kunnen worden. En dat is een angstaanjagende gedachte, dus de Verenigde Staten moeten heel voorzichtig zijn en zich niet voordoen als een vijand van de islam.'

In het onderzoek naar 11 september werd een enorme hoeveelheid middelen gepompt – geld, agenten, technische volgsystemen – en duizenden tips werden nagelopen. Direct na deze wandaad waren de burgerlijke vrijheden een stuk minder belangrijk dan de noodzaak te weten wie erachter zat. Wie had deze kapers geholpen? Met wie hadden ze contact gehad? Stonden er nog andere aanslagen op het programma?

Awlaki was slechts een van de velen die in het vangnet terechtkwamen en hij werd in de weken na de aanslagen vier keer verhoord.[14] Begin 2002 voelde hij zich geïntimideerd en getreiterd. Hij stelde altijd met nadruk dat hij niets te verbergen had en tijdens de gesprekken die we in Sanaa hadden deed hij geen enkele poging te verbergen dat hij het gevoel had dat de moslimgemeenschap in Amerika het doelwit was geworden van een uiterst agressieve vorm van onderzoek.

Awlaki besloot zijn doctoraal te laten schieten en naar Jemen terug te keren, en in maart 2002 was hij verdwenen, een maand later gevolgd door zijn vrouw en kind. In oktober keerde hij nog even terug om zijn zaken in de vs af te handelen. Toen hij in New York op JFK landde, werd hij in hechtenis genomen omdat er door een rechter in Denver op verdenking van paspoortfraude een arrestatiebevel tegen hem was uitgevaardigd. Maar de openbare aanklager had dat arrestatiebevel al een dag voor Awlaki's terugkeer nietig verklaard.

Maar de manier waarop hij uit de vs was vertrokken, het afbreken van zijn studie en de zweem van verdenking die om hem heen hing, knaagden nog steeds aan hem toen we elkaar vier jaar later leerden kennen. En de wrok die hij voelde was nog verergerd door de publicatie in 2004 van *The 9/11 Commission Report*, het eindrapport over de terroristische aanslagen op de Verenigde Staten.

Ik vond het verslag van de commissie online en heb het verslonden, waarbij ik tot diep in de nacht stukken heb zitten lezen.

Bij het natrekken van de bewegingen van de kapers in de Verenigde Staten had de commissie ontdekt dat twee van hen tijdens hun verblijf in San Diego met Awlaki in aanraking waren geweest en dat een van hen zijn moskee had bezocht nadat hij begin 2001 naar Virginia was verhuisd en waarvan de commissie zei dat 'het wellicht niet geheel toeval is geweest'.

In een van de verslagen van de commissie staat: 'Er wordt gemeld dat [Awlaki] banden onderhoudt met extremisten, en de omstandigheden rond zijn relatie met de kapers blijven verdacht. Maar we hebben geen bewijzen kunnen vinden dat hij banden met de kapers onderhield terwijl hij wist dat het terroristen waren.'

Voor Awlaki was dat een indirecte beschuldiging. De commissie meldde dat zij verschillende keren niet in staat was geweest de geestelijke te ondervragen, waardoor gesuggereerd werd dat hij op de vlucht was.

In de voetnoten van het verslag was nog meer informatie te vinden: 'De FBI heeft in 1999 en 2000 onderzoek naar Aulaqi gedaan, nadat het had vernomen dat er wellicht contact met hem was opgenomen door een rekruteringsagent van Osama bin Laden. Tijdens dit onderzoek ontdekte de FBI dat Aulaqi personen kende van de Holy Land Foundation, en anderen die betrokken waren bij het bijeenbrengen van geld voor de Palestijnse terroristenorganisatie Hamas.'

Wat nog erger was voor een moslimprediker, waren de lekken naar de pers met betrekking tot zijn arrestaties in San Diego in 1996 en 1997, voor het aanspreken van prostituees en de aantijgingen van soortgelijk onbetamelijk gedrag na zijn verhuizing naar het gebied rond Washington, DC. In een artikel dat werd geschreven rond dezelfde tijd dat het 11 september-rapport verscheen, valt te lezen: 'Volgens FBI-bronnen hebben agenten naar verluidt gezien dat de imam prostituees vanuit Washington meenam naar Virginia. Ze hebben nog overwogen gebruik te maken van een federale wet die over het algemeen alleen wordt gehanteerd voor het oppakken van souteneurs die prostituees van de ene staat naar de andere brengen.'

Alles bij elkaar ging het hier, in de ogen van Awlaki, om een geval van karaktermoord.

'Ze hebben al het mogelijke gedaan om me te vernederen, om me tot de risee van de moslimgemeenschap te maken,' vertelde hij me.

Ik ging ook zijn onlinepreken lezen, die op YouTube door tienduizenden werden bekeken. Nadat hij de vs had verlaten, begon Awlaki ook videopreken in het Engels op te nemen, waarbij hij zijn commentaar zodanig verfijnde en aanscherpte dat het Westen nadrukkelijk als vijand van de islam naar voren kwam. Hij bezat het talent om de complexiteit van de Koran zodanig te ontleden dat de tekst gemakkelijk door jonge, Engelssprekende moslims te begrijpen was. Zijn welsprekendheid en respect afdwingende toon waren precies goed, met als gevolg dat zijn radicale teksten best redelijk klonken.

Tussen 2002 en 2004 bezocht hij verschillende keren het Verenigd Koninkrijk en bleef dan meestal in Oost-Londen. Zijn faam zorgde ervoor dat de zalen vol zaten als hij predikte. Zijn cd's en later dvd's werden uitstekend verkocht. En tot de enthousiaste kopers van deze spullen behoorde ook een aantal zelfmoordterroristen die in juli 2005 in Londen aanslagen pleegden.

Terwijl hij zijn toehoorders opzweepte om te ageren tegen de onderdrukking van de moslims, zorgde Awlaki er wel voor dat hij niet al te specifiek werd, omdat hij anders het gevaar liep de aandacht van de Britse geheime dienst te trekken. Maar leiders uit de moslimgemeenschap gingen zich wel steeds meer zorgen maken dat hij op z'n minst een deel van zijn publiek probeerde te verleiden tot wat zij *rejectionism* noemden. Een imam uit Oost-Londen verwoordde het later als volgt: 'Hij wist zijn toehoorders wel in vervoering te brengen, maar die konden daar vervolgens niets mee.'

Achter gesloten deuren, zoals met Omar Bakri, was het een heel ander verhaal. In kleine studiekringen sprak Awlaki zich uit voor zelfmoordaanslagen in het Westen. Een van die bijeenkomsten werd bijgewoond door een undercoverinformant van MI5, waarna de Britse autoriteiten hem onmiddellijk een inreisverbod in het Verenigd Koninkrijk oplegden.

In 2005 nam Awlaki 'Constanten op het pad naar de jihad' op, een zes uur durende onlinelezing. Zich baserend op het werk van een Saoedische Al Qaida-ideoloog beweerde Awlaki dat moslims tot op de Dag des Oordeels constant tegen hun vijanden dienden te strijden. Het was een ingewikkelde maar tegelijkertijd eloquente uiteenzetting waarin islamitische teksten, geschiedenis en actuele gebeurtenissen werden verweven. Behoedzaam, zonder te intimideren, weidde hij uit over de benarde situatie van moslims in het Westen en vergeleek hun situatie met die van de Profeet en zijn volgelingen.

'[De Profeet Mohammed] paste de islam niet aan aan de plaats waar hij zich bevond [...] hij paste de locatie aan op basis van de islam,' zei Awlaki.

Pogingen door gematigde moslimgroepen in het Westen om de jihad uit te leggen als een geweldloze worsteling waren slechts één element van de zucht naar vernietiging van de islam, beweerde hij. Moslims moesten niet-islamitische gebruiken afwijzen en omgang met ongelovigen uit de weg gaan.

De lezing was een krachttoer en werd wijd verspreid via internet, waardoor het aantal volgelingen in het Westen nog verder toenam.

Kort nadat de lezing online veel volgers begon te trekken, leerde ik Awlaki in Sanaa kennen. Tijdens lange, allesomvattende gesprekken praatten we over het salafisme, Al Qaida, de legitimiteit van de jihad en de burgerslachtoffers die daar vaak bij vielen. En we spraken over Bin Laden.

Op een avond, eind voorjaar 2006, nadat we elkaar een keer of zes hadden ontmoet in het kader van de studiekring, bleef hij, terwijl de anderen vertrokken.

Hij keek me strak aan met zijn donkere ogen en zei alleen maar: '11 september was gerechtvaardigd.'

Volgens hem was de wereldomvattende worsteling tussen moslims en ongelovigen al begonnen, en de aanslagen van 11 september waren een legitieme fase in die strijd, ondanks de burgerslachtoffers. Kort na ons gesprek nam hij een lezing op die hij als titel meegaf 'Allah bereidt ons voor op de overwinning', waarin hij beweerde dat Amerika de moslims de oorlog had verklaard.

Het is onmogelijk met zekerheid te zeggen of zijn visie het gevolg was van de manier waarop hij in de vs is behandeld en dat hij nu een soort vendetta voerde vanwege de gelekte informatie over zijn bezoek aan prostituees, of dat hij net als ik het voeren van de jihad zag als een logische en verplichte reactie op de netelige positie waarin de moslims zich bevonden. Misschien beide. Hij kan ook op andere gedachten zijn gebracht door het feit dat, naarmate zijn preken militanter werden en zijn kritiek op de vs groeide, ook het aantal aanhangers dat hem wereldwijd online volgde steeds groter werd.

Hoewel de geestelijke openlijk sympathiek tegenover Al Qaida stond, heb ik bij hem geen enkele ambitie kunnen ontdekken zich bij die groepering aan te sluiten. Ik heb trouwens ook geen tekenen gezien dat hij ook maar enige invloed had op het steeds groter wordende aantal Al Qaida-strijders in Jemen. Maar al enkele dagen na onze eerste ontmoeting werd Al Qaida een aanzienlijk krachtiger strijdmacht.

Na het ochtendgebed werd er op een koele ochtend begin februari door de aanwezigen druk gedelibereerd over het nieuws van een grootschalige gevangenisuitbraak in Sanaa. Ruim twintig van de gevaarlijkste Al Qaida-strijders waren door een tunnel in de kelder van een politieke gevangenis naar die van een aangrenzende moskee gekropen. Tot de ontsnapten behoorde een aantal mannen die betrokken waren geweest bij de aanval op ms Limburg in de Golf van Aden, en een tengere man van tegen de dertig die Nasir al-Wuhayshi heette en die in Afghanistan Bin Ladens privésecretaris was geweest.

Deze gevangenisuitbraak bracht weer nieuw leven in Al Qaida in Jemen. In de jaren na 11 september 2001 waren tijdens Amerikaanse en Jemenitische contraterroristische operaties tientallen aanhangers gearresteerd en gedood, waardoor de groep op de rand van de ondergang had gebalanceerd. Wuhayshi zou de jaren erna in Jemen een nieuwe en zeer effectieve Al Qaida-afdeling opbouwen.

De bijeenkomsten met Awlaki werden al snel een vast wekelijks gebeuren. Anwars studiegroep, zoals we ons gingen noemen, was een gemêleerd gezelschap dat uit een stuk of tien Engelssprekende lieden bestond die uit alle hoeken van de wereld, waaronder zelfs Mexico en Mauritius, afkomstig waren. Ik bereidde uitgebreide maaltijden en sommige leden van de groep bleven logeren in de diverse extra slaapkamers waarover ik beschikte. De meeste leden van de kring waren in Sanaa om Arabisch te leren of de islam te bestuderen, maar sommigen hadden een heel andere agenda. Mijn buurman, een Jemenitische generaal die dezelfde moskee bezocht als ik, zag het vele bezoek komen en gaan, en waarschuwde me zelfs voor sommigen van mijn bezoekers. Ik werd in de gaten gehouden, waarschuwde hij me.

Een van die bezoekers was Jehad Serwan Mostafa, een slungelachtige, bebaarde jongeman uit San Diego die met zijn blauwe ogen onafgebroken in de verte leek te staren. Zijn lippen waren voortdurend smalend gekruld tot een minachtende grijns, behalve wanneer hij gefascineerd naar Awlaki luisterde. Zijn vader was Koerdisch en zijn moeder een Amerikaanse bekeerlinge. In het verleden had hij in een garage aan El Cajon Boulevard gewerkt, maar nu studeerde hij aan al-Imam en had hij een aanvraag voor een Somalisch visum ingediend. De Somalische ambassade had hem verteld dat hij eerst naar de Amerikaanse ambassade moest om daar de juiste aanvraagformulieren op te halen die nodig waren om naar Somalië af te reizen. Ik was verbijsterd toen ik hoorde dat de Amerikaanse ambassade hem de benodigde documenten had gegeven zonder verder vragen te stellen. Nog geen drie jaar later stond Mostafa op de Rewards for Justice-lijst van de FBI, op beschuldiging van het hulp verlenen aan en het vechten met de Somalische terreurgroep Al-Shabaab.

Een andere regelmatige bezoeker aan de studiebijeenkomsten was een Deense bekeerling met kastanjebruin haar die ik nog kende vanuit extremistische kringen in Kopenhagen. Hij kwam uit een vermogende familie en zelfs ik schrok van zijn onbezonnen radicalisme. Hij noemde zichzelf Ali.[15]

Via de kring leerde ik heel wat andere militanten in Saana kennen.[16] Een van hen, Abdullah Misri, een lid van een stam uit Marib met een donkere huid en een keurig geknipte baard, was toen al de belangrijkste financiële man van Al Qaida in Jemen. Hij kocht auto's in Dubai en smokkelde die Jemen binnen, waarbij hij de opbrengst gebruikte om de steeds omvangrijker wordende taken van de groep te financieren. Plotseling drong het tot me door dat ik op dat moment misschien wel door westerse diensten die zich met het contraterrorisme bezighielden in de gaten werd gehouden. Per slot van rekening kende ik nu al aardig wat interessante mensen.

In Sanaa werd ik ook herenigd met een Deense bekeerling die Kenneth Sorensen heette. Een van de redenen waarom hij naar Sanaa was gekomen, waren de verhalen die ik hem over mijn tijd in Jemen had verteld toen we elkaar in 2002 in Odense hadden gesproken. Hij had in een Deense krant over me gelezen en was naar me toe gekomen.

Sorensen was jonger dan ik, breedgeschouderd en stevig gebouwd, het product van een keiharde opvoeding. Zijn moeder, had hij me verteld, was aan drugs verslaafd, hijzelf had nauwelijks opleiding genoten en in Denemarken had hij als parttimevuilnisman net rond kunnen komen.

Sorensen was zogenaamd naar Saana gekomen om Arabisch te studeren, maar hunkerde ernaar om aan het front in actie te komen. Vanwege zijn grote mond en eigengereidheid, en om zijn gewoonte zich als jihadist te kleden en met wapens zwaaiend in Sanaa op straat te lopen, had Awlaki hem niet voor zijn studiesessies uitgenodigd.

Maar ik genoot van zijn gezelschap. Hij was een van de vrienden die me begin 2006 naar het Tahrirplein in het centrum van Sanaa vergezelden om daar te protesteren tegen spotprenten die in Denemarken en andere Europese landen waren gepubliceerd en die wij voor de Profeet Mohammed beledigend vonden. De prenten waren oorspronkelijk het jaar ervoor afgedrukt in een Deense krant, waardoor in de moslimwereld een storm van verontwaardiging was ontstaan, omdat in de islam afbeeldingen van de Profeet nu eenmaal verboden zijn. Op een spotprent van de hand van de Deense cartoonist Kurt Westergaard was de Profeet Mohammed te zien met een bom in zijn tulband en een Noorse krant had kort daarna olie op het vuur gegooid door de prent ook af te drukken.

'Dood aan Denemarken!' schreeuwde ik met de anderen totdat mijn stem er schor van werd. In tegenstelling tot de slappelingen die het vorig jaar op Grosvenor Square hadden geprotesteerd, had ik het gevoel dat de mensen om me heen de moed hadden om voor hun overtuiging op te komen en dat werkte bedwelmend.

De filmmaker Nagieb en ik hadden het project om een documentaire over de moedjahedien te maken nog niet opgegeven en Abdul zei dat hij zou proberen me bij een van de Al Qaida-figuren te introduceren die kans had gezien uit de gevangenis in Sanaa te ontsnappen. Die heette sjeik Adil al-Abab en volgens Abdul had hij hem een tijdje in Afghanistan meegemaakt. Later zou hij de religieuze emir voor Al Qaida op het Arabisch schiereiland worden, waardoor hij een van de zes belangrijkste mannen van die organisatie werd.

Abdul reed ons naar een huis in een wat minder prettige wijk van de stad. Op een gegeven moment stopte hij maar liet de motor lopen. Enkele minuten later stapte de geestelijke gehaast in. Hij was nog vrij jong maar mocht rustig gezet worden genoemd en hij bezat een indrukwekkende krulsnor.

Ik raakte bevriend met al-Abab en was gefascineerd door zijn beheersing van religieuze teksten en door zijn denkbeelden over de jihad. Het feit dat ik hem kende zou in de jaren erop behoorlijk wat dividend opleveren.

Het verbaast me nog steeds dat de Jemenitische veiligheidsdiensten al-Abab nooit hebben gearresteerd. We hebben elkaar een stuk of wat keren in Sanaa gesproken en hebben daar niet echt geheimzinnig over gedaan. Al-Abab dacht er duidelijk net zo over als Awlaki, en hij schoof steeds verder naar een oorlogsverklaring aan de Verenigde Staten, terwijl hij felle kritiek had op de Jemenitische overheid vanwege haar onderdanige houding ten opzichte van de Verenigde Staten.

Ik twijfelde geen moment aan de loyaliteit en de principes van de militanten die ik kende. Dus ik was behoorlijk van slag door wat Awlaki me in het voorjaar van 2006 over Abdul vertelde, die op dat moment in Sanaa mijn beste vriend was.

'Abdul heeft tijdens een missie voor de broeders in Djibouti 25.000 dollar verloren,' zei hij, terwijl ik aan de manier waarop hij het woord 'verloren' uitsprak kon opmaken dat hij daar geen woord van geloofde. 'Hij was een half jaar onvindbaar en het geld is nooit teruggevonden, maar zoals je weet heeft Abdul tegenwoordig een nieuw huis hier, hoewel hij volgens mij boven zijn stand leeft. Wees op je hoede,' zei Awlaki. 'Ik denk niet dat Abdul helemaal te vertrouwen is.'

Ik was enigszins overdonderd, maar ook geïntrigeerd door het feit dat Awlaki over 'de broeders' had gesproken. Daar kon hij alleen Al Qaida maar mee bedoelen. Misschien stond hij toch dichter bij die groepering dan ik dacht.

Zonder mijn bron te noemen, bracht ik het onderwerp later bij Abdul ter sprake.

'Ik zweer bij Allah dat ik het geld niet heb gestolen. Datgene waarvan ze me beschuldigen is niet waar,' zei hij. Hij vertelde dat hij in Djibouti was gearresteerd en dat het geld door de veiligheidsdienst was geconfisqueerd. Hij liet me zijn paspoort zien, compleet met inreis- en uitreisstempels, waar zo'n zes maanden tussen zaten.

'Zo lang heb ik daar vastgezeten,' zei hij.

'Wat deed je daar?'

'Ik was koerier. Ik werkte voor Abu Talha al-Sudani.'

Hij lette goed op hoe ik reageerde.

Ik was enigszins van mijn stuk gebracht. Abdul verkeerde, als hij de waarheid sprak tenminste, in verheven en levensgevaarlijke kringen. Abu Talha was een van de belangrijkste Al Qaida-figuren in Oost-Afrika en stond in Amerika bijna boven aan de lijst van meest gezochte personen.[17]

'Masha'Allah. Verbazingwekkend,' stamelde ik. Ik vroeg me af of Awlaki dit wist. Of geloofde hij het simpelweg niet?

Het was me kort tevoren gelukt mijn zoon op een plaatselijke school geplaatst te krijgen en hij begon net een beetje Arabisch te leren, maar we misten beiden vrouwelijk gezelschap. Awlaki had al tegen me gezegd dat ik een nieuwe vrouw moest zien te vinden die op Osama kon passen en had zelfs aangeboden, met een wrang glimlachje weliswaar, iets voor me te regelen. Maar ik had zijn koppelaarsdiensten niet nodig. Nadat ik Osama op een middag van school had gehaald, zei ik hem dat hij maar vast vooruit moest hollen en een lieve vrouw voor me moest zoeken met wie ik kon trouwen. Hij was niet bepaald verlegen en stapte snel een rijschool voor vrouwen binnen, en toen ik hem had ingehaald stond hij met een jonge Jemenitische vrouw te praten. Tenger als ze was, bijzonder aantrekkelijk en met een aanstekelijke lach, was ik binnen een paar minuten verkocht.

Ik vroeg haar waar ze op school had gezeten en wat ze deed, de gebruikelijke inleidingen. Enkele minuten later vertelde ik haar dat ik gescheiden was en samen met mijn zoon in Saana woonde. Ik probeerde hulpeloos en een tikkeltje verloren te klinken. Ze moet deze truc onmiddellijk hebben doorzien.

Een week later keerde ik naar de rijschool terug in de hoop haar terug te zien. Opnieuw stuurde ik Osama voor me uit naar binnen.

'Mijn vader wil je spreken,' zei hij haar in het Arabisch.

Haar collega's keken met een mengeling van nieuwsgierigheid en vertedering toe. Gewoonlijk zochten de seksen in Jemen op een heel andere manier toenadering tot elkaar. We spraken af in het Libische Centrum in Sanaa, een populaire ontmoetingsplaats voor buitenlanders.

Ik arriveerde daar in gezelschap van Osama. Ze vertelde dat ze Faida heette en ze bestookte me met vragen over mijn scheiding, waarom ik in Jemen was en wat ik verlangde van een vrouw.

'Ik wil iemand die zich niet anders voordoet dan ze is,' zei ik. 'Ik ben getrouwd geweest met een vrouw die zich voordeed als een godvruchtige moslim, maar dat was ze allesbehalve.'

145

Ik op mijn beurt volgde met een vreemde vraag, althans, voor een eerste afspraak, en ook nog eens op z'n Jemenitisch.

'Wat vind je van sjeik Osama bin Laden?'

Fadia leek heel even in verwarring te zijn gebracht en aarzelde. Maar toen verraste ze me.

'Ik denk dat hij de moslims hun eer weer heeft teruggegeven,' zei ze. 'Maar ik vind het maar niets dat daarbij onschuldige burgers worden gedood. Het zou veel beter zijn geweest als hij militaire doelen had aangevallen.'

Ik was opgetogen en onder de indruk: een Jemenitische vrouw die niet alleen aantrekkelijk was en Engels sprak, maar ook nog eens diepzinnig was. Maar ik bezat tevens de arrogantie van een ware salafist en dacht haar wel zodanig te kunnen kneden dat ze een betere moslim werd. Ik gaf haar een cd waarop een hart was aangebracht. Misschien verwachtte ze dat die vol zou staan met romantische muziek, maar in plaats daarvan bevatte hij uitsluitend jihadistische spreuken.

Ik had nog wat andere vragen, waarvan de meeste met godsdienst te maken hadden. Want voor een ware salafist was alleen dat belangrijk en niet haar muzikale voorkeur of haar familieachtergrond. Hoeveel van de Koran kende ze uit haar hoofd? (Mijn vorige vrouw, Karima, kon de hele Koran uit haar hoofd reciteren, in twee verschillende dialecten.)

Fadia's ouders waren overleden, dus een paar dagen later vroeg ze aan haar oom, die haar zeer na stond, of hij me wilde ontmoeten om erachter te komen of ik de ware was of een of andere opportunist. Het gesprek werd gevoerd in de enige Pizza Hut die Saana rijk is en die er net zo uitziet als zijn tegenhangers in de Verenigde Staten en voor hetzelfde geld rechtstreeks vanuit Arizona in de Jemenitische hoofdstad kon zijn gedropt. Blijkbaar voldeed mijn presentatie aan de verwachtingen. De oom liet haar weten dat ik erg vriendelijk was en gevoel voor humor had, maar ook dat ik er gevaarlijke ideeën op na hield.

'En hij kan ook opvliegend zijn,' zei haar oom, 'maar volgens mij is iedere vrouw in staat haar man te veranderen.'

Anderen binnen haar familie, een gerespecteerd Jemenitisch geslacht, waren minder enthousiast. Sommigen deden zelfs navraag bij bekenden die voor de inlichtingendienst werkten en die kwamen met de mededeling dat ik ten koste van alles vermeden moest worden, omdat ik met militanten in contact stond.

Dat was voor de oom voldoende reden om op zijn mening terug te komen.

'Je kunt met hem trouwen,' zei hij, 'maar we willen eerst al zijn papieren zien: verblijfsvergunning, gezondheidscertificaat, alles.'

De familie was er blijkbaar van overtuigd dat ik niet in staat zou zijn deze documenten bij de uiterst ondoorzichtige Jemenitische bureaucratie boven water te krijgen. Dan kon Fadia vervolgens in de richting van een andere huwelijkskandidaat worden geloodst, een die de voorkeur van de familie had, een rijke chirurg die niet gebukt ging onder mijn last van een scheiding, een jonge zoon en de verkeerde vrienden.

Op de een of andere manier slaagde ik erin alle papieren in bezit te krijgen, zelfs een van het ministerie van Binnenlandse Zaken waarin stond dat ik toestemming had om in Jemen te wonen. Maar ik voelde bij sommige ambtenaren toch enige animositeit, ik was een onwelkome gast.

Maar de nieuwe liefde van mijn leven koos toch voor mij en niet voor de rijke chirurg. Op een vrijdag aan het eind van het voorjaar van 2006 werd in het huis van haar oom ons huwelijk bezegeld. Hoewel hij met grote tegenzin met onze verbintenis akkoord was gegaan, kon dat niet van de andere familieleden worden gezegd. Haar broer weigerde zelfs het huwelijk bij te wonen.

Ik had niemand van hen verteld dat de administratieve afhandeling van mijn scheiding van Karima nog niet helemaal rond was: wat mij betrof hadden de door de mens gemaakte wetten van het Verenigd Koninkrijk geen enkele rechtsgeldigheid.

Ik ging naar de kleermaker om een prachtige nieuwe thawb voor de plechtigheid te laten maken en vroeg aan een Jemenitische vriend of hij me het equivalent van 2000 dollar kon lenen, die bedoeld was als bruidsschat voor de familie van de bruid. Het enige probleem was dat de vriend vergat het geld te brengen, met als gevolg dat Fadia's oom te hulp moest komen en op zoek moest naar geld om dat vervolgens aan zichzelf te overhandigen.

Sommige gasten, van wie de meeste uit mijn directe kennissenkring afkomstig waren, werden door haar familie met grote achterdocht bekeken. Abdul, Jehad Mostafa, Samulski en Ali de roodharige Deense bekeerling waren er, maar ook Rasheed Laskar, een Britse bekeerling uit Aylesbury, met zijn lange dikke baard en zijn bril, die de naam Abu Mu'aadh had aangenomen en regelmatig in mijn huis verbleef.

Daarna werd, zoals in Jemen en in een groot deel van de moslimwereld de gewoonte is, het gezelschap opgesplitst in mannen en vrouwen. Mijn nieuwe vrouw wilde dat ik naast haar kwam staan zodat er foto's genomen konden worden, maar voor mij was dat iets totaal onislamitisch, een vorm van idolatrie. Ze wilde ook nadrukkelijk dat er op het feest na de trouwplechtigheid muziek ten gehore zou worden gebracht. Ik was de vechtpartij in Odense nog niet vergeten, dus zorgde ik ervoor dat mijn jihadistische vrienden voor die tijd waren vertrokken.

Aan het einde van de lange dag werd mijn bruid door haar vrouwelijke familieleden naar mijn grote huurwoning gebracht. Er kwamen toen zo veel in zwarte gewaden en door volledige gezichtssluiers aan het oog ontrokken vrouwen binnen, dat ik geen flauw idee had met wie ik nou getrouwd was.

Toen de rest van het gezelschap was vertrokken, drong tot me door dat Fadia door een angst was bevangen die grensde aan paniek. Daar stond ze dan, met al haar bezittingen in een koffer, in een groot huis dat ze niet kende, met een reusachtige Scandinaviër die een militante jihadist was en nu ook nog eens haar echtgenoot. Net als ik, toen ik op weg was naar Dammaaj, moet ze zich hebben afgevraagd waar ze aan begonnen was.

Ik reciteerde enkele woorden uit de Koran, sprak een gebed uit en tilde toen behoedzaam de sluier voor haar gezicht op. In overeenstemming met de Jemenitische traditie was ze speciaal voor de ceremonie van een dikke laag Arabische make-up en hennatatoeages voorzien.

'Liefste,' zei ik, 'waarom ga je niet eerst even je gezicht wassen?'

Fadia keek me beteuterd aan, waarschijnlijk was ze teleurgesteld dat ik niet onmiddellijk door de knieën ging voor alle cosmetica, waarvan het aanbrengen alleen al vele uren moest hebben gekost. Maar voor mij was ze ook zonder make-up beeldschoon, met haar karamelkleurige huid en donkere, amandelbruine ogen.

Ik hielp haar bij het uittrekken van de ingewikkelde bruidsjurk, die verbazingwekkend zwaar was.

'Niet te geloven,' zei ik. 'Hoe is het je gelukt om dit gewicht de hele dag met je mee te torsen zonder van uitputting te sterven?'

Wat ze niet verwachtte was een Europees gevoel voor romantiek en verleiding. Ik had een bad voor haar klaargemaakt, compleet met kaarsen, rozenblaadjes en kruiden. Zelfs een geharde jihadist kan charmant zijn.

Jammer genoeg besprenkelde ze zich na het bad met een overvloedige hoeveelheid Jemenitisch parfum dat extreem zoet was en waar ik absoluut niet tegen kon. Ik vroeg haar of ze opnieuw een douche wilde nemen.

Ze besefte al snel dat ze getrouwd was met een man voor wie de islam altijd aanwezig was en wiens interpretatie van de Koran onwrikbaar vaststond. Ik had geen televisie in huis, de computer stond vol jihadistische videofilms en de cassetterecorder bracht constant islamitische lezingen ten gehore. Ze was duidelijk verrast toen ze op de eerste dag van haar huwelijk om vier uur 's ochtends werd gewekt. Voor mij was het heel gewoon om me voor te bereiden op de *fajr*, de eerste gebeden van de nieuwe dag. Ik kwam onmiddellijk uit bed om me te wassen en in de koele ochtendschemering naar de moskee te wandelen, terwijl mijn nog doezelige vrouw wat later uit haar sluimerslaap ontwaakte en haar godsdienstige plichten thuis uitvoerde.

Ik vroeg haar na ons eerste gemeenschappelijke ontbijt of ze me wilde helpen bij het in het Arabisch lezen van de Koran, zoals Karima ook had gedaan. Ik liet haar ook enkele van de meer bloederige jihadistische video's zien die op mijn computer stonden. Ik vond dat volkomen natuurlijk, omdat ik nu eenmaal totaal in de heilige strijd opging. Ze trok wit weg en herinnerde me er met zachte stem aan dat dit de eerste volledige dag van ons huwelijk was en dat we die moesten zien als een wittebroodsperiode en dat we moesten proberen ons te ontspannen. Dus gingen we samen met Osama naar Fun City, Sanaa's antwoord op Disney World. De hoofdingang daarvan bestaat uit twee fragiele, veelkleurige nepkasteeltorens en op het terrein zelf draaien in zwarte nikabs gehulde meisjes hun rondjes in carrousels, waardoor ze wel iets weg hebben van door de lucht vliegende heksen.

Fadia kon wat haar religieuze plichten betrof niet echt streng worden genoemd, maar ik vermoedde dat ik haar binnen een paar weken wel zodanig kon bijsturen dat ze weer het juiste moslimpad zou volgen. Maar ze had andere ideeën en droeg haar nikab met grote tegenzin, terwijl ze tegelijkertijd probeerde mijn religieuze dwangbuis wat losser te maken.

We waren nog niet eens een week getrouwd toen ik haar op een middag vroeg eens bij me te komen zitten, zodat ik haar iets belangrijks kon vertellen. Ze keek me angstig aan: misschien dacht ze dat ik hiv-positief was of een andere ernstige ziekte had.

'Ik móét naar de jihad en ik móét naar Somalië,' zei ik haar. 'Dus je zult voorbereidingen moeten treffen.'

Heel wat aspirant-jihadisten, zowel uit het Westen als uit Arabische landen, waren opgetogen over de gebeurtenissen in Somalië. Een militie die zich de Unie van Islamitische Rechtbanken noemde, had in een groot deel van dat achterlijke land een einde gemaakt aan de jarenlange heerschappij van warlords en anarchisme. Die had relatieve rust gebracht in Mogadishu, een stad die voor internationale vredeshandhavers een moeras was gebleken. Voor militante islamisten zoals ik was Somalië een van de weinige overwinningen die er te vieren waren en was het een land waar authentieke islamitische principes stabiliteit hadden gebracht.

'Je zult trots op me moeten zijn en me moeten ondersteunen,' zei ik haar.

Fadia was duidelijk overdonderd maar zei verder niets. Het was niet gebruikelijk dat een jonge Jemenitische echtgenote haar man bij dit soort kwesties om uitleg vroeg.

'Het is vandaag de dag verplicht aan de jihad deel te nemen. De islam gaat niet alleen over vrede en als ze je dat op school hebben geprobeerd bij te brengen, dan hebben ze dat totaal verkeerd gezien.'

Mijn vastbeslotenheid om naar Somalië af te reizen werd nog groter toen Ethiopië, daartoe aangemoedigd door de regering-Bush, in juli 2006 troepen naar Somalië stuurde om daar een zwakke tussenregering aan de macht te helpen, die het risico liep door de Unie van Islamitische Rechtbanken onder de voet te worden gelopen. Voor elke zichzelf respecterende jihadist vormde de invasie van een moslimland door christelijke soldaten de ultieme provocatie. Als ik een ware jihadist wilde zijn, dan moest ik terug naar Denemarken om daar de noodzakelijke fondsen te verzamelen, duizenden dollars, zodat ik kon helpen de Ethiopiërs terug te drijven.

Terwijl ik met mijn voorbereidingen bezig was om uit Jemen te vertrekken, verdween Anwar al-Awlaki. Op een gloeiend hete dag kwam hij die zomer niet naar mijn huis om zijn serie lezingen te vervolgen. Dat irriteerde me, want zijn lezingen waren voor mij altijd het hoogtepunt van de week.

Een paar dagen later hoorde ik van Al Qaida's financiële man in Jemen, Abdullah Misri, dat Awlaki was gearresteerd. Dat was gebeurd op basis van een vage en hoogstwaarschijnlijk uit de duim gezogen beschuldiging als zou hij betrokken zijn geweest bij plannen om een sjiiet en een Amerikaanse functionaris te ontvoeren. De zaak is nooit door een rechtbank behandeld en zijn volgelingen waren ervan overtuigd dat de aanklacht het resultaat was van door de Amerikanen uitgeoefende druk op de Jemenitische autoriteiten.[18]

De FBI zou uiteindelijk zijn zin krijgen en kreeg toestemming Awlaki te verhoren tijdens zijn verblijf in de gevangenis van Sanaa, dat hij grotendeels in eenzame opsluiting doorbracht. Het feit dat hij uit een vooraanstaande familie afkomstig was, zorgde ervoor dat hij niet werd mishandeld, terwijl zijn leefomstandigheden een stuk minder slecht waren dan die van de meeste andere gevangenen. Maar elk contact met de buitenwereld werd hem ontzegd en zijn studiekring viel uiteen, terwijl niet een van ons wist of en wanneer we onze mentor nog zouden terugzien.

Het was hoog tijd om even uit Jemen weg te zijn. Met de woorden van Awlaki en al-Abab nog vers in mijn hoofd, wilde ik me gaan voorbereiden op mijn eigen bijdrage aan de zaak van de globale jihad en ik had mijn zinnen gezet op Somalië.

10

DE VAL

Nazomer 2006-voorjaar 2007

Ik was van plan om naar Denemarken terug te keren en daar voor een bouwbedrijf te gaan werken dat door een moslimvriend werd gerund om zo wat geld te kunnen sparen voor de reis naar Somalië. Aanvankelijk had ik de Unie van Islamitische Rechtbanken willen helpen door in het zuiden van Somalië een melkboerderij op te zetten, waarbij ik gebruik wilde maken van de vaardigheden die ik had opgedaan tijdens een paar maanden durende opleiding aan een landbouwschool in Denemarken. Maar toen de Ethiopische strijdkrachten verder oprukten in de richting van de hoofdstad Mogadishu, besefte ik dat ik betrokken zou raken bij de strijd om de toekomst van Somalië. Ook al zou het tot het martelaarschap leiden, ik had geen andere keuze dan voor mijn godsdienst te vechten. Dan pas zou mijn zoon trots op zijn vader kunnen zijn.

Fadia wist me echter zover te krijgen dat ik het goedvond dat ze samen met Osama ook naar Denemarken zou komen. Bij aankomst zou ze dan wel een Schengenvisum moeten aanvragen, want als echtgenote kon ze de Europese Unie nog niet binnen omdat ik technisch gezien nog niet van Karima was gescheiden.

Fadia had nog nooit eerder in een vliegtuig gezeten en zag er behoorlijk tegen op. Toen ze op het vliegveld van Frankfurt overstapte, eiste een veiligheidsbeambte dat ze haar lange jas uit zou doen. Ze weigerde en legde uit dat het een traditionele dracht was en werd bijna in hechtenis gekomen. Desalniettemin was ik behoorlijk ontstemd toen ik zag dat ze bij aankomst in Kopenhagen alleen maar een soort hoofddoek droeg, die aanzienlijk kleiner was dan de nikab die ik in Sanaa voor haar had gekocht.

'Het maakt niet uit of je in Europa bent of niet, je dient je te kleden als een moslimvrouw,' zei ik haar. 'Ben je alleen maar met me getrouwd om met me mee naar Europa te komen en gemakkelijk aan een paspoort te komen?' vroeg ik haar verbitterd. Misschien werd ik nog achtervolgd door mijn vorige relaties. Binnen enkele dagen vond ze een Jemenitische vrouw die haar alle kledingstukken kon leveren die nodig waren om er respectabel uit te zien.

We betrokken een huurwoning in een wijk in Aarhus waar erg veel immigrantenfamilies woonden. Mijn netwerk van extremistische contacten bleef groeien. Mijn nogal ongenuanceerde denkbeelden en exotisch reisgedrag maakten me binnen de Deense islamistische gemeenschap tot een bekende persoonlijkheid.

Ik was gelukkig met Fadia. Ze was zachtmoedig, intelligent en lief voor Osama, die haar erg bewonderde. Maar ik besefte ook dat mijn zoon op een gegeven moment bij zijn moeder hoorde te zijn, met als gevolg dat ik met Karima tot een afspraak kwam. Ze was uit Marokko vertrokken en had zich weer in Birmingham gevestigd en zei dat als ik Osama naar huis bracht ik beide kinderen regelmatig mocht komen opzoeken.

Die regeling betekende dat ik tussen Denemarken en Birmingham zou moeten pendelen, maar ik was veel te blij dat ik weer met mijn dochter Sarah herenigd zou worden, en ik vermoedde dat ik in staat moest zijn met Karima de vrede te bewaren. Voor ik aan het volgende hoofdstuk van mijn mars naar de jihad zou beginnen, wilde ik mijn kinderen zo vaak mogelijk zien.

Het heen en weer reizen tussen Aarhus en Birmingham zorgde er ook voor dat ik meer contacten kreeg met aanhangers van de Unie van Islamitische Rechtbanken, waarvan er in de Midlands verbazend veel waren. Ze vormden een omvangrijke groep binnen een grote moskee in de achterstandswijk Small Heath in Birmingham. De Ethiopische invasie had bij de Somalische gemeenschap grote woede veroorzaakt en had de Unie van Islamitische Rechtbanken in één klap een stuk populairder gemaakt en gaf extra voeding aan het Somalische nationalisme.

Ik ging met een Deens-Somalische vriend die samen met mij uit Aarhus was gekomen naar een drukbezochte bijeenkomst in de moskee. Hij had ook familie in Birmingham, een neef die Ahmed Abdulkadir Warsame heette.

Warsame was een pezige tiener met hangende oogleden die de indruk wekten dat hij half sliep. En hij had vooruitstekende voortanden.

Hij was klaarblijkelijk geïnspireerd door de redevoeringen van vertegenwoordigers van de Islamitische Rechtbanken.

'Ik ga. Zeker weten.'

'Masha'Allah. In dat geval gaan we met z'n tweeën,' antwoordde ik. Het zou het begin zijn van een lange en gedenkwaardige relatie. Ik verlangde er meer dan ooit naar om naar Somalië af te kunnen reizen. Via e-mail had ik talloze verhalen tot me genomen over het doden van ongelovigen, voornamelijk Ethiopische troepen. Twee leden van mijn studiekring in Sanaa waren al naar Somalië vertrokken om daar te vechten, Ali, de Deense bekeerling, en de Amerikaan, Jehad Serwan Mostafa. Mostafa had me ge-e-maild en er bij me op aangedrongen om te komen vechten. 'We zijn aan de winnende hand!' had hij uitgeroepen.

Warsame nodigde me uit voor een diner in een Somalisch-Jemenitisch restaurant, bedoeld voor vertegenwoordigers van de Islamitische Rechtbanken die bij de bijeenkomst aanwezig waren geweest. Hij was drie jaar eerder als vluchteling naar het Verenigd Koninkrijk gekomen en kon niet wachten om naar huis terug te keren om daar tegen de Ethiopiërs te vechten, alleen had hij geen geld voor de reis.

Ik raakte snel met hem bevriend. Ik was onder de indruk van zijn bezieling voor de zaak. Ik ging wel eens bij hem langs in zijn kleine huurflat in de buurt van de Small Heath-moskee. Zijn woonkamer werd gedomineerd door een oude leren bank met daarop stapels aantekeningen. Hij was bezig aan een studie elektrotechniek. Maar het enige waarover hij kon praten was zijn behoefte de strijd aan te binden tegen de Ethiopiërs en zijn land te bevrijden. In oktober 2006 begonnen de Ethiopiërs vanuit de stad waar ze de ongelukkige Somalische regering hadden beschermd verder naar het oosten op te rukken. Uit het nieuws dat we te horen kregen en de berichten die we van vrienden ontvingen kon duidelijk worden geconcludeerd dat ze eropuit waren de hoofdstad aan te vallen.

Tegelijkertijd traden de autoriteiten in Jemen, aan de overkant van de Golf van Aden, steeds harder op tegen militanten van wie ze vermoedden dat ze de Islamitische Rechtbanken hielpen.

Op 17 oktober werd ik 's ochtends vroeg gebeld door de echtgenote van Kenneth Sorensen, een van de leden van de studiekring in Sanaa, die duidelijk over haar toeren was. Kenneth was gearresteerd, samen met Samulski, twee jonge Australiërs en mijn Britse vriend Rasheed Laskar. Ze zouden betrokken zijn bij een plan om wapens, afkomstig van wetteloze stammen in het oosten van Jemen, naar de Unie van Islamitische Rechtbanken te smokkelen, een transactie die aan de Jemenitische kant was georganiseerd door Abdullah Misri, de autohandelaar en de financiële man van Al Qaida.

Ik kende de reputatie van de Jemenitische veiligheidsdiensten en was bang dat Sorensen en de anderen in de gevangenis gefolterd zouden worden. Ik zei tegen Sorensens vrouw dat ik zou proberen de zaak in Denemarken onder de aandacht te brengen. Ik vroeg mijn vriend Nagieb of hij me in contact kon brengen met een televisiestation en de volgende dag al gaf ik een interview aan de Deense zender TV2.

De televisieploeg en ik spraken af in een winkelcentrum in Aarhus. Ik wist dat in het interview stevig geknipt zou worden, dus probeerde ik mijn oproep zo kort en bondig mogelijk te houden. Sorensen was onschuldig, benadrukte ik. Hij was een vriend van me die alleen maar Arabisch studeerde en niets met militante strijders te maken had. De Deense regering moest haar best doen hem vrij te krijgen of op z'n minst ervoor zorgen dat hij consulaire bijstand kreeg.

In werkelijkheid vermoedde ik dat hij er wel degelijk bij betrokken was, hoewel ik geen idee had in welke mate. Mijn vermoedens werden nog versterkt door de arrestatie van iemand anders die ik nog kende uit radicale kringen in Denemarken, Abu Musab al-Somali. Hij was nog een kind geweest toen hij als vluchteling naar Denemarken was gekomen, maar keerde naar Somalië terug en sloot zich aan bij de buitenlandse strijders die een samenwerkingsverband hadden met de Unie van Islamitische Rechtbanken en pendelde daarbij tussen Mogadishu en Jemen. Hij werd voor zijn aandeel in de wapensmokkel tot twee jaar gevangenisstraf veroordeeld.

Sorensen en de anderen hadden meer geluk: ze werden vrijgelaten en in december het land uit gezet. Maar door mijn televisie-interview was ik voor de Deense autoriteiten in nog grotere mate 'iemand van belang' geworden.

Op een naargeestige middag met motregen en mist werd ik in mijn appartement in Aarhus gebeld.

'Je spreekt met Martin Jensen. Ik ben van de PET,' zei een toonloze stem.[19]

De PET is de Deense veiligheids- en inlichtingendienst, die in Denemarken deel uitmaakt van de politie.

'We willen met je praten. Kunnen we elkaar ergens ontmoeten?'

'Nee,' zei ik. 'Er is niets om over te praten. Jullie vechten tegen de islam en wij beschermen onszelf. Bovendien zou je best eens van de Mossad of van de CIA kunnen zijn. Voor hetzelfde geld word ik ergens "teruggevonden". Het zal niet de eerste keer zijn dat zoiets gebeurt.'

Ik probeerde ontspannen te klinken maar ik dacht koortsachtig na. Zouden ze van mijn reisplannen op de hoogte zijn? Had iemand van de groep in Sanaa gezegd dat ik een soort leider was? Hadden de Jemenieten hun nieuwe gevangenen door mensen van MI6 of de CIA laten ondervragen?

Uiteindelijk spraken we af dat ik naar een plaatselijk politiebureau zou komen, maar eerst belde ik mijn moeder. Ik moest dit aan iemand vertellen en ik wilde mijn vrouw niet ongerust maken.

'Ma, ik kan hier over de telefoon niets over zeggen, maar de PET heeft gevraagd of ik bij ze langs wilde komen. Ik wil dat je dat weet voor het geval er iets met me mocht gebeuren.'

Ze zuchtte eens diep. In gedachten zag ik voor me hoe ze haar wenkbrauwen fronste en zachtjes haar hoofd schudde, berustend in de zoveelste plotselinge wending in het leven van haar onvoorspelbare zoon. 'Oké. Wees voorzichtig,' zei ze alleen maar.

In de vergaderruimte zaten twee agenten op me te wachten, onder wie een goedgebouwde kerel die zich voorstelde als Jensen. De andere, een corpulente kale man, keek door het raam naar buiten terwijl hij een sigaret rookte. Hij was waarschijnlijk nog maar net veertig, maar hij bewoog zich moeilijk voort.

Jensen schoof me een geopend colaflesje toe.

'Ik ben niet van plan iets te drinken dat al geopend is. Misschien hebben jullie er wel iets in gedaan,' zei ik, waarbij ik zo melodramatisch mogelijk probeerde te klinken.

Hij haalde zijn schouders op en ging een ongeopend flesje halen.

Wat wist ik van Sorensen en de rest van de groep die in Sanaa was gearresteerd? Ik herhaalde wat ik voor de televisie had gezegd.

Toen begonnen ze me de duimschroeven aan te draaien. Jensen boog zich over de tafel naar voren. Hij was knap, ergens tegen de veertig met een zorgvuldig onderhouden zongebruide huid en perfect zittend haar. Hij had voor de Deense George Clooney door kunnen gaan. En hij bezat de zelfverzekerdheid van een man die zich dat maar al te goed bewust was.

'We weten dat het visum van je vrouw verlopen is. Maar daar zitten we verder niet mee. We willen alleen maar zeker weten dat jij of je vrienden geen gewelddadige bedoelingen ten opzichte van Denemarken hebben. Misschien zou je ons zelfs een handje kunnen helpen.'

'Ik ga jullie absoluut niet helpen,' repliceerde ik. 'Als ik de kafir help tegen moslims is dat geloofsverzaking. Tussen haakjes,' vervolgde ik terwijl ik opstond om weg te gaan. 'Ik wil naar Somalië. Kunnen jullie nagaan of dat tegen de Deense wet is?'

Ze leken heel even verbluft te zijn door mijn gotspe. Ik wist dat het volslagen legaal was om ernaartoe te gaan, aangezien de Islamitische Rechtbanken door Denemarken – door geen enkele westerse mogendheid trouwens – nog niet tot een terroristische organisatie waren verklaard.

Mijn connecties in Jemen hadden er duidelijk voor gezorgd dat ik onder verdenking was komen te staan. Een van de mensen die in Sanaa waren gearresteerd vertelde me later dat hij in de gevangenis door een agent van een westerse inlichtingendienst was ondervraagd.

'Ze wilden wat meer van jou aan de weet komen,' zei hij me. 'Ze zeiden: "We weten dat Storm hierachter zit."'

Toen ik het politiebureau verliet, drong tot me door dat ik gebrandmerkt was. Ik besefte dat ik binnenkort een keuze zou moeten maken: naar Somalië afreizen en nog meer aandacht op me vestigen of ophouden duidelijk te laten zien waar ik voor stond. Maar eigenlijk had mijn ontmoeting met de agenten alleen maar tot gevolg dat ik nóg vastbeslotener was geworden te vertrekken. Ze wisten dat ze geen steek verder kwamen. Jensen had me een kaartje met zijn telefoonnummer gegeven, voor het geval dat. Om de een of andere reden had ik dat niet onmiddellijk voor zijn neus verscheurd, maar had ik het bij mijn vertrek in mijn zak gestoken.

Al snel werd mijn missie bij wijze van spreken 'geadopteerd', en wel door Abdelghani, een Somalische vriend uit Denemarken die al was vertrokken en zich bij de militie van de Islamitische Rechtbanken had aangesloten. Op 19 december mailde hij me de formele toestemming van het 'ministerie van Buitenlandse Zaken' van de Islamitische Rechtbanken om het land binnen te komen.

De adrenaline pompte door mijn lichaam. Het was een religieuze taak waarover niet gedebatteerd hoefde worden, het soort beslissende actie waarover de deerniswekkende predikers in Denemarken en de nonsens uitkramende Omar Bakri Mohammed eindeloos door konden kletsen maar die ze nooit ten uitvoer zouden brengen.

Ik kocht een vliegtuigticket, een enkele reis naar Moghadishu. Ik zou in mijn eentje reizen. Warsame, mijn makker uit Birmingham, had nog steeds niet voldoende geld bij elkaar om de reis ook te kunnen maken. Ik mailde hem om te zeggen dat ik hoopte dat hij zich snel bij me zou voegen.

Ik stond op het punt aan een nieuw hoofdstuk te beginnen, met nieuwe kameraden, aan het meest recente front van een globaal conflict. Maar zodra het onderwerp aan de orde kwam, barstte mijn vrouw in tranen uit.

'Wat gaat er dan met mij gebeuren? Dan zit ik hier in m'n eentje in een land dat ik niet ken, zonder rechten en zonder geld.'

'Allah zal voor je zorgen. En zodra we die Ethiopiërs het land uit hebben geschopt, kun je me achternakomen,' antwoordde ik. Het klonk niet echt geruststellend en ook in mijn oren klonk het nauwelijks overtuigend. Maar dit was nu eenmaal het antwoord op alles.

Ze vertelde me dat ze, als ik te lang wegbleef, naar Jemen zou terugkeren.

Terwijl de eerste sneeuwvlokken van de vroege winter neerdwarrelden, reed ik naar een dumpzaak in Kopenhagen om daar de spullen te kopen waarom Abdelghani had gevraagd: camouflagekleding, veldflessen en Zwitserse legermessen. Niet bepaald dodelijke wapens en gemakkelijk mee te nemen zonder achterdocht te wekken.

Het front in Somalië zien te bereiken leek noodzakelijker dan ooit. De Ethiopische troepen rukten steeds dichter naar Mogadishu op. Enkele van mijn vrienden hadden zich samen met andere strijders al teruggetrokken in de richting van Kismayo, een havenplaats ten zuiden van Mogadishu. Ik zou over een paar dagen vertrekken.

Toen ik door de winkel liep, werd ik gebeld vanuit Somalië. Het was Ali, het Deense lid van de studiekring. Hij vertelde me opgewonden dat hij net een Somalische spion had onthoofd die de groep vlak bij Kismayo had ontdekt.

Ik liet zijn naïviteit om mij op zijn mobiel te bellen maar onbesproken en feliciteerde hem luid in het Arabisch. De winkeleigenaar wierp me een achterdochtige blik toe.

Op de rit naar huis belde Abdelghani. Ik wilde hem vertellen over de spullen die ik had gekocht, maar hij onderbrak me onmiddellijk.

'Je kunt hier maar beter niet naartoe komen. Het is hier veel te gevaarlijk. De Ethiopiërs hebben het vliegveld omsingeld en arresteren alle jihadisten die hierheen komen om samen met de Islamitische Rechtbanken strijd te leveren. Blijf waar je bent!'

Ik was verbijsterd, en woedend om Abdelghani's defaitisme.

Onmiddellijk drong zich een vraag aan me op, een vraag aan Allah: 'Waarom laat U me niet gaan? Waarom wordt mij verhinderd U te dienen?'

Het was per slot van rekening Zijn beslissing. Allah was alwetend, als eenvoudige stervelingen hadden we geen enkele invloed op ons lot.

En toen kwam er nog een volgende vraag: 'Waarom heeft U de moedjahedien laten verliezen, alweer?'

Toen ik thuiskwam werd ik opgewacht door mijn vrouw.

'Ze hebben verloren,' mompelde ik terwijl ik haar blik ontweek. 'Ze hebben de slag verloren.'

Ik bracht de uitrusting naar boven en wierp de spullen in de slaapkamer op bed. Ik was stil, somber, voelde me verslagen en moest weer denken aan die keer dat ik in de politieauto zat die me naar de gevangenis bracht, toen ik me plechtig voornam een andere richting in te slaan. Ik had antwoorden nodig.

Neerslachtigheid maakte al snel plaats voor woede en die woede begon enkele lastige vragen te stellen. Bij elke verandering werd ik tegengehouden, elk plan was uiteengevallen. Ik had een heel decennium, wat eigenlijk de beste jaren van mijn leven hadden moeten zijn, aan een zaak gewijd, ik had er relaties voor opgeofferd en ook de kans om eventueel door te breken als bokser.

Ik zat in de donkere slaapkamer, waar de stilte alleen werd onderbroken door het snorrende geluid van auto's die door de sneeuw reden. Over een paar dagen zou ik 31 worden, maar van een zinvolle toekomst leek geen sprake. Mijn kinderen zaten in een ander land, mijn vrienden in Sanaa waren uiteengedreven, terwijl mijn vrouw grote moeite had met mijn stemmingswisselingen. Het laatste geld dat ik in de bouw had verdiend had ik aan uitrusting uitgegeven die nu onuitgepakt naast me op bed lag en mijn falen nog eens extra leek te benadrukken.

Ik was constant bezig geweest met mijn zoektocht naar manieren om voor de underdog te vechten. Jaren geleden was ik mijn moslimvrienden al te hulp geschoten toen ze in Korsør op straat door skinheads werden lastiggevallen. Ik had me in de bibliotheek laten meevoeren door het verhaal van de strijd die de Profeet in Mekka tegen een veel grotere overmacht had moeten voeren. Ik had ervan gedroomd naar Afghanistan te gaan om me daar bij de moedjahedien te voegen en in Somalië mee te helpen aan het bouwen van een baken van de ware islam. En alles was op een teleurstelling uitgelopen.

Ik dacht aan het gebral van Omar Bakri Mohammed, aan de onoprechte predikers in Brixton, de mooiweerbetogers bij de Amerikaanse ambassade, de lafheid van de sjeiks die maar al te bereid waren om onwetende, lichtgelovige mannen de dood in te sturen. Misschien dat mijn toewijding aan de zaak alle onbeantwoorde vragen had onderdrukt. Misschien dat mijn omarming van de islam slechts een manier was geweest om naar de wereld uit te halen en dat ik mijn echte inspiratie, zelfs als ik die niet helemaal doorzag, niet putte uit het zo theoretische salafisme maar uit mijn behoefte onrechtvaardigheid te bestrijden.

Toen begon langzaam maar zeker het ondenkbare tot mijn brein door te dringen. Klopten mijn opvattingen over de islam wel? Werd het geloof door mannen als Awlaki vertekend? Of zat de islam zelf vol inconsistenties waarvoor ik blind was geweest?

Ik was al vraagtekens gaan plaatsen bij het begrip lotsbestemming – Kadar – een van de geloofsartikelen. Mij was geleerd dat dat inhield dat Allah over alles besliste, zowel in het verleden als in de toekomst.

In de woorden van de Koran: 'Allah is de Schepper van alle dingen, en hij is de Bewaarder van alle dingen [...] Hij heeft alles geschapen, en heeft het precies afgemeten naar de juiste afmetingen.'

Welke plaats nam de vrije wil dan in, waar was het vermogen om het verschil uit te maken? Het leek erop dat geen van de geleerden met wie ik had gesproken kon uitleggen hoe Kadar paste binnen de verplichting tot jihad, en ook niet waarom Allah een mens zou creeren die Hij al tot het hellevuur had veroordeeld. Zelfs Anwar al-Awlaki had dat onderwerp zorgvuldig ontweken.

Er bestond een Hadith die van het individu een soort hulpeloze marionet leek te maken: 'Allah, de Verhevene en de Glorierijke, heeft voor elke dienaar van Zijn schepping vijf dingen voorbestemd: zijn dood, zijn daden, zijn woonplaats, zijn verblijfplaatsen en zijn levensonderhoud.'

Uiteindelijk vermande ik me en ging ik naar beneden, naar de keuken. Fadia keek me bezorgd aan.

'Wat is er met je gebeurd?' vroeg ze.

'Ik weet het niet. Ik heb alleen het gevoel dat niets er meer toe doet.'

Ik maakte koffie voor mezelf klaar en ging aan de keukentafel achter mijn laptop zitten. Impulsief tikte ik in: 'Tegenstrijdigheden in de Koran.'

Er waren meer dan een miljoen hits. Heel wat artikelen waren weinig meer dan anti-islamitische schotschriften, vaak te vinden op christelijk-evangelische websites, die nogal onsamenhangend waren. Maar elders las ik commentaren die al langere tijd in mijn hoofd rondspokende maar onderdrukte vragen weer bij me boven brachten. Ik moest weer denken aan de woorden die ik ooit in Hyde Park had uitgeroepen: 'Als het niet door God was uitgevaardigd, zouden ze er ongetwijfeld vele tegenstrijdigheden in hebben gevonden.'

De interpretatie van mijn geloof was een kaartenhuis dat laag voor laag was opgebouwd. Haal één kaart weg en alles stort in elkaar. Het was gestoeld op een gevoel van momentum: een reis vanaf het vinden van de islam via het salafist worden tot aan de behoefte mee te doen aan de jihad. De heilige teksten die ik had gelezen waren duidelijk geweest. Je was verplicht om aan de jihad deel te nemen, want het geloof moest beschermd worden. Maar op de een of andere manier werd mij belet mijn religieuze taak uit te voeren, terwijl andere moslims hem probeerden te ontlopen of simpelweg verloochenden.

Ik begon ook anders aan te kijken tegen enkele rechtvaardigingen

voor het doden en verminken van burgers. Ik was in mijn gehoorzaamheid aan de salafistische geloofsbelijdenis met die voorschriften
akkoord gegaan. Ik had de woorden van de geleerden, die in de heilige schrift een rechtvaardiging voor de gebeurtenissen van 11 september hadden gevonden, voetstoots aangenomen. Maar nu moest ik
denken aan de Twin Towers, de bomaanslagen op Bali, die in Madrid
in 2004 en die in Londen in 2005. Dat waren gewelddadigheden die
tegen gewone mensen waren gericht. Als dat allemaal onderdelen
waren van Allahs vooraf bepaalde plan, dan wilde ik daar niets meer
mee te maken hebben.

Ik moest weer aan de woorden van mijn vriend Tony de uitsmijter
denken: 'Waarom verlangt Allah van mensen dat ze andere mensen
doden? Denk je ook niet, Murad, dat Allah veel liever zou zien dat je
andere mensen leert lezen?'

Het verlies van mijn geloofsovertuiging was even angstaanjagend
als de onverhoedsheid ervan. Ik staarde in een leegte en wist dat als
ik me zou losmaken van het geloof ik binnen de kortste keren het
doelwit zou worden voor heel wat van mijn voormalige 'broeders'. Ik
wist zo veel over hen en van hun plannen. Minstens de helft van de
studiekring in Sanaa had zich bij terreurgroepen aangesloten. Voor
hen zou ik de ergste afvallige zijn die er bestond: de bekeerling die
het geloof had opgegeven en atheïst was geworden, de smerigste van
alle huichelaars. En omdat de bekeerling beloofd was dat hem in het
paradijs een dubbele beloning wachtte, diende de bekeerling die zich
terugtrok dubbel gestraft te worden.

De vragen die zich aan me opdrongen zorgden ervoor dat ik thuis
teruggetrokken was en snel in woede kon ontsteken. Mijn vrouw
maakte zich zorgen dat ik ertussenuit zou knijpen. Haar inreisvisum
voor de Europese Unie was verlopen en nu ze illegaal in Denemarken woonde, was ze bang dat ze daar aan haar lot zou worden overgelaten. De sfeer thuis was afschuwelijk.

Ik moest weg, tijd en ruimte vinden om na te denken. Op een bitterkoude maartochtend ging ik naar de Braband Sø, de recreatieplas
in een buitenwijk van Aarhus, om te gaan vissen. De winter wist nog

niet van wijken. Het riet langs de oever was in de kille wind bruin en rafelig geworden, terwijl in de inhammen nog steeds ijs op het water lag. Het pad rond het meer lag er verlaten bij.

Ik ging zitten en wierp mijn vislijn uit, maar ik was in gedachten heel ergens anders. Bijna drie maanden lang had ik zonder overtuiging gebeden. Ik had opnieuw de Koran gelezen, maar bleef nieuwe inconsistenties en tegenstrijdigheden zien. Ik had in de moskeeën van Aarhus naar de predikers geluisterd, maar het was niemand gelukt mij opnieuw te inspireren. En ondertussen werd het tromgeroffel van het jihadisme alleen maar luider en verschoof het van het verdedigen van moslimlanden steeds verder naar een oorlogsverklaring aan alle ongelovigen, zowel de onderdanige als de machtige.

Vanuit het niets kwam de vulkaan in me tot uitbarsting. Ik smeet mijn vishengel in het meer en schreeuwde naar het water: 'Fuck Akkah, en fuck de Profeet Mohammed. Waarom moet mijn familie naar de hel, enkel en alleen omdat ze geen moslims zijn?'

Ik dacht aan mijn moeder en grootouders. We hadden best wel eens onenigheid gehad, maar in feite waren het fatsoenlijke mensen waar geen greintje kwaad bij zat.

'Als Zaher en Andersen nu eens níét waren ontmaskerd en mijn moeder of Vibeke in de buurt waren geweest toen ze hun bommen lieten ontploffen?'

Er liepen in Denemarken nog veel meer mannen rond met die denkbeelden, binnen een straal van honderd kilometer rond de plaats waar ik woonde misschien alleen al enkele tientallen. Sommigen van hen waren in staat om terreurdaden in mijn land uit te voeren, maar hoe kon ik voorkomen dat daarbij onschuldige doden zouden vallen?

Ik kwam bij de auto aan.

'Ik heb tien jaar van mijn leven weggegooid,' zei ik terwijl ik het stuurwiel omklemde en door de mist naar de contouren van de dennenbomen keek. 'Ik heb mezelf in handen van Allah gelegd. Ik geloofde in de rechtvaardigheid van de strijd. Maar ik heb mezelf voor de gek gehouden en toegestaan dat anderen mij hebben misleid. Ik had sportman kunnen worden, ik had van het leven kunnen genieten, ik had mijn kinderen bij me kunnen hebben, me kunnen ontwikkelen.'

De rebel in mij had mijn vrije wil opnieuw doen ontbranden, maar ik wist hoeveel gevaar dat met zich mee zou brengen. Plotseling had ik mij in de schaduw begeven van Kurt Westergaard, de cartoonist die een spotprent van de Profeet Mohammed had gemaakt en daarom nu bedreigd werd. Nog niet zo lang geleden had ik die man ook dood gewenst.

Nu ben ik de vijand van mijn vrienden, dacht ik op een gegeven moment toen ik rusteloos in bed lag. Mijn vrouw lag vredig naast me. Welke gevaren zou ze lopen als ik me van mijn 'broeders' losmaakte? Voorlopig was het beter als ze zo min mogelijk wist.

De volgende ochtend probeerde ik het zo druk mogelijk te hebben en deed de afwas en draaide een wasje. Toen ik een overhemd in de wasmachine gooide, viel er een kaartje uit. Ik pakte het van de vloer en hoewel het verkreukeld was, kon ik de tekst erop nog steeds goed lezen. Het was het visitekaartje van de zogenaamde Martin Jensen van de PET.

Er stond een telefoonnummer op het kaartje. Ik stopte het in mijn zak en ging naar buiten en zwierf door de buitenwijken van Aarhus. Als ik hem belde, was er geen weg terug en ook geen middenweg meer. Ik zou een dubbelleven moeten leiden, een leven waarin één enkele fout mij het leven kon kosten. Maar het alternatief was volgens mij nog een stuk erger. Zou ik werkeloos toezien als mensen die ik kende, mensen die ik kon tegenhouden, een bloedbad wilden aanrichten in het land waar ik woonde of in de rest van Europa?

Diezelfde avond nog draaide ik het telefoonnummer dat op het kaartje stond.

Ik was er heilig van overtuigd dat zijn echte naam niet Martin Jensen was en ik betwijfelde zelfs of hij zou opnemen. Maar dat deed hij wel degelijk.

'Hier Murad Storm. Ik wil je op korte termijn spreken,' zei ik. 'Ik heb je iets te vertellen.'

Ik voelde dat hij zijn best moest doen kalm te blijven.
'Oké, wat dacht je van het Radisson Hotel in Aarhus?'

11

OVERLOPEN

Voorjaar 2007

Het Radisson ziet eruit als een plak ijs van acht etages hoog, met glas waarin de erboven drijvende wolken worden weerspiegeld. Vanuit de Presidentiële Suite, een ruim vertrek met leren banken, koele Scandinavische meubels van berken- en essenhout, had je een fraai uitzicht op de kades en de oude, met kinderhoofdjes geplaveide straten van Aarhus.

Dezelfde PET-mensen die eind vorig jaar in het politiebureau aanwezig waren geweest, waren er ook nu weer.

'Martin Jensen', de man die op Clooney leek, had blijkbaar een voorliefde voor designkleding: die dag droeg hij een Hugo Boss-overhemd, dure instappers en een nog duurder horloge.

'Murad, fijn je weer te zien,' zei hij terwijl hij me de hand schudde. Hij had een onmiskenbaar Kopenhagens accent en straalde een en al zelfvertrouwen uit. Dit was zíjn show.

'Herinner je je mijn collega nog?' zei hij terwijl hij naar de te dikke man met het kale hoofd gebaarde. 'We noemen hem Boeddha,' zei hij glimlachend. 'En jij mag mij Klang noemen.' Hij gaf geen verklaring voor de codenaam.

Ik nam tegenover de twee agenten op de leren bank plaats. Ze gingen aandachtig op de rand van hun stoel zitten. Dit moment zou wel eens bepalend voor hun carrière kunnen zijn, want ze beseften dat ik wat informatie over jihadisten betrof een uiterst rijke bron zou kunnen zijn. Boeddha stopte me een menukaart in de handen. 'Moet het halal zijn? Kip? Vis? Iets vegetarisch?' vroeg hij, gevoelig voor mijn moslimdieet. 'Een flesje water? Koffie?'

Ik vond zijn beleefdheid vermakelijk. Het was tijd om een statement te maken.

'Nee, ik neem een baconsandwich en een biertje, een Carlsberg Classic,' antwoordde ik.

Heel even was het oorverdovend stil.

'Daar heb ik zin in, jongens.' Het was mijn manier om te zeggen: 'Ik sta aan jullie kant.'

Ik had het gevoel dat er een enorm gewicht van mijn schouders was gevallen.

'Ik heb besloten niet langer moslim te zijn,' zei ik. 'Ik ben bereid jullie te helpen in de strijd tegen het terrorisme. De godsdienst waar ik mijn leven omheen heb gebouwd, heeft voor mij alle betekenis verloren.'

'Dit gaat heel erg groot worden,' zei Klang, nauwelijks in staat zijn opwinding te onderdrukken. Ze verwachtten blijkbaar heel wat van mijn jihadistische Rolodex.

Het eten werd gebracht.

'Skol,' zei ik, bracht mijn glas omhoog en genoot van het eerste slokje alcohol in jaren. En toen zette ik mijn tanden in een omvangrijk broodje met bacon. Ik was weer Deen.

'Laten we beginnen,' zei ik en begon mijn verhaal te vertellen.

Ik was de bekeerling die weer op het oude nest was teruggekeerd, de schellen vielen van mijn ogen. Omdat ik me zo rigide had opgesteld, was bij mij de slinger helemaal naar de andere kant uitgeslagen. Hoewel ik natuurlijk niets kon doen om het verleden te veranderen, mijn omarming van de 11de september, mijn waanideeën over de jihad en mijn bewondering voor Awlaki, kon ik het goedmaken. Ik kende het moorddadige wereldbeeld van Al Qaida en ik wilde mijn bijdrage leveren om die lui tegen te houden.

De agenten konden me bij het maken van aantekeningen nauwelijks bijhouden. Ze moesten me regelmatig vragen even te stoppen en konden nauwelijks geloven dat ik op zo veel verschillende plekken zo veel militanten kende. Het gesprek duurde drie uur, maar eigenlijk was het alleen nog maar een proloog.

Het feit dat ik mijn verhaal kon vertellen werkte bevrijdend, en hoe meer ik vertelde, hoe meer ik het gevoel had dat ik mijn oude leven achter me liet. Toen ik in het namiddagzonnetje de lobby van het hotel verliet, voelde ik me in harmonie. Ik had de juiste beslissing genomen.

Klang en Boeddha hadden me gevraagd of ik over een paar dagen opnieuw met ze wilde praten.

'Dit werk neemt een groot deel van je tijd in beslag, maar we kunnen je ter compensatie 10.000 Deense kronen per maand betalen,' zei Klang nadat we bij het begin van de volgende ontmoeting begroetingen hadden uitgewisseld.

Dat was ongeveer 1800 dollar, niet bepaald een bedrag waarvan ik ging blozen, maar ik had sowieso niet verwacht geld voor mijn informatie te krijgen. Gezien de armlastige situatie waarin ik verkeerde, was het bedrag van harte welkom. 'Dat klinkt goed.' Klang gaf me een Nokia-telefoon.

'Dit heb je nodig als je contact met ons wilt opnemen. Wij betalen de rekening,' zei hij.

'En op die manier kunnen jullie me ook beter in de gaten houden,' antwoordde ik. Die opmerking was als grap bedoeld.

'Nee, nee, dat doen we niet. We vertrouwen je,' reageerde Boeddha, die zich net iets te nadrukkelijk verontschuldigde.

Ze hadden het eerste huiswerk bij zich. Boeddha haalde uit een lichtbruine envelop twee foto's en een stuk of wat velletjes papier met korte levensbeschrijvingen van twee van mijn islamistische contactpersonen in Aarhus.

'Wij willen graag weten of we ons zorgen over hen moeten maken,' legde Klang uit.

De eerste foto was die van Abu Hamza, een iets te omvangrijke Marokkaanse geestelijke die graag over de goede kanten van de jihad predikte, maar die ik altijd een opschepper had gevonden. Terwijl ik in de zitkamer van zijn moskee van mijn thee nipte en luisterde hoe hij tekeerging over de manier waarop de moslims in het buitenland werden onderdrukt, ondertussen het ene na het andere koekje naar binnen werkend, werd de achterdocht die ik al een tijdje voelde alleen maar erger. Misschien was Hamza wel een informant die bij de PET op de loonlijst stond. Testte ik hem uit of hij mij?

Hoewel ik niet zeker wist waar hij stond, kreeg ik steeds meer vertrouwen in de beslissing die ik had genomen. Het gaf een surrealistisch gevoel, maar het was ook prettig om te weten dat ik het heft in eigen hand had genomen. Terwijl ik de holle frasen van de geestelijke over me heen liet komen, knikte ik af en toe instemmend, maar het was alsof ik met een heel ander deel van mijn brein luisterde. Ik was niet langer op zoek naar religieuze waarheden, of sturing bij datgene wat Allah verlangde. In plaats daarvan sloeg ik alle details in me op om die later aan mijn handlers door te kunnen geven.

De tweede persoon was Ibrahim, een Algerijn die ik kende van de moskee in Aarhus. Ik wist dat ik hem bij het vrijdaggebed weer zou zien. Na de dienst bood Ibrahim me thee aan en we liepen vervolgens naar zijn sjofele flat vlak in de buurt.

'Murad, ik ben te weten gekomen waar Kurt Westergaard woont en ik weet hoe we aan wapens kunnen komen,' gooide hij er onmiddellijk uit nadat we binnen waren.

Ik keek hem in zijn opgewonden ogen. Waarom vertelde hij me dat juist nu? Werkte hij soms ook voor de PET? Was dit ook een soort test? Of meende hij elk woord dat hij zei?

'Doe je mee?' vroeg hij.

'Daar moet ik eerst over nadenken,' antwoordde ik.

Direct na mijn vertrek toetste ik zijn nummer in op de mobiel die ik van Klang had gekregen.

'We moeten zo snel mogelijk bij elkaar komen,' zei ik.

Die avond had ik in een hotelkamer in het centrum van de stad een ontmoeting met hem en Boeddha en vertelde hun alles wat ik had gehoord. Ze leken er niet echt van te schrikken, waardoor ik onwillekeurig het idee kreeg dat mijn intuïtie wel eens zou kunnen kloppen: die eerste twee opdrachten waren een test geweest. De PET wilde weten of ik te vertrouwen was.

Om zeker van mijn zaak te zijn, zocht ik Ibrahim weer op. We ont-moetten elkaar buiten de moskee.

'Dus het gaat door?' vroeg ik. Hij keek me geschrokken aan.

'Ik heb geen belangstelling meer,' antwoordde hij, het gesprek on-middellijk afkappend, waarna hij haastig doorliep.

In de weken die volgden had ik geregeld ontmoetingen met Klang en Boeddha. In vrij korte tijd leerde ik alle hotels in Aarhus kennen. We voerden ook vaak telefoongesprekken, soms wel een paar keer per dag. Ze maakten een reguliere informant van me.

Ik ging Klang, die mijn belangrijkste aanspreekpunt was gewor-den, steeds sympathieker vinden. Hoewel hij zich gedroeg als een dandy, kwam hij net als ik uit een vrij bescheiden milieu. Hij had bij de narcoticabrigade gewerkt en was na 11 september 2001 naar de an-titerrorisme-eenheid overgeplaatst. Hij kende het straatleven op zijn duimpje, ook al had hij weinig belangstelling voor de religieuze kant van het jihadisme of de plaatsen waar strijdbaarheid werd gekweekt. Geleidelijk aan bracht ik mijn connecties in Denemarken in kaart. Ik ontwikkelde een systeem dat gebruikmaakte van kleurcodes: groen voor mensen die ongevaarlijk waren, oranje voor lieden die eventu-eel gewelddadig zouden kunnen worden, en rood voor echt gevaar-lijke mensen. Het systeem omvatte zo'n 150 namen.

Mijn taak bestond eruit dat ik mijn ogen en oren openhield en alle potentiële dreigingen aan mijn handlers door zou geven.

'Loop gewoon je neus achterna, maar hou ons op de hoogte van elke stap die je doet,' zei Klang.

De agenten vertelden me dat ze me af en toe zouden vragen bij ra-dicalen langs te gaan die ze op hun radar hadden. Ook kreeg ik een usb-stick die zodanig was geprogrammeerd dat er, nadat hij in de computer van een verdachte was gestopt, razendsnel gegevens van de harde schijf gekopieerd konden worden.

Mijn financiële situatie werd gestaag beter. De PET-agenten gaven me nog eens 15.000 Deense kronen, zodat ik de borgsom voor een nieuwe flat kon betalen. De manier waarop het geld naar me werd overgemaakt was redelijk ingewikkeld: of het kwam bij me binnen door middel van een overmaking die ik bij Western Union in contanten kon opnemen, of het werd op mijn bankrekening gestort door een dekmantelbedrijfje van de PET dat Mola Consult heette. De PET maakte van dat bedrijfje gebruik om onkosten te betalen die met mijn werk te maken hadden, inclusief hotelboekingen. Om binnengekomen rekeningen te verwerken had dat bedrijfje een officieel vestigingsadres in Lyngby, een buitenwijk van Kopenhagen op slechts enkele kilometers van het PET-hoofdkwartier.

Fadia had geen flauw idee van mijn nieuwe inkomstenbron, noch van mijn contacten met de PET. Ik had haar verteld dat ik van het bouwbedrijf een bonus had gekregen. Als jonge moslimvrouw in een vreemd land stelde ze over de activiteiten van haar man maar weinig vragen. Ik deed ook mijn best om te laten zien dat ik mijn godsdienstige plichten weer serieus opvatte. Het was een noodzakelijke misleiding, bedoeld om ons beiden te beschermen. Als ze van mijn echte werkzaamheden op de hoogte zou zijn en haar mond voorbijpraatte, zou haar leven wel eens in gevaar kunnen komen en ook dat van haar familie in Jemen. In plaats daarvan probeerde ik haar te doen geloven dat mijn plotselinge dip in december het gevolg van een depressie was geweest.

Zoals gewoonlijk verliet ik elke vrijdag het huis om naar *Jummah* (het vrijdaggebed) te gaan.

Vaker wel dan niet ging ik inderdaad naar de moskee, maar niet om te bidden. Ook de samenklittende 'gelijkgezinde' jongeren in de fastfoodtenten of coffeeshops vormden een rijke bron van informatie.

Hoewel het voor mijn vrouw veiliger was om onwetend te blijven, wilde ik de ommekeer in mijn leven met iemand delen. En er was maar één persoon in de wereld die misschien enig idee had van wat er met me was gebeurd en dat aan niemand zou doorvertellen.

'Mam, je mag hierover met niemand praten. Jij bent de enige in de wereld die ervan op de hoogte is. Ik ben geen moslim meer en ik werk tegenwoordig voor de Deense inlichtingendienst.'

Aan de andere kant van de lijn was het even stil.

'Met jou in de buurt is het geen moment saai, hè?' antwoordde ze ten slotte.

Ik wist niet eens zeker of ze me wel of niet geloofde, maar dat ik het haar had kunnen vertellen luchtte enorm op. Voor het eerst had ik het gevoel dat mijn werk als PET-agent echt was. Bij de weinige gelegenheden dat we elkaar in de jaren daarop zagen, heeft ze het nooit ter sprake gebracht.

De eerste paar maanden van 2007 waren voor Fadia traumatisch geweest. Ik was niet bepaald een voorspelbare levensgezel en ik had de indruk dat ze half en half verwachtte dat ik elk moment zou kunnen aankondigen naar een of ander slagveld in het buitenland af te willen reizen. Ze miste haar familie en haar bezoekersvisum was verlopen. De PET vertelde me dat als ze naar Jemen wilde terugkeren zij ervoor konden zorgen dat ze bij een Deense universiteit werd ingeschreven, dan kon er een studentenvisum worden geregeld, zodat ze weer snel naar Europa terug kon.

Maar het vertrek vanuit Denemarken zou ook weer een hele beproeving voor haar worden. De immigratiebeambte op het vliegveld van Kopenhagen zag dat haar visum was verlopen en peperde haar dat nogal nadrukkelijk in. Omdat ze bang was dat ze zou worden gearresteerd, belde ze me op en ik op mijn beurt belde mijn nieuwe vrienden bij de PET. Binnen een paar minuten veranderde het gedrag van de beambte totaal. Hij salueerde netjes voor mijn vrouw en wenste haar een goede reis. Ze had geen idee waarom.

Ik herinnerde me de onplezierige ontmoeting nog goed die ik een paar jaar daarvoor met beambten op het vliegveld Luton had gehad. Aan de kant van de 'ongelovigen' staan had toch zo zijn voordelen.

Nu ik alleen was, deden Klang en Boeddha veelvuldig een beroep op me. Een van de islamisten die ik de code rood had gegeven was Ali, de Deense bekeerling die me vanuit Somalië had gebeld om vol trots te vertellen dat hij een Somalische spion had onthoofd. Hij was gevlucht voor de oprukkende Somalische troepen, maar was kort daarna in Kismayo gevangengenomen en na twee maanden vastgehouden te zijn uiteindelijk naar Denemarken uitgewezen.

De PET wilde een strafzaak tegen Ali beginnen, dus riepen ze mijn hulp in voor een undercoveroperatie.

'Nodig hem uit bij je thuis en zie hem aan de praat te krijgen,' instrueerde Klang me.

Hij gaf me een op batterijen werkend zwart elektronisch opname-apparaatje dat eruitzag als een semafoon en liet me zien hoe ik het ding moest activeren. Een paar dagen later belde ik Ali. Ik had zorgvuldig gerepeteerd wat ik zou zeggen.

'Ali, je spreekt met Murad. Ik ben nog steeds in Denemarken. Ik hoorde dat je bent teruggekeerd. Wat is er gebeurd? Kun je me in Aarhus komen opzoeken? Ik wil alles over Somalië weten, want ik wil er nog steeds naartoe, *insha'Allah* [als God het wil].'

Samen met enkele vrienden uit Kopenhagen kwam Ali naar mijn flat. Toen ze op de deur klopten, zette ik het opnameapparaatje aan en stopte het in mijn zak.

Ik begroette ze op de islamitische manier. Onmiddellijk had ik het gevoel dat ik in een film of toneelstuk meespeelde. Ik was simpelweg Murad Storm weer en die rol opnieuw op me nemen was voor mij net zo makkelijk als het licht aandoen.

Ali zag er een stuk magerder uit dan de laatste keer dat ik hem in Sanaa had gezien, maar zijn ogen hadden nog dezelfde vurige intensiteit als toen. Nadat we hadden gebeden schonk ik glazen thee voor de bezoekers in en gingen we in kleermakerszit op het vloerkleed zitten om te praten.

'Vertel eens wat meer over de gevechten,' zei ik. 'Ik kan maar niet geloven wat je is overkomen.'

Dit was nu inlichtingen verzamelen in zijn puurste vorm.

Terwijl hij zijn belevenissen in Somalië beschreef, liet ik mijn blik door het vertrek gaan. Zijn vrienden luisterden aandachtig en leken zeer onder de indruk. Ik ook, maar om heel andere redenen. Ali vond al die aandacht prachtig. Hij hoefde nauwelijks aangespoord te worden om de onthoofding van de Somalische spion gedetailleerd te beschrijven.

'Hij deed net of hij bij de moedjahedien hoorde, maar er was iets aan hem wat mijn achterdocht wekte. Toen hij werd ondervraagd, bekende hij dat hij door de Ethiopiërs was gestuurd om achter onze plannen te komen.

Hij heeft nog om genade gesmeekt en gezegd dat hij met ons mee wilde vechten, maar hij werd door de Islamitische Rechtbanken ter dood veroordeeld. Toen heb ik gezegd dat ik het vonnis wel wilde voltrekken. Allah zij geprezen voor het feit dat ik Hem heb mogen dienen,' besloot hij.

'*Alhamdulillah* [God zij geprezen],' antwoordde ik. Hij had me zojuist alles verteld wat ik wilde weten. Ik besloot de theeglazen niet af te wassen. Als de rechtbank bewijs nodig mocht hebben dat hij daadwerkelijk bij me thuis was geweest, konden ze de vingerafdrukken vergelijken.

Toen ik de keer daarop Klang weer zag, had hij teleurstellend nieuws voor me.

'Het opnameapparaatje heeft niet gewerkt.'

'Ik heb anders precies gedaan wat je me hebt verteld.'

'Maak je maar geen zorgen. Het was een technisch probleempje. We vinden wel een andere manier.'

De Deense autoriteiten hebben Ali nooit in staat van beschuldiging gesteld. Ik vermoedde toen al dat het apparaatje wel degelijk had gewerkt, maar dat de PET mij als bron niet wilde compromitteren en dat had kunnen gebeuren als de zaak naar het openbaar ministerie was gegaan. Toen ik later aan Klang vroeg of er een zaak tegen Ali werd voorbereid, beweerde hij dat er, omdat de Somalische spion niet was geïdentificeerd, juridisch gezien geen slachtoffer was. Tot op de dag van vandaag loopt Ali vrij rond en woont hij nog steeds in Denemarken.

Maar er liepen nog ruim voldoende minstens even gevaarlijke lieden rond die in de gaten gehouden moesten worden en ik kreeg ruime vrijheid om mijn intuïtie te volgen. Op een winderige voorjaarsdag in 2007 liep ik wat rond in een immigrantenbuurt ergens in een buitenwijk van Kopenhagen, in de hoop dat ik een oude bekende tegen het lijf zou lopen. En dat gebeurde dan ook. Hij heette Abdelghani

Tokhi, een Deense ingezetene van Afghaanse komaf. Zijn verschijning maakte me achterdochtig. De lange baard was verdwenen, hij had nu een gladgeschoren gezicht. Dat was een veelbetekenend signaal. Jihadisten in het Westen scheren vaak hun baard af om tijdens het voorbereiden van een actie zo min mogelijk op te vallen.

Ik liet de PET weten dat het misschien een goed idee was om hem eens wat beter tegen het licht te houden. Uiteindelijk bleek dat Tokhi een medewerker was van een in Denemarken geboren Pakistaan die Hammad Khurshid heette, die kort daarvoor uit het Pakistaanse tribale gebied was teruggekeerd. In die periode, nog voordat onbemande vliegtuigjes grootschalige slachtingen onder de jihadistische geledoren in Pakistan hadden aangericht, waren deze bergachtige gebieden dé bron waar de internationale jihad bij voorkeur uit putte. Khurshid was door een Egyptenaar die vrij hoog in de Al Qaida-hiërarchie stond en die ook als mentor was opgetreden voor de jongens die de bomaanslagen in 2005 in Londen hadden uitgevoerd, getraind in het maken van explosieven.

Zonder dat Khurshid zich daarvan bewust was, waren bij een veiligheidscontrole op het vliegveld van Kopenhagen zijn aantekeningen over het maken van bommen in zijn bagage ontdekt. De PET had vervolgens via een dekmantelbedrijf een goedkoop appartementje te huur aangeboden, vlak in de buurt waar Khurshid woonde. In dat appartementje werden verborgen camera's en afluisterapparatuur aangebracht. De nepmakelaardij wees een stuk of wat aspiranthuurders af, totdat Khurshid en Abdelghani langskwamen. Korte tijd later konden er in het appartement opnamen worden gemaakt van Khurshid die tien gram van het krachtige explosief TATP aan het maken was en in september 2007 werden Khurshid en Abdelghani door de Deense politie gearresteerd. Ze werden veroordeeld vanwege pogingen tot terrorisme en zitten nog steeds achter de tralies.

Mijn betrouwbaarheid, en mijn waarde als informant, groeide met elke tip die ik gaf. En de PET wilde tegenover hun bondgenoten in het inlichtingenwereldje met me pronken.

12

HIER LONDEN

Voorjaar 2007

Mijn mentor in Luton, Omar Bakri Mohammed, had Groot-Brittannië in 2005 verlaten, enkele weken na de aanslagen in Londen, te midden van vijandigheid van de kant van de pers en een snel groeiende belangstelling van de veiligheidsdiensten. 'Wijs Bakri uit!' kopte de *Sun*, een krant die niet vies is van wat sensatie.

Omar Bakri hield vol dat het slechts om een korte vakantie ging, dat hij op bezoek ging bij zijn moeder in Libanon en dat hij wel degelijk van plan was om naar het Verenigd Koninkrijk terug te keren. De vicepremier van Groot-Brittannië had als commentaar: 'Veel plezier op je vakantie. En blijf vooral lang weg.'

De prediker had zijn toevlucht gezocht in de stad Tripoli, aan de kust van Noord-Libanon, en knoopte daar binnen de kortste keren banden met militante salafisten aan. De PET was geïnteresseerd in mijn voormalige kameraad en tevens Deens staatsburger Kenneth Sorensen, die daar ook zou zitten.

'Wat dacht je van een bezoekje aan Libanon?' had Klang me gevraagd. 'Eens kijken wat Omar Bakri daar zit uit te broeden en met wie hij daar optrekt.'

Ik kon niet wachten.

Toen ik op 25 april 2007 tijdens het aanvliegen van het vliegveld van Beiroet vanuit het vliegtuig de lichtjes in de heuvels rond de stad zag fonkelen, ging er een heerlijk gevoel door me heen. Nog niet zo heel erg lang geleden was deze stad verscheurd geweest door religieuze conflicten. Hoe passend dat dit oord van sektarische rivaliteit op deze nieuwe missie mijn eerste bestemming was.

De Denen waren van plan mijn bevindingen te delen met de Britse inlichtingendiensten MI5 en MI6, als onderdeel van de onderlinge uitruil van informatie die nu eenmaal overal ter wereld het levensbloed binnen de inlichtingendiensten vormt. De Denen beschikten uiteraard niet over dezelfde hulpbronnen als de CIA of de Britten, maar ze waren erop gebrand te laten zien dat ze ook tot een en ander in staat waren. Ook gingen ze ervan uit dat het herstel van het contact met de prediker ertoe zou leiden dat mijn reputatie in radicale kringen in het Verenigd Koninkrijk zou worden opgekrikt, wat op een gegeven moment weer nuttig zou kunnen uitpakken voor onze Britse vrienden.

In de aankomsthal van het vliegveld van Beiroet werd ik opgewacht door Omar Bakri en een aantal mannen met lange baarden die eruitzagen als lijfwachten. De prediker nam me in een krachtige omarming.

'Hoe gaat het met je, Murad, broeder, goed je weer te zien,' riep hij uit. Onwillekeurig zag ik dat zijn toch al niet geringe omvang nog verder was toegenomen.

We liepen de milde aprilavond in en stapten in zijn glimmend zwarte GMC met vierwielaandrijving. Toen hij zich op zijn zitplaats liet vallen schudde de hele auto. Hij werd financieel duidelijk ondersteund, misschien wel door die jonge extremisten met wie ik in Luton naar zijn bombastische preken had geluisterd. We reden door de christelijke buitenwijken van Noord-Beiroet en twee uur later kwamen we in Tripoli aan.

Op mijn eerste dag in Tripoli nam Omar Bakri me mee naar de moskee bij de oude markt, die vol zat met gelovigen. Na het gebed bulderde hij: 'Dit is broeder Abu Osama al-Denmarki. Hij heeft in Jemen gestudeerd en kent alle broeders daar en zou graag iets willen zeggen.'

Dat overviel me een beetje. Het leek erop of de geestelijke graag wilde meeliften op mijn goede relaties met jihadisten. Maar het lukte, ik reproduceerde moeiteloos alle vertrouwde teksten over de religieuze verplichting om aan de jihad deel te nemen, en het leek te werken, want na mijn toespraakje kwamen er heel wat gretig kijkende jongemannen naar me toe om me te omhelzen. Het was een moment waar ik, als ik nog aan hun kant had gestaan, buitengewoon van zou hebben genoten.

Na een week met de geestelijke te hebben opgetrokken, was ik Omar Bakri's bizarre beweringen meer dan zat. De prediker mocht dan een generatie jonge Britse moslims hebben geradicaliseerd, maar van de geharde militanten in Tripoli begreep hij duidelijk niets. Zij hadden in de straten van hun stad een echte oorlog overleefd. Vergeleken met hen was Omar Bakri een betekenisloze ouwehoer.

Omdat ik indruk wilde maken op mijn handlers, besloot ik achter belangrijkere prooi aan te gaan. Daar hoefde ik niet lang op te wachten. Op een dag, ik was met Omar Bakri op pad, ontmoette ik bij een kleermaker op de oude markt van Tripoli een jongeman met een indrukwekkende baard. Mijn Scandinavische uiterlijk bracht hem duidelijk even van zijn stuk.

'Masha'Allah! Waar kom je vandaan, broeder?' vroeg hij me in het Arabisch.

'Uit Denemarken,' antwoordde ik.

'Ik ook,' zei hij lachend in het Deens, en stelde zich voor als Abu Arab. Hij was een Palestijn die al op jeugdige leeftijd als vluchteling naar Denemarken was gekomen. Zijn echte naam was Ali al-Hajdib.

Abu Arab nodigde me uit om een paar dagen later bij hem op bezoek te komen. Kort nadat ik daar aankwam werd hij gebeld. 'Kom mee!' riep Abu Arab me toe.

Hij ging me voor naar een steegje achter zijn huis. Aan het eind ervan stond een zwarte BMW met draaiende motor op ons te wachten.

'Stap in!' zei Abu Arab met fonkelende ogen.

We gingen snel achterin zitten. Voorin zaten twee in camouflagekleding gestoken strijders met een hoofddoek om. Er werd een kalasjnikov in mijn handen gedrukt en er werd me ook nog een pistool aangeboden. Nadat ik daar vriendelijk voor had bedankt, hield de gewapende man op de passagiersstoel een handgranaat omhoog.

'Of heb je dit liever?' vroeg hij. Ik had de indruk dat hij de commandant was.

'Of misschien een van deze dingen?' vervolgde hij, en ritste zijn camouflagejasje open zodat ik de explosievengordel kon zien die hij om zijn middel droeg. Terwijl de auto steeds harder door de smalle straatjes reed, vertrouwde de commandant me toe dat als we door veiligheidstroepen of een rivaliserende militie werden aangehouden, het beter was om strijdend ten onder te gaan dan de vernedering van een ondervraging te moeten meemaken.

Ik probeerde niet bij elke keer dat de auto door een kuil reed naar adem te happen. Explosievengordels hebben nog wel eens de vervelende gewoonte om te ontploffen als er schokkende bewegingen mee worden gemaakt.

Ik realiseerde me dat niet onmiddellijk, maar mij werd op dat moment een blik achter de schermen van Fatah al-Islam gegund, een soennitische groepering van de harde lijn die banden met Al Qaida onderhield en die zijn mensen rekruteerde in de vluchtelingenkampen in het noorden van Libanon.

De commandant voor in de auto was Abu Arabs jongere broer, Saddam al-Hajdib, een van de kaderleden van de groep die samen met nog wat broers een snel uitbreidende dynastie vormde die op het gebied van terreur een naam had hoog te houden. Saddam liep tegen de dertig, had met Al Qaida in Irak gevochten en kende de leiding ervan.[20] Een andere broer, Youssef, was een jaar eerder in Duitsland gearresteerd, hij was toen nog maar eenentwintig, nadat hij in de buurt van Keulen bij een mislukte aanslag twee koffers met explosieven in een trein had achtergelaten.[21]

In de weken die volgden werd ik rondgeleid door de vluchtelingenkampen in de buurt van Tripoli, waar zo te zien voorbereidingen werden getroffen voor de 'volgende oorlog' in Libanon. Abu Arab vertelde me dat ze zich door niets zouden laten tegenhouden bij hun streven de sharia in de kampen in te voeren en daarna in het noorden van Libanon, en op een dag in het hele land. Gezien de hulpbronnen waarover Hezbollah, een rivaliserende sjiitische militie, beschikte en de sektarische opdeling van Libanon was dat voorlopig nog een hersenschim. Maar hun ambitie was grenzeloos en ze hadden machtige bondgenoten die Fatah als een nuttig tegenwicht voor Hezbollah zagen. Hun bereidheid om gemene zaak te maken met het internationale terrorisme was aan geen enkele twijfel onderhevig.

Begin mei vertrok ik uit Libanon en vloog ik naar Londen, waar ik door Klang en Boeddha werd gedebrieft. Deze keer was hun directe chef, een man die de naam Soren had aangenomen, er ook bij aanwezig. Hij liep tegen de veertig en verkeerde in uitstekende conditie. Zijn atletische verschijning verloor alleen wat glans doordat hij constant naar sigaretten op zoek was. Net als Klang was hij, na bij de narcoticabrigade werkzaam te zijn geweest, naar de afdeling contraterrorisme overgestapt. (Aan mijn tijd bij de Bandidos had ik een grondige hekel aan de narcoticabrigade overgehouden.) Nu waren hij en Klang partners in de strijd tegen het terrorisme. De Denen bestelden bier voor tijdens de debriefing. Het leek erop dat ze de sfeer voor mij zo ontspannen mogelijk wilden maken.

Soren vertelde me met een glimlach dat hij vijf jaar eerder lid was geweest van het team dat mij in de gaten moest houden en mijn berichtenverkeer met mederadicalen – van Odense tot helemaal in Indonesië – had gevolgd. Het waren Soren en Klang die in het Verenigd Koninkrijk getuige waren geweest van mijn ontmoeting op het trottoir met Robert van MI5.

'Hij zag eruit als een schooljongen die zijn uiterste best deed je bang te maken,' zei Soren lachend. Toen we verhalen uitwisselden, vertelde Klang me dat hij en Boeddha aan de Vollsmose-zaak hadden gewerkt – het onderzoek dat uiteindelijk leidde tot de aanhouding en de veroordeling van Mohammed Zaher en Abdallah Andersen, ooit vrienden van me – wegens plannen van een aanslag het jaar ervoor.

'De informant waarvan we gebruikmaakten was bereid om tijdens de rechtszaak te getuigen. Daarna hebben we geregeld dat hij van identiteit kon veranderen en naar het buitenland kon vertrekken, maar dat is vrij vervelend voor hem, want nu ziet hij zijn kinderen nog maar zelden.'

Dat waren woorden die wel even bij me bleven hangen. Zou dat ook mijn voorland zijn?

De Denen leken onder de indruk van de informatie die ik had verzameld over de met elkaar vervlochten allianties en schimmige leiders achter het geweld in Tripoli. Ze vroegen of ik zin had kennis te maken met hun Britse collega's.

Het Churchill Hotel, vlak bij Hyde Park, is een van de beste hotels van Londen. Achter de smaakvolle façade bevindt zich een lobby met een marmeren vloer en zuilen en warm notenhouten meubilair. Als dit de gebruikelijke plaats was voor inlichtingendebriefings, dan zat ik goed. Hoe verder ik uit de buurt kwam van de spartaanse eisen van het salafisme, hoe meer ik me aangetrokken voelde tot het uiterlijk vertoon van het spionagewereldje.

Toen ik op een prachtige voorjaarsavond samen met mijn Deense handlers het Churchill Hotel betrad, moest ik me inhouden. Bijna automatisch hoorde ik de bij de James Bond-films horende muziek door mijn hoofd spelen. Het werd allemaal nog aanlokkelijker toen ik de mi6-man zag die in de hotelsuite op ons wachtte.

Hij stelde zich voor als Matt. De man wist precies hoe je een kostuum hoorde te dragen, had een enigszins bekakt accent en beschikte over onberispelijke manieren en was op een ongepolijste manier knap. Hij was de belichaming van de Britse inlichtingenagent, hoewel zijn net iets te grote, vlezige oren een beetje detoneerden.

Ik probeerde me zijn achtergrond voor te stellen: hij zou ongetwijfeld op een van de beste kostscholen van Engeland hebben gezeten, waar hij vast uitmuntte in rugby en Latijn, en daarna Oxford of Cambridge. En op een gegeven moment had iemand van de afdeling beroepsvoorlichting misschien bijna terloops aan hem gevraagd of hij geïnteresseerd was in een loopbaan bij Harer Majesteits inlichtingendienst.

Hoewel zich tussen mij en mijn Deense handlers een redelijk ongedwongen relatie had ontwikkeld, was Matt een en al zakelijkheid en verfijning. In tegenstelling tot de soms behoorlijk grove Denen en veeleisende Amerikanen waren de Britse spionnen met wie ik te maken had beleefd en formeel, bijna op het verontschuldigende af.

Desalniettemin moest Matt hard lachen toen ik bij de roomservice uitgebakken varkenszwoerdjes bestelde. Hij had van een voormalige jihadist iets totaal anders verwacht.

Ik vertelde hem dat Fatah al-Islam van plan was in Libanon een oorlog te ontketenen, maar hij leek meer geïnteresseerd in wat ik over Omar Bakri te zeggen had, die in het Verenigd Koninkrijk een netwerk van aanhangers had ontwikkeld dat hij mogelijk gebruikte om geld bijeen te brengen.

Sinds de bomaanslagen van juli 2005 richtte MI5 zich intensief op het blootleggen van jihadistische netwerken in steden als Luton en Birmingham, netwerken en plaatsen die ik vrij goed kende. Sinds Karima naar Birmingham was verhuisd, was ik daar veel geweest en had ik er regelmatig een kamer gehuurd om mijn kinderen zo vaak mogelijk te kunnen zien.

Kort na mijn ontmoeting met de MI6-medewerker werden mijn waarschuwingen over mogelijke gebeurtenissen in Libanon bevestigd. Saddam al-Hajdib, de Fatah al-Islam-commandant die ik had ontmoet, had in de buurt van Tripoli een bank beroofd en was er met 125.000 dollar vandoor gegaan. Hij verschanste zich in een flat in de stad, maar Libanese veiligheidstroepen slaagden erin hem op te sporen. Al-Hajdib hield zich aan zijn belofte: toen de veiligheidstroepen het gebouw bestormden blies hij zich op. Maar die bestorming leidde rond het vluchtelingenkamp Nahr al-Barid wel tot dagenlange schermutselingen tussen Fatah en veiligheidstroepen. Ruim twintig Libanese regeringssoldaten en een gelijk aantal Fatah-strijders vonden daarbij de dood.

Kort daarna kreeg ik van de Denen te horen dat de Britten me opnieuw wilden spreken. 'Je hebt met Libanon nogal wat indruk op ze gemaakt, ze hebben dat geen moment zien aankomen,' zei Klang.

Bij mijn tweede ontmoeting met de Britten was Matt in gezelschap van een MI5-medewerker die Andy heette. Hij kwam uit de Midlands, was eind veertig en liep niet in het pak. Hij maakte een hardere indruk, meer iemand die operationeel werd ingezet dan iemand die vanaf de achtergrond aanstuurde, iemand die eraan gewend was onderweg te zijn. Later hoorde ik dat hij daarvoor bij de politie had gewerkt, waar hij jacht had gemaakt op drugshandelaren. Hij en de aristocraat Matt vormden een vreemd stel, maar Andy had wel een zeer specifiek speerpunt: het extremistische wereldje in Birmingham. 'Zou je daar eens voor ons willen rondkijken?' vroeg hij.

In eerste instantie werd afgesproken dat ik aan de Denen zou rapporteren, die de informatie aan de Britten zouden doorgeven, terwijl ik naar Denemarken terug zou keren als dat nodig werd geacht. De PET was blij met deze regeling, want het verhoogde hun aanzien bij de Britten, maar al kort daarna werd overeengekomen dat ik rechtstreeks aan MI5 zou rapporteren.

Op aandringen van MI5 verhuisde ik naar een bescheiden rijtjeshuis in Alum Rock, een wijk die zo'n drie kilometer ten oosten van het centrum van Birmingham ligt. Ze betaalden me elke maand 400 pond sterling, waarvan ik de huur kon betalen. Net als Luton belichaamde Birmingham de economische neergang in Groot-Brittannië. De armere buurten met vervallen rijtjeshuizen en grauwe torenflats boden onderdak aan een grote Zuid-Aziatische immigrantengemeenschap en het was een broeinest voor islamistische radicalen. Het weer buiten beschouwing gelaten, kon Alum Rock moeiteloos doorgaan voor het ordeloze Karachi.

Begin zomer 2007, toen in de parken van Birmingham het nieuwe cricketseizoen begon, verdiepte ik me zo goed mogelijk in het extremistische wereldje. 's Ochtends stond ik al voor zonsopgang op voor het ochtendgebed in een van de plaatselijke moskeeën. Hoezeer ik er ook aan gewend was, nu ik alleen nog maar aan de buitenkant moslim was, werd het een stuk moeilijker voor me. Vervolgens ging ik vaak met 'gelijkgezinde' broeders ontbijten in een halal restaurant. Daarna gingen we soms naar iemands huis om daar samen de Koran te lezen of het laatste nieuws uit Pakistan of Irak te bespreken. En zo ging het dan een tijdje door: goedkope maaltijden op plastic borden in cafés met formica tafeltjes, onveranderlijk gevolgd door een praatje van een radicale prediker. Een van de populairste was Anjem Choudary, een Brits-Pakistaanse advocaat die Omar Bakri's tweede man bij al-Muhajiroun was geweest en die zijn plaats had ingenomen als meest controversiële militant in het Verenigd Koninkrijk. Ik was niet van hem onder de indruk, maar ik zag wel erg veel jongemannen die elk woord dat hij sprak verslonden.

Ik was niet altijd in Birmingham. Nu Fadia in Jemen zat en ik slechts af en toe de voogdij over mijn kinderen had, had ik tijd te over. Ik keerde regelmatig naar Luton terug om daar de radicale kring waar ik twee jaar eerder deel van had uitgemaakt in de gaten te houden.

Het kostte nauwelijks moeite om 'mede'-extremisten aan het praten te krijgen. De meesten vonden niets prettiger dan dat. Soms hoefde ik alleen maar een nieuwe videopreek van Awlaki ter sprake te brengen en ze liepen leeg. Net als in Denemarken gaf ik de in het Verenigd Koninkrijk woonachtige radicalen speciaal voor MI5 een kleurcode mee, afhankelijk van het gevaar dat ze vormden. In de Small Heath-moskee in Birmingham hernieuwde ik mijn vriendschap met de jonge Somaliër Ahmed Abdulkadir Warsame. Hij wilde nog steeds dolgraag naar huis om daar tegen de Ethiopiërs te vechten, maar was er nog steeds niet in geslaagd het benodigde geld bijeen te brengen.

Als ik hem zou helpen naar Somalië af te reizen, bestond de kans dat we waardevolle informatie doorgespeeld zouden krijgen uit een gebied waar we nauwelijks iets vanaf wisten. Andy vond het een goed idee en met zijn goedkeuring begon ik in verschillende moskeeën geld voor Warsames reis in te zamelen. Vanwege een of ander bureaucratisch regeltje moest die operatie worden gerund door MI5, en niet door haar zusterorganisatie, en dat kwam doordat de informatie via mijn e-mailaccount zou binnenkomen.

De verhalen over rivaliteit tussen de binnenlandse en buitenlandse takken van de Britse inlichtingendienst zijn legendarisch. Maar mijn ervaring is dat de MI5- en MI6-mensen met wie ik te maken had goed met elkaar konden samenwerken en begrip hadden voor elkaars behoeften. Ze leverden strijd op een ander front maar in dezelfde oorlog: MI6 in Somalië, Jemen en Pakistan, MI5 in Luton en Alum Rock. De zelfmoordaanslagen in Londen hadden de samenwerking een nieuwe stimulans gegeven.

Binnen de kortste keren had ik in de moskeeën en bij mijn militante contacten in Birmingham voldoende geld voor Warsames vliegtickets bijeengebracht. Hij was overmand door emoties toen ik hem 600 pond in contanten gaf. 'Moge Allah je belonen,' zei hij toen hij me omhelsde.

We spraken af met elkaar in contact te blijven door boodschappen achter te laten in de map concepten van een gedeeld e-mailaccount. Warsame verliet het Verenigd Koninkrijk om in Somalië te vechten, en het duurde niet lang of hij stuurde me een boodschappenlijstje toe en vroeg me geld over te maken.

Iemand die nogal onder de indruk was van de manier waarop ik fondsen wierf, en van mijn vriendschap met Anwar al-Awlaki, was een Syriër van rond de 35 die Hassan Tabbakh heette. Hij kende mijn reputatie uit mijn tijd bij al-Muhajiroun. En we ontdekten dat we verscheidene gemeenschappelijke kennissen hadden, onder wie Hamid Elasmar, een Brit van Marokkaanse afkomst die was veroordeeld vanwege zijn betrokkenheid bij het plan om in Birmingham een Britse moslimmilitair te onthoofden. Het leek erop dat ik in het Verenigd Koninkrijk extremistische contacten te over had.

Tabbakh was een kalende chemicus in wiens baard hier en daar al wat grijs te zien was. Opvallend vond ik de spottende grijns die constant rond zijn mond lag en zijn mistroostige blik. Het was niet bepaald iemand die enthousiasme uitstraalde. Maar wij behoorden tot de weinige niet-Somaliërs binnen de Small Heath-moskee, dus onze paden kruisten elkaar nog wel eens.

De eerste keer dat we elkaar ontmoetten, had ik mijn zoon bij me. 'Dit is Osama,' zei ik tegen hem.

'Masha'Allah, dat is een goede naam,' antwoordde hij zonder ook maar even te glimlachen. Hij vertelde me dat hij politiek asiel in het Verenigd Koninkrijk had gekregen nadat hij uit Syrië was gevlucht omdat hij daar zijn leven niet zeker was. Hij zei dat hij was gearresteerd omdat hij tegen de regering gerichte pamfletten in zijn bezit had. Uit het feit dat hij nog steeds door angst werd achtervolgd, leidde ik af dat zijn ondervraging door Assads geheime politie meedogenloos moet zijn geweest.

Tabbakh nodigde me uit bij hem thuis, een klein, donker appartement op de begane grond van een verwaarloosd rijtjeshuis om de hoek bij de moskee. Het paste goed bij zijn sombere aard. Maar hij had ideeën genoeg en wilde die wanhopig graag met iemand delen.

'Ik heb het druk gehad,' zei hij.

Hij had geleerd hoe hij bommen in elkaar moest zetten en liet me schetsen zien van doelwitten in Londen, waaronder ook Oxford Street, waar elke dag tienduizenden shoppers en toeristen kwamen, en het gebied rond de parlementsgebouwen.

Op de tekeningen die hij me liet zien was precies aangegeven waar hij zijn bommen tot ontploffing wilde brengen. Ik zag dat zijn handen trilden.

'Broeder, wat denk jij? Denk je dat het zo gaat lukken?' vroeg hij. Hij wilde dat ik meedeed aan het complot. Het verbaasde me dat hij zo veel details gaf aan iemand die hij nauwelijks kende.

Ik twijfelde er niet aan dat hij met zijn natuur- en wiskundekennis in staat was om die bommen in elkaar te zetten, maar welk tijdschema had hij in zijn hoofd?

Ik keek hem aan. 'Insha'Allah.'

'Je moet voorzichtig zijn, broeder,' vervolgde ik in een poging hem zover te krijgen dat hij niet te hard van stapel liep. Ik moest tijd zien te winnen.

Ik waarschuwde MI5. Tabbakh had tot dan toe nog niet hun aandacht getrokken. Hij was de klassieke *lone wolf*, het soort terrorist dat het moeilijkst op te sporen is omdat hij nauwelijks contact, op welke manier dan ook, met anderen heeft. En ik was puur bij toeval over zijn plannen gestruikeld.

'We willen dat je de komende weken zo dicht mogelijk bij hem in de buurt blijft,' reageerde Andy.

Bij een volgende ontmoeting, niet lang daarna, vroeg Andy me naar de sleutels die Tabbakh gebruikte om zijn deur open te doen.

'Grote sleutels, kleine sleutels, dubbele sleutels?' vroeg hij. Ze waren duidelijk van plan bij hem in te breken. Later hoorde ik dat de agenten die bij hem hadden ingebroken de schetsen hadden gevonden en er foto's van hadden gemaakt, waarna ze ze weer precies zo hadden teruggelegd. Ze werden als voorlopig bewijs van Tabbakhs plannen beschouwd.

Als onderdeel van de operatie zette MI5 zelfs mijn aanhouding op luchthaven Gatwick in scène om op die manier Tabbakhs vertrouwen in mij nog wat verder op te krikken. Daartoe vroeg ik aan Idriss, een Brits-Pakistaanse extremist uit Wallsall die over uitstekende contacten beschikte, of hij me naar het vliegveld wilde rijden, waar ik zogenaamd het vliegtuig naar Jemen zou nemen. Toen ik de veiligheidscontrole langs wilde, werd ik aangehouden door een politieman die daar een hele show van maakte, in de wetenschap dat mijn chauffeur dat zou doorvertellen. Ik werd afgevoerd naar een kamertje in de buurt van de visitatieruimtes, waar een MI5-medewerker al op me zat te wachten. De politieagent keek er nogal van op toen de man bij mijn binnenkomst opsprong en me omhelsde. We praatten even met elkaar en vervolgens werd ik naar de vertreklounge gebracht, waar ik boos met Idriss belde en me beklaagde over de schandalige manier waarop de Britse veiligheidsdienst te werk ging en uiteraard om hem te vragen of hij naar Gatwick wilde komen om me op te halen. Door dit incident werd mijn geloofwaardigheid bij de militanten in Birmingham alleen maar groter.

Tabbakh had voor zijn aanslag nog geen datum vastgesteld, maar hij had wel een schema getekend van de elektronica die voor de bom nodig was en had me precies verteld welke chemische elementen hij van plan was te mengen. Hij vertelde dat hij de springlading in grote limonadeflessen wilde stoppen. Op dat moment wenste ik dat ik op school tijdens de exacte vakken wat beter had opgelet, maar ik gaf aan MI5 door dat hij leek te weten waarmee hij bezig was.

De politie kwam niet onmiddellijk in actie omdat MI5 bang was dat in dat geval mijn dekmantel aan flarden zou gaan. Per slot van rekening was ik de enige die door Tabbakh in vertrouwen was genomen. In de weken daarna ondernam MI5 nauwgezet stappen om de verdenking langzaam maar zeker te verschuiven naar een van zijn radicale kameraden.

Tabbakh werd in december 2007 gearresteerd en wat later veroordeeld voor het samenstellen van springladingen met de bedoeling daar aanslagen mee te plegen. De politie trof in zijn vervuilde woning flessen met aceton en nitrocellulose aan, plus aanwijzingen hoe van deze ingrediënten bommen konden worden gemaakt. Die zouden ongetwijfeld simpel en primitief zijn geweest, maar tijdens de zitting zei de rechter dat ze 'grote verwoestingen hadden kunnen aanrichten en tot ernstige verwondingen en de dood hadden kunnen leiden'.

Mijn gedetailleerde kennis van het militante wereldje in het Verenigd Koninkrijk en mijn Rolodex met in het buitenland verblijvende jihadisten begonnen resultaten op te leveren. Islamitische terroristen brachten voor inlichtingendiensten die tot voor kort het overgrote deel van hun middelen hadden ingezet om het Sovjetblok in de gaten te houden een veelheid aan problemen met zich mee. Het fenomeen was verhoudingsgewijs vrij nieuw, moeilijk binnen te dringen en het verspreidde zich razendsnel. *Inside information* was moeilijk te krijgen en een Deen die uitstekend Arabisch sprak en bijna tien jaar strijdbaarheid achter zich had, was een uitstekende informant.

Geen wonder dat de Amerikanen langskwamen.

13

DE HARTELIJKE GROETEN UIT LANGLEY

Zomer 2007-begin 2008

Mijn handlers bij de PET spraken als ze het over de Britten hadden altijd over 'de neven'. De CIA was 'Big Brother'. Klang en Boeddha konden hun opwinding nauwelijks de baas toen ze hoorden dat de Amerikanen Mr Storm wilden ontmoeten.

De Denen organiseerden een ontmoeting in het aan het water gelegen Scandic Hotel in Kopenhagen. Door de achttien verdiepingen staal en glas ziet het er vanbuiten uit als een functioneel Amerikaans kantoorgebouw, maar vanbinnen was het allemaal licht hout, minimalistisch Scandinavisch meubilair en eigenaardige witte bomen van perspex die het plafond van de lobby lijken te dragen.

Klang en Boeddha hadden overdreven veel aandacht voor me toen ik arriveerde. Zelfs Klang liet zijn vertrouwde masker zakken nu de Amerikanen boven zaten.

'Joshua' en 'Amanda' moeten ergens begin dertig zijn geweest en droegen beiden een keurig zakenkostuum. Joshua was lang en had donker haar en zag er op die bekakte New England-manier goed uit. Hij had duidelijk nog nooit van zijn leven enige handarbeid verricht. Amanda maakte een totaal andere indruk. Ik moest onwillekeurig naar haar ogen kijken. Die waren korenbloemblauw en hadden iets zoekends, bijna iets smekends. Ze had volle lippen en hoge jukbeenderen. Honingkleurig haar hing tot op haar schouders.

De ontmoeting in het Scandic was voor de CIA een *fishing expedition*, ze vuurden lukraak vragen op me af. Wat was ik van de Fatah al-Islam te weten gekomen en van Al Qaida en van de militanten die ik in Jemen had ontmoet? In twee onderwerpen waren ze met name geïnteresseerd: Anwar al-Awlaki, die in de gevangenis van Sanaa nog steeds in eenzame opsluiting zat maar nog altijd niet in staat van beschuldiging was gesteld, en de Jemenitische connectie met Somalië. Rond die tijd manifesteerde zich ook de militante islamistische groepering Al-Shabaab, een afsplitsing van de Unie van Islamitische Rechtbanken, steeds vaker, die de Ethiopische troepen aanviel die tussenbeide waren gekomen om de Somalische regering overeind te houden, terwijl deze groepering steeds meer strijders uit de Somalische diaspora in Europa en Noord-Amerika leek aan te trekken.

Amanda had een manier van vragen stellen die zonder meer ontwapenend was. Misschien was het haar enthousiasme, haar vermogen om op dezelfde golflengte te gaan zitten, of misschien kwam het wel door die ogen. Ik hield een uur of wat audiëntie en schetste ondertussen een spinnendiagram van mijn jihadistische militante contacten op drie verschillende continenten.

Amanda zei dat de CIA misschien geïnteresseerd was in een reis van mij naar Somalië. De anarchie in dat land achtervolgde de Amerikaanse beleidsmakers al sinds de desastreuze interventie van 1992 tot 1994, met als treurig hoogtepunt 'Blackhawk Down'. Als de militante strijders grote stukken kust in handen zouden krijgen of kans zagen de Ethiopiërs via een stadsguerrilla klem te zetten, zou dat land wel eens veel gevaarlijker kunnen worden dan Jemen.

Joshua en Amanda maakten tijdens de bijeenkomst voortdurend aantekeningen. Ik keek naar de manier waarop Amanda haar gemanicuurde hand gracieus over het papier van haar aantekenblok bewoog, en uiteindelijk vulde haar keurige handschrift twintig velletjes. Aan het eind van de bijeenkomst had ze slechts een simpele vraag: 'Hoe sta je tegenover het idee om voor ons te werken?'

'Dat zou ik prachtig vinden.'

'We houden contact,' zei Amanda, bij wie rond de mondhoeken nu eindelijk een glimlach doorbrak. Daar kon ik alleen maar op hopen.

Ik wilde me zo min mogelijk vastleggen. Misschien kon ik met wat behendig voetenwerk zowel de Britten als de Amerikanen tevreden houden, hoewel hun werkwijze en prioriteiten van elkaar verschillen. De Britten leken uiterst systematisch te werk te gaan, maar waren daarbij ook vaak traag, behoedzaam maar goed geïnformeerd. Wat betreft het ontwikkelen van buitenlandse expertise hanteerden ze een bijna academische benadering en konden dan eindeloos discussiëren over tribale rivaliteiten en geografische eigenaardigheden. Maar ze werden in beslag genomen door een vijand in hun eigen land waarvan ze de kracht en vastbeslotenheid niet kenden.

De Amerikanen daarentegen wilden maar al te graag hun formidabele technische hulpmiddelen inzetten om de strijd naar het buitenland te verplaatsen, naar Jemen, Somalië en Pakistan. Amerika was één keer in het hart getroffen en dat mocht nooit meer gebeuren. Ze bleken snel ongeduldig te worden – ze wilden resultaten zien – en stonden dan klaar om er opnieuw geld in te pompen. Ze waren op 11 september 2001 enorm geschrokken en stonden klaar om achter verdachten aan te gaan zonder lang bij de juridische aspecten stil te staan. De Britten zouden nooit iemand doelbewust uit de weg ruimen. Hun financiële middelen, ontdekte ik al snel, waren ook van een andere orde. De PET en nu ook MI6 vlogen toeristenklasse, zelfs op langeafstandsvluchten. Niet bepaald in James Bond-stijl. CIA-agenten gingen daarentegen nog steeds linksaf als ze aan boord gingen. De Denen grapten tegenover hun CIA-collega's dat als ze ooit samen in hetzelfde toestel zouden vliegen, de Amerikanen de restjes maar naar achteren, naar de toeristenklasse, moesten sturen.

Ik kwam er ook snel achter dat de PET graag wilde dat iedereen de resultaten van mijn riskante ondernemingen met elkaar zou delen, want ze wilden maar al te graag mee op het vliegend tapijt. En de volgende halte was zonder meer exotisch. Klang van de PET had een vreemd verzoek.

'Stuur me een concept-e-mail waarin je vraagt om een ontmoeting in Bangkok.' Gewoonlijk lieten we concept-e-mails achter in een account waartoe we beiden toegang hadden, dezelfde truc die Al Qaida gebruikte. Hoe minder e-mails er feitelijk verstuurd werden, hoe beter.

Voor mijn PET-handlers was ik het paspoort naar oorden die ze anders met hun ambtenarensalaris nooit zouden hebben gezien. Op de een of andere manier slaagden ze erin voor hun ontmoetingen met Morten (alias Murad) Storm uitsluitend de betere hotels te frequenteren.

Een driedaags bezoek aan Bangkok, begin december, om een missie naar Kenia te plannen, leek belachelijk, maar ik ontdekte al snel waarom Klang zo graag naar het Verre Oosten wilde. Al enkele uren nadat we waren geland had hij, samen met de rest van het Deense team, inclusief teamleider Soren, de rosse buurt weten te vinden, waar het ene na het andere biertje werd gedronken en er met een timide tienermeisje over de prijs van haar diensten werd onderhandeld.

Zo subsidieerden de Deense belastingbetalers de uiterst gevarieerde eetlust van een overheidsdienaar. Toen hij wat meisjes betrof zijn keus had bepaald, ben ik maar vertrokken. De komende paar dagen zouden best zwaar worden en ik had geen zin om met een enorme kater te moeten beginnen.

'Ik neem aan dat ik je later nog wel zie,' zei hij met een wellustige blik.

Eén escapade van Klang eindigde ongelooflijk vernederend. Nadat hij eerst enkele uren in een lapdanceclub met een andere vrouw had zitten flirten, nam hij zijn nieuwe verovering mee naar een restaurant. De serveerster fluisterde hem toe dat deze vrouw niet helemaal was wat ze leek, maar dat het hier om een fraai opgemaakte *ladyboy* ging. Klang werd lijkbleek, terwijl de rest van het gezelschap onbedaarlijk moest lachen.

De Denen namen als ze met mij ergens gingen drinken een enorm risico. De Amerikanen en de Britten hielden wat dat betrof altijd wel enige afstand. Maar de Denen waren een stuk losser. Terwijl toch altijd de kans bestond dat ik door iemand zou worden herkend, waardoor mijn dekmantel waardeloos zou worden en ik mijn leven niet meer zeker was. Maar ik vond het heerlijk om me eens te laten gaan. Ik was er hard aan toe en ik ging er voor het gemak maar van uit dat mijn extremistische kennissen geen nachtclubs bezochten en al helemaal niet in Bangkok.

De voorliefde van enkele van mijn Deense begeleiders voor dames van plezier, exotische types en dure drank dateerde waarschijnlijk uit de tijd dat ze nog bij de narcoticabrigade werkten, die bekend-stond om zijn in alcohol gedrenkte feestjes en het uitproberen van het witte poeder dat ze kort daarvoor in beslag hadden genomen. Nu, voorzien van diplomatieke paspoorten, verkenden de leden van mijn ploegje horizonten waarvan ze vroeger alleen maar hadden gedroomd. Naarmate we steeds meer 'debriefings' hielden in steeds weer andere luxueuze restaurants, vergat ik bijna dat de PET-agenten geacht werden mijn professionele partners te zijn.

Maar Matt was zoals gewoonlijk een stuk ingetogener, en zijn enige concessie aan deze ongebruikelijke excursie was het bovenste knoopje van zijn overhemd dat hij had losgemaakt en zijn keurig geperste spijkerbroek.

'Hallo, Morten. Een stuk beter dan het grauwe, vochtige Londen, hè?' zei hij met een schittering in zijn ogen nadat we naar mijn luxu-euze hotelsuite hoog boven de overvolle, kolkende stad waren gegaan.

'We willen dat je naar Kenia gaat, we hebben wat cadeautjes voor je Somalische vrienden,' zei hij tegen me.

Nu, in de laatste dagen van 2007, was Al-Shabaab erin geslaagd grote delen van Somalië te veroveren. De overgangsregering heerste alleen nog maar over een paar huizenblokken in Mogadishu en werd in feite overeind gehouden door de Ethiopische troepen die de Unie van Islamitische Rechtbanken hadden verjaagd en een vredesmacht van de Afrikaanse Unie.

In de jeugdige gelederen van Al-Shabaab bevond zich een steeds groter wordende groep buitenlandse strijders. Enkele weken later zou het Amerikaanse ministerie van Buitenlandse Zaken de groep officieel tot een buitenlandse terroristische organisatie bestempelen. Somalië, min of meer afgeschreven als een mislukte staat, was in westelijke hoofdsteden een bron van toenemende onrust.

Een jongeman die binnen de gelederen van Al-Shabaab geleidelijk aan steeds verder opklom was Abdulkadir Warsame, die ik eerder dat jaar nog had geholpen naar Somalië te reizen. Sinds die tijd had hij in onze gemeenschappelijke map met concept-e-mails diverse boodschappen achtergelaten waarin hij me vroeg achter bepaalde zaken aan te gaan en die naar hem op te sturen, zoals een laptop, een videorecorder en draagbare waterfilters.

Door zo'n missie zou MI6 meer inzicht krijgen in de manier van werken binnen deze groepering en te weten komen wie het er voor het zeggen had. Een laptop, mits op de juiste manier geprepareerd, kon waardevolle informatie doorgeven als hij met internet in contact stond of een wifiverbinding kon vinden, en Matt had geregeld dat er een geleverd zou worden. Hij stelde me voor aan een ernstig kijkende jongeman met een bril met een stevig montuur die eruitzag als iemand die de laatste tijd nauwelijks zon had gezien.

'Volgens mij ben je nog een tikkeltje te jong om Q te zijn,' zei ik, verwijzend naar de eigenaardige wetenschapper die dankzij de Bond-films wereldberoemd is geworden.

Hij stopte de laptop voorzichtig in een sporttas waar de andere spullen al in zaten: een videorecorder, draagbare filterapparatuur, een op zonne-energie werkende telefoonoplader van het merk PowerMonkey, een Suunto GPS-horloge (waarmee, mits op de juiste wijze aangepast, een terrorist kon worden gevolgd), standaard nachtzichtapparatuur en een paar honderd dollar in contanten.

Ik tikte een e-mail in het account dat ik met Warsame deelde om hem te laten weten dat ik de door hem verlangde spullen had.

Toen ik Bangkok verliet met bestemming Nairobi, was ik uiterst geconcentreerd. Ik oefende de scenario's uitputtend en bedacht antwoorden voor alle mogelijke vragen. Ik moest proberen wat uit te rusten, maar ik kon niet slapen, en in plaats daarvan keek ik door het raampje op grote wolkenformaties onder het vliegtuig neer. Dit was mijn eerste missie voor MI6 en ik had het gevoel dat ik het middelpunt was van een wereldwijde veldslag. Zowel zij als de Deense inlichtingendienst zouden in Nairobi een team samenstellen dat de missie zou ondersteunen

Op 7 december 2007 landde ik in Nairobi. Ik kon natuurlijk niet in een luxehotel logeren, want ik was hier als jihadist en dat betekende het bescheiden Pan Afrique Hotel. In een internetcafé in de buurt logde ik in op het gezamenlijke account en zag ik dat Warsame een telefoonnummer in Nairobi voor me had achtergelaten dat ik moest bellen om af te spreken hoe ik de spullen zou afleveren.

Op mijn kamer aangekomen stopte ik een plaatselijke simkaart in mijn mobiel en belde het betreffende nummer.

De stem aan de andere kant van de lijn had een stevig Keniaans accent. Hij had mijn telefoontje verwacht.

'Ik heb de afgesproken spullen,' zei ik hem. 'Morgenmiddag kun je me vinden op het parkeerterrein van het Intercontinental Hotel, om drie uur.'

De Denen hadden de plaats en het tijdstip van de overdracht vastgesteld; zij en de Britten wilden hem vanuit de verte volgen. Tot mijn verbazing sputterde mijn contactman geen moment tegen.

Mijn eerste operatie in het buitenland verliep veel te soepel. Ik rustte wat uit op mijn kamer en keek hoe Floyd Mayweather met Ricky Hatton slag leverde om de wereldtitel weltergewicht. Onwillekeurig moest ik aan tien jaar terug denken, aan het gevecht tussen Tyson en Holyfield, toen ik in Korsør weinig zachtzinnig in die politieauto werd geduwd. Er was in de tussenliggende jaren veel gebeurd, maar het Pan Afrique Hotel was een stuk beter dan een Deense gevangeniscel.

Ik was aan de vroege kant voor de overdracht. Een slungelachtige Somaliër met grote oren liep met een soepele gang over de parkeerplaats en zag me toen. Af en toe was het handig om een lange Deen met vuurrood haar te zijn. Toen hij mijn kant uit kwam voelde ik mijn hart sneller kloppen. Zonder een woord te zeggen nam hij de sporttas van me over en verdween. Er waren toeschouwers: MI6 en een Deense agent hadden van een afstandje toegekeken.

De poging om Al-Shabaab binnen te dringen leverde op korte termijn nog iets anders op. De Keniaanse inlichtingendienst slaagde erin de man te traceren die de spullen was komen ophalen en kwam uit bij een Al-Shabaab-onderduikadres in Eastleigh, een buitenwijk van Nairobi. Enkele dagen later, op 13 december, bestormde de politie het huis en vond daar een grote hoeveelheid wapens en vervalste identiteitspapieren en arresteerde meer dan twintig personen op beschuldiging van het voorbereiden van aanslagen op westerse doelen in Kenia.[22]

Tegen de tijd dat die arrestaties plaatsvonden, was ik al door de drie-eenheid PET, CIA en MI6 gedebrieft in het verre Amsterdam. Het zou mijn laatste ontmoeting zijn met de elegante Amanda. Zoals altijd maakte ze nauwgezet aantekeningen van mijn belevenissen, hoewel ik van de intermezzo's in Bangkok delen onvermeld liet.

Toen we afscheid namen, verwachtte ik eigenlijk dat we elkaar nog wel eens terug zouden zien. Maar Amanda was korte tijd later al weer terug op het hoofdkwartier van de CIA, om daar getraind te worden voor een missie naar Afghanistan. Dat zou haar laatste buitenlandse opdracht worden. Ze kwam samen met zes collega's in december 2009 om het leven bij een zelfmoordaanslag op de CIA-basis Khost in Afghanistan. Het was een zwarte dag voor de Agency, die later de basis zou vormen voor de film *Zero Dark Thirty*. Ik herkende haar van de foto's in de krant. Haar werkelijke naam was Elizabeth Hanson. Ze kwam uit een voorstad van Chicago en werd binnen de CIA als een zeer getalenteerde jonge analist beschouwd.

Uitgeput maar opgetogen dat ik mijn eerste echte missie in het buitenland had voltooid, vertrok ik uit Amsterdam en keerde naar Jemen terug. De Amerikanen en Denen wilden me weer terug in Sanaa hebben om daar mijn Jemenitische en Somalische netwerken verder uit te bouwen, en de Britten, van wie ik het gevoel had dat ze me veel liever terug in Engeland zagen om daar verder te gaan met het boven water krijgen van plannen voor terroristische aanslagen, gingen daarmee akkoord. En ik wilde dolgraag met Fadia verenigd worden, want we hadden elkaar nu al maanden niet meer gezien. Ze had geen idee dat ik alleen al de afgelopen paar dagen op drie verschillende continenten voor drie verschillende inlichtingendiensten werkzaam was geweest. Zij dacht nog steeds dat ik met een Britse uitkering in Birmingham verbleef.

Toen ik op Schiphol mijn instapkaart liet zien, besefte ik plotseling dat het bijna precies een jaar geleden was dat ik in een dumpzaak op zoek was naar allerlei spullen voor de Islamitische Rechtbanken in Somalië. Nu had ik die zaken eindelijk afgeleverd bij de groep die uit de as daarvan was verrezen, alleen waren de omstandigheden totaal veranderd. Ik huiverde bij de gedachte wat er allemaal niet had kunnen gebeuren.

In de aankomsthal van het vliegveld van Sanaa heerste de gebruikelijke wanorde: geschreeuw, half gevormde rijen en chagrijnige immigratiebeambten. Het was zo vertrouwd allemaal, maar nu bekeek ik het wel van de andere kant van het spectrum. Toen ik voor het eerst door dit gebouw liep was dat met de verbaasde blik van een bekeerling. En nu was het mijn taak om mensen op te sporen wier geloof ik nog niet zo lang geleden had gedeeld, ze in de gaten te houden en informatie over ze te verzamelen.

Fadia was een stuk opgewekter dan tijdens mijn geloofscrisis in Denemarken, blij dat ze in de buurt van haar familie was, en ze toonde veel meer zelfvertrouwen en volwassenheid dan toen. Ze had een huis gehuurd en ingericht op de 40ste Straat, een prettig deel van de stad, en haar familie was duidelijk onder de indruk. Die dacht dat ze het uitstekend voor elkaar had, hoewel noch Fadia noch haar familie wist dat de Deense inlichtingendienst voor het overgrote deel van haar inkomen verantwoordelijk was.

Enkele dagen na mijn terugkeer werd Anwar al-Awlaki na anderhalf jaar detentie vrijgelaten. Hij was niet voor het gerecht geweest. Een week later zocht ik hem thuis op, hetzelfde huis waar hij bijna twee jaar eerder ons groepje gastvrij had onthaald. Hij zag er mager en bleek uit.

'De eerste negen maanden zat ik in eenzame opsluiting,' vertelde hij me. 'Het enige menselijke contact dat ik had was met mijn bewakers. Mijn cel was drie meter lang en bevond zich onder de grond. Er waren tijden dat ik dacht dat de isolatie en de claustrofobie me gek zouden maken… Ik had geen papier om op te schrijven. Ik had geen enkele lichaamsbeweging.'

Awlaki was verbitterd en kwaad, maar ook dankbaar.

'Dankzij Allah heb ik het overleefd en het lijden heeft mijn geloof alleen maar verdiept. En hoewel het moeilijk was om aan boeken te komen, heb ik Qutb weer eens kunnen lezen.'

De Egyptische geloofsgeleerde Saïd Qutb werd door velen beschouwd als de man die voor de intellectuele hoeksteen van Al Qaida's wereldwijde jihad had gezorgd. Een van zijn toegewijde leerlingen was Ayman al-Zawahiri, Osama bin Ladens tweede man.

'Vanwege de vloeiende stijl van Saïd kon ik wel tussen de 100 en 150 pagina's per dag lezen,' schreef Awlaki later over zijn tijd in de gevangenis. 'Ik was zo in de auteur verdiept dat ik het gevoel had dat Saïd bij me in de cel aanwezig was en rechtstreeks tot me sprak.'

Ik wist dat mijn handlers in Awlaki's gemoedstoestand geïnteresseerd zouden zijn. Hij was in de gevangenis aanzienlijk verhard. Ik zag het aan zijn ogen. Vroeger hadden ze gefonkeld, nu waren ze van staal, leek het wel. Ook was er iets van paranoia in af te lezen. Hij zag overal spionnen.

Hij vertelde dat hij bezoek had gekregen van FBI-agenten, die meer wilden weten van zijn ontmoetingen met twee kapers die aan de aanslagen van 11 september hadden meegedaan. Hij zei dat hij had geweigerd Engels met ze te spreken en dat hij erop had gestaan dat er een tolk zou komen. Op een gegeven moment vertelde hij me dat hij, omdat hij door de Amerikanen werd verhoord, uit protest een CIA-medewerker in een stoel had geduwd. Hij vertelde ook dat zijn enige troost bestond uit het feit dat hij, in tegenstelling met de andere gevangenen, niet was gefolterd. De bewakers hadden maar al te goed beseft dat zijn vader de president kende.

Zijn woede was veel meer gericht op de regering, die hem gevangen had gezet, dan op de Amerikanen. Hij vertelde me dat de jihad nodig was om president Saleh te verdrijven, die uitsluitend lippendienst verleende aan de islam, maar in feite een marionet van de Amerikanen was.

'De moedjahedien moeten in Abyan een islamitische staat vestigen, zoals in de Hadith al is voorspeld,' zei hij. De Hadith luidde: 'Een leger van twaalfduizend man zal uit Aden-Abyan oprukken. Zij zullen de overwinning schenken aan Allah en Zijn boodschapper; zij zijn de beste tussen hen en mij.'

Awlaki geloofde dat God hem de opdracht had gegeven het vaandel van de jihad te dragen en daarmee te beginnen in Zuid-Jemen.

Tegen de tijd dat Anwar de gevangenis verliet, won Al Qaida in de onbestuurbare tribale gebieden ten oosten en zuiden van Saana net weer aan invloed.

Wuhayshi, de bin Laden-protegé die in 2006 uit de gevangenis was ontsnapt, gaf leiding aan een nieuwgevormde groepering: Al Qaida in het Land van Jemen. Zelfmoordterroristen in auto's die vol zaten met explosieven hadden kort daarvoor twee olie-installaties in Marib aangevallen, gevolgd door aanslagen op Jemenitische veiligheidstroepen en westerlingen. Voor Wuhayshi was dit het eerste hoofdstuk in een snelle opmars binnen de gelederen van Al Qaida.

De groep zette een heel netwerk van onderduikadressen op, waaronder in de hoofdstad Sanaa. Maar het belangrijkste toevluchtsoord voor de organisatie waren de bergen en het woeste terrein in de zuidelijke en oostelijke provincies van het land, Marib, Abyan en Shabwah, waar Awlaki's familie nogal invloedrijk was. Deze gebieden werden nog steeds gedomineerd door plaatselijke stammen die nogal argwanend stonden tegenover de centrale regering in Sanaa. Erop gebrand hun autonomie te behouden, verleenden sommige tribale facties steun aan Al Qaida-strijders, die ook toestemming kregen ernaar uit te wijken.

Dit was de militante omgeving waarin Awlaki boven kwam drijven, hoewel hij toen nog niet eens echt actief was binnen Al Qaida.

Eind januari 2008 kwam Awlaki bij ons thuis in de 40ste Straat lunchen. Ook waren nog enkele andere vrienden uit de lezingentijd (uiteraard niet degenen die waren gearresteerd of het land uit waren gezet) aanwezig.[23] Sanaa was zonder meer een jihadistische smeltkroes. Mijn vrouw maakte een groot aantal gerechten klaar, waaronder kip, rijst en een pan met *selta*, een traditioneel Jemenitisch gerecht van rundergehakt, eieren, okra en fenegriek. Het voedsel werd op een groot plastic zeil op de grond gezet, waarna het gezelschap eromheen ging zitten.

Nadat de vuile borden waren weggehaald, stak ik *bukhoor* aan, houtsnippers die een geurige rook verspreidden en die het vertrek met een kruidenlucht vulden. We leunden achterover in kussens die tegen de muur stonden en spraken over de toestand van de jihad en natuurlijk over het oprukken van Al Qaida in het zuiden van Jemen en de beste manier om het regime van Saleh omver te werpen. Kortom, een gesprek tussen samenzweerders.

Het gesprek kwam al snel op Somalië en de vorderingen die daar door Al-Shabaab waren gemaakt om haar greep op het land te vergroten.

Ik kreeg een ondeugende ingeving.

'Sjeik, waarom bellen we onze broeders in Somalië niet op om te vragen hoe het met ze gaat?' vroeg ik met een uitdagende grijns.

Het gezelschap had nogal wat bedenkingen: hoe kon ik ze nou zomaar bellen?

De reden was Ahmed Warsame, wiens ster binnen de gelederen van Al-Shabaab snel rijzende was.

'Masha'Allah, je spreekt met Murad, hoe gaat het met je? Ik heb hier iemand die je wil spreken,' zei ik, en gaf de telefoon aan Awlaki.

Toen Warsame van de verrassing bekomen was – hij had de beroemde geestelijke aan de lijn – vertelde hij hoe de strijd verliep. Awlaki maakte een opgetogen indruk, blij met de moedjahedien in Somalië te kunnen praten. Het tweetal wisselde e-mailadressen en nummers van mobiele telefoons uit.

Ik had zojuist een verbinding tussen Somalische en Jemenitische militanten tot stand gebracht. Terwijl Awlaki steeds meer aansluiting vond bij de kring van Al Qaida-vertrouwelingen in Jemen, zou zijn relatie met Warsame wel eens voor beide kanten erg nuttig kunnen zijn, maar nog nuttiger voor westerse inlichtingendiensten, die vanaf nu over hun e-mailadressen en telefoonnummers beschikten.

Voordat Awlaki die avond vertrok, spraken we een nieuwe manier af om met elkaar te communiceren, de beproefde methode van het achterlaten van conceptberichten in een gedeeld e-mailaccount. Ik legde hem uit hoe het werkte. Na zijn verblijf in de gevangenis, en omgeven door de voortdurende aandacht van de Jemenitische veiligheidsdiensten, was hij wat zijn verbindingen met de buitenwereld betrof een stuk voorzichtiger geworden.

Een paar weken later verliet hij Sanaa nogal plotseling, misschien onder druk van zijn familie, want zijn vader had hem al eens eerder gevraagd zijn fundamentalistische denkbeelden wat te temperen. Maar voor hetzelfde geld was hij tot de conclusie gekomen dat hij onder het toeziend oog van de Jemenitische inlichtingendienst niet opnieuw de spiritueel leider kon worden.

De stad Ataq ligt op de rand van het Lege Kwartier, het uitgestrekte woestijngebied dat een groot deel van het zuiden van het Saoedisch schiereiland bestrijkt en waar ook de grens tussen Jemen en Saoedi-Arabië doorheen loopt. Ataq ligt zo'n 320 kilometer ten zuidoosten van Sanaa en wordt aan drie kanten omringd door grijsbruine bergen. De skyline van de stad wordt beheerst door saaie overheidsgebouwen, maar in en rond de stad hebben toch enkele middeleeuwse juweeltjes van bouwkunst de tand des tijds doorstaan: hoog oprijzende, overvloedig versierde gebouwen van gebakken leem. Ataq is tevens de hoofdstad van de provincie Shabwah, waar Awlaki's familie redelijk invloedrijk is. En dus streek Awlaki in Ataq neer, waar hij wat meer tijd wilde doorbrengen met zijn tweede, nog erg jonge vrouw.

Awlaki's eerste echtgenote had hem vergezeld tijdens zijn verblijf in de Verenigde Staten. Ze kwam uit een vooraanstaande familie uit Sanaa, had een goede opleiding genoten en sprak uitstekend Engels. Ze was ook een krachtige persoonlijkheid en zat zelf achter het stuur, terwijl ze er niet tegen opzag Anwar bij tijd en wijle op zijn plaats te zetten. Ze reageerde dan ook niet onverdeeld positief toen hij haar in 2006 vertelde dat hij van plan was er een tweede vrouw bij te nemen, en al helemaal niet toen ze ontdekte dat zijn nieuwe bruid nog geen twintig was.

Het meisje was Awlaki aangeboden door haar twee broers (dit was per slot van rekening Jemen), die grote bewonderaars van hem waren. In plaats voor dit genereuze gebaar te bedanken, had Awlaki het enthousiast aanvaard. De huwelijksplechtigheid was echter geen groot succes. De familie van zijn eerste echtgenote was door het aantreden van deze jonge arriviste zwaar beledigd en had verder het gevoel dat het milieu waaruit ze kwam nogal inferieur was.

Aanvankelijk had Anwar zijn nieuwe tienerbruid in een appartement in de buurt van de luchtmachtacademie in Sanaa geïnstalleerd. Maar nu was ze hem, klaarblijkelijk niet al te enthousiast, naar de wildernis van Shabwah gevolgd.

In Ataq bracht Awlaki een groot deel van zijn tijd online door. De gevangenschap van de geestelijke had zijn faam in islamistische kringen in het Westen alleen maar vergroot. Al enkele weken na zijn vrijlating had Anwar een website – anwar-alawkali.com – het licht doen zien en was er ook nog eens een Facebook-pagina gecreëerd. Vanuit verschillende internetcafés met hun langzame verbindingen begon hij tegen de Verenigde Staten en hun bondgenoten tekeer te gaan, inclusief de regering van Saleh, omdat hij 'oorlog zou voeren tegen de islam'. Hij wisselde boodschappen uit met tientallen volgelingen en deed dat via de meer dan zestig e-mailaccounts die hij had laten registreren.

Mijn vrouw en ik reisden in februari 2008 van Sanaa naar Ataq om ons daar bij Awlaki te voegen. Het was de eerste keer dat we naar het binnenland van Jemen gingen om daar bij de geestelijke op bezoek te gaan, maar het zou niet de laatste keer zijn. Ik maakte de trip op eigen initiatief, maar die was goedgekeurd door zowel de PET als de CIA. In eerste instantie verhinderden veiligheidstroepen ons om de reguliere route te nemen omdat er in Marib een stammenstrijd woedde (niet ongewoon daar), waardoor we gedwongen waren het de volgende dag nog eens te proberen. Voor mijn vrouw was het een uitstapje, ze had geen idee van de werkelijke bedoeling achter mijn bezoek aan Anwar.

De negen uur lange autorit leidde langs de periferie van de Ramlat al-Saba'tayn, waar de wind het zand tot immense ribbelduinen had gevormd. Af en toe doemde uit de nevel een adobebouwsel op van drie of vier verdiepingen dat de eeuwen, de wind en de zandstormen had weten te trotseren. De rand van de woestijn werd begrensd door zwarte granieten koepels – ze hadden wel iets weg van reusachtige pompoenbroden – die soms wel honderd meter boven de woestijn uitstaken.

Het was belangrijk dat ik in mijn rol bleef, zelfs in de beslotenheid van de auto. Ik speelde cd's met *nasheeds* – islamitische liederen – en mijn vrouw ging volledig gesluierd. Toen we tegen zonsondergang eindelijk Ataq bereikten, wachtte Anwar ons daar op met een splinternieuwe Toyota Land Cruiser. Blijkbaar had hij geld genoeg. Hij droeg een stamgewaad en had een Jemenitische dolk, een *jambiya*, op zijn heup hangen.

We troffen de rijzende ster van het islamitische fundamentalisme in een nogal opmerkelijk onderkomen aan. Awlaki en zijn jonge bruid hadden een bescheiden appartement op de tweede etage midden in de stad gehuurd. Ik werd getroffen door de eenvoudige inrichting ervan die niet te vergelijken was met de luxueuze verblijven waarin geestelijken als sjeik Abdul Majid al-Zindani woonden. Awlaki leefde bijna als een asceet, waarbij zijn enige luxe bestond uit de beste honing die er te koop was en die hij elke ochtend beslist tot zich wenste te nemen.[24]

Aan het plafond snorde een ventilator, want buiten was het al warm, zelfs in februari. Vanaf de straat beneden stegen het gedempte motorlawaai van auto's en het geroep van handelaren op.

Vanwege de strikte scheiding tussen de seksen in conservatieve Jemenitische kringen heb ik nooit contact met zijn nieuwe echtgenote gehad, maar mijn vrouw heeft behoorlijk wat tijd in haar gezelschap doorgebracht, en die kwam snel tot de conclusie dat ze voor een geleerde van Anwars statuur allesbehalve een voor de hand liggende partner was. Ze was negentien, tenger en bijzonder aantrekkelijk, maar tegelijkertijd bezat ze de knuffelachtige persoonlijkheid van een tiener. Anwar was nog maar drie maanden daarvoor vrijgelaten, maar ze was nu al zwanger en had bijna elke ochtend last van misselijkheid.

Ze vond Ataq saai en warm, een afgelegen en conservatieve uithoek van een afgelegen en conservatief land. Ze vertelde mijn vrouw dat de eerste tijd met Anwar erg moeilijk was geweest. De bruiloft had vanwege de vijandigheid van Anwars eerste echtgenote wel een begrafenis geleken. De twee vrouwen hadden maanden niet tegen elkaar gesproken, maar uiteindelijk waren ze toch tot een vergelijk gekomen. Nu verbleven ze om de beurt een tijdlang bij hun man in Ataq.

De jongere echtgenote kon haast niet wachten om uit het verstikkende appartement te vertrekken en naar Sanaa en haar familie terug te keren. Ze leek oprecht van Anwar te houden, maar ze vertelde mijn vrouw dat hij alleen maar las. Zijn studeerkamer stond van vloer tot plafond vol boeken over de wetgeving volgens de Koran en islamitische jurisprudentie.

Bijna dwangmatig bestudeerde hij de islamitische leerstellingen, maar bleek nogal selectief bij het toepassen ervan in huiselijke kring. Hij had in de slaapkamer een televisie laten plaatsen, zodat zijn vrouw Turkse soaps kon bekijken die in het Arabisch waren nagesynchroniseerd, en waaraan ze min of meer verslaafd was. Dat was een verrassende concessie: heel wat militante moslims binnen Al Qaida beschouwden televisie als *haram* en volgens de islamitische wetgeving strikt verboden. Ze leek haar kijkschema ook een stuk belangrijker te vinden dan haar huiselijke beslommeringen. In Sanaa hadden huishoudelijke hulpen die voor hun rekening genomen, maar niet hier in dit achtergebleven gebied. Meer dan eens zat er voor Anwar niets anders op dan haar haar zin te geven, met als gevolg dat hij zelf naar de keuken moest om daar eten voor ons tweeën te maken.

Zijn tienervrouw had nauwelijks opleiding genoten en had nagenoeg niets te zeggen. Mijn vrouw had de indruk dat ze voor Anwar eigenlijk alleen maar een speeltje was. En hoewel ze zwanger van hem was, vroeg Anwar op een gegeven moment aan mij of ik niet nog een vrouw voor hem kon vinden, een bekeerlinge uit het Westen.

Meestal spraken we over de islam. Hij was een oceaan van kennis en een toren van gezag. Maar we hadden het ook over zijn tijd in Amerika en hij vertelde me over zijn vistripjes in Colorado.

Toen zweeg hij en begon hij weer over 11 september. 'De Amerikanen hebben het zelf over zich afgeroepen. We móésten hen uit de moslimlanden verdrijven!' Zijn retoriek was scherper dan ooit.

Hij had te horen gekregen dat hij niet meer naar Sanaa terug hoefde te komen, tenzij hij graag opnieuw achter de tralies wilde belanden. De boodschap van de Jemenitische inlichtingendienst was kort en duidelijk: 'Roep niet op tot de jihad en blijf uit de buurt van buitenlanders, want anders heb je een probleem.' Bij die woorden schrok ik even. Als hij constant in de gaten werd gehouden, bestond de kans dat de autoriteiten ook mij op de radar hadden, en dat was zowel voor mij als voor mijn handlers erg vervelend.

Ik vroeg niet te ver door bij Anwar. Zijn woorden waren weloverwogen en ik had het gevoel dat hij voorzichtiger was dan vroeger en nog niet zo ver dat hij zijn plannen met mij wilde delen. Maar ik vermoedde dat die plannen werden gevoed door de diepgewortelde vijandigheid die hij voelde ten opzichte van Amerika en zijn beschermeling in het presidentieel paleis in Sanaa.

14

COCAÏNE EN ALLAH

Begin 2008

Het verkeer raasde over Euston Road in Londen. Het was een zonnige namiddag in maart 2008, een van die dagen dat je het vermoeden hebt dat de lente niet al te lang meer op zich zal laten wachten. Grote velden karmozijnrode en goudkleurige krokussen sierden de pleinen en de parken van de stad. In de lucht waren passagiersvliegtuigen te zien die op weg waren naar Heathrow. Ik was na vier maanden Jemen zojuist aangekomen.

Toen ik de weg overstak, wierp ik een blik naar King's Cross, het station dat het middelpunt was geweest van het bloedbad in 2005, toen zelfmoordterroristen toesloegen in Londen. Bijna drie jaar later stonden de Britse veiligheidsdiensten nog steeds onder grote druk vanwege de inlichtingenmissers die ze in de aanloop naar de aanslagen hadden begaan. Ze wilden niet opnieuw worden verrast en wilden maar al te graag gebruikmaken van mijn uitgebreide kennis van het jihadistenwereldje in Luton, Birmingham en Manchester. Maar de CIA wilde mijn kennis van de militante broederschap graag inzetten in Jemen en Somalië.

De drie inlichtingendiensten hadden een bijeenkomst belegd in een anoniem hotel in de buurt van Euston Station, waar ze me zouden debriefen en waar ik ze uitgebreid verslag deed van mijn recente verblijf bij Awlaki in Ataq.

Het CIA-team werd nu geleid door een agent van tegen de veertig, van wie ik vermoedde dat hij de tweede man was op het Agencykantoor in Kopenhagen. Jed werd al een beetje kaal en had wat rood-bruine stoppels op zijn kin, maar zijn alledaagse voorkomen stond in scherp contrast met zijn ijsbergblauwe ogen. En die gebruikte hij dan ook met veel succes, want hij doorboorde me zo'n beetje met zijn intense blik. Hij sprak precies en maakte nauwkeurig aantekeningen. Jed was een en al zakelijkheid, af en toe gelardeerd met wat laconieke humor. Hij was ambitieus en wilde resultaten zien. Bij de weinige gelegenheden dat hij zijn geduld verloor, vertoonde zijn linkeroog een zenuwtrekje, waardoor het net leek of hij een morseboodschap verzond.

Jed had duidelijk voldoende autoriteit om zich van mijn diensten te verzekeren, maar dan moest hij er wel zeker van zijn dat ik recht-streeks toegang had tot Awlaki.

De rest van de bijeenkomst ging over hoe er in Somalië meer infor-matie over Al-Shabaab kon worden verzameld. De PET was geïnte-resseerd in het ontwikkelen van een lijn naar Al-Shabaab door goe-deren aan ze te leveren: waterfilters, tenten, slaapmatjes, maar geen spullen die ze bij de strijd konden inzetten. Vreemd genoeg trokken de Britten de grens al bij hangmatten, maar misschien deden ze dat omdat ze vonden dat een terrorist geen recht op goede nachtrust had. Vervolgens werd ik geconfronteerd met drie inlichtingendien-sten die met elkaar gingen ruziën over hangmatten, voor zover ik weet het eerste meningsverschil tussen dit drietal.

Matt van MI6 was ook bij de bijeenkomst in Euston aanwezig en het was duidelijk dat Harer Majesteits regering bang was dat een waardevolle inlichtingenbron die zojuist in Engeland was terugge-keerd op het punt stond om door de Amerikanen op basis van aller-lei fraaie beloften een heel andere kant uit gestuurd te worden. Dus de Britten gooiden nog iets boven op het Amerikaanse aanbod en kwamen met een serie teambuildingoefeningen die heel slim appel-leerden aan mijn liefde voor het buitenleven, maar die tegelijkertijd de bedoeling hadden dat ik mijn diensten toch vooral aanbood aan MI6.

De eerste kaart die ze speelden was een dagje vliegvissen in Noord-

Wales. Zoals altijd was er ook nu weer een Deense vertegenwoordiging aanwezig. Ik was toch vooral hún man en ze waren niet van plan om me met MI6-mensen alleen te laten, want die zouden me toch maar onmiddellijk naar allerlei uithoeken van de wereld sturen.

Klang, mijn Deense handler, kwam opdagen. Hij zag er met zijn Barbour-jasje, jagersbroek en geruite pet uit als iemand uit een postordercatalogus. Hij vond het blijkbaar heerlijk om één dag de landjonker uit te kunnen hangen, ook al zat hij wat betreft die geruite pet in het verkeerde deel van Groot-Brittannië. Matt had al zijn zelfbeheersing nodig om niet in lachen uit te barsten.

Klang was in het gezelschap van een PET-agent die ik maar Trailer noemde, omdat hij was opgegroeid op een boerderij. Hij verving Boeddha, die vanwege pijn aan zijn rug was uitgeschakeld. Aan het groezelige jack van Trailer was niets designerigs. Hij was even onpretentieus als Klang modebewust was en erg lang, afkomstig van het platteland van Jutland en een niet onverdienstelijk handballer. Hij was de man geweest die bij het Intercontinental Hotel in Nairobi de overdracht van de spullen aan de Al-Shabaab-koerier van een afstandje had bekeken.

Het was een wolkeloze voorjaarsdag. Terwijl het Deense duo vergeefs probeerde in de rivier de Dee met hulp van een instructeur een forel te verschalken, kwam Matt naast me op de oever zitten, buiten gehoorsafstand.

'We willen niet dat je voor de Amerikanen naar Somalië gaat,' zei hij. 'Ik denk dat je nog wat langer hier moet blijven; we hebben je nodig.' De Britten wilden dat ik in Engelse binnensteden achter aanwijzingen aan ging, terwijl ik me tegelijkertijd moest concentreren op de Somalische contacten die ik had.

Kort daarna vond er een tweede oefening plaats bij een indrukwekkend buitenhuis in de buurt van Aviemore in Schotland. MI6 stuurde een auto die me afhaalde van het vliegveld van Inverness, waarna het nog veertig minuten rijden was naar onze bestemming, die in bebost heuvelland lag, waarbij we nog langs Loch Ness kwamen.

Matt stond op het bordes al op me te wachten, met naast zich een oogverblindende brunette van rond de dertig. Emma zou namens MI6 mijn nieuwe handler worden omdat Matt op een andere zaak was gezet. Ze was lang en atletisch, had hoge jukbeenderen en een prachtige huid, sprak met een ongeforceerd, aristocratisch accent en leek onverstoorbaar. Haar gebeeldhouwde gelaatstrekken en brede glimlach deden mij aan Julia Roberts denken.

'Fijn eindelijk eens kennis met je te kunnen maken,' zei ze breed glimlachend.

Tijdens mijn verblijf daar vertelde Emma dat haar oma uit Zweden kwam en dat ze de taal redelijk beheerste. Ik probeerde wat zinnetjes in het Deens op haar uit, waardoor ze moest lachen en vervolgens antwoordde in het Zweeds, wat de meeste Denen wel begrijpen. Het hielp het ijs te breken.

Opnieuw kwamen ook de Denen opdagen en Andy van MI5 was er, maar de Amerikanen waren niet uitgenodigd. Daar moeten ze behoorlijk de pest over in hebben gehad. De tweedaagse cursus omvatte navigeren in bergachtig gebied, abseilen en overlevingstechnieken en werd gegeven door een specialist van de Britse special forces, de SAS. Hij heette Rob en had net een periode in Irak achter de rug, waarover hij verder niet uitweidde.

Ook was er een psycholoog aanwezig, die zich voorstelde als Luke. Het was een goed verzorgde, beschaafde Schot van rond de 45, met een zachte stem en grijsblauwe ogen. Hij had ook een keurige baard, die hem er iets ouder deed uitzien dan hij waarschijnlijk was. Hij had als opdracht te kijken hoe veerkrachtig en geschikt ik was voor een leven als informant aan het front. Ik kreeg het gevoel dat de Britten haast hadden.

Luke stelde me een aantal moeilijke hypothetische vragen.

'Wat zou je doen als je bij Al Qaida bent en je wordt uitgenodigd om een gevangene te executeren?' vroeg hij.

Terwijl ik daarover nadacht boog hij zich iets naar voren en zei kalm: 'Je executeert hem om geen achterdocht te wekken en geen twijfel te zaaien bij je kameraden.'

We spraken over de last van het leiden van een dubbelleven en over mijn breuk met Karima. Hij begreep beter dan ik me kon voorstellen met welke druk ik te maken zou krijgen.

's Avonds ging het er wat luchthartiger aan toe. We speelden bingo, waarbij de Denen vals speelden. Ze vonden het ook erg leuk om met het lichtbundeltje van een laserpointer op het gezicht van mijn Britse handlers te schijnen, net toen we in een zakelijk gesprek verwikkeld waren, waarbij ze met name op Matts grote oren richtten. Soms waren hun fratsen zonder meer gênant en besefte ik dat ze zich tegenover mij veel te informeel opstelden.

Om mijn onbehaaglijkheid nog wat te verergeren, probeerde Klang op een niet al te subtiele manier Emma's aandacht te trekken. Maar Matt had zo te zien meer succes. Toen ze op een gegeven moment samen voor hun gasten een Schots ontbijt klaarmaakten, kreeg ik de indruk dat er tussen hun beiden een speciale relatie aan het ontstaan was.

De Britten waren wat hun verzoeken betrof subtiel, maar niet minder vasthoudend. Meedoen zou me geen windeieren opleveren; beide kanten dienden zich volledig te committeren. En ik zou fatsoenlijk getraind en ondersteund worden. De onuitgesproken implicatie was dat de CIA me op een gegeven moment toch aan mijn lot zou overlaten.

Toen de spanningen tussen de Britse en Amerikaanse instanties steeds tastbaarder werden, wendde ik me tot mijn PET-handlers voor advies. Dat had ik beter niet kunnen doen. Ze roken bij de CIA geld en mogelijkheden.

'Bij de yanks krijg je vast meer te doen,' zei Klang, 'en ze betalen meer.'

Ik stond voor een dilemma. Met Matt, Andy, Emma en de anderen van de twee Britse instanties kon ik uitstekend samenwerken, ze waren rechtdoorzee en intelligent. Ze zaten weliswaar gevangen in een bureaucratie en in allerlei regeltjes, maar het waren professionals.

Het Amerikaanse antwoord op de speciale behandeling van Britse kant kwam in het Deense kustplaatsje Helsingør, soms ook wel de hoofdplaats van de Deense Rivièra genoemd. Het belangrijkste historische monument in de stad is slot Kronborg, een renaissance-kasteel dat Shakespeare in *Hamlet* heeft gebruikt, maar dan Elsinore heet. Het was een toepasselijke plek om daar een complot te beramen tegen Awlaki, de toekomstige prins van de jihad.

Aan het eind van de bijeenkomst nam Jed me even terzijde.

'Jij bent met je vrouw nog nooit op huwelijksreis geweest, hè?' vroeg hij, terwijl zijn ijsbergogen heel even smolten.

'Nee. Ik heb daar de afgelopen twee jaar ook nauwelijks tijd voor gehad.'

'Nou, beschouw het als een cadeautje van onze kant. Laat ons maar weten waar je naartoe wilt, dan gaan wij dat regelen,' zei Jed.

Ik voelde me gevleid. Ze namen me serieus. Maar misschien was dat als ze zich van de loyaliteit van een beïnvloedbare bron wilden verzekeren wel de normale gang van zaken. En vergeleken met de manier waarop de Britten me in de watten hadden gelegd, was het gebaar uitstekend getimed. Ik begon plannen te maken voor een tweede bezoek aan Thailand, maar dan hopelijk een waarop ik me wat meer zou kunnen ontspannen.

Mijn werk voor de PET en de Britten werd steeds veeleisender en gevaarlijker. Ik had nieuwe dekmantels nodig. Mijn dekmantel in Denemarken kwam tot stand dankzij een praatzieke, domme Deense Bosniër die Adnan Avdič heette, die ik nog uit mijn extremistentijd kende. Hij had een tijdje in voorarrest gezeten op beschuldiging van terrorisme, maar was later vrijgesproken.[25]

Op een middag pikte hem ik in een buitenwijk van Kopenhagen op terwijl ik achter het stuur zat van een splinternieuwe Toyota. Die was gehuurd door de PET en maakte deel uit van de misleiding, maar Adnan dacht dat het mijn eigen wagen was.

'Mooi karretje, Murad! Dat ding moet je een vermogen hebben gekost,' zei hij. Onder het rijden kwamen we al snel op de jihad uit.

'Ik moet iets afleveren, dus ik rij een stukje om.'

Hij liet zich, zoals verwacht, al snel door zijn nieuwsgierigheid meeslepen.

'Wat is het?'

'Iets om de zaak vooruit te helpen. Maar je moet er je mond over houden.'

Ik zweeg en keek met veel gevoel voor dramatiek een paar keer steels om me heen.

'Doe het dashboardkastje open, maar raak vooral niets aan, want je zou wel eens vingerafdrukken kunnen achterlaten.'

Hij staarde verbijsterd naar een zakje met wit poeder.

'Wauw, Murad, weet je zeker dat dit is toegestaan?'

'Ik heb een fatwa,' antwoordde ik.

Uiteraard wist hij niet dat het een mengsel was van meel en verkruimeld kaarsvet.

Vlak voordat ik het punt zou bereiken waar ik had afgesproken, bracht ik de auto tot stilstand.

'Je moet er hier uit en op me wachten,' zei ik hem.

Op de hoek van de straat stond een man in een bruin bomberjack. Ik gaf hem het zakje en liep terug naar de auto in de wetenschap dat Adnan van de deal getuige was geweest.

Er was heel even een vluchtige glimlach op Sorens gezicht te zien, mijn senior handler, toen hij met het zakje de tegenovergestelde richting uit liep. Klaarblijkelijk genoot hij van dit bijrolletje als straatdealer.

In Engeland regelde MI5 ook een dekmantel voor me, om zo eventuele verdenkingen weg te nemen met betrekking tot het geld waarover ik beschikte: ik werd taxichauffeur in Birmingham met een volledige vergunning. Harer Majesteits regering kocht zelfs een Mercedes-busje voor me – met lederen bekleding.

Ik ging aan de slag voor een taxibedrijf in Alum Rock dat eigendom was van een Pakistaanse zakenman. Zijn zoon Salim, die ik tijdens de al-Muhajiroun-ontmoetingen in Luton had leren kennen, trok al een tijdje de aandacht van MI5. Ze hoopten dat ik door met hem samen te werken gemakkelijker toegang zou krijgen tot zijn Brits-Pakistaanse extremistische contacten in de stad. De veiligheidsdienst maakte zich met name grote zorgen over deze bevolkingsgroep, omdat bij verschillende plannen voor aanslagen in het Verenigd Koninkrijk vooral jongemannen met een Pakistaanse achtergrond betrokken waren geweest, waarvan sommigen in het land van hun ouders in Al Qaida-kampen geleerd hadden hoe ze bommen moesten maken.

Maar deze geradicaliseerde Britten van Pakistaanse afkomst lieten zich niet zomaar door mij infiltreren. Ze hadden de neiging om moslims uit een andere etnische hoek of met een andere nationaliteit op afstand te houden, en ze moesten al helemaal niets hebben van bekeerlingen. Nadat ik door de woestijnen van Jemen was getrokken, vond ik het rijden met mijn taxi door Birmingham maar saai. Na een tijdje liet ik MI5 weten dat achter het stuur van een taxi zitten niets voor mij was.

Ik merkte dat ik me maar moeilijk kon aanpassen aan het gezinsleven in Birmingham. Fadia was met me mee terug gekomen en we woonden in een huurwoning aan Watson Road, een kleurloze straat in Alum Rock. Een deprimerender onderkomen was haast niet denkbaar, maar het was de prijs die ik betaalde voor het intact houden van mijn dekmantel. Overal lagen weggegooide injectienaalden en andere smerigheid op straat. Jonge bendes die voornamelijk uit in Engeland geboren Pakistani bestonden zwierven over straat en gingen elkaar af en toe zelfs met messen te lijf. Fadia klaagde dat de ratten groter waren dan de katten. Ik had haar dolgraag willen vertellen dat ze beter verdiende, en dat ik dat kon betalen; onze minder riante leefomstandigheden hadden een soort muur tussen ons beiden opgetrokken. Maar ik kon haar onmogelijk vertellen waarom we daar woonden, want dan zou zowel haar leven als dat van mij gevaar lopen.

Fadia had geen idee dat haar terugkeer naar Europa door de inlichtingendienst op touw was gezet. De PET had woord gehouden en een studentenvisum voor Denemarken voor haar geregeld, en ze had van de Britse ambassade in Kopenhagen een verblijfsvergunning voor vijf jaar gekregen dankzij interventie van Harer Majesteits geheime dienst.

Mijn navelstreng was de mobiele telefoon waarmee ik met mijn handlers communiceerde. Alleen zij waren van mijn geheime werkzaamheden op de hoogte. Klang en ik spraken een paar keer per dag met elkaar, waarbij we informatie en ideeën uitwisselden, maar wel altijd goed oppasten wat we zeiden. Een paar keer per week werd ik door mijn MI5-contacten gebeld, gewoonlijk om een ontmoeting te regelen.

Zelfs als het tempo wat minder hoog lag vond ik het moeilijk om om te schakelen. Vaak moest Fadia me dezelfde vraag meerdere keren stellen voor ik antwoord gaf. Mijn gedachten waren dan heel ergens anders. Dan dacht ik aan een e-mail die ik nog moest versturen of ik was bezig met manieren om mijn jihadistische netwerk verder uit te breiden. Tijdens de weekends dat de kinderen bij ons logeerden kostte het me zelfs moeite ze voldoende aandacht te geven. De spionagebusiness nam me helemaal in beslag.

Op een avond keken Fadia en ik naar een film met George Clooney, *Syrana*, een thriller die in het Midden-Oosten speelde. Ik ging al snel helemaal in de film op en herkende zowel de ongeloofwaardige scènes als de pogingen die de regisseur had gedaan om het aloude spionagehandwerk te reproduceren. Maar het wantrouwen tussen sommige personages was bijna tastbaar. Ik had het Fadia het liefst willen vertellen, naar het scherm willen wijzen en zeggen: 'Zo voel ik me nou ook.' Maar ik wist dat ik dat niet kon doen.

Zo nu en dan maakte ik lange ritten door de natuur. Dan zette ik een cd van Metallica op, draaide het geluid goed hard en haalde dan diep adem. Af en toe liep ik na een wandeling een plattelandspub binnen voor een glas bier en een praatje met de stamgasten. De kans was erg klein dat ik daar moslims tegen het lijf zou lopen en ik had er dringend behoefte aan een paar kostbare minuten lang mijn masker af te zetten.

Niet alle extremisten in Birmingham waren praatjesmakers. Korte tijd later kwam ik een van de meest licht ontvlambare figuren uit de stad stegen, een in Engeland geboren Pakistaan die ik alleen maar als Saheer kende. Hij liep tegen de dertig, was gespierd en had altijd een trainingspak aan. Hij was gladgeschoren, zag er goed uit en had stekeltjeshaar, maar hij leek voortdurend op zoek naar moeilijkheden en stond altijd met zijn vuisten klaar. Hij had al een strafblad. Als tiener had hij een gewapende roofoverval gepleegd en had daarvoor een tijd achter de tralies gezeten, maar hij was kortgeleden vrijgekomen.

Ik ontmoette Saheer via een van de actiefste extremisten in Birmingham in een Marokkaanse lunchroom in Alum Rock. Net als veel andere jonge moslims was Saheer in de gevangenis verder geradicaliseerd. En misschien was hij net als veel anderen op zoek naar verlossing. Saheer was een man van weinig woorden die het liefst zo snel mogelijk in actie wilde komen. Toen ik hem vertelde dat ik Awlaki kende en dat ik hem nog niet zo lang geleden in Jemen had opgezocht, kwam hij los.

'Broeder, we moeten de kafir terugdrijven,' zei hij terwijl we samen een *meskouta* nuttigden, een Marokkaanse yoghurtcake.

Toen we tegen de avond de motregen in liepen, keek Saheer me met zijn intense amandelbruine ogen strak aan.

'Murad, ik wil graag een operatie uitvoeren die me het martelaarschap zal brengen, insha'Allah.'

Zijn woorden bleven in de lucht hangen. Had hij dat echt zojuist gezegd? Probeerde hij me uit? Ik hield mezelf voor dat ik niet te hard van stapel moest lopen, ik moest op safe spelen. Ik probeerde me het advies van Luke te herinneren, de psycholoog van MI5.

'Heb jij misschien een idee? Ken jij de Deense krant die die tekeningen van de Profeet Mohammed – vrede zij met hem – heeft gepubliceerd? Weet jij iets van de veiligheidsmaatregelen eromheen?' vroeg hij.[26]

'Ik kan proberen erachter te komen,' antwoordde ik.

'Weet je hoe je in Denemarken aan wapens kunt komen?' vroeg hij.

'O, dat is niet zo heel moeilijk,' zei ik, en ik moest onmiddellijk aan mijn tijd bij de Bandidos denken.

'Je moet wel goed begrijpen dat ik bij die aanslag wil sterven. Ik wil neergeschoten worden en ik wil daarbij de dood vinden, *fee sabeel Allah* [om Allahs wil],' zei hij.

Het was tijd om contact met Sunshine op te nemen.

Sunshine was een medewerkster van mijn handler bij MI5, Andy, en was mijn belangrijkste aanspreekpunt bij deze instelling geworden. Klang en de Denen waren haar zo gaan noemen omdat ze altijd opgewekt was. Ik vermoedde dat ze een jaar of 27 was, en ze moest duidelijk nog een hoop leren, maar ze had de instincten die haar bij haar carrière nog goed van pas zouden komen. Verder was ze ook nog eens een no-nonsensefiguur. Klang had tijdens een drankje na het werk ooit zijn hand eens op haar been gelegd, maar toen had ze daar zo luid commentaar op gegeven dat hij als door een horzel gestoken was teruggedeinsd.

Sunshine mocht dan misschien niet in staat zijn om net als Matt complete Latijnse verzen te reciteren, ze kon wel heel goed gezichten lezen. Ze had haar haar blond geverfd en ik vond haar aardig op de manier zoals je je buurmeisje aardig vindt. Misschien, dacht ik, cultiveert ze haar gewoon-zijn om de mensen op hun gemak te stellen, zodat ze wat loslippiger worden.

'Er moet een ontmoeting worden geregeld,' liet ik haar later die avond telefonisch weten.

'Begrepen. Elfhonderd uur morgenochtend,' zei ze en maakte een eind aan het gesprek. Ze hield van militair jargon.

De volgende morgen parkeerde ik mijn auto op de parkeerplaats van een Sainsbury's-supermarkt in een buitenwijk van Birmingham die we als rendez-vousplaats gebruikten. Ik bleef in mijn auto zitten en zag gekwelde moeders worstelen met volle boodschappenwagentjes en opstandige kinderen.

Mijn telefoon ging over.

'Loop naar de achterkant van de parkeerplaats. Daar zie je een rode Volvo staan. Loop ernaartoe. We pikken je op.'

Vrijwel onmiddellijk kwam een wit bestelbusje met een koelunit op het dak vlak naast me tot stilstand. Sunshine had het raampje naar beneden gedraaid en op haar gezicht was de gebruikelijke glimlach te zien.

'Achter instappen.'

Er zaten geen raampjes achterin, dus ik had geen idee waar we heen gingen. Veertig minuten later bereikten we onze bestemming. Het had voor hetzelfde geld ergens om de hoek kunnen zijn.

Ik hoorde een ketting en toen een mechanisch geknars, misschien een garagedeur die omhoogging. De chauffeur, die ik niet kon zien, gaf gas en we reden naar binnen. Achter ons ging de deur weer naar beneden.

'Veilig!' hoorde ik Sunshine vanuit de cabine in haar walkietalkie zeggen. Direct daarna maakte een man de deur open. Het was Kevin, die ook tot Andy's team behoorde. Kevin zag eruit als een twintiger en had best presentator van zo'n avontuurlijke tv-show ergens in een exotisch buitenland kunnen zijn; van mest een kampvuur proberen te maken en giftige slangen uit een holle boom proberen te lokken, dat soort werk. Niet bepaald iemand om ruzie mee te krijgen.

Zo te zien bevonden we ons in een grote opslagplaats, een van de uitvalsbases waarover MI5 beschikte.

Het geheel zag eruit als een grote rotatiepers die tot architecten- bureau was verbouwd. Er hingen posters aan de muur en hele rijen werktafels werden verlicht door lampen die aan het hoge plafond hingen. Niet echt hightech. Er was een internetverbinding en er ston- den een paar personal computers, maar dat was het wel zo'n beetje.

In een van de hoeken zag ik een kantoortje dat met glazen wanden van de rest was afgescheiden, met daarin een tafel en wat stoelen eromheen. Andy zat daar al op me te wachten. Sunshine en Kevin lieten de leiding aan hem over. Ik vertelde hem over mijn ontmoe- ting met Saheer.

'Je moet met hem in gesprek blijven,' zei Andy nadat ik mijn ver- haal had gedaan. Het was de eerste van een stuk of wat debriefings die geheel aan Saheers bedoelingen waren gewijd.

Saheer was buitengewoon voorzichtig. Op tal van manieren was hij voor MI5 de ergste nachtmerrie die er bestond: een gewiekste be- roepscrimineel die langzaam maar zeker veranderde in een jihadist met een doodswens. Hij sprak alleen maar over zijn plannen als we alleen en ergens buiten waren. We maakten vaak lange wandelingen in een park in Alum Rock, maar hij stond erop dat ik dan geen mobiel bij me had en steeds als we gingen wandelen fouilleerde hij me om te kijken of ik geen afluisterapparatuur bij me had.

'Een mens kan niet voorzichtig genoeg zijn, broeder,' zei hij dan.

'Hij is echt gevaarlijk, een totale psychoot,' vertelde ik Andy bij de volgende debriefing. 'Wat moet ik doen, verdorie? Ik ben de enige met wie hij over deze zaken praat.'

'Blijf met hem in gesprek,' antwoordde Andy met een zorgelijke stem.

Gezien Saheers beoogde doelwit, verbaasde me het dan ook niet toen mijn Deense handlers ten tonele verschenen.

'De minister is hierover ingelicht,' kreeg ik van Klang te horen. 'De hotemetoten zijn erg blij met wat je doet.'

Voor de verandering leek Klang te menen wat hij zei.

Maar volgens mij hadden we nog steeds een probleem. Los van Saheers nog enigszins onduidelijke plan om een aanslag op de Deense krant te plegen, een plan waarover hij alleen met mij had gesproken en waarvan niets op papier stond, bestond er verder geen bewijsmateriaal. Er was niets wat zijn arrestatie rechtvaardigde, laat staan dat er een aanklacht tegen hem kon worden ingediend. Het was allemaal van horen zeggen, en ik zou wel eens van uitlokking beschuldigd kunnen worden. Dus ik ging improviseren en maakte gebruik van zijn twijfels met betrekking tot het bijeenbrengen van het geld voor wapens en de voorbereidingen van een en ander.

'Je weet dat sjeik Anwar het goedvindt als je drugs verkoopt, zolang we de opbrengst maar gebruiken voor het steunen van onze broeders in de jihad,' zei ik hem tijdens onze volgende wandeling in het park. 'Om te beginnen vernietig je op die manier de kafir, je ruïneert hun maatschappij. En ten tweede verdien je er geld mee dat je naar de moedjahedien kunt sturen.'

Saheer leek geïnteresseerd.

'En je houdt een vijfde van de opbrengst zelf, als een soort oorlogsbuit. Insha'Allah.'

'Murad, weet je dat wel zeker?' vroeg hij verbaasd.

'Ja. Hij heeft me daarvoor een fatwa gegeven,' antwoordde ik in de wetenschap dat hetzelfde verhaal binnen Deense extremistische kringen nu wel de ronde zou doen, mocht hij ooit de moeite nemen ernaar te informeren.

Mijn pogingen om Saheer weer terug op het criminele pad te krijgen, werden door Andy en MI5 niet bepaald gewaardeerd.

'We mogen mensen niet aanmoedigen misdaden te begaan. Wat denk je wel? Je kunt dit soort dingen niet zomaar doen zonder eerst bij ons te informeren,' zei hij.

'Ik was aan het improviseren. Hoe wil je die knaap anders oppakken?' antwoordde ik.

Andy verdween met Kevin en Sunshine in het glazen kantoortje, waar hij wat telefoontjes pleegde.

Toen hij naar buiten kwam was zijn stemming iets beter. Hij was nog steeds geïrriteerd, maar leek nu ook te beseffen dat dit misschien toch nog mogelijkheden bood.

'Oké, oké, je hebt het gezegd, dus nu is het te laat. We kunnen er nu niets meer aan doen.'

Kort daarna kwam Saheer langs in een zilverkleurige Lexus. Drugsgeld, vermoedde ik: hij wilde zijn laatste dagen op aarde graag zo comfortabel mogelijk doorbrengen.

We kwamen bij het park aan. Toen we door de regen naar de eendenvijver liepen, besefte ik dat we een vreemde aanblik boden.

'Ik heb het geld, kun jij die wapens regelen?' zei hij.

Ik keek zo nonchalant mogelijk om me heen om te zien of we geschaduwd werden. Ik wist dat MI5 nu helemaal zou proberen elke stap te volgen die hij zette, maar zo te zien waren we met z'n tweeën. De eenden kwaakten aanhoudend. Het was een surrealistisch geheel.

'Broeder, laten we er samen heen gaan, jij en ik, met z'n tweeën, en dan deze missie uitvoeren. Ik zal je in Denemarken hard nodig hebben.'

'Ik ben bij je, broeder,' antwoordde ik, hoewel ik besefte dat de woorden niet echt overtuigend klonken.

Hij omarmde me. 'Dat is mooi, Murad. Het beste wat me kan overkomen. We worden *shuhada* [martelaars]. En er bestaat niets beters dan dat, vergeet dat niet.'

Als iemand ons op dat moment had gezien, had gemakkelijk een verkeerde indruk kunnen ontstaan.

'Dat weet ik. Dit is het paradijs. Wij zijn moedjahedien en hier vechten we voor,' antwoordde ik, terwijl ik alle overtuigingskracht bij elkaar schraapte waarover ik beschikte.

Hij wil dat ik samen met hem sterf, dacht ik. Hoe praat ik hem dat uit het hoofd?

Bij de volgende debriefing was ook Klang aanwezig. Hij maakte in niet mis te verstane bewoordingen duidelijk dat de Denen niet wilden dat de aanslag doorging en dat Saheer niet naar Denemarken moest komen.

'Als hij naar Denemarken komt, zullen we genoodzaakt zijn hem te doden. Dan leggen we hem om.'

Dat was pure grootspraak. De Deense wetgeving staat een parate executie niet eens toe.

'We hebben hem geschaduwd,' vertelde Kevin van MI5 me. 'Hij verkoopt inderdaad drugs, maar zelf raakt hij het spul niet aan.'

'Wat dat betreft zul je op ons moeten vertrouwen,' zei Andy.

'Ik wil over twee weken naar Denemarken,' zei Saheer tijdens onze volgende ontmoeting. Hij vroeg me contact op te nemen met mijn oude onderwereldvriendjes, zodat we wapens en munitie konden kopen.

De dag van ons vertrek naderde, maar mijn handlers hadden me nog steeds niet verteld wat er ging gebeuren.

Ik had door de meest woeste gebieden van Jemen gereisd en was met zwaarbewapende strijders dwars door Libanon gereden, maar het idee om met een psychopaat naar mijn vaderland te reizen veroorzaakte slapeloze nachten.

Een week voor ons geplande vertrek werd Saheer door de Britse politie gearresteerd omdat hij in Birmingham op straat drugs verkocht. Het was niet het eerste delict dat hij pleegde, dus werd hij veroordeeld tot een vrij lange gevangenisstraf. Het mooie aan deze operatie was dat hij, zelfs nadat hij de gevangenis in was gedraaid, geen moment heeft vermoed dat ik voor de inlichtingendienst werkte. Maar zelfs van achter de tralies leek hij de andere jihadisten in Birmingham nog steeds angst aan te jagen. Niemand durfde ook maar iets over de mysterieuze Saheer te zeggen en ik ben nooit achter zijn echte naam gekomen.

Nu Saheer veilig en wel opgesloten zat, konden mijn handlers en ik mijn volgende bezoek aan Awlaki voorbereiden.

15

GODSDIENSTTERREUR

Voorjaar-najaar 2008

In april 2008 verstuurde ik een e-mail aan Anwar al-Awlaki, waarin ik hem vertelde dat ik binnenkort een korte reis naar Jemen zou maken.

De geestelijke reageerde snel en had een speciaal verzoek.

'Kaas en chocolade, alsjeblieft:)'

Ik wist dat hij van pralines hield, maar ik vond dat hij wat duidelijker moest zijn: 'Sjeik, wat betreft de chocolade, is het toegestaan die te eten als er een alcoholsmaak in is verwerkt[?]'

Vrijwel onmiddellijk kwam er antwoord: 'Nee, dat is niet toegestaan. Ook al is de alcohol verdampt, het blijft *najasah* [onzuiver] en die najasah heeft zich vermengd met de chocolade.'

Het Heilige Boek geeft zelfs antwoord als er vragen zijn over chocolaatjes met dranksmaak.

Ik vertelde hem dat ik een non-alcoholische variant mee zou nemen en voegde er nog wat vleierij aan toe: 'Ik ben gisteren in een winkel in Birmingham geweest, de eigenaar luisterde naar een van uw lezingen [...] hij vertelde me dat hij alleen maar naar uw lezingen luisterde, omdat hij niemand meer durft te vertrouwen hahahahaha, Masha'Allah. Ik moest lachen en was zo blij. De mensen hier in het Verenigd Koninkrijk en Denemarken houden echt van u, sjeik. U hebt prachtig werk verricht en u hebt hun harten gewonnen, Masha'Allah, moge Allah u belonen.'

Op 13 maart 2008 landden Fadia en ik in Sanaa. Toen ik het vliegtuig uit stapte, ademde ik de warme, vochtige lucht in en was ik blij de kille druilerigheid van Birmingham achter me te kunnen laten. Ook Fadia vond het fijn uit Alum Rock weg te zijn en zag uit naar het weerzien met haar geliefde oom. Ze wist dat ik een bewonderaar van Awlaki was en zag mijn relatie met hem, na in Denemarken van mijn gewetensconflict getuige te zijn geweest, misschien wel als een stabiliserende factor.

Awlaki vroeg ons hem in Aden te komen opzoeken. Hij was voor een paar weken met zijn zwangere vrouw vanuit Ataq naar de zuidelijker gelegen havenplaats verkast. We spraken met hem af in een restaurant in de buurt van de vismarkt, waar we met elkaar zouden lunchen. Ik omarmde hem bij de ingang en gaf hem de chocolade.

Hij bedankte me overvloedig.

'Onze vrouwen kunnen de maaltijd met z'n tweeën nuttigen. Wij bestellen wel voor ze,' zei hij. Dat was standaardprocedure.

Fadia en Awlaki's vrouw verdwenen in de 'familieafdeling' van het restaurant. Ze was nu bijna zes maanden zwanger.

Anwar en ik deden ons net te goed aan gegrilde witvis toen ik me bijna verslikte. Zijn vrouw was duidelijk ontstemd de mannenafdeling binnengelopen.

'Waar blijft mijn vis?' wilde ze door haar nikab heen met schelle stem weten.

Awlaki keek me met een veelbetekenend glimlachje aan.

Tijdens de lunch sprak hij nadrukkelijk niet over zijn plannen. Ik zag de ontmoeting als een manier om vertrouwen te winnen. Hij leek meer ontspannen dan toen hij net uit de gevangenis kwam. Hij zorgde ervoor discreet te zijn, maar verschool zich niet. Dat leek typisch de manier waarop men in Jemen te werk ging: er was sprake van begrip, bedekte waarschuwingen, uiterste grenzen. In Aden werd Anwar beschermd door een rijke zakenman die ook voor zijn huisvesting zorgde.

'Broeder, ik heb veel geschreven en veel nagedacht,' begon hij, en leunde achterover en keek naar dezelfde haven waar de aanslag op uss Cole had plaatsgevonden.

Dat schrijven en nadenken begon vruchten af te werpen. Terwijl de gloeiend hete zomer steeds dichterbij kwam, had Awlaki een aantal lezingen opgenomen die speciaal bedoeld waren voor aanhangers in het Westen.

In een daarvan, met als titel 'De slag om de harten en de hoofden', ging hij fel tekeer tegen de regering van de Verenigde Staten, die de macht bij de 'gematigde' islam wilde leggen.

De andere, 'Het stof zal nooit gaan liggen', gaf hij live via Paltalk, een onlinechatforum, met als onderwerp de alsmaar voortdurende spotprentcontroverse. Awlaki had alle moslims, waar ook ter wereld, opgeroepen: 'Hoe betrokken zijn jullie? Hoe betrokken zijn we als het gaat om de eer van de *Rasool* [de boodschapper], als het gaat om de eer van de islam, als het gaat om het boek van Allah? Hoe serieus vatten we het op?' vroeg hij.

'We zijn geen volgelingen van Gandhi [...] [zoals] Ibn Taymiyah zegt, is het onze plicht om iedereen te doden die de Boodschapper van Allah vervloekt,' zei hij.

De prediker had geen gevoeliger kwestie kunnen kiezen. Een Zweedse tekenaar had nog eens olie op het vuur gegooid door de Profeet als een hond voor te stellen. Awlaki's kalm verwoorde woede trof bij de extremisten in het Westen een buitengewoon gevoelige snaar. Zijn toespraak deed online uitgebreid de ronde.

Anwar al-Awlaki had de islamistische stratosfeer bereikt. En westerse inlichtingendiensten ontdekten dat zijn lezingen steeds vaker de kop opstaken bij terroristenprocessen in Europa en Noord-Amerika.[27]

Voor mensen die financieel aan de zaak wilden bijdragen, op zoek waren naar een morele rechtvaardiging voor hun daden of het terroristische equivalent van een kleedkamerpeptalk, waren Awlaki's onlinepreken verplichte kost. Awlaki slaagde erin de kracht van ideeën te mobiliseren. Maar al snel werd duidelijk dat hij meer wilde doen om de eer van de Rasool te herstellen.

Begin najaar 2008 – ik was net weer terug in Birmingham, waar ik MI5 hielp bij het in de gaten houden van de snel groeiende militante scene in de tweede stad van Engeland – liet Awlaki in ons gezamenlijke account een concept-e-mail achter. Na de gebruikelijke begroetingen en Allah geprezen te hebben, kwam hij ter zake. Hij wilde graag spullen voor de moedjahedien: zonnepanelen, nacht-zichtapparatuur, waterfilters en nog wat zaken. En hij wilde geld. Hij stelde voor dat ik rondging bij moskeeën in Europa en liet weten dat 20.000 dollar zeer gewaardeerd zou worden. Awlaki was slim genoeg om niet om dingen te vragen die in de strijd gebruikt konden worden, maar hij wist blijkbaar precies wat Al Qaida aan infrastruc-tuur nodig had. Ik vroeg me af wie hem had geholpen bij het opstel-len van dit boodschappenlijstje. Mijn handlers waren verrast en ook wel geschrokken door het verzoek. Awlaki werd tot dan toe door de meer zelfingenomen analisten als een praatjesmaker beschouwd, en de meeste inlichtingenmensen die ik kende dachten dat hij alleen maar als retorische uitlaatklep voor de jihad fungeerde.

'Ik heb je toch gewaarschuwd dat hij gevaarlijk was,' zei ik tegen Jed toen we bij elkaar waren om het over het binnengekomen verzoek te hebben.

Jed was duidelijk over wat er gedaan moest worden. Vijfduizend dollar in contanten en enkele items van het verlanglijstje konden naar hem toe. Mijn Deense handlers vertelden me dat dit tot verdere onenigheid tussen Big Brother en de Britten had geleid. Hoge Britse inlichtingenmedewerkers schrokken er over het algemeen voor te-rug dit soort grote bedragen weg te geven, omdat ze bang waren dat ze, als de media erachter kwamen, wel eens van het financieren van het terrorisme beschuldigd zouden kunnen worden. Zonnepanelen waren prima, contanten (en hangmatten) niet. MI6 liet duidelijk we-ten dat 500 pond de uiterste limiet was.

Jed had voor dit soort subtiele punten geen enkel begrip. Tijdens een bijeenkomst in Kopenhagen, waar de Britten niet bij aanwezig waren, overhandigde hij me het geld in biljetten van honderd dollar. 'Hier.'

Nadat ook de gevraagde spullen waren besteld, nam ik door mid-del van een concept-e-mail contact op met Awlaki.

'Ik heb wat geschenken voor je klaarliggen.'

Op 23 oktober 2008 stonden Fadia en ik op het vliegveld van Sanaa in de rij voor de douane en de immigratiedienst op onze beurt te wachten. Ik maakte me zorgen. In mijn grote koffer, die in een dikke laag plastic was gewikkeld, zat een sporttas. En in die tas zaten de kleine zonnepanelen, de nachtzichtapparatuur, een draagbare waterfilter en een laptop.

Probeer zelfverzekerd te klinken, hield ik mezelf voor terwijl ik steeds dichter in de buurt van de douanebalie kwam, waar een verweerde man van middelbare leeftijd in zijn sjofele uniform stond te transpireren. Hij maakte in de drukkende hitte een futloze indruk, en nu moest hij ook nog een hele vliegtuiglading Jemenieten zien weg te werken, allemaal mensen met spullen die ze zich blijkbaar konden veroorloven uit het rijke buitenland mee te nemen.

Jemenitische douaneambtenaren stonden niet bekend om hun toewijding of opmerkzaamheid. We hoopten erop dat de spullen, zelfs als ze werden ontdekt, niet als verdacht zouden worden beschouwd. Ik stond op het punt daarachter te komen.

'Openmaken,' zei de beambte, en wees op het plastic dat om de koffer was gewikkeld.

'Dan heb ik een mes of iets dergelijks nodig,' zei ik hem in het Arabisch.

Geïrriteerd omdat hij van zijn stoel moest, schuifelde hij naar een zijkamertje. Ik deed mijn uiterste best er zo nonchalant mogelijk uit te zien.

Volgens het protocol moest ik proberen zo veel mogelijk obstructie te plegen. Jeds opdrachten waren heel eenvoudig.

'Je mag ze onder geen beding vertellen dat je voor een westerse inlichtingendienst werkt. Als ze daardoor gaan denken dat je voor de slechteriken werkt, dan moet dat maar. Laat het maar aan ons over om het een en ander zo nodig via diplomatieke kanalen te regelen.'

De douanebeambte kwam met lege handen terug.

'Doorlopen,' zei hij alleen maar.

Dat was een meevaller en, hoopte ik, een goed voorteken voor de rest van de missie.

De operatie in Nairobi in het jaar ervoor had laten zien dat plaatselijke Al Qaida-afdelingen altijd meer uitrusting wilden hebben, spullen die plaatselijk moeilijk te krijgen of erg duur waren. Mijn leveringen vormden een veelbelovende manier om meer over hun leden en plannen aan de weet te komen. AQAP was nu een van de meest effectieve onderafdelingen van Al Qaida geworden. In de maand voordat we met de spullen voor Awlaki in Jemen waren aangekomen, had de organisatie een gecoördineerde aanval met wapens en autobommen uitgevoerd op de Amerikaanse ambassade in Sanaa, waarbij tien Jemenieten om het leven waren gekomen. De aanslag had bij de Jemenitische veiligheidsdiensten voor een hoop onrust gezorgd.

Ik besloot me een paar dagen gedeisd te houden en daarna pas contact met Awlaki op te nemen. Ik zou Fadia met me mee moeten nemen. Als blanke Europeaan in mijn eentje door het onherbergzame zuiden van Jemen rijden was geen optie. Ik had haar verteld dat ik wat spullen voor Anwar bij me had en liet haar in de waan als zouden het dingen zijn die hij nodig had bij zijn pastorale werk.

'En dan kunnen we op de terugweg bij je familie in Taiz op bezoek,' zei ik.

In stilte genoot ze van het idee dat ik bij haar familie langs wilde.

Nog geen week na onze aankomst kreeg ik van Awlaki een sms'je. Hij vroeg me in zuidelijke richting naar Aden te rijden en hem te sms'en zodra we de havenstad hadden bereikt, zodat hij me nieuwe aanwijzingen kon geven. Hij was nog veiligheidsbewuster geworden en zou me pas vertellen waar we elkaar zouden ontmoeten als ik de laatste wegversperring was gepasseerd. En hij wilde de telefoon niet gebruiken omdat hij bang was dat hij aan de hand van Amerikaanse stemherkenningssoftware geïdentificeerd zou kunnen worden. Meer nog dan de Amerikanen beschouwde hij zichzelf blijkbaar nu als potentieel doelwit.

We vertrokken kort na zonsopgang. Bij het passeren van de verschillende wegversperringen die genomen moesten worden voor we Sanaa achter ons konden laten, begon ik me steeds grotere zorgen te maken over de spullen die in de achterbak verborgen waren. Nu we op weg waren naar gebieden waar Al Qaida actief was, zou ik, als een of andere overijverige politieagent de nachtzichtapparatuur ontdekte, met een geloofwaardige uitleg op de proppen moeten komen.

De rit in zuidelijke richting naar Taiz is spectaculair. Vanaf de hoogvlakte van Sanaa daalt de weg een tijdlang, totdat het Jemenitische Hoogland in zicht komt. Oktober markeert het einde van het regenseizoen in Taiz en de bergen gaan dan schuil achter een soort ochtendnevel.

We vonden die avond onderdak in Aden en ik stuurde Awlaki opnieuw een sms'je. Hij vertelde me dat ik de kustweg moest nemen. We maakten voor de zekerheid een nogal grote u-vormige omweg om zo enkele belangrijke wegversperringen te ontlopen. Fadia accepteerde de kronkelroute als een typisch Jemenitisch ongemak. Als we aangehouden zouden worden, zou ze vertellen dat we op weg waren naar vrienden in Ataq. Maar om de een of andere reden, misschien omdat Aden een stuk wereldser was dan Sanaa, werden voertuigen op de kustweg een stuk minder in de gaten gehouden dan elders.

De volgende ochtend passeerden we overvloedige oases vlak bij zee. Langs de weg liepen kamelen, terwijl in de aanlandige wind scheef hangende telefoonpalen als luciferhoutjes tegen de leegheid van de kustvlakte afstaken. Mijn laatste instructies luidden dat ik de kustweg moest verlaten en de bergen in moest rijden. Eén blik op de ondoordringbare bergketen recht voor ons uit maakte onmiddellijk duidelijk waarom Al Qaida dit gebied als thuisbasis had gekozen.

Het rendez-vouspunt was in de buurt van een afgelegen nederzetting in de provincie Shabwah. Een zee van schaliekeien strekte zich uit tot aan de horizon, waar het geheel overging in steile, verweerde bergen. Zelfs eind oktober veroorzaakte de enorme hitte nog steeds een trillend waas. Het verbaasde me dat er in dit maanlandschap nog zo veel planten en struiken groeiden.

Ik zat vooral in de piepzak toen we in de buurt van Lawdar kwamen, een stad die bekendstond om zijn tribale geweld en ontvoeringen en waar zelfs naar Jemenitische maatstaven de centrale overheid nauwelijks iets te zeggen heeft.

Na ettelijke uren in de auto te hebben gezeten, naderden Fadia en ik eindelijk het rendez-vouspunt, dat gelegen was in een vlakke, kurkdroge vallei met bergen eromheen. Het desolate landschap bezat een spookachtige schoonheid.

Opgelucht zag ik het betonnen bouwsel waar Anwar het over had gehad. Een eindje ervandaan stond een stoffig voertuig met een canvas huif over de achterbak. In die wagen zaten Anwar en een jonge lijfwacht, die een dikke zwarte baard had en een kalasjnikov vasthield. Ik parkeerde de auto, liet Fadia erin achter en liep ernaartoe. De geestelijke stapte uit en omarmde me.

'As salaam aleikum, *akhi* [broeder], eindelijk!' zei hij. 'Dit is mijn neef, Saddam,' vervolgde hij.

Anwar droeg net als Bin Laden een groen militair camouflagejasje over zijn gewaad. Aan zijn riem hingen een Jemenitische ceremoniële dolk en een pistool, terwijl aan zijn schouder een kalasjnikov bungelde.

Ik probeerde zo min mogelijk verbaasd te kijken. De prediker was strijder geworden.

Ik ging de sporttas met spullen halen: de laptop, de nachtzichtapparatuur, hoofdlampen, lucifers, sandalen voor de moedjahedien en de zonnepanelen, waarna we naar de schaduw van een eenzame boom liepen die langs de kant van de weg stond. Het was de eerste boom die ik sinds kilometers zag, maar die zorgde voor meer dan schaduw alleen. Al Qaida-leiders gaven hun strijders de laatste tijd steeds vaker opdracht de schaduw van bomen op te zoeken, voor het geval de Verenigde Staten, die ze steeds vaker in het tribale grensgebied tussen Afghanistan en Pakistan inzetten, ook in Jemen onbemande vliegtuigjes gingen gebruiken.

Britse agenten hadden me gevraagd of ik de zonnepanelen bij Maplin wilde kopen, een grote elektronicaketen, en ze hadden me laten zien hoe ze werkten. Ook de laptop had een achtergrond. In het mi5-magazijn in Birmingham had de technicus die me de computer overhandigde erbij verteld dat sommige onderdelen waren verwisseld. Weliswaar waren het identieke onderdelen, maar ze waren wel enigszins 'gemodificeerd'. Zelfs experts zouden de programma's die hij had geïnstalleerd nooit kunnen vinden. Ik nam aan dat die modificaties bedoeld waren om Awlaki via het wifisignaal van de laptop te kunnen lokaliseren en om data te kunnen uploaden zodra hij internet opging.

Maar tijdens de laatste bijeenkomst voor de missie vertelden mijn Deense handlers me dat de Britse laptop vervangen zou worden door een exemplaar van de Amerikanen. Nu ik de CIA op de hoogte had gebracht van Awlaki's operationele status, was het voor de Amerikanen uiterst belangrijk hem te kunnen lokaliseren. Big Brother ging duidelijk op zijn strepen staan.

Ik gaf Awlaki de laptop en de andere apparatuur en legde uit hoe de zonnepanelen werkten. Ook overhandigde ik hem de 5000 dollar.

Die stopte hij zonder iets te zeggen in zijn borstzak. Hij leek enigszins teleurgesteld dat ik niet meer bij me had. Maar het leek op de een of andere manier verstandig om niet aan al zijn wensen te voldoen. Per slot van rekening was ik een jihadist die met moeite het hoofd boven water kon houden.

'Alhamdulillah, dat was alles dat ik tot nu toe bij elkaar heb kunnen sprokkelen, broeder,' zei ik hem.

Na een kwartiertje in de schaduw van de boom langs de kant van de weg te hebben gezeten, keerde ik naar de auto terug.

'Anwar zegt dat we wat moeten eten,' zei ik tegen Fadia. 'Kom, loop maar achter ons aan.' We liepen naar het betonnen gebouwtje een eindje verderop. Het was een restaurant, dat echter slechts voor de helft was voltooid en ik vroeg me af hoe het bouwsel overeind bleef staan.

In de deuropeningen keken twee mannen naar mijn rode haar en baard. Dit was schurkengebied. Zelfs Jemenieten die hier niet vandaan kwamen werden ontvoerd, die dan pas na betaling van losgeld weer vrij werden gelaten. Maar wij stonden onder bescherming van Awlaki en hadden daarom niets te vrezen. Althans, dat hoopte ik.

De eigenaar begroette Awlaki met alle egards en vroeg aan zijn echtgenote of ze Fadia naar de vrouwenafdeling wilde begeleiden.

Daarna nam hij de geestelijke en mij mee naar het dak, waar we op het beton gingen zitten en vanaf tinnen borden lamsvlees en rijst aten. Gelukkig was er een genadig briesje opgestoken. Toen Awlaki klaar was met eten, tikte hij op het bundeltje dollars in zijn borstzak en keek hij me strak aan.

'Het geld van de broeders, kan dat voor wapens worden gebruikt?' vroeg hij.

Een fractie van een seconde dacht ik na wat ik moest antwoorden.

'U kunt met dat geld kopen wat u wilt.'

We bleven niet lang. Ik wilde voor het invallen van de avond weer bij de kust terug zijn. En dan nog zou het een lange, moeilijke tocht naar Taiz en Fadia's familie worden. Dus onmiddellijk nadat we klaar waren met eten zei ik tegen Awlaki dat we moesten gaan. Hij leek teleurgesteld. Hoewel we contact met elkaar bleven houden, zou ik hem bijna een jaar lang niet zien.

Terwijl achter ons het restaurant in een nevel van stof en warmte verdween, gaf ik Fadia mijn mobiel.

'Zou je wat video-opnamen van de omgeving willen maken? Die is zo spectaculair, en ik betwijfel of we dit deel van Jemen ooit nog te zien zullen krijgen.'

Maar er was nog een andere reden waarom ik die beelden wilde hebben. Ik wist dat Jed geïnteresseerd zou zijn in de omgeving waar ik de sjeik had ontmoet. De beelden zouden hem en zijn collega's misschien ook tot nadenken stemmen, dacht ik. In dit soort gebied een oorlog winnen zou altijd een moeilijke zaak blijven.

We volgden de kronkelweg door ravijnen, terwijl er aan de haarspeldbochten maar geen einde leek te komen. Toen we op een gegeven moment na een hele klim boven arriveerden, strekte zich een breed, verlaten panorama voor ons uit – het leek wel een maanvlakte – waarna we aan onze rit naar beneden begonnen, naar de zee.[28]

Twee weken later bevond ik me in een luxueus hotel in Bangkok, waar ik door mijn handlers werd gedebriefd. Fadia en ik waren ernaartoe gevlogen in het kader van onze door de CIA betaalde huwelijksreis, hoewel ik haar had verteld dat ik in de tijd dat ik in de bouw werkzaam was geweest en tijdens mijn periode als taxichauffeur nog wat had kunnen sparen en dat ik daarvan deze reis had betaald.

Ik was even bij haar weggegaan onder het voorwendsel dat ik nog wat boodschappen moest doen.

Ik deed uitgebreid verslag van de ontmoeting in Shabwah en ons gesprek over het geld.

'Je bent zojuist geslaagd voor de test, broeder,' vertelde Jed me. 'Hij heeft je uitgeprobeerd om te kijken of je wel te vertrouwen bent. Als jij voor een inlichtingendienst had gewerkt, zou je geantwoord hebben: "Nee, dit is voor voedsel" of iets dergelijks.'

Jed gaf me na de bijeenkomst een envelop met een bonus van 6000 dollar in contanten. 'Dit is voor jou. Je hebt uitstekend werk verricht. En geniet van je huwelijksreis,' zei hij erbij. Op niet al te subtiele wijze liet hij me op die manier ook weten dat als het aankwam op kiezen tussen de CIA en de Britten, het financieel een stuk aantrekkelijker was om me bij hén aan te sluiten.

Awlaki heeft me nooit meer op de proef gesteld.

16

HET DODEN VAN MR JOHN

Najaar 2008-voorjaar 2009

Heel 2008 bleef ik via concept-e-mails met Ahmed Abdulkadir Warsame in contact, de pezige Somalische jongeman die ik voor het
eerst in Birmingham had ontmoet. Wat hij te kort kwam aan talent,
maakte hij meer dan goed met zijn toewijding. Hij was nu een van
de meer belangrijke uitvoerders binnen Al-Shabaab, en zijn cv had
ongetwijfeld extra gewicht gekregen doordat ik hem met Awlaki in
contact had gebracht.

Om de communicatie op gang te houden, kreeg ik van MI5 toestemming om een eerste van een serie bedragen naar Warsame over
te maken, een zogenoemde *cash transfer*. Dat deed ik via Dahabshiil,
een Afrikaans *money transfer*-bedrijf met een vestiging in Birmingham.[29] In een andere e-mail vroeg hij me of ik beschermende kleding
en rubber handschoenen kon leveren, zodat Al-Shabaab met explosieven kon experimenteren. Ik kocht die spullen met geld dat ik van
de Britten had gekregen, maar ik heb nooit toestemming gekregen
het materiaal daadwerkelijk af te leveren.

Tijdens de tweede week van november, vlak voor de uitgestelde
huwelijksreis naar Thailand, keerde ik naar Nairobi terug om nieuwe
benodigdheden waar Warsame om had gevraagd over te dragen. Hij
wilde een tweede laptop en contanten. Mijn westerse handlers waren
blij met die gelegenheid om mijn geloofwaardigheid bij de groep te
verhogen, en ze zullen ongetwijfeld wel weer een volgsysteem hebben ingebouwd in de laptop die ik van ze had meegekregen. Warsame

stuurde een Keniaanse Al-Shabaab-agent op me af die in Noorwegen had gewoond. Hij noemde zich Ikrimah al-Muhajir.[30]

'Je kunt hem gemakkelijk herkennen aan zijn lange haar,' had Warsame tegen me gezegd.

We spraken af in een Somalisch restaurant in Nairobi. Hij stapte zelfverzekerd naar binnen en ging zitten in de hoekbox die ik had uitgekozen. Ikrimah had inderdaad lang, golvend haar en vanaf die dag was hij voor mij 'Longhair'. Zijn chauffeur, Mohammed, een Keniaan van Somalische afkomst, kwam vlak achter hem aan.

Ikrimah had de bouw van een Keniaanse langeafstandsloper, en had verder nog een keurig bijgehouden baardje en glimmend witte tanden. Hij was van gemengd Somalische en Jemenitische afkomst – van vaderskant behoorde hij tot de Ansi-stam in Jemen. Later veranderde hij regelmatig zijn uiterlijk om te voorkomen dat hij snel werd herkend en had hij op een gegeven moment zelfs een dikke, Saddam Hussein-achtige snor.

We praatten wat over onze gemeenschappelijke Scandinavische achtergrond. Hij sprak Noors en verder ook nog Engels, Frans, Arabisch, Somalisch en Swahili. Hij was opgegroeid in Kenia en hij kwam uit een middenstandsmilieu. Ikrimah had zijn jeugd in Mombasa doorgebracht, een stad aan de Indische Oceaan, waarna het gezin naar Nairobi was verhuisd. Hij vertelde me dat hij vier jaar eerder naar Noorwegen was vertrokken, op zoek naar werk, maar dat hij er ook de vluchtelingenstatus had aangevraagd.

'Maar ik heb er nooit kunnen aarden,' zei hij. 'Ik heb me trouwens ook nooit geaccepteerd gevoeld, met als gevolg dat ik steeds vaker in de moskee te vinden was.'

Ik vond Ikrimah opgewekt en scherpzinnig, slimmer dan Warsame, de man die hem had gestuurd. Hij straalde een enorme ambitie uit en had een onwankelbaar geloof in de heilige oorlog. Onder het genot van geitenvlees en *canjeero*, een dikke Somalische pannenkoek, vertelde hij me dat hij in Mogadishu was geweest, waar hij aan de kant van de Unie van Islamitische Rechtbanken had gevochten toen de Ethiopische troepen het land in 2006 waren binnengevallen.

'Ken je een Deense bekeerling die Ali heet?' vroeg hij me.

'Natuurlijk!' riep ik uit. 'Die heeft me tijdens de gevechten nog gebeld. Hij heeft het hoofd van de een of andere Somalische kafir afgehakt.'

'Subhan'Allah,' reageerde Ikrimah vol ongeloof. 'Ik was erbij toen hij het deed: ik heb die gezegende daad met mijn mobieltje kunnen filmen.' Vervolgens beschreef hij opgewekt hoe de executie in z'n werk was gegaan: hoe Ali de benen onder de spion had weggetrapt en de man, die wanhopig om zijn leven vocht, tegen de grond had gedrukt en vervolgens zijn hoofd eraf had gezaagd.

Nadat de Ethiopische strijdkrachten de Islamitische Rechtbanken eindelijk uit de hoofdstad en een groot deel van Centraal-Somalië hadden weten te verdrijven, was Ikrimah naar Noorwegen teruggekeerd, maar had daar geen politiek asiel gekregen. Daarna was hij naar Londen gegaan en in 2008 was hij naar Oost-Afrika teruggekomen. Nu werkte hij als koerier voor Warsame en andere Shabaableiders en verdeelde hij zijn tijd tussen Somalië en Kenia.

Ik was bang dat hij over de arrestaties zou beginnen die een jaar eerder in Nairobi hadden plaatsgevonden, na de overdracht bij het Intercontinental Hotel. Maar dat gebeurde niet en blijkbaar had niemand bij Al-Shabaab het verband ertussen gezien. Ik moest mezelf op het hart drukken voorzichtig te zijn, ervoor te zorgen dat ik nooit in een situatie terecht zou komen waarbij iemand ogenschijnlijke toevalligheden tot een samenhangende gebeurtenis kon combineren.

Na het eten ging Ikrimah met me mee naar mijn hotelkamer om de laptop voor Warsame op te halen.

De dagen erop reisde ik met Ikrimah in Mohammeds witte Toyotastationcar door Nairobi. Mohammed was altijd opgeruimd en sprak Swahili met een beetje Engels ertussendoor. Hij woonde in Eastleigh, een buitenwijk van Nairobi, en net als ik schnabbelde hij erbij als taxichauffeur, maar het grootste deel van zijn tijd hielp hij Al-Shabaab met hun logistiek. Als je iemand nodig had om je in Nairobi naar een geheim rendez-vous te rijden, of naar een plek in Somalië, dan was

Mohammed je man. Ook bood hij onderdak aan Shabaab-strijders.

Terwijl we ons in Nairobi door het chaotische verkeer haastten, voerde Mohammed allerlei ingewikkelde manoeuvres uit om te voorkomen dat we zouden worden gevolgd. Zodra het verkeerslicht op groen sprong gaf hij snel gas, ging dan anderhalve kilometer verder plotseling op de rem staan en sloeg dan een willekeurige zijstraat in. Soms reed hij dwars door rood om meer afstand tussen ons en de auto's achter ons te creëren.

We stopten bij enkele van Ikrimahs favoriete plekjes in Nairobi, waaronder enkele winkelcentra. Hij kende de stad op zijn duimpje en ik besefte hoe nuttig hij voor Al-Shabaab moest zijn.

Tijdens mijn debriefing in Bangkok bleken mijn handlers door Ikrimah zowel gefascineerd als verontrust te zijn. Hij was tot nu toe nog niet door hen gesignaleerd, maar was tegelijkertijd het bewijs van Al-Shabaabs groeiende invloed in Kenia en het ondersteunings-netwerk dat het daar had opgezet. De westerse inlichtingendiensten moesten toch al hun uiterste best doen om een steeds gevaarlijker wordend Al Qaida aan te pakken, om nog maar te zwijgen van de vele radicale cellen op de diverse thuisfronten. En nu kwamen daar Al-Shabaab en zijn horden buitenlandse aanhangers nog eens bij.

In het voorjaar van 2009 vroeg Warsame, die nu het bevel voerde over honderden Shabaab-strijders, om meer uitrusting, maar hij beging de fout om mij, via een opgeslagen concept-e-mail, te vertellen dat het bestemd was voor een Keniaan die met 'Mr John' werd aan-geduid. Toen ik hem liet weten dat ik in Nairobi was, zei hij dat hij ervoor zou zorgen dat ik Somalië binnengesmokkeld zou worden, zodat ik de spullen kon afleveren en Mr John kon ontmoeten.

Mr John, bleek later, was Saleh Ali Nabhan, iemand voor wie de westerse inlichtingendiensten grote belangstelling hadden. Hoewel hij nog geen dertig was, werd Nabhan verdacht van betrokkenheid bij de aanslag op de Amerikaanse ambassade in Nairobi in 1998, van een bomaanslag op een vakantieoord in Mombasa in 2002 en van een mislukte aanslag met een raket op een Israëlisch passagiersvlieg-tuig dat die dag van het vliegveld van Mombasa opsteeg. Hij werd nu als Al Qaida's gevaarlijkste man in Oost-Afrika beschouwd en Warsame en Ikrimah waren zijn protegés.

Al-Shabaab mocht dan een middeleeuws wereldbeeld aanhangen en fel tegen televisie en sport zijn, Nabhan had blijkbaar wel een BlackBerry en een laptop nodig. (Het blijft een vreemde zaak dat zelfs Somalië, te midden van alle anarchie en chaos, over een redelijk werkend mobiel netwerk blijkt te beschikken.)

Jed, nu mijn belangrijkste aanspreekpunt bij de CIA, vroeg me naar Hotel Ascot in Kopenhagen te komen om daar over een missie te praten die ze voor mij in gedachten hadden.

Bij de Denen die bij deze bijeenkomst aanwezig waren bevond zich een nieuwe agent. Hij heette Anders, had rossig haar, was lang en stevig gebouwd en was minstens zo informeel als zijn collega's, maar zijn intelligentie en achtergrond onderscheidden hem toch van de anderen. Hij had in Syrië Arabisch gestudeerd en begreep de mentaliteit van de mensen daar. Hij had in militaire dienst gezeten en had daarna de opkomst van de islamistische strijdbaarheid bestudeerd. Ik vatte onmiddellijk genegenheid voor hem op, want hij was de enige van de mensen die me aanstuurden die zijn best deed te begrijpen wat Al Qaida en zijn sympathisanten nu precies dreef. Hij was in de eerste plaats analist, waardoor de anderen nog wel eens de neiging hadden hem plagend weg te zetten als een boekenwurm. Ze noemden hem vanwege zijn verhoudingsgewijs nog jonge leeftijd ook wel 'de puppy'. Maar hij deed zijn werk uitstekend en voorzag me van waardevolle bijzonderheden over de opbouw van Al-Shabaab en wie daar de kopstukken waren.

Jed was nog gedrevener dan gewoonlijk. Hij rook bloed: de kans om een van de gevaarlijkste Al Qaida-figuren onschadelijk te maken. In een penthouse-suite van het hotel schoof hij over de vergadertafel een BlackBerry en een laptop naar me toe. 'Deze zijn voor Mr Nabhan. Met onze hartelijke groeten,' zei hij erbij.

Ik twijfelde er niet aan of de CIA had aan de hardware zitten rommelen. Ik had begrepen dat mobiele telefoons en laptops een uniek signaal afgeven waardoor hun exacte locatie kan worden vastgesteld.

Zelfs een mobiel die niet daadwerkelijk wordt gebruikt kan worden gelokaliseerd, omdat het, als het met een stroombron verbonden is, voortdurend een zwak signaal uitzendt dat op zoek is naar het dichtstbijzijnde basisstation. Hetzelfde principe geldt voor laptops die voor wifi geschikt zijn, want die gaan steevast op zoek naar een internetverbinding.

Toen Nabhan in ons vizier kwam, had de technologie al zo'n enorme vooruitgang geboekt dat het werk voor veiligheidsdiensten een stuk makkelijk was geworden. Fabrikanten waren op de markt gekomen met mobiels die met gps waren uitgerust, waardoor verdachte personen nog nauwkeuriger konden worden gevolgd. Het mooie voor de inlichtingendiensten was dat zelfs als een telefoon werd ingeschakeld in een gebied waar helemaal geen dekking was, of een laptop honderden kilometers uit de buurt van de dichtstbijzijnde wifihotspot werd ingeschakeld, spionagesatellieten hun signaal nog steeds konden oppikken.

Jed zei dat hij naar Nairobi zou vliegen om daar contact met plaatselijke CIA-agenten op te nemen, en het plan had van daaruit de operatie aan te sturen. Hij legde me uit hoe ik contact met hem kon opnemen.

'Je moet voor Somalië wel een stuk of wat injecties halen,' zei hij met zijn laconieke lijzige stem.

'Malaria is nou net het laatste waar ik me zorgen over maak,' zei ik lachend.

Voor ik vertrok kreeg ik nog wat elementaire wapentraining op de militaire schietbaan van Jægerspris, in het noorden van Seeland, aan de Roskildefjord. Een gedrongen, stevig gebouwde ex-soldaat van de special forces leerde me hoe ik met een kalasjnikov moest schieten. Klang en Trailer keken hoe ik vaste en beweegbare doelen onder vuur nam. Het wapen had een enorme terugslag, maar geleidelijk aan werd mijn nauwkeurigheid steeds groter. In mijn Bandidos-dagen had ik weliswaar met een pistool rondgelopen en in Dammaaj had ik ook wel wat schietlessen gekregen en in Tripoli was me ook al eens een kalasjnikov in handen gedrukt, maar dit was de eerste keer

Ik als zevenjarige.

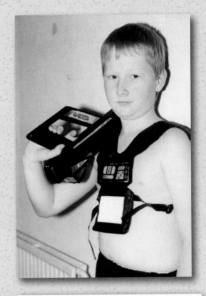

De 'koning' van het lasergamen.

Vibeke en ik in de zomer van 1993.
Ik was toen zeventien.

Vikingen doen ook huishoudelijke taken.

De Korsør Bibliotheek in Denemarken, waar ik
een boek over de islam vond en begon te lezen.

Jaren later terug bij dezelfde boekenplank.

Een maaltijd met mijn moeder in 1999.

In Jemen, 2006.

Ik met mijn zoon Osama in Denemarken
tijdens mijn radicale jaren. (credit: Politiken)

In 2006 na het arrest van
Kenneth Sorensen.
(credit: TV2 Denemarken)

Protesteren bij de Amerikaanse ambassade in Londen in 2005.

Omar Bakri Mohammed leidde de protesten bij de ambassade.

Taimour Abdulwahab al-Abdaly, mijn vriend uit Luton die in 2010 in Stockholm een zelfmoordaanslag pleegde.

Zacarias Moussaoui, mijn voormalige vriend in Brixton en de zogenaamde 'twintigste kaper' van 11 september.

Sanaa, Jemen.
(credit: Cityskylines.org)

Dammaj, Jemen. (credit: Wikipedia)

Taiz, Jemenitische hooglanden.
(credit: supportyemen.org)

Op het mistige bergpad om bevoorrading te leveren aan Awlaki, oktober 2008.

De provincie Shabwah.

Ataq, Jemen. (credit: panoramio.com)

Visumstempel van Jemen, 2001.

Jemenitisch rijbewijs.

Awlaki met RPG.
(credit: AQAP)

Awlaki toen hij in de VS woonde.
(credit: *Washington Post*)

Re: From Viking land   Tue, 8 Apr 2008 at 12:06

From   Anwar Awlaki   +

To   Murad Storm

No it is not allowed because even though all of the alchohol evaporates it is najasah (impure) and that najasah
has mixed with the chocolate.

Murad Storm wrote:
> Waleikum Salaam Warahmatullah
> Sheikh, regarding the chocolate, is it permissible to eat it when it has got like alcohol flavour in it. I asked one
> who makes it, and they use real vine or wisky, however they burn up the alcohol before using it for the chocolate,
> otherwise the chocolate would melt, so only they wisky flavour stays
> What is the ruling regarding this?
> May Allah reward you
> Assalamu AleikuM Warahmatullah
> Abu Osama
>
> "/Anwar Awlaki <al_aulaqi@yahoo.com>/" wrote:
>
> Asslamu alaykum Murad,
> Jazak Allahu khairan. I use xl in shirts. Forget about shoes since I
> only use sandles.
> Cheese and chocolates please:)
> AA
> Anwar

E-mailconversatie met Awlaki
een paar weken voordat ik hem
in mei 2008 in Aden ontmoette.
De geestelijke had gevraagd om
kaas en chocola.

Awlaki met AQAP-emir Wuhayshi, uit *Inspire*-magazine van AQAP.

Awlaki in een videopreek voor aanhangers in het Westen.

De Awlaki-dvd-box.

Irena Horak, die haar naam veranderde in Aminah (foto van haar social-mediapagina).

Awlaki's videoaanzoek aan Animah.

Aminah Muslimah Fisabilillah

I would go with him anywhere, I am 32 years old and I am ready for dangerous things, I am not afraid of death or to die in the sake of Allah subhane we te'alla. I didn't know he has 2 wife already. But I do not mind at all. I want to help him in his work and make dawa to other non-muslims or Muslims. I am good in housekeeping jobs. As he already have 2 wifes and kids I am sure it would be a problem to have a wife with him all the time, without kids, inshaalllah.

I do not know what I will see but I am willing to be a very hardworking and active wife, J support wife and if it is requires I can go inshaallah.

Aminahs Facebook-bericht dat bevestigt dat ze inderdaad met Awlaki wil trouwen.

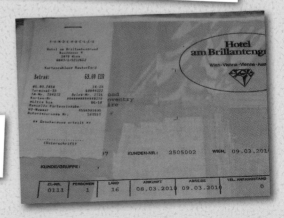

De hotelrekening van mijn eerste reis naar Wenen om Aminah te ontmoeten, maart 2010.

Voordat Irena Aminah werd (van haar social-mediapagina).

Aminahs gesluierde videoboodschap voor Awlaki.

Aminahs ongesluierde boodschap.

De 250.000 dollar beloning van de CIA voor de Aminah-missie.
De combinatie van het slot was 007.

Kenneth Sorensen in Syrië, van een jihadistische video.

Hassan Tabbakh.
(credit: Press Association)

Ikrimah in Noorwegen. (credit: TV2 Noorwegen)

Ahmed Abdulkadir Warsame in de rechtszaal.

Abdullah Mehdar.

AQAP beweert dat dit alles was wat over was van Awlaki's voertuig nadat het geraakt werd door een drone.

Mijn gids in Jaar, AQAP-emir en de tweede man van Al Qaida wereldwijd Nasir al-Wuhayshi, uit *Inspire*-magazine.

'Most wanted'-poster van de FBI voor Saleh Ali Nabhan. Hij was het brein achter de bomaanslag op de Amerikaanse ambassade in Nairobi in augustus 1998.

Bij de Masinga Dam.

Storm Bushcraft in Kenia.

Baden met mijn Deense handlers in een
geothermische spa in Reykjavik, begin 2010.

Mijn CIA-recruiter, Elizabeth Hanson.
(credit: colby.edu)

Op de hondenslee met de westerse inlichtingendienst in Noord-Zweden, maar 2010.

Mijn Ice Hotel-slaapkamer op de reis die door de Britse inlichtingendienst werd georganiseerd.

Skiën in de Noordpoolcirkel.

Mijn Keniaanse visumstempel voor de bevoorradings-missie van Nabhan in mei 2009.

Onderweg om materiaal bij Awlaki af te leveren in oktober 2008...

... Ik heb de rit ernaartoe opgenomen.

Op de weg naar Shabwah, net nadat ik Awlaki had gezien, in september 2009.

Visumstempel van Jemen tijdens de Awlaki-missie in de zomer van 2011. Op 28 juni vertrok ik uit Jemen voor een debriefing in Malaga en ik kwam op 27 juli weer terug.

Klang

I can confirm its picked up. Tell our boy "good job"
From:Klang
23/05/12 19:15

Options   Reply   Back

Soren gebruikte Klangs telefoon om een bericht van de CIA naar me door te sturen nadat ik hun in mei 2012 op een parkeerplaats in Sanaa materiaal had teruggegeven.

3 things: If you email me please write down the date on all your messages. Second, keep in mind that it takes a few days for emails to get to me so if you are setting an appointment then give me advance notice. Third: you do not need to write "to the sheikh" when you email inspire. Anything from your email will be delivered to me.
Please respond to this message with what you want to say and give it to the brother. We cannot have our brother travel with a laptop plus it is suspicious for you guys to type out a message in a public place.
This brother may be the messenger between us for now. One IMPORTANT note: The brother does not know that he is delivering messages for me and he doesn't know where I am so do not mention that this message is for me. Just give it to him and he will deliver it where it needs to be delivered and will get to me insha Allah.
For future correspondence I believe it would be better if your wife delivers the flash to the brother. It's up to you but I believe that you would definitely be watched and that might put you and the brother in jeopardy. Agree with the brother on the place of meeting. Also we need to keep the meetings to a minimum. The brother says it is not safe for him to enter sanaa frequently. So please mention all what you need to say in the message you send me. Please let me know what your program is and the latest news from the west. Also please send the emails of ikrimah and this other brother with your message.
My wife needs some stuff from sanaa so can your wife buy it for her? We have sent other people before and nothing really suited her taste.

Awlaki's eerste USB-stickboodschap.

De KFC in Sanaa waar ik een van Awlaki's koeriers ontmoette, zomer 2011.
(credit: panoramio.com)

set-up/start

Key generator
1. Keymanager 2. Type User name and code
3. Close Key generator.
4. Go back Key manager/import.
5. Opens window with public/private Key
6. Type password for my user Id/click ok
7. Go to import key. click public key -/close

8 Create connection. Click on "friend" and the my Pub/Priv.

Decrypt a message
1. click on friend user key.
2. click on my own key
3. Messages - copy message and paste in message
4. Type your password in order to decrypt click "decrypt" - Read and close.

Mijn aantekeningen van Awlaki's les in Geheimen van de Moedjahedien toen ik hem in Shabwah bezocht in september 2009.

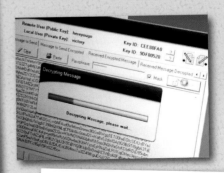

Het ontcijferen van een e-mail van Awlaki, ontvangen op 5 maart 2010 met Geheimen van de Moedjahedien.

Een foto van mij en van anderen op een muur in Syrië.

Al-Qaida-gerelateerde strijders schoten op de foto's.

De uitzending van ABC News over mijn werk voor de CIA.

De tekening die mijn dochter Sarah namens mij maakte voor Naser Khader.

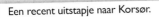

Een recent uitstapje naar Korsør.

dat ik echt instructie kreeg in het omgaan met en afvuren van een wapen. Het was een ondergeschikte maar waardevolle ervaring.

Het stortregende toen ik op 12 mei 2009 in Nairobi aankwam.

'Dat doet het nu al een week,' zei de taxichauffeur die me van het vliegveld naar de stad bracht. Ik had een kamer geboekt in het Jamia Hotel, een bescheiden pension voor doorgaande reizigers dat was weggestopt in een wat armoedig winkelcentrum vlak bij de grootste moskee van Nairobi. Het was precies het juiste adres voor een internationale jihadist die graag onder de radar wilde blijven.

Het bleef regenen en uit de hemel bleven dampende tropische watergordijnen neerkletteren.

Ik stuurde een e-mail naar Warsame om hem te laten weten dat ik was aangekomen. Een dag later antwoordde hij: 'Slecht nieuws. De grens is dicht vanwege overstromingen. Ben met een nieuw plan bezig.' De weinige wegen waarlangs de Keniaans-Somalische grens kon worden gepasseerd verkeerden in een abominabele toestand.

Mijn handlers zaten aan de andere kant van de stad in het Holiday Inn. We ontmoetten elkaar in een vertrek op de begane grond met uitzicht op een weelderige tropische tuin. Slechts een trage plafondventilator zorgde in de vochtige hitte nog voor enige verlichting. Aan Jed was duidelijk te zien dat hij deze moessonomstandigheden maar niets vond en zelfs de altijd koel ogende Klang maakte een oververhitte indruk. Transpiratiedruppeltjes glinsterden in zijn wenkbrauwen en hij veegde regelmatig zijn voorhoofd af met een zakdoek die van een monogram was voorzien. Ondanks het zichtbare ongemak wierp Klang af en toe een steelse blik in de richting van zijn MI6-tegenhanger. Emma leek van de hitte geen last te hebben. Ze droeg een groen safarishirt en een beige korte broek waaruit twee lange, gebruinde benen staken.

Ze draaide zich naar me om.

'Morten. Omdat jij toch even niets omhanden hebt, zouden we graag zien dat je iets voor ons doet. In Eastleigh zit iemand met wie je volgens ons kennis zou moeten maken.'

Ze legde me de missie uit.

Jed explodeerde. 'Dat flikken jullie Britten nou altijd!' schreeuwde hij. Zijn ogen puilden uit. Hij smeet zijn papieren op tafel, stormde naar buiten en sloeg de deur achter zich dicht. Het was doodstil in het vertrek. Klang en ik keken elkaar even aan.

Door het raam zag ik dat Jed een sigaret opstak en op zijn cowboylaarzen heen en weer beende.

Nadat hij zijn sigaret had opgerookt kwam hij weer naar binnen.

'Oké, laten we doorgaan,' zei hij.

Emma zei niets. Ik had echt bewondering voor haar kalmte. Ik vermoedde dat Jed woedend was omdat deze missie door de CIA werd betaald en hij het gevoel had dat de Britten misbruik maakten van de situatie. Op deze manier ontglipte hem een inlichtingenklapper die voor zijn carrière best wel eens van groot belang zou kunnen zijn.

De volgende dag kwam er weer een e-mail van Warsame binnen. 'Nieuw plan: Longhair komt morgen naar je toe.'

Dat was een riskante onderneming voor Ikrimah, die nu wel eens zou kunnen beseffen dat de Keniaanse veiligheidsdienst belangstelling voor hem had. Toen hij bij mij in het Jamia aanklopte, was onmiddellijk duidelijk dat we niet opnieuw samen zouden gaan eten.

'Ik kan niet lang blijven, broeder,' zei hij. Ik gaf hem de telefoon en de computer. Hij keek of ze het deden en maakte een tevreden indruk. Deze Murad komt tenminste met spullen over de brug, leek hij te denken.

Voor hij vertrok noemde hij nog wat zaken die Al-Shabaab graag wilde hebben: met een motortje uitgeruste modelvliegtuigen die van een camera waren voorzien, waarmee live beelden konden worden doorgestuurd en die dus als verkenningsvliegtuigjes konden worden ingezet, plus op afstand bestuurbare autootjes waar explosieven in konden worden gestopt, waarmee vervolgens controleposten van de regering konden worden aangevallen. Ik kon nog net de neiging onderdrukken een wenkbrauw op te trekken en beloofde te zullen kijken wat ik kon doen. Haastig vertrok hij weer.

Een week later kreeg ik een e-mail van Warsame, waarin alleen maar stond: 'Mr John laat je hartelijk bedanken.'

Op 14 september, ongeveer drie maanden nadat de spullen waren afgeleverd, reed Nabhan over de kustweg die de verbinding vormde tussen Mogadishu en het gebied waar Al-Shabaab het voor het zeggen had, in het midden van Zuid-Somalië. Plotseling verschenen er vier stipjes aan de horizon. Het waren Amerikaanse aanvalshelikopters. Zonder dat Nabhan zich dat bewust was, joegen ze vlak boven het water van de Indische Oceaan in de richting van de kust. Ze hadden het zanderige strand nog niet eens bereikt of een salvo raketten vernietigde het uit twee auto's bestaande konvooi. Even later lieten US Navy SEALS zich snel uit de heli's zakken en werden de lichamen uit de wrakstukken getrokken om te kijken of ze nog geïdentificeerd konden worden. Uiteindelijk werd vastgesteld dat een van hen inderdaad Nabhan was. President Obama, die toestemming voor deze eliminatie had gegeven, werd onmiddellijk op de hoogte gesteld. Nabhans lichaam werd door de Amerikanen op volle zee begraven.

De Denen vertelden me later dat de SEALs dankzij mijn apparatuur op hun doelwit hadden kunnen inzoomen.[31]

Een week later kreeg ik van Ikrimah een e-mailtje. 'Mr John is bij een aanval door Amerikaanse helikopters gedood,' meldde hij alleen maar. Mijn andere contact bij Al-Shabaab, Ahmed Abdulkadir Warsame, vertelde me dat Nabhans omgeving vermoedde dat de Amerikanen hem hadden weten te vinden door het signaal van de BlackBerry en de laptop te volgen. Hij zei dat de groep de schuld zocht bij een Somalische koerier die door Ikrimah was gebruikt om ze af te leveren. Al-Shabaab vermoedde dat die koerier nog in Kenia moest zitten. Ze zouden proberen hem op te sporen en te elimineren.

Mijn connectie met Awlaki leek me boven elke verdenking te plaatsen.

17

GEHEIMEN VAN DE MOEDJAHEDIEN

Najaar 2009

Terwijl Amerikaanse zeelieden Saleh Ali Nabhans lichaam in de Indische Oceaan lieten zakken, bereidde ik me voor op een hernieuwd weerzien met Awlaki, een man die voor de Amerikanen aanzienlijk lastiger te traceren was. Het was al weer bijna een jaar geleden dat ik voor het laatst goederen naar hem toe had gebracht, ergens diep in de provincie Shabwah. We hadden via onze gemeenschappelijke map voor concept-e-mails contact met elkaar gehouden, maar hij wilde me ontmoeten en de westelijke inlichtingendiensten wilden maar al te graag dat ik bij hem langsging.

Wederom moest ik, om hem in Shabwah te ontmoeten, zijn mondjesmaat gegeven aanwijzingen opvolgen, en kwam ik uiteindelijk uit in de compound van het stamhoofd Abdullah Mehdar, met wie dit verhaal is begonnen. Het was me niet alleen gelukt om Awlaki te vinden (terwijl de CIA geen flauw idee had waar hij zat), maar ik kreeg ook nog eens een veel helderder beeld over zijn ontwikkeling van intellectueel leidsman tot het brein achter de organisatie. Westerse inlichtingendiensten hadden de grootste moeite om achter de sterkte en de bedoelingen van de AQAP (na de toevloed van Saoedische strijders de nieuwe naam van Al Qaida in Jemen) te komen en welke specifieke rol Awlaki daarbij zou kunnen spelen. Onbemande vliegtuigjes maakten opnamen van rijdende pick-ups, kampementen en compounds, maar die lieten niet zien wie erin aanwezig waren. *Humint*, ruwe, ter plekke verkregen informatie uit de eerste hand, was kostbaar.

Mijn ontmoeting met Awlaki, op die septemberavond, bood me niet alleen een venster op zijn ontwikkeling van denker naar planner, maar leverde ook harde bewijzen voor die transitie op.

'Ik moet je iets laten zien,' zei hij toen we na het eten bij elkaar zaten, en hij pakte zijn laptop en een USB-stick. 'Vanaf nu gaan we op deze manier met elkaar communiceren.'

De USB-stick was voorzien van vercijfersoftware die, heel toepasselijk, 'Geheimen van de Moedjahedien 2.0' heette. Awlaki gebruikte hem al voor zijn contacten met volgelingen in het Westen, en het systeem was gebaseerd op een 256-bits 'Advanced Encryption Standard'-algoritme. Hij vond onze concept-inbox-methode niet langer honderd procent veilig.[32]

Toen hij de software demonstreerde was ik er onmiddellijk door gefascineerd. Het programma had een paar verfraaiingen ondergaan. Als de software werd geladen werd er een AK-47 zichtbaar waarvan de loop de vorm had van een sleutel.

Ik begon aantekeningen te maken.

'De software is online te vinden. Kopieer het programma nooit op je harde schijf en kopieer het nooit als je met internet verbonden bent,' zei hij me. Hij legde me uit dat authentieke kopieën van de software een specifieke digitale vingerafdruk hadden, die in een enigszins wazig patroon op het scherm zou verschijnen, wat ik elke keer moest controleren.

'Om met mij te communiceren moet je een eigen sleutel creëren,' zei hij, en liet me zien hoe ik dat moest doen. De eigen sleutel was in feite een unieke, geheime digitale code die ik kon gebruiken om boodschappen die me waren toegestuurd te blokkeren en te deblokkeren, een en ander beschermd door een persoonlijk wachtwoord en opgeslagen binnen het programma dat op de USB-stick stond. Zo te horen had Awlaki dit verhaal al eerder afgestoken.

'Nu moet je een openbare sleutel creëren,' zei hij, en liet me zien hoe ik in het programma moest navigeren. 'We kunnen onze publieke sleutels uitwisselen via de e-mail, waarna we elkaar vercijferde berichten kunnen toesturen. Als je een vercijferde boodschap hebt ontvangen, klik je op de tekst en kopieer je die, waarna je het programma kunt openen. De software vraagt dan of je ons beider publieke sleutels en het wachtwoord voor de eigen sleutel wilt invoeren. Daarna kun je de tekst in het programma plakken en druk je op de vercijfertoets.'

Ik was verbijsterd toen ik zag hoe een willekeurige hoeveelheid letters, cijfers en symbolen binnen vijftien seconden in goed leesbaar proza veranderde. Als ik een boodschap wilde vercijferen, moest ik precies hetzelfde doen, maar dan in omgekeerde volgorde. Met behulp van deze methode kon je zo'n beetje elk bestand vercijferen, inclusief foto's en videobeelden. Anwar zei dat ik de feitelijk vercijferde boodschap via een anoniem e-mailaccount naar hem toe moest sturen, maar ik ontdekte later dat een vercijferde boodschap ook naar een USB-stick kon worden gekopieerd.

'We denken dat deze methode veilig is, maar wees desalniettemin voorzichtig met wat je zegt,' zei hij.

Awlaki was zich zeer bewust geworden van zijn veiligheid. Toen ik op het punt stond me terug te trekken, afgemat na een zenuwslopende dag, gebaarde hij dat ik nog even moest blijven.

'Er is nog iets waarover ik het wil hebben. Ken jij Mohammed Usman?'

'Jazeker,' zei ik. 'Die heeft een tijdje bij ons in Sanaa gelogeerd.'

'Hij is hiernaartoe gekomen, hij zei dat hij je niet helemaal vertrouwde.'

'Meent u dat?'

Ik was verbijsterd, en ongerust.

'Ja, hij zei dat hij vermoedde dat je voor de Britse inlichtingendienst werkt. Uiteraard had hij niets om die belachelijke beschuldiging te staven. Ik vond het een vreemde knaap.'

'Wanneer is hij hier geweest?' vroeg ik.

'Een paar dagen geleden. Ik heb geen flauw idee waar hij vervolgens naartoe is gegaan.'

'Nou, ik denk niet dat hij nog eens langs zal komen,' zei ik lachend, in een poging dit lastige moment zo luchthartig mogelijk af te doen.

Maar Awlaki hield mijn gelaatsuitdrukking scherp in de gaten.

Ik was min of meer per ongeluk tegen Usman aangelopen, althans, dat had ik altijd gedacht. Tijdens mijn reis van Europa naar Jemen was ik op het vliegveld van Dubai door twee veiligheidsbeambten beleefd maar beslist aangehouden en naar een arrestantenlokaal gebracht. Mijn netvliezen werden gescand, er werden vingerafdrukken genomen en ik werd acht uur lang vastgehouden. Er werden me enkele vragen gesteld, terwijl mijn documenten en bagage slechts oppervlakkig werden bekeken. De volgende ochtend werd ik met opgezette ogen en uiterst geïrriteerd al voor zonsopgang naar de gate geëscorteerd waar de Yemenia-vlucht naar Sanaa zou vertrekken. Het toestel was halfleeg, maar toch werd ik naast een man van rond de 35 gezet die eruitzag als een Pakistaan.

Halverwege de vlucht stelde hij zich voor als Mohammed Usman. Hij kwam uit Leyton in Oost-Londen. Hij kende sommigen van de 'broeders' in Luton en wilde graag kennismaken met gelijkgestemde radicalen in Jemen. Maar hij had geen inreisvisum. Zou dat een probleem zijn?

Ik stelde hem voor tegen de Jemenieten te zeggen dat hij voor een trouwerij was gekomen. Dat had al eens eerder gewerkt en ook bij hem lukte het. Ik zei hem dat hij wel een paar dagen bij mij kon logeren, waarna hij vragen begon te stellen over Awlaki. Hij wilde hem ontmoeten. En ik had hem nog niet eens verteld dat ik de geestelijke kende. Ik reageerde voorzichtig en zei hem dat dat misschien wel mogelijk was.

'Maar hoe weet ik dat jij geen spion bent?' vroeg Usman. Hij glimlachte, maar er zat een ondertoon in zijn vraag die me niet beviel.

'Ik kan jou precies hetzelfde vragen,' repliceerde ik.

Ondanks mijn bedenkingen bracht ik hem toch in contact met enkele jihadistische connecties en via hen zag hij kans Shabwah te bereiken, en Awlaki, om me voor mijn gastvrijheid te bedanken met de meest grove aantijgingen.

Steeds weer moest ik denken aan de manier waarop Awlaki de kwestie ter sprake had gebracht en zette het vervolgens van me af. Ik was er bijna zeker van dat hij aan Usmans beweringen geen enkel geloof hechtte, en op de terugrit naar Saana werd ik steeds optimistischer over wat ik op deze trip had weten te bereiken. Ik zag al helemaal voor me hoe de CIA-mensen zouden watertanden als ze de details over de Geheimen van de Moedjahedien-software te horen zouden krijgen.

Terwijl naast me Fadia af en toe wegdommelde, verstuurde ik een kort sms'je naar Klang.

'Verdomde goed,' tikte ik alleen maar in.

Zodra ik de volgende dag in Londen was geland, kreeg ik opdracht me te melden voor een debriefing. Van MI5 waren Andy en Kevin aanwezig, Jed van de CIA, en twee Deense agenten. MI6, de Britse inlichtingendienst voor het buitenland, werd door Emma vertegenwoordigd.

Ik deed uitgebreid verslag van de reis en de ontmoeting met Awlaki, de wegen, het terrein, Anwars optreden en zijn veiligheidsmaatregelen. Als toegift liet ik hun de vercijfersoftware zien.

Als dank voor mijn inspanningen hadden de Britten in East Sussex een survivalcursus voor me geregeld. Die werd gegeven door Woodlore, het bedrijf van Ray Mears, een survivalexpert die van survival een televisieserie en een succesvolle onderneming had gemaakt.[33]

Terwijl we rond het kampvuur zaten en ons aan elkaar voorstelden, merkte ik dat de tien, twaalf deelnemers aan de cursus voornamelijk bankiers, juristen en accountants waren, werkzaam bij belangrijke Londense firma's. Met een soort zelfvoldane tevredenheid vertelden ze wat ze voor de kost deden.

'En wat voor soort werk doe jij?' vroeg de instructeur toen het mijn beurt was.

'Ik ben taxichauffeur in Birmingham,' antwoordde ik.

Ik ving wat meewarige blikken op. Ze moesten eens weten dat ik eerder die week in opdracht van westerse inlichtingendiensten nog in een uithoek van Jemen op bezoek was geweest.

Ik had het glooiende landschap van East Sussex nog niet goed en wel verlaten of ik werd gevraagd voor een vergadering naar Kopenhagen te komen. Jed liet me satellietopnamen zien van het dorpje waar ik Anwar en Abdullah Mehdar had ontmoet. Hij vroeg me de compound aan te wijzen waar ik op bezoek was geweest. Ik kreeg nog wat andere opnamen te zien, die vanuit een andere hoek waren gemaakt, en toen nog een laatste.

Ik kon de compound met zijn hoge muren duidelijk onderscheiden en stond stilletjes versteld van de enorme resolutie waarmee de verkenningssatelliet dit soort opnamen kon maken.

'Dat is de plek, zeker weten,' zei ik.

'Dank je,' zei Jed. Aan zijn ijskoude blik was te zien dat hij niet echt tevreden was, maar het zelfgenoegzame lachje rond zijn mond was duidelijk voor de Britse aanwezigen bedoeld.

Ik bespeurde een toenemende spanning tussen de Amerikanen en de Britten, wat niet zo vreemd was, want hun prioriteiten ten opzichte van mij lagen nogal uiteen. Ik vroeg me af of Usman misschien door MI6 was gestuurd. Misschien wilden ze bij Awlaki en de leiding van AQAP verwarring stichten. Misschien wilden ze testen waar mijn loyaliteit lag, misschien wilden ze hun eigen mannetje zo dicht mogelijk bij de actie hebben in plaats van zich te schikken naar circusdirecteur Jed met al zijn geld. In het spionagewereldje was niets zoals het leek.

Aan het eind van de bijeenkomst nam ik Emma even terzijde en vertelde haar over de mysterieuze Usman.

'Dat is heel interessant,' zei ze, en stelde me nog wat vragen over hem.

Ik probeerde haar gelaatsuitdrukking te doorgronden. Ze was uitstekend getraind.

'Kom op, ik weet dat hij voor jou werkt. Hou alsjeblieft op met die spelletjes,' zei ik.

'Nee, Morten, je vergist je. Hij werkt niet voor mij.'

Misschien was het vermoeidheid of een ontluikende paranoia die onvermijdelijk bij een dubbelleven leek te horen. Ik zou het nooit zeker weten, want Usman heeft zich nooit meer laten zien. Maar het incident maakte me wel nerveus. Ik had altijd een uitstekende relatie met mijn Britse handlers gehad, maar ik maakte me zorgen dat ze misschien wel eens zouden kunnen proberen mij tot hun exclusieve inlichtingenbron te ontwikkelen.

Mijn bezorgdheid werd gevoed door nog iets anders, dat zich voordeed nadat ik naar Birmingham was teruggekeerd. Toen ik op een ochtend in mijn oude vertrouwde Jaguar stapte, zag ik dat de panelen boven het handschoenenvakje loszaten. Ik dacht dat ermee geknoeid was en dat er afluisterapparatuur of iets dergelijks achter weggewerkt was. Ik rukte de panelen los, maar kon niets vinden.

Ik liet Sunshine weten dat ik een afspraak wilde met de bureauchef van MI5 in Birmingham. We ontmoetten elkaar in een verwaarloosd hotel in de stad, in een kamer waar het naar sigarettenrook stonk. De man zag eruit als een voetbalhooligan van middelbare leeftijd.

Terwijl hij naar me luisterde stak hij een sigaret op en nam er een lange trek van voor hij reageerde.

'Morten, we vertrouwen je, zoiets zouden we niet doen.'

'Denk je soms dat ik op mijn achterhoofd ben gevallen?' zei ik fel.

'Ik zweer het op het leven van mijn zoontje.'

Ik betwijfelde of hij überhaupt een zoon had, maar drong niet verder aan. Vanaf dat moment ging ik ervan uit dat mijn auto, mijn telefoon en mijn huis van afluisterapparatuur waren voorzien.

Misschien begon de druk me te veel te worden. Zo langzamerhand was ik gaan beseffen dat loyaliteit en vertrouwen in deze business nauwelijks bestonden; niemand boekt resultaat door eerlijk spel te spelen. Als er prioriteiten verschoven of de concurrentie verhevigde, kon ik van het ene op het andere moment aan de kant worden geschoven. Voor mijn handlers was de allereerste spelregel meedogenloos eenvoudig: het doel heiligt altijd de middelen.

Zelfs als ze geen spelletje met me speelden, dan nog kon een van de diensten slordig worden, of ik kon een fout maken – en ontmaskerd worden door de groepering waarin ik was geïnfiltreerd. Bij die eerste missie in Nairobi had het allemaal zo gemakkelijk geleken.

Ik had niemand die ik in vertrouwen kon nemen, niemand die ik over mijn argwaan kon vertellen. Fadia wist nog steeds van niets en naarmate het bedrog voortduurde werd het steeds lastiger haar met deze duistere wereld te confronteren. Mijn moeder wist vaag waarmee ik bezig was, maar was nooit een sympathieke schouder voor me geweest. De eenzaamheid die onverbrekelijk aan het bestaan als agent verbonden was, begon aan me te knagen.

In het najaar van 2009 maakte de CIA zich zorgen over Awlaki's zich steeds verder ontwikkelende rol, maar het was een gebeurtenis in Texas die van iemand die steeds meer de aandacht trok een doelwit maakte waarmee op korte termijn moest worden afgerekend.

Op 5 november, om half twee 's middags, betrad Nidal Hasan, een 39-jarige majoor van het Amerikaanse leger, de uitgestrekte legerbasis Fort Hood, zo'n honderd kilometer ten noorden van Austin. Als psychiater was Hasan verbonden aan het Soldier Readiness Processing Center, waar militairen voor en na een uitzending medisch werden geëvalueerd.

Hasan had een FN Five-seven bij zich, een krachtig 5,7mm-pistool dat hij van twee laserviziers had voorzien. In een tijdsbestek van een paar minuten schoot hij dertien mensen dood en verwondde hij er dertig. Sommige getuigen beweren dat ze hem vlak voor het schieten 'Allahu Akbar' hebben horen roepen. Er was zo veel bloed op de plaats delict dat hulpverleners die probeerden de gewonden te helpen voortdurend uitgleden.

In Birmingham was het al laat op de avond toen het nieuws bekend werd. Ik was samen met Fadia thuis toen ik verbijsterd hoorde wat er in Amerika was gebeurd. In eerste instantie had ik geen idee dat er sprake was van terroristische motieven, maar toen ik later die avond de naam van de verdachte hoorde, ging ik rechtop zitten.

Blijkbaar had Hasan het uitsluitend op personeel in uniform voorzien tijdens zijn korte actie, waar een eind aan kwam toen hij vlak voor het gebouw werd neergeschoten. Hij werd in militaire detentie genomen, waarna er snel een onderzoek naar zijn achtergrond en contacten werd geopend. Maar al geruime tijd voor Hasan zijn afgrijselijke slachtpartij aanrichtte, wist de FBI dat Hasan e-mails met Anwar al-Awlaki had uitgewisseld.

Tussen december 2008 en juni 2009 had Hasan circa twintig e-mails naar Awlaki verstuurd die met name gingen over de vraag of het voor een moslim was toegestaan in een buitenlands leger te dienen en aan welke voorwaarden voor een jihad moest worden voldaan. Hij was gaan twijfelen en was geradicaliseerd door de gevechtsverslagen die hij had gehoord van soldaten die uit Irak en Afghanistan waren teruggekeerd. Hij had duidelijk grote bewondering voor de geestelijke, die hij in 2001 in de moskee van Falls Church, Virginia had horen prediken.

In een e-mail schreef hij dat hij haast niet kon wachten om zich in het hiernamaals bij Awlaki te voegen, waar ze het over non-alcoholische wijn zouden hebben. De onderschepte e-mails waren door twee speciale eenheden van de FBI aandachtig bekeken, die vervolgens tot de conclusie waren gekomen dat er geen redenen waren om actie tegen Hasan te ondernemen, omdat deze berichtenwisseling werd gezien als iets wat paste binnen de legitieme belangstellingssfeer en het onderzoeksgebied van een legerpsychiater.

Maar op de ochtend van 6 november 2009 werd deze e-mailwisseling in een heel ander licht gezien. Federale instanties begonnen haastig de contacten te onderzoeken die andere Amerikanen wellicht met Awlaki hadden gehad en spitten daartoe hun databases met onderschepte berichten door.

Ik stond er niet van te kijken dat iemand die rechtstreeks contact met Awlaki had gehad uiteindelijk een terreurdaad had begaan. Naarmate de denkbeelden van de geestelijke steeds opruiender waren geworden, was de kans daarop alleen maar groter geworden. En Awlaki was er als de kippen bij om Hasans aanslag te prijzen. Nog geen vier dagen na de gebeurtenissen in Fort Hood schreef de geestelijke op zijn website: 'Nidal Hasan is een held. Hij is een man met een geweten die niet kon leven met de tegenstelling moslim te zijn en tegelijkertijd deel uit te maken van een leger dat tegen zijn eigen mensen vocht.

De Verenigde Staten geven leiding aan een oorlog tegen het terrorisme, die in werkelijkheid een oorlog tegen de islam is. Het Amerikaanse leger is twee moslimlanden rechtstreeks binnengevallen, terwijl het via zijn marionetten de rest bezet houdt,' voegde Awlaki eraan toe. En hij moedigde andere moslims in Amerika aan Hasans voorbeeld na te volgen.

'De heroïsche daad van broeder Nidal laat ook het dilemma van de Amerikaanse moslimgemeenschap zien. Die wordt steeds vaker gedwongen standpunten in te nemen waarbij ze óf de islam moet verraden, óf het land waarin ze wonen.'

Het was een duidelijke oproep aan in het Westen wonende moslims om geweld te gebruiken.

Ik had van dichtbij gezien hoe groot Awlaki's greep op zijn aanhangers in het Westen was. In maart van dat jaar had ik via Skype een geheime geldinzamelingsactie georganiseerd, samen met een groepje Brits-Pakistaanse volgelingen uit Rochedale. Onder hen bevonden zich enkele artsen die erg graag aan de jihad wilden bijdragen. Ze luisterden gefascineerd naar Awlaki's zelfverzekerde antwoorden op een veelheid aan religieuze onderwerpen. MI5 had deze actie goedgekeurd, die bedoeld was om mijn geloofwaardigheid binnen militante kringen te vergroten, op voorwaarde echter dat het bijeengebrachte geld de geestelijke nooit mocht bereiken.

Ik heb nog steeds een geluidsopname van die gebeurtenis. Awlaki was minstens net zo bedreven in fondsenwerving als de gemiddelde Amerikaanse politicus: 'De vijand onderdrukt de moslims. Het wordt voor elke broeder en zuster die de *Haq* [waarheid] kent belangrijk om zich daardoor te laten leiden [...] als Allah u heeft gezegend met rijkdom, dan hoort u de islamitische zaak te dienen, of we het nu over Somalië, Afghanistan of Irak hebben [...] en niet alleen maar vanaf de zijkant toekijken.

Als het om Jemen gaat, komt het niet op het nieuws en wordt het vergeten, en daarom wil ik elke broeder die daartoe in staat is oproepen om te helpen.'

Maar Awlaki moest beseffen dat hij, door Nidal Hasan op een voetstuk te plaatsen, een onherroepelijke stap had gedaan. Ik had het idee dat het slechts een kwestie van enkele uren zou zijn voor ik voor een volgende ontmoeting zou worden opgeroepen. Ik verheugde me net op het vooruitzicht van een lang weekend met mijn kinderen, maar ik zou moeten buigen voor het onvermijdelijke.

Ik vertelde Fadia dat de kans groot was dat ik naar Denemarken moest.

'Het gaat niet zo goed met mijn moeder,' zei ik, bij gebrek aan iets originelers.

Toen ik in het afgesproken hotel in Kopenhagen arriveerde, was Jed één bundel nerveuze energie.

'Het wordt tijd dat we Awlaki elimineren,' zei hij, met de deur in huis vallend.

'Je bedoelt arresteren?' reageerde ik, tegen beter weten in.

'Nee, ik dacht van niet.'

De cia wilde de door mij verzamelde informatie gebruiken om de man te grazen te nemen die een terroristische daad tegen Amerikaanse staatsburgers niet alleen had goedgekeurd, maar ook nog eens had bejubeld. Het werd nu duidelijk menens.

Ik vormde niet de enige route naar de geestelijke, er werden ook andere inlichtingenbronnen ontwikkeld en er werd grote druk uitgeoefend op de Jemenitische overheid om bij deze nieuwe jacht op militante strijders samen te werken. Maar niemand onderhield het soort relatie met Awlaki als ik. Naarmate hij zou beseffen dat de westerse inlichtingendiensten hun zoektocht naar hem zouden intensiveren, zou zijn kring van vertrouwelingen alleen maar kleiner worden. Waarschijnlijk was ik nog een van de weinigen die tot dat kringetje zouden behoren.

Nog geen zes weken na de gebeurtenissen in Fort Hood vuurden Amerikaanse oorlogsschepen kruisraketten af vanuit de Golf van Aden op vermoedelijke Al Qaida-trainingskampen in Jemen. De Jemenitische regering beweerde, in een poging het verwachte publieke verzet tegen een Amerikaanse militaire actie op Jemenitisch grondgebied zo veel mogelijk in te dammen, dat zíj voor de aanval verantwoordelijk was. Er werd gezegd dat 34 Al Qaida-strijders de dood hadden gevonden, onder wie een aantal leiders uit het middenkader.

Maar de inlichtingen achter die aanval klopten niet, waardoor opnieuw werd aangetoond hoe moeilijk het was om een doelwit te elimineren als er nauwelijks informanten op de grond aanwezig waren. De kruisvluchtwapens vernietigden een bedoeïenennederzetting waar een Al Qaida-strijder en nog een stuk of tien militanten verbleven. Volgens plaatselijke autoriteiten bevonden zich onder de bijna zestig doden, die bij één enkele aanval waren gevallen, veel vrouwen en kinderen.

'De Amerikanen hebben zojuist in eigen doel geschoten,' schreef Awlaki me kort na de aanval.

Die aanval vond plaats op 17 december en precies een week later werd de eerste poging ondernomen om door middel van een nieuwe kruisvluchtaanval Awlaki definitief te neutraliseren.

Volgens beschikbare informatie zou hij aanwezig zijn bij een vergadering van belangrijke Al Qaida-leiders die een reactie op de vorige aanval wilden bespreken.[34]

De eerste meldingen luidden dat Awlaki zou zijn gedood. Ik keek de volgende dag, eerste kerstdag 2009, naar het nieuws terwijl ik van een korte vakantie in Schotland genoot, waar ik een sms'je kreeg van Abdullah Mehdar, de tribale strijder die dicht bij Awlaki stond en met wie ik drie maanden eerder vriendschap had gesloten. 'Met de lange is alles goed,' stond er op het schermpje te lezen.

Op 28 december bevestigde Awlaki ook zelf dat hij het had overleefd, en wel in de vorm van een vercijferde e-mail. 'Pfff. Man, dat scheelde maar een haartje,' liet hij weten. Hij waarschuwde me ook dat ik geen contact moest opnemen met Mehdar, omdat hij een 'lastig onderwerp' was.

Op het moment dat ik de boodschap 'met de lange is alles goed' doorkreeg, naderde Northwest Airlines vlucht 253, onderweg van Amsterdam naar Detroit, de Oostkust van de Verenigde Staten. Een jonge Nigeriaan, Umar Farouk Abdulmutallab zat op stoel 19A, vlak boven de vleugel en dicht bij de brandstoftanks. Terwijl het toestel in de leigrijze lucht op weg naar zijn bestemming steeds lager ging vliegen, trok de jongeman zich op het toilet terug en bleef daar twintig minuten zitten.

Toen hij weer tevoorschijn kwam had hij een plaid om zich heen geslagen en probeerde hij een in zijn ondergoed verborgen explosieve lading tot ontploffing te brengen. De hoofdlading weigerde af te gaan, met als gevolg een smeulende onderbroek, terwijl een stuk of wat passagiers die waarschijnlijk Richard Reid voor ogen hadden of aan de heroïsche daden moesten denken van de passagiers aan boord van de gekaapte United vlucht 93 op 11 september 2001 op hem afstormden.[35]

De missie van deze jonge Nigeriaan was vier maanden eerder in Jemen begonnen. Hij was daar tijdens zijn studie in Dubai naartoe getrokken, aangelokt door de fluwelen tonen van Awlaki en de gedachte aan het martelaarschap. In de zomer van 2009 was hij langs de moskeeën van Sanaa getrokken, op zoek naar iemand die hem met de prediker in contact kon brengen. Uiteindelijk had iemand het nummer van zijn mobieltje genoteerd, en een paar dagen later had hij een sms'je gekregen met een telefoonnummer. Abdulmutallab was aangenaam verrast toen de stem aan de andere kant van de lijn die van zijn held bleek te zijn, die hem vroeg zijn redenen waarom hij aan de jihad wilde deelnemen op papier te zetten.

Nadat hij dat had gedaan en zijn verzoek om leiding had verzonden, werd Abdulmutallab opgehaald en naar Shabwah gereden om daar Awlaki te ontmoeten. Een paar dagen daarvoor was ik bij de geestelijke vertrokken en had ik dezelfde rit in tegenovergestelde richting gemaakt.

Abdulmutallab zei tegen de prediker dat hij bereid was elke missie uit te voeren, ook al zou die hem het leven kosten. Awlaki zorgde ervoor dat er een martelaarsvideo voor Abdulmutallab werd gemaakt en hielp bij het schrijven van de tekst. Hij zei hem dat hij niet rechtstreeks van Jemen naar Europa moest vliegen, omdat dat argwaan kon veroorzaken. En zijn laatste woorden waren volgens de jonge Nigeriaan beangstigend: wacht tot je zeker weet dat het vliegtuig zich boven de Verenigde Staten bevindt en blaas het toestel dan pas op.

In de uren na zijn arrestatie vertelde een ernstig verbrande Abdulmutallab vanuit zijn ziekenhuisbed aan twee FBI-agenten dat hij deze instructies had gehad. Ik zou de volle omvang van wat hij daar bekende pas later te horen krijgen, maar mijn handlers lieten duidelijk blijken dat Awlaki op de hoogte was geweest van de plannen en er ook bij betrokken was. De Amerikanen was op het nippertje een nieuwe aanslag op hun eigen grondgebied bespaard gebleven en Awlaki werd zo langzamerhand even invloedrijk als Osama bin Laden.[36]

Maar nog verontrustender was Abdulmutallabs bewering dat Awlaki rechtstreeks overleg had gepleegd met de man die de belangrijkste bommenmaker van AQAP zou zijn, een jonge Saoedi die Ibrahim al-Asiri heette. Al-Asiri had het explosieve ondergoed in elkaar gezet. Enkele maanden eerder had hij een bom gemaakt die in het rectum van zijn jongere broer Abdullah geplaatst zou worden. Het instrument bevatte honderd gram van het zeer explosieve PETN, een moeilijk te detecteren wit poeder, dat later ook voor het ondergoed werd gebruikt. Het doelwit van Abdulmutallab was prins Mohammed bin Nayef, het hoofd van de Saoedische contraterrorisme-eenheid, die de twee broers twee jaar eerder uit Saoedi-Arabië had verdreven.

Abdullah vertelde de Saoedi's dat hij informant wilde worden en hij mocht daarom bij bin Nayef op audiëntie komen. Hij ging op het vliegveld door de veiligheidscontrole, maar daar kwam hij moeiteloos doorheen. Toen hij het explosief tot ontploffing bracht, bleek de kracht van de explosie recht omhoog gericht te zijn. Abdullahs resten moesten van het plafond van bin Nayefs kantoor worden geschraapt, maar de prins zelf raakte slechts lichtgewond. Hoewel de missie mislukte, werden al-Asiri's broer en kameraden hierdoor extra aangespoord. Nog nooit was Al Qaida zo dicht in de buurt geweest van het doden van een lid van de Saoedische koninklijke familie.

Terwijl Abdulmutallab in Detroit door de FBI nader aan de tand werd gevoeld, keken ettelijke honderden kilometers verder naar het zuidoosten inlichtingenmensen in Washington, DC, aandachtig naar de satellietbeelden van de compound waar ik op bezoek was geweest.

Op 12 januari overvielen commando's van de Jemenitische contraterrorisme-eenheid in alle stilte de compound in het al-Hota-gebied van Shabwah, waar ik op uitnodiging van het stamhoofd Abdullah Mehdar de afgelopen maand september nog had geslapen. Het hoofddoel was ongetwijfeld Anwar al-Awlaki, over wie ik had gezegd dat hij er regelmatig te gast was, maar de terroristische geestelijke was er die dag niet. Mehdar weigerde zich over te geven en vocht tot het bittere einde door, hoewel andere strijders hem dringend adviseerden te vluchten.

Een paar dagen later kreeg ik het nieuws van Awlaki zelf, via een vercijferde e-mail: 'Herinner jij je de knaap nog bij wie je hebt gelogeerd? Het is nu zeker. Hij is gedood. Ik heb een tijdje geleden nog met hem gesproken en hem toen gevraagd of hij zich, als er regeringstroepen mochten aanvallen, in de bergen wilde terugtrekken. Hij zei toen dat hij zich dood zou vechten en niet van plan was zich terug te trekken en dat heeft hij dan ook gedaan. Ze hebben het met z'n twintigen tegen de regeringstroepen opgenomen, waarbij ze ruim zes soldaten hebben gedood, maar moesten zich toen wegens de grote overmacht terugtrekken. Hij weigerde mee te gaan en bleef vanuit zijn huis strijd leveren totdat hij werd gedood. Moge Allah hen vervloeken.' In een volgende e-mail voegde hij er nog aan toe dat hij 'een paar dagen' voordat Mehdar was gedood nog bij hem was geweest.[37]

Later die dag vertelde Anders me, de PET-analist die onlangs aan het team was toegevoegd, dat de Amerikanen hadden bevestigd dat de operatie tegen Mehdars compound het gevolg van mijn informatie was geweest.[38]

Dat nieuws schokte me behoorlijk. Mijn rol bij het in de val laten lopen van Nabhan had me geen moment dwarsgezeten, want hij was een meedogenloze terrorist die betrokken was bij de dood van tientallen burgers. Maar bij Mehdar lag het anders: een kennelijk oprechte man die bereid was om strijd te leveren voor zijn denkbeelden en ter verdediging van zijn territorium. Hij had helemaal niet van een wereldwijde jihad gedroomd, hij wilde helemaal geen bloedbaden aanrichten in Europese steden, noch in het Amerikaanse luchtruim.

Bij mijn werk als dubbelagent was ik nog nooit betrokken geweest bij de dood van iemand die ik kende. Ik herinnerde me de laatste keer dat we elkaar hadden ontmoet, toen de sjeik met zijn ogen vol tranen, terwijl hij me hielp bij het wisselen van een wiel van mijn huurauto, tegen me had gezegd: 'Als we elkaar niet meer ontmoeten, zullen we elkaar terugzien in het paradijs.'

In Birmingham bleef ik dagenlang binnen, verlamd van schuld. Fadia zal ongetwijfeld hebben gedacht dat ik weer last had van een van mijn sombere buien. Ik merkte dat ik niet eens in staat was om ook maar de eenvoudigste dingen te doen, zoals boodschappen halen. Ik werd achtervolgd door een grimmig besef en ik vervloekte mijn naïviteit. Ik had dit kunnen verwachten en me erop kunnen voorbereiden. Mijn werk als informant bestond in feite, onvriendelijk gezegd, uit het doden van mensen. En ik had geen enkele invloed op wie er uiteindelijk als doelwit zou worden aangewezen. De Amerikanen, geholpen door de Jemenitische overheid, hadden een heel breed net uitgeworpen en er werd geen enkel verschil gemaakt tussen mannen als Mehdar en lieden als Nabhan.

Maar er stond nu te veel op het spel en de pressie was te groot om er nog veel langer onder gebukt te gaan. Ik herinnerde me dat een van de strijders die tot de kring rond Mehdar behoorden een zelfmoordaanslag op Zuid-Koreaanse toeristen in Sanaa had gepleegd. Ik heb nooit gehoord dat Mehdar bij die aanslag betrokken zou zijn geweest, maar ik putte er enige troost uit.

Enkele weken na de dood van Mehdar verklaarde Awlaki door middel van een in een studio opgenomen radioboodschap de Verenigde Staten de oorlog. 'Wij hebben niets tegen Amerikanen enkel en alleen omdat ze Amerikaan zijn, wij zijn alleen tegen het kwaad. En Amerika als geheel is veranderd in een natie van het kwaad,' zei hij kalm en nadrukkelijk.

'De jihad tegen Amerika is bindend voor mij, zoals hij ook bindend is voor elke moslim die in staat is strijd te leveren.'

18

HET BLONDJE VAN ANWAR

Voorjaar-zomer 2010

Op 9 maart 2010 stond ik voor het internationale busstation op de Erdbergstraße in Wenen, wachtend op de bus uit Zagreb, die om elf uur zou arriveren. Het was koud en winderig, typisch maartweer in de Oostenrijkse hoofdstad. Uit de bussen kwam een gestage stroom toeristen die allemaal op weg gingen naar de paleizen van de Habsburgers.

Jed had me verteld dat ik zou worden geschaduwd door een CIA-team. Ik keek naar een man met een cowboyhoed die op de hoek van de straat op zijn horloge keek. Ze zouden toch niet zó doorzichtig te werk gaan?

Toen zag ik haar. Ze droeg een lang zwart gewaad, iets wat ik al had verwacht, maar in plaats van volledig gesluierd te zijn, droeg ze slechts een eenvoudige hoofddoek. Een paar plukjes blond haar bewogen in de wind.

'As salaam aleikum. Ik ben Aminah,' zei ze in het Engels met een licht accent terwijl ze me aankeek met haar blauwgroene ogen.

Hoewel Awlaki me had opgedragen westerse kleding te dragen om geen argwaan te wekken, moest ik tot deze vrouw, met wie ik geen relatie had, wel enige afstand houden. Ook gaf ik haar geen hand. Maar ik was wel onder de indruk, de foto's deden haar zonder meer tekort. Aminah was buitengewoon aantrekkelijk: ze had volle lippen, hoge jukbeenderen en een hoekige neus. Ze was 32, maar zag er een stuk jonger uit. Ze deed me aan Gwyneth Paltrow denken, de Amerikaanse actrice. Anwar zou met dit meisje in z'n nopjes zijn.

Ik was haar in november 2009 tegengekomen op een Facebook-fanpagina voor Awlaki, twee maanden nadat hij tegenover mij zijn verzoek had herhaald om in het Westen naar een vrouw voor hem op zoek te gaan. Ik had een boodschap op de site achtergelaten waarin ik om steun had gevraagd en Aminah had daarop geantwoord.

'Wat voor soort steun bedoel je en sta je rechtstreeks met de sjeik in contact?' schreef ze op 28 november 2009 in haar eerste boodschap.

Twee dagen later, nadat we verscheidene berichten hadden uitgewisseld, schreef ze het volgende: 'Ik heb een vraag. Ken je AAA persoonlijk? En als dat zo is, mag ik dan zo vrij zijn je iets te vragen?' AAA was onze code waarmee we Anwar al-Awlaki aanduidden.

'Ja, ik ken hem persoonlijk. Je kunt me alles vragen,' antwoordde ik onmiddellijk. En ze schreef terug:

'Ik heb de sjeik via de post een brief gestuurd. Ik weet niet zeker of ik zijn goede e-mailadres heb, maar ik vroeg me af of hij op zoek was naar een tweede vrouw. Ik heb hem voorgesteld met me te trouwen, maar ik weet niet of dat te onnozel overkomt. Maar ik heb het in elk geval geprobeerd. Nu ik contact met jou heb, is er misschien een mogelijkheid dat jij me wat beter leert kennen en dan in die mate dat je me bij hem kunt aanbevelen.

Ik ben op zoek naar een manier om het land uit te komen en ik ben op zoek naar een echtgenoot die me kan onderwijzen en die ik goed kan helpen. Ik respecteer hem zeer en ook alles wat hij doet voor het Jummah en ik wil hem op alle mogelijke manieren helpen.'

Ik schreef terug: 'Je bent wel nummer 3, want hij heeft al twee vrouwen, maar hij woont niet bij ze omdat ze in de hoofdstad verblijven en hij ziet ze dan ook slechts af en toe. Maar jij zult altijd bij hem moeten zijn, want je hebt daar geen familie. Je moet wel rekening houden met ontberingen en je zult af en toe moeten verhuizen. En huishoudelijke taken op je moeten nemen. Geduld moeten hebben met alles wat je te zien zult krijgen en waarmee je geconfronteerd zult worden, aangezien AAA nog wel eens bloot zal komen te staan aan gevaar en dergelijke, en Allah is onze beschermer. Denk je dat je dit alles aankunt?'

Binnen tien minuten antwoordde ze: 'Ik ben bereid overal met hem naartoe te gaan. Ik ben 32 jaar en klaar om gevaarlijke dingen onder ogen te zien. Ik ben niet bang voor de dood en ook niet om te sterven ter meerdere glorie van Allah. Ik wist niet dat hij al twee vrouwen had. Maar dat vind ik niet erg. Ik wil hem bijstaan bij zijn werk [...] ik ben erg goed in het huishouden [en] ik ben bereid om een erg hardwerkende en actieve vrouw voor hem te worden.'

Aminahs echte naam was Irena Horak. Ik zou haar goed leren kennen. Tientallen e-mails en Facebook-wisselingen zouden volgen. Ze stuurde me lange notities over haar leven toe, die ik dan weer aan Awlaki doorstuurde.

Irena kwam uit Bjelovar, een stadje op het platteland van Kroatië, een kilometer of vijftig ten oosten van de hoofdstad Zagreb. In een van haar volgende boodschappen voor Awlaki, vertelde ze dat ze uit een warm, liefhebbend gezin kwam en dat ze, net als de meeste Kroaten, katholiek was opgevoed, compleet met 'familiewaarden en hoge morele maatstaven'. Ze was bijzonder verknocht aan haar tweelingzus Helena, het enige andere kind van het gezin.

Als tiener had Irena geëxcelleerd in atletiek. Haar toewijding was zo groot dat ze kampioen op de 100 meter sprint bij de junioren was geworden. In de plaatselijke krant stonden foto's van haar waarop ze door de finishlijn dook, de armen in een overwinningsgebaar omhooggestoken. Ze was een gedreven meisje en stortte zich met heel haar wezen op de sprint in de hoop Kroatië ooit bij de Olympische Spelen te mogen vertegenwoordigen.

De tweelingzussen gingen beiden naar de universiteit van Zagreb, waar ze een opleiding volgden aan de faculteit voor onderwijs en revalidatiewetenschappen. Irena wilde graag met hulpbehoevende mensen werken. Ondertussen had ze haar dromen over een roemrijke atletiekcarrière laten varen en had ze zich helemaal op haar studie gestort. 's Avonds bezocht ze in Zagreb nachtclubs, zoals zovelen van haar medestudenten, en danste en dronk daar dan tot de kleine uurtjes.

Veel later ontdekte ik dat ze in die tijd op allerlei sociale media foto's van zichzelf had geplaatst in diverse nogal onthullende poses, meestal gehuld in strakke outfits: diep uitgesneden topjes, veterlaarzen die tot de knieën reikten en zelfs een mouwloze zwartleren bodystocking.

Nadat Irena was afgestudeerd ging ze in een buurtcentrum werken waar kinderen werden opgevangen die op de een of andere manier niet door hun ouders konden worden verzorgd. In dat centrum verbleven zo'n vijftig kinderen in de leeftijd van zeven tot achttien jaar oud, en van wie er ook nog heel wat gedragsstoornissen vertoonden.

Later onderkende Aminah het verlegen trekje in haar eigen karakter. In een van haar boodschappen voor Awlaki schreef ze: 'De mensen zeggen van me dat ik een sterk karakter heb, maar eigenlijk is dat een soort pantser. Ik ben sterk maar ik ben ook erg emotioneel, gevoelig en ik heb een enorme hekel aan onrechtvaardigheid. Ik vind werken fijn, ik ben niet lui, mensen omschrijven me als empathisch, vriendelijk en open naar nieuwe mensen toe.'

Ze was tijdens een trouwplechtigheid in Zagreb per ongeluk met de islam in aanraking gekomen. Een van de gasten daar was Sage geweest, een knappe advocaat met lange dreadlocks en een brede glimlach. Hij was moslim en werkte in Londen. Een paar dagen later nam ze het vliegtuig naar Engeland, nadat ze eerst zonder verdere toelichting haar vriendje had gedumpt. Het tweetal begon een relatie op afstand.

Sage beschouwde zichzelf als gelovig en kon haar liefdevol over de islam vertellen, maar hij nam het geloof verder niet al te zwaar op. Hij genoot ervan om af en toe ergens wat te drinken en zij vond het prachtig om in bars in Londen en Zagreb in zijn gezelschap te verkeren. Ze had een vriendin verteld dat ze hoopte over niet al te lange tijd te zullen trouwen.

Later schreef ze over Sage aan Awlaki: 'Hij sprak zo mooi en vredig over de islam en hij liet me een hoop verschillende dingen ontdekken waarover ik nog niets wist. Ik was nieuwsgierig [...] dus toen ging ik zelf dingen onderzoeken.'

Ze nam contact op met een groepje moslimvrouwen in Bosnië, die haar op hun beurt bij anderen in Zagreb introduceerden, waarna ze af en toe met hen meeging naar de moskee.

'Toen ik de omschrijving van God zag – in de Koran Allah – zei ik tegen mezelf: dit is een God zoals hij volgens mij zou moeten zijn,' liet ze Awlaki in een van haar boodschappen weten.

'Ik heb het altijd al onzin gevonden dat God een zoon zou hebben. Alles wat ik in de islam ontdekte was logisch en simpel, maar tegelijkertijd erg frustrerend en moeilijk te accepteren in die periode dat ik nog zoekende was.'

Ik moest denken aan die keer dat ik zelf besefte iets te hebben ontdekt, daar in die bibliotheek in Korsør.

Na een half jaar verwaterde de relatie met Sage. Het leek wel of voor Irena de islam belangrijker was geworden dan haar relatie. Ze stuurde hem vervelende e-mails, waarin ze kritiek op hem leverde omdat hij weigerde vijf keer per dag te bidden en omdat hij alcohol dronk.

Misschien dat Irena's geloof versterkt werd door de kanker die ze had gehad. Ze vertelde dat ze ervoor behandeld was en dat ze was genezen, maar het maakte een eind aan haar kinderdroom. Ze stortte zich op de islam, ging Arabisch leren en veranderde haar gewoonten en de manier waarop ze zich kleedde en wikkelde zich in lange gewaden en droeg altijd een hoofddoek. Ze verloor het contact met vroegere vriendinnen. Irena werd Aminah.

Over die turbulente tijd vertelde ze Awlaki: 'Na een periode van boosheid en frustratie heb ik een rust en vrede in mijn hart gevonden die ik nog niet eerder heb gevoeld [...] Ik was zo blij met al die nieuwe dingen die ik over de islam leerde [...] Door de islam benaderde ik alles veel emotioneler. Ik huilde tijdens het gebed, ik huilde wanneer ik de *Azan* [de oproep tot gebed] hoorde.'

En net als ik voelde ze een reusachtige energie over zich komen en was het een bevrijding toen ze in mei 2009 plechtig tot de islam toetrad door de shahada uit te spreken, de geloofsbelijdenis.

Een van Aminahs boezemvriendinnen zou later beschrijven hoe ze helemaal in haar nieuwe geloof opging. Het enige waarover ze nog kon praten was de islam en ze probeerde haar vriendinnen herhaaldelijk te bekeren.

Rond die tijd kwam Aminah met Awlaki's in het Engels uitgesproken preken in aanraking, die nu allemaal op internet te vinden zijn. Maar ze werd gegrepen door zijn oproep aan zijn aanhangers om het eenvoudige leven van de Profeet te leiden, niet te vallen voor de westerse moderniteit. Hij mocht er dan niet bepaald knap uitzien, ze bewonderde zijn oprechtheid, zijn intellect en zijn kalme charisma. En in haar dagdromen zag ze zichzelf als zijn vrouw. Hij kon haar vast nog veel over de islam onderwijzen.

Nadat we via Facebook met elkaar in contact waren gekomen, vertelde Aminah me dat ze in Zagreb met de nek aan werd gekeken. Op haar werk klaagde haar leidinggevende over de manier waarop ze zich kleedde. Ze voelde zich afgesneden van de rest van de maatschappij, en zelfs van de Kroatische moslimgemeenschap.

'Ik woon in een land van kafirs. Ik wil hier weg,' zei ze later in een van haar boodschappen tegen Awlaki. Opnieuw herkende ik dat sentiment en moest ik weer aan die akelige dag denken dat ik het levenloze lichaam had gewassen van de oude man die voor de moskee in Regent's Park in elkaar was gezakt.

'Ik ben veelvuldig afgewezen omdat broeders wat het huwelijk betrof niet serieus waren of omdat ze een andere ideologie hadden.'

Aminah kon het niet over haar hart verkrijgen haar vader te vertellen dat ze tot de islam was bekeerd, maar haar moeder had het met grote tegenzin geaccepteerd. Tegen de tijd dat die eerste Facebookboodschap me bereikte, leek ze door en door ongelukkig. Ze had het gevoel dat ze, afgezien van haar familie, maar weinig zinvolle relaties had. Dat gevoel kwam me erg bekend voor.

Maar ik besefte dat deze verloren, beïnvloedbare vrouw, wel eens kansen zou kunnen bieden.

'Aminah kan ons naar Awlaki leiden,' zei ik tegen mijn handlers van MI5, Sunshine, Andy en Kevin, kort nadat we op Facebook met elkaar waren gaan corresponderen.

'We begrijpen je logica, maar we zullen dit eerst met onze superieuren moeten overleggen,' zei Andy.

De Britten deelden mijn zorg dat als we Aminah naar het woeste binnenland van dit explosieve land zouden sturen, ze daar buitengewoon grote risico's zou lopen. De Amerikanen, gesteund door de Denen, waren een stuk enthousiaster.

'Dat idee lijkt ons wel wat,' zei Jed toen we elkaar in Kopenhagen ontmoetten. Er was opwinding in zijn ogen te zien toen hij aan de moeder aller *honeytraps* dacht. Sinds de gebeurtenissen in Fort Hood was het menens geworden en in Washington werd al gediscussieerd of Awlaki, als Amerikaans staatsburger, juridisch gezien wel rechtmatig uit de weg kon worden geruimd. Jed besefte dat Aminah een gouden kans was om de terroristische geestelijke te elimineren.

De cia ging officieel als huwelijksmakelaar fungeren.

Op haar verzoek liet ik Awlaki weten dat ik mogelijk een vrouw voor hem had gevonden en op 11 december nam hij contact met haar op met de vraag of ze een korte omschrijving van zichzelf wilde sturen.

Ze stuurde me haar antwoord met het verzoek het aan de geestelijke door te geven.

'Ik ben 32 jaar oud, ben nooit getrouwd geweest, geen kinderen. Ik ben 1 meter 73, slank, atletisch gebouwd, en ik weet niet zeker of het wel toegestaan is mijn haar te beschrijven. Hoe dan ook, de mensen zeggen dat ik er goed uitzie, aantrekkelijk ben, en er voor mijn leeftijd veel jonger uitzie, iedereen schat me tussen de 23 en 25 jaar.'

Op 15 december stuurde Awlaki me een nieuwe vercijferde boodschap die ik aan haar moest doorgeven.

'Er zijn twee zaken die ik graag zou willen benadrukken. Om te beginnen heb ik geen vaste woon- of verblijfplaats. Daarom kunnen mijn woonomstandigheden nogal eens verschillen. Soms woon ik in een tent. Ten tweede, vanwege mijn veiligheidssituatie moet ik me soms afzonderen, waardoor ik en mijn familie langere tijd geen andere personen ontmoeten. Als je onder moeilijke omstandigheden kunt leven, het niet erg vindt om eenzaam te zijn en wat je communicatie met anderen betreft met beperkingen kunt leven, dan, Alhamdulillah, is dat prachtig. Ik heb geen problemen met mijn beide vrouwen en we kunnen goed met elkaar opschieten. Desalniettemin geven ze er beide de voorkeur aan in de stad te wonen, want ze kunnen er niet goed tegen om met mij op het platteland te leven. Ik wil niet dat me dat met een nieuwe vrouw nog eens overkomt. Wat ik nodig heb is iemand die in staat is de moeilijkheden die op mijn pad komen met mij te delen.

Nog één ding. Zou je een foto van jezelf willen sturen? Verstuur die maar als bijlage.'

Met de 'ondergoedaanslag' op komst, moet Anwar hebben vermoed dat hij steeds hoger op de Amerikaanse lijst van meest gezochte terroristen kwam te staan. Dat is misschien ook de reden geweest waarom hij de ontberingen die aan zijn bestaan gekoppeld waren zo uitgebreid voor de toekomstige Mrs Awlaki heeft beschreven.

Half december vroeg Aminah me om een nieuwe boodschap aan Awlaki door te geven, waarin ze wat basisregels op papier zette.

'Ik wil niet alleen maar een echtgenote op papier zijn, ik wil bij hem zijn en met de islam leven, want dat kan ik hier niet. Ik ben geen typische huisvrouw. Ik kan koken en alle andere huishoudelijke taken uitvoeren, maar ik vind dat verre van leuk. Ik ben begonnen uw voordrachten in mijn moedertaal te vertalen, zodat ik broeders en zusters in dit deel van de wereld behulpzaam kan zijn.'

Ze vroeg Awlaki ook of ze vrijelijk Jemen in en uit kon reizen. 'Mijn grootste zorg geldt mijn ouders. Ik weet dat het een grote schok voor ze is als ik ze vertel dat ik naar Jemen ga,' schreef ze. 'Als ik ze nooit meer kan bezoeken, ben ik bang dat ik deze voorwaarde niet kan accepteren.'

Haar naïviteit was soms verontrustend.

Ik vercijferde haar boodschap met behulp van de Geheimen van de Moedjahedien-software en stuurde hem door naar Awlaki. Op 18 december antwoordde hij: 'Ik ga ervan uit dat als je het land binnenkomt, je dat voorgoed doet, en als je het land verlaat, is dat ook voorgoed […] het land is op weg naar oorlog. Alleen Allah weet wat daarvan de gevolgen zullen zijn,' schreef hij.

En toen kwam hij op haar verzoek met wat meer persoonlijke details.

'Ik ben een rustig iemand. Ik bemoei me nauwelijks met familieaangelegenheden, maar als ik dat wel doe, wil ik beslist dat het op mijn manier gebeurt. Ik accepteer geen ongehoorzaamheid van mijn vrouwen. Met mijn kinderen is het tegenovergestelde het geval, vooral bij mijn dochters. Voor hen ben ik erg flexibel en dat betekent dat de moeder hen zal moeten kastijden, want ik doe het niet. Ik lees graag. Ik breng af en toe wat tijd bij mijn familie door, als ze bij me zijn, maar mijn verplichtingen roepen me vaak weg [...] Mijn werk is belangrijker dan mijn familie, daarom wil ik graag een lichtgewichtvrouw die deel uitmaakt van mijn werk. En omdat ik het grootste deel van mijn leven in het Westen heb gewoond, wil ik graag een moslimvrouw uit het Westen om me heen hebben.'

Awlaki vroeg naar Aminahs e-mailadres, zodat hij haar rechtstreeks enkele 'privévragen' kon stellen. Gezien zijn obsessie met operationele veiligheid en het feit dat een paar dagen later de 'ondergoedaanslag' zou plaatsvinden, nam hij op die manier behoorlijk wat risico. Opnieuw liet hij zich meeslepen door zijn wellust.

Op kerstavond, na de raketaanval op Al Qaida in de provincie Shabwah, nam Aminah opnieuw contact met me op.

'Heb je nog iets van broeder gehoord? Het gerucht doet de ronde dat hij dood is of gevangengenomen zou zijn,' schreef ze.

Direct nadat ik had gehoord dat Awlaki ongedeerd was, schreef ik haar, waarbij ik voor Awlaki de naam Sami gebruikte, de naam die we eerder hadden afgesproken.

'Met Sami is alles goed, Alhamdulillah [...] je moet alleen wat geduld oefenen, zuster, hij staat onder enorme druk. Weet je zeker dat je deze zware test aankunt?'

Hoewel hij op een haar na aan de dood was ontsnapt, was de blonde Kroatische wel degelijk in Anwars gedachten, want vier dagen later al liet hij van zich horen. Ik kon dit aan haar doorgeven: 'Sami doet je de hartelijke groeten, maar ziet geen kans rechtstreeks contact met je op te nemen, maar ik geef zijn boodschap aan je door en jij kunt dan via mij antwoord geven. Hij maakt het goed. Hij is nog steeds geïnteresseerd en vraagt of we de reis etc. kunnen regelen.'

Na de raketaanval op kerstavond sloeg de irritatie bij de Britse inlichtingendiensten om in regelrecht verzet. Ze wilden niets te maken hebben met een plan dat tot de dood van een onschuldige Europese vrouw kon leiden. Ik kon me hun standpunt heel goed voorstellen. Ik wilde zeker weten dat Aminah bij de jacht op Awlaki niet als collateral damage werd beschouwd, als iemand wiens leven er niet toe deed.

De Britse poging om me van de Amerikanen los te peuteren begon een paar weken eerder op een geheime basis die zo in het scenario van een 007-film zou passen.

Fort Monckton was gebouwd tegen het einde van de achttiende eeuw om de haven van Portsmouth te beschermen tegen aanvallen vanbuiten en zijn bastions, kazematten en ophaalbrug zijn behouden gebleven. Het fort is ook uitgerust met vlijmscherpe prikkeldraadversperringen, zoeklichten en bewakingscamera's, terwijl het tegenwoordig bij het Britse leger bekendstaat als No. 1 Training Establishment.

In werkelijkheid is het de belangrijkste trainingsbasis voor de Secret Intelligence Services. Al bijna een eeuw lang worden hier Britse topagenten opgeleid.

Emma, mijn MI6-handler, haalde me in Londen op en samen reden we naar Fort Monckton. Ze was helemaal in het zwart gekleed en had haar bruine haar in een knot gedraaid. Terwijl ze door het verkeer op de snelweg manoeuvreerde, vertelde ze me wat meer over haar achtergrond. Ze had in Oxford gestudeerd, maar had daarna op korte termijn geld nodig gehad en was ze een tijdje stripteasedanseres geweest.

Ik vond het plezierig dat ze me in vertrouwen nam, maar later vroeg ik me af of het niet gewoon een maniertje was, een truc om de zogenaamde 'vertrouwensband' te verstevigen, zodat ik het gevoel zou krijgen echt bij het Britse team te horen.

Toen we de poort naderden, gaf Emma me een hoofddoek.

'Doe dit over je hoofd. We willen niet dat de bewakers van het buitenterrein je zien,' zei ze.

In Fort Monckton werden nog oude gewoonten in ere gehouden. Tijdens het diner werden de mi6-mensen, die bijeen waren gekomen in de gelambriseerde eetzaal, bediend door al wat oudere butlers die nog in livrei rondliepen. Ik werd ondergebracht in de particuliere vertrekken van Sir Mansfield Cummings, het legendarische hoofd van de Britse inlichtingendienst aan het begin van de twintigste eeuw, die zijn brieven alleen met 'C' ondertekende, wat op zich Ian Fleming weer inspireerde om zijn inlichtingenchef met 'M' aan te duiden.

'Wie ben jij nou weer?' vroeg Steve, een al wat oudere instructeur. Hij was ergens in de vijftig en had na de invasie van Irak in 2003 leiding gegeven aan de pogingen van mi6 om Uday Hussein op te sporen, de sadistische zoon van de Iraakse dictator Saddam Hussein.

'Er mogen hier helemaal geen burgers komen. Zelfs ik heb de slaapkamer van de kolonel nog nooit mogen gebruiken,' voegde hij eraan toe.

'Nou, ik ben Morten Storm […],' antwoordde ik, en besefte onmiddellijk dat ik een vergissing had begaan. Emma had me onderweg nog zo gezegd dat ik het tijdens mijn verblijf niet over mezelf mocht hebben.

'Dat is oké, maak je geen zorgen,' regaeerde ze later.

Overdag speelden mi6-agenten en ik enkele rollenspellen. Ik kreeg dan een scenario in handen gedrukt en had dan een kwartier de tijd om me voor te bereiden. Via camera's kon een team in het vertrek ernaast kijken hoe ik reageerde. Bij de debriefing kreeg ik van Steve te horen dat ik een aangeboren problemenoplosser was en dat ik de tests glansrijk had doorstaan. Ik had geen idee of hij dat meende of dat het onderdeel was van het charmeoffensief.

Ook in het nieuwe jaar duurde de speciale behandeling voort.

Ik werd uitgenodigd voor een cursus *counter-surveillance* in Edinburgh, die werd gegeven door Andy en Kevin van mi5.

's Ochtends legden ze in mijn hotelkamer uit hoe ik kon zien dat ik werd gevolgd en hoe ik mijn volgers van me af kon schudden. Een van de methodes was tijdens het lopen een aanleiding zien te vinden om te blijven staan en dan discreet om je heen te kijken. Een andere methode om te kijken of je werd gevolgd was het nemen van een ogenschijnlijk willekeurige route. Maar als je een net iets te grillige route nam, beseften professionals onmiddellijk dat je ze doorhad. Ze vertelden me dat in een auto dezelfde principes golden. Ik moest onwillekeurig aan mijn woeste rit door Nairobi denken, aangeboden door Mohammed, Ikrimahs chauffeur. Andy en Kevin vertelden me ook hoe ik kon controleren of een contact al dan niet werd gevolgd. Dan moest ik hem zeggen enkele specifieke locaties te passeren en hem dan zo discreet mogelijk observeren.

Ik kreeg van mijn MI5-handlers te horen dat verschillende agenten, allemaal mensen die ik nog nooit had gezien, opdracht hadden gekregen me door de straten van Edinburgh te volgen. Het eerste wat ik moest doen was kijken of ik daadwerkelijk gevolgd werd, en als dat zo was moest ik proberen ze van me af te schudden. Na het verlaten van mijn hotel, vlak bij het station, liep ik omhoog en bewonderde de torentjes van Edinburgh Castle, die hoog boven alles uit rezen en glommen in de winterzon. Toen ik het kasteel bereikte sloeg ik links af en volgde de Royal Mile naar beneden. Ondanks een koude wind wemelde het van de toeristen. Het zou moeilijk worden om te zien wie me schaduwde, áls ik al werd gevolgd.

Bij een winkel met kasjmiertruien in de etalage bleef ik abrupt staan en bekeek de prijskaartjes. In de winkelruit weerspiegeld zag ik nog net een man met een zwart-blauw jack langslopen. Toen ik doorliep, zag ik dat ook hij was blijven staan en een standaard met ansichtkaarten bekeek. Nadat ik hem was gepasseerd keek ik niet meer om, maar dook ik op een gegeven moment een steegje in. Toen ik van achter een muurtje naar de Royal Mile keek, zag ik dat hij dezelfde route had genomen.

Ik versnelde mijn pas en volgde een zo willekeurig mogelijke route door de met kinderhoofdjes geplaveide zijstraatjes. Het bleek een plezierige oefening te zijn. Al snel had ik geen idee meer waar ik was, maar mijn volger was verdwenen. Nadat ik me weer enigszins had georiënteerd en in het hotel was teruggekeerd, kreeg ik te horen dat ik voor de eerste test geslaagd was.

Na nog enkele oefeningen namen Kevin en Andy me die avond mee naar een winkeltje aan de Royal Mile dat in *haggis* was gespecialiseerd. Ik had geen idee wat het was.

'Je moet het echt eens proeven,' zei Andy. 'Het is een traditioneel Schots gerecht.'

Toen er op mijn gezicht een onzekere frons verscheen, moesten ze beiden lachen. Vervolgens vertelden ze me precies hoe haggis werd gemaakt, maar daarna werd iedereen weer serieus. De Britse inlichtingendienst investeerde al die kostbare tijd niet alleen maar om mij een plezierige avond te bezorgen.

Nadat we in een rustig hoekje van een plaatselijk restaurant waren gaan zitten, keek Kevin me strak aan en zei ernstig: 'Wij vinden het niet prettig wat de Amerikanen met Aminah van plan zijn. Ons werk bestaat uit het verzamelen van informatie. We doen niet aan eliminaties. We vinden niet dat we Aminah moeten helpen naar Jemen af te reizen. We zijn bang dat ze daar zou kunnen omkomen.'

Maar er zat nog een ander element in Kevins boodschap, waaruit niet bepaald kon worden opgemaakt dat er tussen de Britse en Amerikaanse inlichtingendiensten een 'speciale relatie' zou bestaan.

'Morten, we kunnen je niet dezelfde vergoeding bieden als zij, maar ik kan je één ding wel beloven, en dat is dat we je nooit zullen verneuken. Je weet dat we niet liegen. Wij vinden dat plan met Aminah ronduit slecht en we willen niet dat je verneukt wordt.'

Ik zette mijn keuzemogelijkheden op een rijtje. De Britten leken bereid op lange termijn in me te investeren. Ik kon goed opschieten met mijn handlers en ook ik maakte me zorgen over Aminahs veiligheid. Maar nog niet zo lang geleden had ik nog behoorlijk getwijfeld aan hun uiteindelijke bedoelingen en had ik het vermoeden dat ze bezig waren hun eigen informant in Awlaki's kring van vertrouwelingen te manoeuvreren.

Zowel de Denen als de Amerikanen leken de dagen erna vast van plan om de missie door te laten gaan, ondanks het feit dat de Deense wetgeving de PET expliciet verbood om in het buitenland aan eliminatieoperaties deel te nemen.

Kort na mijn training in Edinburgh belde Klang.

'We gaan naar IJsland, alleen wij Denen, en Big Brother betaalt.'

Een paar dagen later lagen we ontspannen in het geothermische water van de Blue Lagoon, vlak bij Reykjavik. Aan het team was een nieuw iemand toegevoegd, een agent van tegen de vijftig die Jesper heette. Hij was de tegenpool van Klang. Klang was een pauw die maar al te graag met zijn fysiek pronkte. Jesper had niets om mee te pronken, maar hij had wel een soort ingetogen droge humor. Hij werd van voren al wat kaler, had onopvallende gelaatstrekken en was zo mager dat hij een bijna broze indruk maakte. Terwijl Klang als onderdeel van de narcoticabrigade zijn tanden vroeger in het rumoerige drugswereldje had gezet, was Jesper meer een bureauridder. Voor hij bij de PET was gaan werken, had hij deel uitgemaakt van het fraudeteam van de politie dat voornamelijk banken en andere financiële instellingen had onderzocht. Ik vroeg een medebadgast of hij een foto van mij en de andere PET-agenten wilde maken. Tot mijn verbazing hadden mijn handlers daar geen enkel bezwaar tegen.

Later, in mijn suite in het vijfsterren Radisson Blu Hotel in Reykjavik, deed ik verslag van wat de Britten me hadden verteld.

'Morten, wij vinden dat we met de Amerikanen door moeten gaan. Dat is veel leuker. En ze hebben meer geld,' zei Klang.

Het geld was duidelijk een factor. Ze waren bereid mijn honorarium te verdubbelen. Het was niet bepaald een directeurssalaris, ongeveer 4000 dollar per maand. Maar voor iemand die in het verleden regelmatig naar los geld in de spleten van de bank op zoek moest om de eindjes aan elkaar te knopen, was het serieus geld.

Ook had ik het gevoel dat ik op deze manier in elk geval nog enige invloed had op de manier waarop de missie van Aminah zich zou ontwikkelen. Misschien bestond er een manier om Awlaki op te pakken in plaats van hem te doden.

In de eerste weken van 2010 bleven Awlaki en ik e-mails uitwisselen, ondanks de enorme druk waaronder hij stond. Hij wilde dat Aminah zo snel mogelijk naar hem toe zou komen.

'Omdat de regels voor buitenlanders hier steeds strikter worden en er voortdurend nieuwe wetten worden uitgevaardigd [...] misschien kun je proberen haast te zetten achter haar vertrek naar Jemen, voor ze de aandacht van de autoriteiten trekt of het land niet meer binnen mag,' schreef hij.

Op de laatste dag van januari liet hij me nadrukkelijk weten dat ik Aminah niet moest opzoeken, omdat dat haar kansen om Jemen te bereiken wel eens in gevaar zou kunnen brengen.

'Als je naar haar toe gaat, of naar haar informeert, zou je haar wel eens in de problemen kunnen brengen of zelf in de problemen kunnen komen, want je wordt in de gaten gehouden.

Er zijn miljoenen mensen op de wereld die naar me luisteren, maar uiteindelijk is er maar een handvol waar ik op kan rekenen. Het is zoeken naar naalden in een hooiberg. En omdat jij een van de broeders bent op wie ik kan rekenen, geef ik om je en zijn je veiligheid en je welzijn belangrijk voor me, maar dat geldt ook voor je ideeën en *manhaj* [methodologie].'

Enkele ogenblikken lang was ik geraakt door zijn woorden. Hij had nog steeds iets menselijks. Hij was in feite ten dode opgeschreven maar nog steeds op zoek naar mensen op wie hij kon vertrouwen. Ik probeerde een manier te verzinnen om hem op een rustige manier in de val te laten lopen en hem dan aan de Jemenitische autoriteiten over te dragen. Dan was hij weliswaar niet meer vrij, maar dan leefde hij in elk geval nog.

Twee weken later haalde de CIA de Aminah-missie naar voren. Ik moest voor een bijeenkomst naar Helsingør komen. Klang en Jesper pikten me op bij het station, een magnifiek gebouw in neorenaissancestijl met twee torens en drie driehoekige gevels.

'We hebben met de Amerikanen onderhandeld,' zei Klang terwijl we bij het station wegreden. 'Ze zijn bereid je 250.000 dollar te betalen. Op het moment dat Aminah in Sanaa is geland en het vliegveld heeft verlaten, is het geld voor jou.'

Jesper merkte op: 'Maar uiteraard heb je dat niet van ons gehoord. Een van de "masters of the universe" is vanuit Washington, DC, hiernaartoe gekomen om je persoonlijk dat aanbod te doen.'

Zijn mededeling had een zure ondertoon. De Denen wilden dan wel het bed met de Amerikanen delen, maar ze konden best een behoorlijk jaloerse partner zijn. Rechts van ons lag de Sont, de zeestraat die Denemarken van Zweden scheidde, waarvan het water glinsterde in de winterse zonneschijn. Na enkele kilometers bereikten we Hornbæk, een plaatsje waar voornamelijk vakantiewoningen te vinden waren. De Deense inlichtingendienst had aan een door bomen omzoomd meertje een villa gehuurd, een rustige omgeving waar plannen konden worden gesmeed om een vijand van de Verenigde Staten te elimineren.

In de ontvangstruimte van het huis werd ik opgewacht door de op twee na hoogste functionaris van de Deense inlichtingendienst, die gekleed was in kakikleurige broek en een blauw shirt met open hals. Hij was lang en had kobaltblauwe ogen en strogeel haar, waar een keurige scheiding in zat. Soren, de teamleider, stelde hem voor als 'Tommy', en vervolgens refereerden mijn handlers steeds aan hem als Tommy Chef, vanwege zijn natuurlijke gezag en zijn positie als de hoogste undercoveragent bij de PET. Ik kreeg te horen dat hij rechtstreeks aan de machtige directeur van de PET, Jakob Scharf, rapporteerde. Hij drukte me stevig de hand en bedankte me voor mijn inspanningen.

De overige leden van mijn PET-team hadden zich verzameld rond een witte eettafel en zetten hun beste beentje voor. De Amerikaanse afvaardiging arriveerde korte tijd later. Eerst kwam Jed met zijn spijkerbroek en cowboylaarzen binnen, gevolgd door een lange man met peper-en-zoutkleurig haar waarin zorgvuldig een scheiding was aangebracht. Even dacht ik dat dit de man met het chequeboek was, maar hij bleek de CIA-bureauchef in Kopenhagen te zijn en werd als 'George' voorgesteld. Hij hield de deur open voor een kleine, al behoorlijk kale man. Dit was 'Alex', een van de 'masters of the universe', maar dan een met een napoleoncomplex.

Tommy Chef begroette hem met een korte handdruk, waarna de Amerikaan zich naar mij omdraaide.

'We zijn zeer tevreden met je resultaten tot nu toe en willen je daarvoor bedanken,' zei hij. Zijn stem weergalmde tegen de muren.

'We zien dit als een mooie gelegenheid om Awlaki tegen te houden, en zoals je weet staat dat hoog op het prioriteitenlijstje van mijn overheid. President Obama is hierover persoonlijk ingelicht. Dat weet ik omdat ik rechtstreeks aan het Witte Huis rapporteer,' zei hij er ten overvloede bij. Zijn twee ondergeschikten maakten er een hele show van om te laten merken dat ook zij hiervan zeer onder de indruk waren.

'Dus laten we ter zake komen: mijn overheid is bereid om jou voor je koppelingswerkzaamheden te belonen met een bedrag van een kwart miljoen dollar. Zorg ervoor dat Aminah naar Jemen vertrekt en we maken het geld naar je over.'

Daar hoefde ik niet lang over na te denken. 'Afgesproken,' antwoordde ik.

'Uitstekend,' zei hij. 'Ik wil één ding alleen duidelijk stellen: vanaf nu rapporteer je voornamelijk aan ons en niet aan onze Britse vrienden.'

De Deense agenten brachten een blad met smørrebrød binnen, sandwiches met gerookte zalm, zure haring en salami.

Alex boog zich met een ernstig gezicht iets naar voren. 'We hebben een excuus nodig om een ontmoeting tussen jou en Aminah te regelen.'

Ondanks Awlaki's bedenkingen jegens mijn afreizen naar Wenen om daar Aminah te ontmoeten, waren de Amerikanen niet van plan om Aminah naar Jemen te laten afreizen zonder haar eerst nagetrokken te hebben.

Ik haalde mijn laptop tevoorschijn en tikte een concept-e-mail naar de geestelijke: 'Met betrekking tot de zuster. Ze staat erop dat ik haar in Wenen, Oostenrijk, ontmoet, aangezien ze nog vragen heeft die ze niet via de telefoon kan stellen.'

Alex stond erop nog wat wijzigingen in de tekst aan te brengen, ongetwijfeld om later te kunnen zeggen dat het bericht van hem afkomstig was.

Daarna activeerde ik de Geheimen van de Moedjahedien-software op mijn computer, tikte mijn eigen sleutel in, vervolgens de publieke sleutel van Awlaki en drukte op 'vercijferen'. Ik kopieerde het bericht en plakte de ontstane gecodeerde tekst in mijn e-mailbrowser, ging naar een anoniem e-mailadres dat Awlaki gebruikte en drukte op 'verzenden'.

Alex keek gefascineerd toe.

'Weet je dat je letterlijk honderden agenten in de States handenvol werk bezorgt?' merkte hij op.

Awlaki kwam vijf dagen later met een antwoord.

'Als je bij haar op bezoek gaat, stuur ik je, als vercijferd bestand, misschien wel een upload toe met een clip van mezelf. Dan kun jij die haar laten horen en haar vertellen dat ik het inderdaad zelf ben.'

Door met een video-opname over de brug te komen, reageerde Awlaki op een verzoek van Aminah om een speciaal voor haar bedoelde videoboodschap, zodat ze zich ervan kon overtuigen dat ze daadwerkelijk met Awlaki te maken had.

Ik bracht de PET van Awlaki's e-mail op de hoogte via de Noorse provider Telenor. We maakten van Telenor gebruik omdat die bij het vercijferen betere veiligheidswaarborgen bood dan de andere providers. De Denen deelden veel met de Amerikanen, maar net als alle inlichtingendiensten wilde de PET de informatie als eerste hebben. Het was hun manier om de Amerikanen eraan te herinneren dat ik uiteindelijk een Deense agent was. Maar het feit dat er van Telenors veiligheidswaarborgen gebruik werd gemaakt was ook symptomatisch voor de angst die elke dienst had dat hun berichtenverkeer wel eens zou kunnen worden onderschept. MI5 had me opgedragen nooit iets belangrijks via de telefoon door te geven, voor het geval de Russen of de Mossad mee zouden luisteren. En bij MI6 werd al helemaal geen telefoon gebruikt.

Enkele dagen later schreef Awlaki opnieuw en meldde dat hij nu niet meer in een tent woonde, maar in een huis.

'Persoonlijk geef ik hieraan de voorkeur boven een tent in de bergen, omdat ik hier beter kan lezen, schrijven en onderzoek doen.'

Hij voegde er een lange privébijlage voor Aminah aan toe en vroeg me of ik haar wilde vertellen hoe ze de Geheimen van de Moedjahedien-software moest gebruiken en schreef er nog bij: 'Het belangrijkste is dat ze met een lege e-mail begint, die niet van thuis uit is geopend.'

Jed vergezelde me naar Wenen, waar het rendez-vous zou plaatsvinden, en bij een glas bier op de avond voordat Aminah zou aankomen, ontdekte ik tot mijn grote verrassing dat we beiden grote Metallica-fans waren. Ik wist nog maar zo weinig van hem. Hij was getrouwd en had een stuk of wat kinderen en een dobermannpincher. Waar hij vandaan kwam, waar hij woonde en werkte, daar had ik niets mee te maken en daar moest ik ook niet naar vragen. Maar ik had grote waardering voor zijn vastbeslotenheid om resultaten te boeken.

Alex had bedacht dat ik Aminah via een bakkerij die als tussenstation zou dienen naar de Lounge Gersthof moest brengen, een restaurant en bar vlak in de buurt, waar een volgteam was gepositioneerd. Maar op het allerlaatste moment besefte ik dat het absurd was om haar mee te nemen naar een etablissement waar alcohol werd geschonken. In plaats daarvan stelde ik voor naar een nabijgelegen McDonald's te gaan.

We gingen in een afgescheiden hoekje zitten. Ik opende mijn laptop en liet haar de brief van Awlaki zien.

'Zuster, de stap die je op het punt staat te nemen is een grote en ik bid dat je er klaar voor bent. Maar laat ik het volgende uit mijn eigen ervaringen met je delen [...],' luidde zijn boodschap.

'Ik heb een tijdlang een gemakkelijk en comfortabel leven geleid. Daar staat tegenover dat ik ook heb geleefd in een tent zonder stromend water en ik van mijn bewegingsvrijheid beroofd geweest ben.

Maar laat ik je vertellen van de vreugde die Allah in mijn hart heeft gebracht en de rust en vrede die ik voelde terwijl ik ter meerdere glorie van Hem door deze moeilijke tijd ging, zodat ik er niet aan moet denken ooit nog naar dat vroegere leven terug te keren. Ik wil nooit meer terug.

[De maanden in de gevangenis] waren de beste dagen van mijn leven, ik had nooit gedacht dat ik het zou volhouden [...] maar het is me gelukt. Waarom? Omdat Allah me daarbij heeft geholpen [...]

Het probleem [waarmee je geconfronteerd zult worden] zijn de beperkingen in je bewegingsvrijheid en het niet kunnen communiceren met anderen. Ook het moeten leven in een vreemd land, zonder vrienden en met een taalbarrière, is een probleem[...].'

Aminah las zijn brief langzaam door, terwijl er op haar gezicht geen enkele emotie te zien was. Toen wendde ze haar blik van het scherm af en keek ze me aan.

'Besef je de consequenties?' vroeg ik haar.

'Ja, ik ben er klaar voor, insha'Allah,' antwoordde Aminah. 'Ik wil me aan de islam wijden en ik wil dat sjiek Anwar mijn leermeester is.'

Ze stelde me een groot aantal vragen over Jemen. Het feit dat ze nauwelijks verre reizen had gemaakt (haar enige bezoek aan de Arabische wereld was een vakantie in Tunesië geweest), betekende dat ze nauwelijks besefte wat voor soort leven haar te wachten stond. Maar ze leek geen moment aan haar toewijding te twijfelen.

Zoals Awlaki had gevraagd, liet ik haar zien hoe ze met behulp van de Geheimen van de Moedjahedien-software een vercijferde e-mail kon versturen.

'Betekent dat dat ik nu deel uitmaak van de moedjahedien?' vroeg ze terwijl ze me strak aankeek.

'Jawel, zuster, dat betekent het,' antwoordde ik.

Ze had tranen in haar ogen. 'Ik ben een moedjahedien,' fluisterde ze, en er ging een rilling door haar heen.

Diezelfde avond nog gaf ik vanuit een hotelkamer in Kopenhagen de details van de ontmoeting door.

George, de bureauchef van de CIA, was opgetogen.

'We sturen die informatie naar Washington en bekijken dan wat onze volgende stap moet worden.'

De Britten hoopten nog steeds mij van de missie los te kunnen weken. In de tweede helft van maart werd ik uitgenodigd om langs te komen bij mijn Britse contacten, die waren neergestreken in het Ice Hotel in het verre noorden van Zweden: een wonderlijk paleis dat helemaal uit sneeuw en ijs was opgetrokken.

Daar waren verscheidene van mijn handlers aanwezig: Andy en Kevin en ook Emma, helemaal in haar element, gekleed in een chic skipak en moonboots. Klang, die geen feestje zou overslaan, was er ook. Maar er waren geen Amerikanen uitgenodigd.

We maakten een rit met een hondenslee door de poedersneeuw, ragden in auto's met vierwielaandrijving wat over het ijs rond en hielden een race met sneeuwscooters.

Tijdens dit uitstapje werd er door de Britten met mij niet over Aminah gesproken. Misschien vonden ze dat te voor de hand liggend en te vulgair, misschien waren ze bang voor Klang. Ze wisten dat de Deense inlichtingendienst en de Amerikanen behoorlijk wat in het Aminah-gambiet hadden geïnvesteerd. Ik denk dat ze nog hoopten dat ik, nadat we de onderlinge band in de sneeuw hadden versterkt, van gedachten zou veranderen.

Maar de Aminah-missie had op dat moment al te veel momentum.

Op een voorjaarsdag in 2010 stond ik in de rij voor de incheckbalie van het vliegveld van Birmingham, van waaruit ik naar Kopenhagen zou vliegen voor een planningsbespreking over Aminahs missie, toen ik werd gebeld.

Het was Kevin, mijn MI5-handler. Hij wist waar ik was.

'Morten, als je nu afreist, moet je wel beseffen dat we elkaar niet meer terug zullen zien,' zei hij.

Ik liep bij de incheckbalie vandaan. Wat de Britten betrof had ik de verkeerde kant gekozen en hierna was er geen weg terug meer.

'Ik wil je alleen nog zeggen dat we een fantastische tijd hebben gehad samen,' vervolgde Kevin met onmiskenbare oprechtheid. 'We hebben uitstekend werk verricht. Het is echt triest om dit te zien gebeuren, maar je weet dat we met een bureaucratie te maken hebben en daar kunnen we verder niets aan doen.'

MI5 en MI6 verbraken hun band met mij.

Tijdens de vlucht naar Kopenhagen was ik onrustig. Ik was op een bepaalde manier op Kevin, Andy, Emma, Sunshine en mijn andere Britse handlers gesteld geraakt. Het Verenigd Koninkrijk was mijn tweede vaderland en ze leken me beter te begrijpen dan de Denen. Maar de breuk was definitief. De Denen vertelden me dat de Britten hadden verordonneerd dat ik op Brits grondgebied niet langer e-mails van Awlaki mocht openen. Vanaf dat moment was ik gedwongen elke keer naar Kopenhagen te reizen om te zien of de geestelijke nog een boodschap had verstuurd.

Ik had nauwelijks tijd om lang bij mijn scheiding van MI5 en MI6 stil te staan. Nadat ik in Kopenhagen was gearriveerd, werd ik naar een vakantiehuis op de zuidelijke oever van de Roskildefjord gereden, zo'n veertig kilometer ten westen van Kopenhagen.

Daar vertelde Jed me dat ik voor Aminah een koffer moest kopen.

'Is dat niet een tikkeltje riskant, zal ze dat niet een beetje vreemd vinden?' vroeg ik.

Ik kwam met een alternatief. Ik zou aan Awlaki vragen wat Aminah moest meenemen. Als ze zou zien dat het verzoek van hem afkomstig was, zou ze waarschijnlijk geen argwaan koesteren.

Jed liet me ook een houten beautycase zien die ik aan Aminah moest geven. Hij hoefde me er niet bij te vertellen dat ergens diep in dat ding een zendertje verborgen zat waarmee de locatie ervan exact kon worden bepaald. Maar het leek te vragen om problemen.

Klang vond dat ook.

'Jij gaat haar dit niet geven. Als iemand het laat vallen en ze ontdekken die transponders, is het met je gedaan,' zei hij. 'Soms begrijp ik die Amerikanen niet. Ze denken gewoon niet na.'

Op 21 april, vlak voordat ik naar Wenen vloog, kreeg ik antwoord van Awlaki.

'Ze moet niet meer dan een koffer van gemiddelde grootte meenemen en één stuk handbagage. Ook is het verstandig als ze wat contant geld bij zich heeft, voor het geval dat […] Minimaal zo'n 3000 dollar. Ook moet het een retourticket zijn voor als er zich op het vliegveld onverwachte problemen mochten voordoen.'

Awlaki ging ervan uit dat ik dat geld in Engeland wel in de moskeeën bijeen zou sprokkelen.

Awlaki's aandacht voor zelfs de kleinste details was ongelooflijk, vooral als je besefte dat nog maar net drie weken eerder bekend was geworden dat de regering-Obama hem als 'beoogd doelwit' had aangemerkt. *The New York Times* had gemeld dat het Witte Huis de 'buitengewoon opmerkelijke, zo niet ongekende stap' had genomen om de eliminatie van Awlaki goed te keuren, hoewel het hier ging om een Amerikaans staatsburger, maar dat kwam omdat er nu van werd uitgegaan dat hij actief betrokken was bij terreuraanslagen.

Jed en George waren tevreden met Awlaki's antwoord. Er was zojuist opnieuw een hobbel genomen en hun project zou wel eens het eerste kunnen worden waarbij de geestelijke recht in het vizier van de Amerikanen kwam. Ze mailden me, waarbij ze van een vercijferprogramma gebruikmaakten en aan Awlaki refereerden als 'Hook', – een van zijn bijnamen die de jihadisten hem hadden gegeven.

'Ons gesprek over de reisadviezen die Hook voor haar zou kunnen hebben, lijkt zich uit te betalen! [...] We stellen voor dat je Hooks raadgevingen als reden hanteert om de zuster de koffer te geven. [...] Zeg alsjeblieft tegen de zuster dat Hook wil dat ze 3000 dollar meeneemt [...] dit is de perfecte dekmantel voor je volgende trip naar haar. Goede reis en succes, je broeders.'

Het was een van de weinige keren dat de CIA een papieren spoor achterliet, hoe gecodeerd de tekst ook mocht zijn.

Op een winderige voorjaarsmiddag ontmoette ik Aminah in een park in Wenen en samen wandelden we naar een Turks restaurant. Ik vertelde haar over Awlaki's wensen met betrekking tot de koffer en dat hij aan mij had gevraagd het geld voor haar reis bijeen te brengen.

Alex kwam vanuit Washington overvliegen voor de debriefing in Roskilde, die de volgende dag zou plaatsvinden. Afgezien van Soren, die aan het gesprek deelnam, liepen de meeste Deense agenten wat rond en brachten ze ons regelmatig koffie en snacks uit de keuken, wat alles zei over de pikorde.

'Het is tijd voor de liefdesboodschappen,' zei Alex. Awlaki had me een paar weken geleden een opname voor Aminah gestuurd en had gevraagd of ze, voor ze zou afreizen, een video-opname van zichzelf wilde maken. Jed haalde een camcorder uit zijn tas en schoof die over tafel naar me toe.

Het was ook hoog tijd om een koffer te kopen.

'We willen precies weten welk merk, soort, kleur, alles,' zei Jed. Hij stelde voor een Samsonite te nemen. Die zou ongetwijfeld op het vliegveld, vlak voor ze naar Jemen zou vertrekken, worden omgewisseld voor een identiek exemplaar dat van een volgzendertje was voorzien.

Er hing een bepaalde spanning in de lucht. Er werd niet meer geprobeerd kameraadschappelijk te doen of grappig te zijn. Hier hing veel van af. Af en toe verliet Alex heel even het huis en liep dan de steiger op, buiten gehoorsafstand. Ik zag hoe hij hevig gesticulerend in zijn mobiel sprak. Ongetwijfeld opdrachten die maar beter uitgevoerd konden worden. Jed leek steviger te roken dan gewoonlijk. Maar ik was bang dat de CIA, in haar haast om de missie te laten slagen, enkele cruciale details over het hoofd zou zien.

De Amerikanen hadden het niet leuk gevonden dat ik op mijn vorige trip naar Wenen Aminah op eigen initiatief mee naar een McDonald's had genomen in plaats van naar het restaurant waar ze hun mannetjes hadden geïnstalleerd.

'Deze keer verwachten we van je dat je precies doet wat we hebben afgesproken,' beet Alex me toe.

'Ik vond het geen logische plek,' repliceerde ik, boos vanwege zijn arrogantie. Maar ik liet me verder niet tot een woordenwisseling verleiden.

Ik ging zitten om een concept-e-mail aan Awlaki te tikken en verwees naar het artikel in *The New York Times* waarin werd gemeld dat zijn eliminatie van hogerhand was goedgekeurd.

'Moge Allah de Amerikanen hiervoor vervloeken, de smerige kafir-zwijnen,' schreef ik als een ware jihadist.

Toen Alex het concept las, werden de rimpels in zijn veel te grote voorhoofd nog wat dieper.

'Dat kun je niet zeggen, dit is onacceptabel,' zei hij.

Tot mijn verbazing nam Anders nu het woord.

'Nou, zo hebben we het anders altijd gedaan. Wij Denen vinden het prettig om het op onze eigen manier te doen,' merkte hij kil op.

Alex draaide zich naar de jonge Deen om, maar Anders keek hem strak aan. Alex stond zonder een woord te zeggen op en liep door de openstaande deuren de tuin in.

Later gebaarde Klang dat ik mee moest komen naar de keuken. 'Zit daar maar niet over in, Morten, zodra je vriend vertrokken is veranderen we de tekst weer terug.'

Maar ik had nog een ander dilemma, een die mijn handlers in hun zalige onwetendheid met betrekking tot salafistische vereisten volledig over het hoofd hadden gezien. Ik kon Aminah niet zomaar zonder sluier filmen in een Weense hotelkamer. Dan zouden er onmiddellijk grote vraagtekens bij mijn religieuze geloofwaardigheid worden geplaatst. Maar misschien was er nog een andere manier.

Fadia en ik waren ondertussen van Birmingham naar het nabijgelegen Coventry verhuisd. Raleigh Road, een straat met keurige vooroorlogse rijtjeshuizen, was een stuk prettiger dan Alum Rock in Birmingham. Ik kwam vanuit Roskilde naar huis met geld op zak, opnieuw dankzij een fictieve klus op een al even fictieve Deense bouwplaats, en, terwijl we bezig waren het avondeten klaar te maken, besloot ik maar eens een basis onder mijn plan te leggen.

'Lieverd, herinner jij je nog dat sjeik Anwar me heeft gevraagd naar een westerse vrouw voor hem uit te zien? Nou, die heb ik gevonden, op Facebook. Ze komt uit Kroatië.'

Ze keek me verrast aan.

'Een westerse vrouw die naar Shabwah wil? Hoe dacht ze daar te overleven?'

'Ze meent het, ze is helemaal weg van de sjeik. Dus ik moet je wat vertellen. Ik moet naar Wenen om haar te ontmoeten. Dat heeft hij me gevraagd.'

'Waarom heb je me dat niet eerder verteld?' vroeg Fadia. Ze voelde zich gekwetst, enerzijds door de misleiding, anderzijds was ze achterdochtig omdat ik een afspraak had met een jonge Kroatische vrouw in een verre stad.

'Ik wilde niet dat je erbij betrokken zou raken. Er zijn westerse regeringen die vinden dat Anwar een terrorist is. En het is allemaal vrij snel gegaan.'

Gelukkig volgde Fadia het nieuws nauwelijks en ze had geen idee dat de Verenigde Staten van plan waren Awlaki te elimineren.

Ik keek haar aan. Haar donkere, amandelkleurige ogen stonden vol tranen.

'Soms heb ik het gevoel dat ik je nauwelijks ken,' zei ze.

'Het spijt me. Maar ik heb een idee. Anwar wil dat ik terugga om een video-opname van haar te maken, zodat hij haar kan zien. Ik kan daar niet alleen naartoe. Je weet dat ons geloof zoiets niet toestaat, ik mag niet in één vertrek zitten met een vrouw die geen familie van me is. Of zoals de Profeet heeft gezegd: "Een man is nooit alleen met een vrouw, tenzij Satan als derde partij bij hen aanwezig is."'

Fadia leek opgelucht. Mijn salafistische gedragscode leek de mogelijkheid van buitenechtelijk wangedrag uit te sluiten.

'Dus,' vervolgde ik na een lange pauze, 'zou je met me mee willen? Dan heb ik het gevoel dat ik niet in mijn eer wordt gekwetst, terwijl jij haar op haar gemak kan stellen. We zouden Anwar daar een enorm groot plezier mee doen. En dan kunnen we daarna nog een tijdje samen in Wenen blijven.'

De verkooptruc werkte.

Op 27 april vlogen we naar Wenen. Ondanks Awlaki's nieuwe profiel ging ik ervan uit dat het naar hem versturen van video-opnamen van een toekomstige vrouw niet gerekend kon worden tot 'materiële ondersteuning van het terrorisme'. Hoe dan ook, Fadia zou, zonder het te beseffen, behulpzaam zijn bij het opsporen van een man die gezocht werd. We namen een kamer in een bescheiden hotel in het centrum van Wenen. Aminah arriveerde met een grote, trendy zonnebril op haar neus en in een zwarte hijab. Ik stelde haar aan Fadia voor en vertelde haar dat ik als goed moslim niet met haar in één vertrek alleen kon zijn. Gelukkig konden de dames al snel goed met elkaar opschieten. Fadia's aanwezigheid leek zelfs een geruststellende invloed op Aminah te hebben.

Ik vroeg haar opnieuw of ze zeker wist dat ze met Awlaki wilde trouwen. Het moest echt uit haar eigen mond komen.

Het vooruitzicht van een kwart miljoen dollar, alleen om als huwelijksmakelaar te fungeren, veroorzaakte wel enige gewetenswroeging. Wat waren mijn echte drijfveren eigenlijk, het terrorisme een halt toeroepen of geld verdienen? Ik had het gevoel dat de Amerikanen van plan waren om Awlaki, direct nadat zijn nieuwe vrouw was gearriveerd, met een raketaanval te elimineren en dat zat me behoorlijk dwars.

Ik liet haar op mijn laptop de vijftig seconden durende videoclip zien die Awlaki had laten maken. De geestelijke was gekleed in een wit tuniek en had een koperkleurige sjaal om het hoofd gewikkeld, gelaagd als bij een bandana, met daaronder een traditionele witte *ghutra*. Hij zat voor een roze achtergrond met bloemmotieven. De moeite die hij had gedaan was bijna aandoenlijk. Af en toe bracht hij onder het spreken zijn handen omhoog om zijn bril terug op zijn neus te schuiven. Als toon hanteerde hij de verleidelijke versie van zijn videopreken.

'Deze opname is speciaal gemaakt op verzoek van zuster Aminah en de broeder die je deze beelden laat zien is een betrouwbare broeder, de broeder die met jou communiceert.

Ik bid dat Allah je moge leiden naar datgene wat het beste voor je is […] en je leiding geeft om wat dit aanzoek betreft het beste voor jezelf te kiezen.'

Vervolgens vroeg hij haar ook een videoboodschap naar hem te sturen.

In eerste instantie glimlachte Aminah toen ze deze woorden hoorde, maar toen begonnen haar ogen te glimmen. Ze werd overweldigd door al die ongedwongenheid van een man die ze bewonderde.

Fadia stond achter de camera en zei haar met zachte stem dat ze moest proberen zich te ontspannen. Aminah, van wie alleen het ge-

zicht te zien was, mompelde nerveus als een tiener met planken-
koorts.

'Ik wil je alleen maar zegen dat ik momenteel erg zenuwachtig ben
en dat ik dit erg moeilijk vind, dus ik neem dit alleen maar op om
je te laten zien hoe ik eruitzie en je te laten weten dat alles goed is.
Nu ik deze keuze heb gemaakt, accepteer ik alles wat gedaan moet
worden […] Ik stuur je nog een tweede boodschap, een privéboodschap, insha'Allah.'

Dat was voor mij het teken om ze alleen te laten en het vertrek
te verlaten. Bij de tweede opname was Aminah een totaal andere
vrouw. Ze deed haar sluier af zodat haar blonde haar over haar zwarte blouse viel. Ze had met een speld enkele kortere strengen vastge-
zet, waardoor ze – niet bij toeval – er een stuk jonger uitzag. Ze had
zelfs heel koket wat mascara en lipgloss aangebracht. Het was pure
verleiding per video.

'Broeder, dit ben ik zonder hoofddoek, zodat je mijn haar kunt
zien. Ik heb dat al eerder voor je beschreven. Dus nu heb je me zonder gezien en ik hoop dat het je bevalt, insha'Allah,' zei ze, terwijl ze
haar hoofd een tikkeltje scheef hield.

Ze eindigde met een enigszins haperende Arabische groet waar ze
dagen op geoefend moest hebben.

Toen Fadia klaar was met het opnemen van de privéboodschap
ging ik terug naar binnen en gaf ik Aminah de koffer, een grijze,
harde Samsonite. 'Deze koffer wordt je door sjeik Anwar aangeraden,' zei ik. Ze beefde.

Fadia omarmde haar en zei dat ze als ze iets specifieks nodig mocht
hebben of wilde weten hoe het was om als echtgenote in Jemen te
leven via mij altijd contact met haar kon opnemen.

Drie weken later ontmoette ik Aminah in een McDonald's in de
buurt van de Jemenitische ambassade in Wenen. Ik overhandigde
haar de 3000 dollar in contanten die zogenaamd door 'de broeders'
in Engeland bijeen waren gebracht, maar in feite van het Amerikaanse ministerie van Financiën afkomstig waren.

Ik had haar laten zien hoe ze zich moest aanmelden voor een cursus bij het Instituut voor Arabische Talen in Sanaa. Op een gegeven moment zouden Awlaki's tussenpersonen komen opdagen om zijn nieuwe bruid op te halen. 'De sjeik zegt dat je voor je de ambassade binnengaat je hijab moet afdoen,' zei ik haar.

Awlaki had haar opdracht gegeven ongesluierd naar de ambassade te gaan, zodat ze geen achterdocht zou wekken. Hij wilde ook dat ze in westerse kleding naar Jemen zou reizen. Hij had zelfs een fatwa met toestemming daartoe uitgevaardigd, die ik aan haar door moest geven. De noodzaak om geen achterdocht te wekken, was nu eenmaal belangrijker dan religieuze regels.

De ambassade ging er klaarblijkelijk van uit dat er met een blonde Kroatische die naar Jemen wilde om daar Arabisch te leren niets ongewoons aan de hand was, en ze kreeg te horen dat haar visum de volgende dag al voor haar klaar zou liggen. Aminah was opgetogen maar ook nerveus. Ze liet alles en iedereen die ze kende achter en vertrok naar het onbekende.

Mijn CIA-handlers hadden me geïnstrueerd dat ik Aminah niet rechtstreeks naar Jemen moest laten vliegen. Ik nam haar mee naar het kantoor van Turkish Airlines in Wenen. Ook gaf ik haar een stel nieuwe allweathersandalen voor Awlaki mee, plus een elektronisch pocketwoordenboekje Arabisch, me aangereikt door de CIA en ongetwijfeld voorzien van een volgsysteem.

We vonden een café waar geen alcohol werd geschonken en gingen buiten op het terras zitten. We hadden elk detail van haar reis doorgesproken. Nu, terwijl we ons op het afscheid voorbereidden, besefte ik dat ik haar waarschijnlijk nooit meer terug zou zien en voelde ik plotseling een bepaalde genegenheid jegens haar en kreeg ik de behoefte haar tegen haar eigen lichtgelovigheid te beschermen.

'Ik weet niet precies hoe, maar ooit zal ik je alles terugbetalen,' zei ze toen ik wegging. 'Je hebt zo veel voor me gedaan. Moge Allah je belonen.'

Haar afscheidswoorden nestelden zich in mijn hoofd. Ze was zo dankbaar, maar ik besefte dat ze door mij wel eens in groot gevaar zou kunnen komen. Ik wist uiteraard niet of de Amerikaanse list zou werken en ook niet wat er daarna nog kon gebeuren. Toen ik wegliep, keek ik nog even achterom. Haar blonde haar was door haar hijab aan het oog onttrokken. Terwijl ze van haar koffie nipte en naar de elegante Weense vrouwen keek die voorbijliepen, zag ze er broos en kwetsbaar uit.

Van Allah hoefde ik geen beloning te verwachten, maar van Uncle Sam misschien wel.

Op de dag dat ze zou vertrekken, kwam ik met mijn Deense en Amerikaanse handlers in de villa in Hornbæk bijeen. Het was begin juni en een van die eindeloze Scandinavische zomeravonden waarop de zon pas na elven onderging.

Voordat ik een blikje bier mocht openen, moest ik van Jed en George eerst een concept-e-mail aan Awlaki opstellen met betrekking tot Aminahs reis, die dan vercijferd verstuurd kon worden nadat we de bevestiging binnen hadden dat ze was gearriveerd. Hij had laten weten dat het wel eens een of twee maanden zou kunnen duren voor zijn koeriers in staat zouden zijn haar van Sanaa over te brengen naar de plaats waar hij op dat moment verbleef. Die mededeling had de CIA nogal zenuwachtig gemaakt.

Ik schreef het volgende: 'Ze zit in haar eentje in Jemen en een maand, of zelfs maar twee weken, is een erg lange tijd om te wachten, omdat ze zich niet als een normale moslim kan gedragen, ze moet constant haar ware aard verborgen houden [...] Probeer te regelen dat ze eerder wordt opgehaald. Ze heeft steun nodig, want ze is alleen.'

De hele Deense ploeg was aanwezig, Soren, Klang, Trailer, Jesper en de analist Anders, samen met *spymaster* Tommy Chef. Met de rug van Boeddha ging het al een stuk beter en hij was ook uitgenodigd om aanwezig te zijn. Hij was op dieet, met als gevolg dat we hem nu 'Boeddha-lite' noemden. Jed hield zich bezig met de barbecue en grilde vlees , en dankzij Alex' afwezigheid was de sfeer er een stuk beter op geworden.

Zodra Aminah ergens in het vliegtuig was gestapt kreeg Jed op zijn telefoon een sms-update binnen: vanuit Zagreb, Wenen, Istanbul.

Eindelijk kwam het bericht door dat ze in Sanaa was geland. We omhelsden elkaar en er werden high fives gegeven.

De dag daarop stuurde Aminah me een vercijferd bericht vanuit Sanaa om te zeggen dat ze was aangekomen. Zoals afgesproken had ze een Jemenitische simkaart voor haar telefoon gekocht en ze gaf me het nummer door. Later die dag mailde ik dat naar Awlaki door.

'Gefeliciteerd, broeder, je hebt zojuist veel, heel veel geld verdiend,' sms'te Klang me.

Mijn beloning volgde een paar dagen later in een suite in het Crowne Plaza Hotel, dat in een buitenwijk van Kopenhagen staat. Klang beende de lobby binnen in het gezelschap van CIA-bureauchef George en gebaarde dat ik met hem mee moest komen naar de lift. Hij zag er gewichtig uit en hield een dun zwart koffertje stevig in zijn rechterhand geklemd.

Toen we de kamer bereikten, zag ik dat het koffertje met een soort handboei aan Klangs pols geketend zat, en met reden.

'Wat denk je dat de code is?' zei George glimlachend.

Ik keek hem onzeker aan.

'Probeer 007 eens,' zei George, met nog steeds een glimlach op zijn gezicht. Met een aangename klik sprong het koffertje open. Het zat helemaal vol met gebundelde stapeltjes bankbiljetten van honderd dollar. Elk van de 25 bundeltjes bevatte tienduizend dollar.

'Hoe wissel ik al dit geld om?' vroeg ik.

'Dat is jouw probleem, niet het onze,' antwoordde George lachend.

De treinreis terug naar het huis van mijn moeder in Korsør was een vreemde ervaring. Mijn medeforensen zouden eens moeten weten wat er in het tussen mijn knieën geklemde koffertje zat.

'Lieve hemel, heb je dat met drugs verdiend?' vroeg mijn moeder lachend. Ze wist maar al te goed dat ik voor de PET werkte, maar had geen idee wat ik deed en ze had uiteraard ook geen flauw vermoeden dat de Aminah-missie tot deze jackpot had geleid. Ik maakte een foto van het koffertje vol geld. Die knaap uit Korsør – vogelvrij verklaard, opgesloten, verbannen – stond nu met 250.000 dollar afkomstig van de Amerikaanse overheid in de keuken van zijn moeder.

Na een voor mijn gevoel eindeloze tijd wachten kreeg ik eind juni een vercijferde boodschap van Awlaki en Aminah binnen. Ze was erin geslaagd zich in het tribale gebied bij hem te voegen.

'*Alhamdulillah*, het gaat uitstekend met me,' schreef ze. 'Alles verliep goed en volgens plan.'

En toen de donderslag.

'Ik heb mijn koffer niet uit het instituut kunnen meenemen, dus nu heb ik alles wat ik daar heb achtergelaten opnieuw nodig.'

Ik staarde naar het scherm in de hoop dat er een andere tekst zou verschijnen. Er was geen volgzendertje mee naar het tribale gebied gegaan. Aminah had van Al Qaida haar spullen in een plastic tas moeten stoppen en alle elektronica achter moeten laten. De Amerikanen verifieerden dit door een informant naar haar onderkomen in Sanaa te sturen. Ze waren woedend dat hun zorgvuldig voorbereide valstrik door een of andere overijverige Al Qaida-medewerker was omzeild.

Maar de Amerikanen waren dan misschien teleurgesteld met de uitkomst van Aminahs missie, Anwar al-Awlaki was dat zeker niet.

'Alhamdulillah, we zijn getrouwd. Moge Allah je belonen voor alles wat je hebt gedaan. Maar door de manier waarop je haar beschreef, had ik iets heel anders verwacht. Ik zeg niet dat je me bedot hebt of iets dergelijks. [...] Ik neem jou of je vrouw niets kwalijk, want je deed je best [...],' schreef hij. 'Dus ze bleek anders dan dat je me haar had beschreven. Masha'Allah, ze bleek een stuk beter dan ik had verwacht en beter dan je haar hebt beschreven:)'

Terwijl Awlaki door mijn koppelarij nieuwe energie had gekregen, waren de CIA en vooral de ambities van Alex en Jed gefrustreerd door het feit dat hun investeringen in Aminah niets hadden opgeleverd.

De Deense inlichtingendienst leek een stuk minder aangeslagen en er werd een trip naar Barcelona georganiseerd voor iets wat ze een 'debriefing' noemden. Soren, Klang en Jesper haalden me op het vliegveld van Barcelona op met een BMW-huurwagen en reden me naar een penthouse met uitzicht over de voornaamste boulevard van de stad.

'Ik heb voor vanavond wat entertainment geregeld,' kondigde Soren met een schittering in zijn ogen en onder het nuttigen van een glaasje champagne aan. Na het diner in een van de beste restaurants van de stad reden we door het automatisch openende hek van een afgelegen villa. Soren overhandigde een gastvrouw een dikke stapel euro's, waarna we naar een schaars verlichte bar werden gebracht. Jongedames gehuld in glinsterende jurken van chiffon en met stilettohakken zaten uitnodigend op leren banken. Ze waren niet te vergelijken met de hoertjes die in Korsør in de Underground rondhingen, maar ze hadden wel dezelfde afstandelijke blik in hun ogen.

Dit was een heel ander soort debriefing dan ik had verwacht.

Terwijl de anderen paarsgewijs verdwenen, werd ik uit mijn dagdromerij gewekt door een tengere jonge vrouw die me vertelde dat ze 'Olea uit Moldavië' was. Maar toen ik in de schemering opkeek, zag ik alleen Aminah maar voor me. Toen ik besefte dat de blonde Kroatische zich nu diep in Al Qaida-gebied bevond en naast een van de meest gezochte mannen ter wereld sliep, bezorgde me dat een buitengewoon onplezierig gevoel.

Olea nam me bij de hand en leidde me door de gang naar een van de slaapkamers. Ik zei haar dat ik getrouwd was en ik dus niet met haar naar bed kon.

'Dus je wilt alleen maar praten?' verzuchtte ze. Toen ik haar vroeg of er in plaats daarvan misschien ook een manier was om high te worden, reageerde ze bijna opgelucht. Ik moest mijn schuldgevoelens jegens Aminah hoognodig wegblowen. Olea liep naar de andere kant van de kamer en haalde een schilderij van de muur. Achter de lijst zat een klein flesje met wit poeder.

In het begin van het jaar, nadat ik te horen had gekregen dat mijn inspanningen tot de dood van het stamhoofd Abdullah Mehdar hadden geleid, was ik weer cocaïne gaan gebruiken. Een tijdlang had ik alleen maar aan zijn dood kunnen denken: het schuldgevoel had me verlamd. Maar toen ik die eerste keer thuis in Birmingham ongelooflijk high was geweest, had ik van die gevoelens een paar uur lang geen last gehad.

Ik boog me net naast Olea voorover om een lijntje op te snuiven toen iemand de kamer binnenstormde. Het was Klang.

'Wat ben je daar verdomme aan het doen?' protesteerde hij. 'Dat kun je niet maken!'

'Waarom niet?'

'Dat kun je niet doen met ons erbij.'

'Waarom niet?' snauwde ik terug. 'Om te beginnen is dit alleen maar slecht voor mezelf. Jullie misbruiken vrouwen die misschien wel het slachtoffer van mensenhandel zijn. En volgens mij ben je hier in Spanje niet in functie als politieman.'

Het bezoek aan Barcelona vergrootte de afstand tussen mij en mijn Deense handlers. Ik vroeg me af of hun superieuren wel een idee hadden wat zich in al die verre oorden afspeelde, of dit soort dingen alleen bij dit team gebeurde of dat de hele PET door en door rot was.

De maanden erna kreeg ik wat antwoorden op deze vragen.

19

EEN NIEUWE DEKMANTEL

Zomer-winter 2010

Na het mislukken van de Aminah-missie namen de Amerikanen geen contact meer met me op.

'Ze zijn niet blij met je,' vertelde Klang me. 'Jij hebt een kwart miljoen dollar, Awlaki heeft een prachtige blondine en Big Brother heeft die alleraardigste brief van jou,' zei hij lachend.

Ik had een boze e-mail naar Alex gestuurd, waarin ik kritiek leverde op de Amerikaanse aanpak van een en ander en waarin ik hem eraan herinnerde dat wij, de Denen, lang voordat hij überhaupt van mijn bestaan wist mijn dubbelleven op poten hadden gezet.

Een tijdje zag het ernaar uit dat dat dubbelleven weer uitsluitend een Deense aangelegenheid zou worden. De Britten waren uit beeld, de Amerikanen waren nog steeds boos vanwege een dure mislukking. Maar ik was niet in het minst uit het veld geslagen. Ik wist zeker dat de contacten die ik binnen jihadistische groeperingen had ervoor zouden zorgen dat de instanties binnen de kortste keren weer bij me op de stoep zouden staan.

Ik stopte veel energie in een nieuwe onderneming, Storm Bushcraft, een reisbureau voor avontuurlijke uitstapjes dat ik in het Verenigd Koninkrijk op poten had gezet. Enkele militanten uit Birmingham vroegen zich steeds luider af hoe het toch kon dat ik steeds weer moeiteloos naar Jemen en Oost-Afrika kon reizen. Ik had laten doorschemeren dat ik nogal wat geld verdiende met het verkopen van drugs – ter meerdere glorie van de goede zaak uiteraard – maar ik besefte dat ik hoognodig een nieuwe dekmantel nodig had.[39]

Avontuurlijke reizen maken was iets wat in mijn bloed zat. Ik had het als kind altijd al heerlijk gevonden om in de bossen rond Korsør in de buitenlucht te zijn en er te kamperen. Mijn duurtraining met de Britten in Aviemore had mijn enthousiasme opnieuw aangewakkerd. En na mijn trip met de Britse inlichtingendienst naar het Ice Hotel in het noorden van Zweden in maart 2010 was ik nog wat verder naar het noorden getrokken voor een cursus arctisch kamperen. De kou was zo intens, dat ik nauwelijks adem kon halen. Maar ik was in mijn element. Ik leerde hoe ik in het poolgebied kon overleven door te jagen, sporen te volgen en vuur te maken.

De cursus werd gegeven door Toby Cowern, een lid van de Royal Marines Reserve. Hij stond in de arctische gemeenschap goed bekend en had in 2006 het winnende team getraind voor de Polar Challenge, een race naar de Noordpool. Toby hield van het leven en beschikte over een buitengewoon uithoudingsvermogen. Terwijl de rest van ons aan het einde van de dag uitgeput in onze sneeuwhut lag, las hij bij het licht van een zaklantaarn nog een boek.

Ik had het gevoel dat Toby eigenlijk nog veel meer wilde dan in het poolgebied overlevingscursussen geven. Hij was gefrustreerd door het feit dat rugletsel hem had belet om met de Britse mariniers mee te gaan toen ze naar Afghanistan werden uitgezonden.

Ik had het idee dat hij precies de juiste persoon was die westerse inlichtingendiensten nodig hadden om in het buitenland in jihadistische kringen te infiltreren. Hij wist hoe hij met moeilijke omstandigheden moest omgaan en met zijn gebruinde huid kon hij best voor iemand uit het Midden-Oosten doorgaan.

'Heb je zin om iets te doen wat er werkelijk toe doet?' vroeg ik hem toen we naast elkaar door de sneeuw sjokten.

'Hoe bedoel je?'

'Heb je zin om inlichtingenwerk te doen?'

'Hoezo? Wat doe jij dan precies?'

Ik vertelde hem in grote lijnen wat ik deed, zonder bijzonderheden prijs te geven.

'Volgens mij zou je een enorme aanwinst zijn. Wil je wat vrienden van mij uit het inlichtingenwereldje ontmoeten?'

'Waarom niet?' antwoordde hij.

Nog tijdens de Aminah-missie stelde ik Toby in de vakantiewoning aan de Roskilde Fjord aan Klang, Soren en Anders voor. We zorgden ervoor dat de Amerikanen uit de buurt waren. Ze hadden liever niet dat ik in het huis aanwezig was terwijl mijn handlers met hem spraken, dus heb ik maar een wandelingetje langs het meer gemaakt.

'We mogen die knaap wel,' zei Klang nadat ik was teruggekeerd.

Korte tijd later werkte Toby met me samen voor Storm Bushcraft, terwijl ik probeerde van het bedrijfje een vehikel voor mijn inlichtingenwerk te maken. Ik wist jihadisten ervan te overtuigen dat het een dekmantel was, waarmee ik mijn werk voor de goede zaak aan het oog wilde onttrekken. In werkelijkheid hielp het me hun gelederen nog dieper te infiltreren.

Ik zette het bedrijf zorgvuldig op en kocht een camper en buitensportspullen. Ik benaderde zelfs Marek Samulski, de Australisch-Poolse bekeerling die ik in militante kringen in Sanaa had ontmoet, om een website en een Facebook-pagina te ontwerpen. Nadat hij uit Jemen was uitgewezen, verhuisde hij naar Zuid-Afrika, waar hij werk vond als webdesigner, maar de Deense inlichtingendienst vermoedde dat hij nog steeds banden had met radicalen. Samulski was bereid voor 5000 dollar een site te ontwerpen en hielp op die manier onbewust mee een platform op te zetten voor mijn toekomstige werk tegen Al Qaida.

Om aan foto's en testimonials voor de website te komen, adverteerde ik met expedities naar natuurgebieden in het noorden van Europa, waarbij ik onder de marktprijs ging zitten, en ik nam twee assistenten aan.

Mijn outdoorexpedities hadden het bijkomende voordeel dat ze ook de aandacht trokken van militanten die ervan droomden ooit aan de jihad deel te nemen.

Eerder dat jaar, voordat MI5 alle banden met mij verbrak, was het me gelukt te infiltreren in een groep Britten van Pakistaanse origine die werkten vanuit een sportschool in een immigrantenwijk in Birmingham. Volgens plan had het nieuws over de geheime geldinzamelingsactie ten behoeve van Awlaki die ik voor de artsen in Rochedale had georganiseerd, zich als een razend vuurtje verspreid, waardoor het voor mij gemakkelijker was om het vertrouwen van jonge, in Engeland geboren geradicaliseerde Pakistani te winnen.

De sportschool, die plaatselijk bekendstond als 'Jimmy's' en was weggestopt in een steegje achter een fish-and-chipszaak, was ondergebracht in een loods van beton en staal, met op de begane grond een ruimte voor vechtsporten en boksen en op de eerste etage een gebedsruimte en een zaaltje voor gewichtheffen. In de sportschool klonken uit de luidsprekers monotone islamitische gezangen die de jongemannen die daar trainden nog verder opjutten. Op affiches aan de muur werd reclame gemaakt voor paintballtrips. Veel vaste klanten zagen eruit alsof ze steroïden gebruikten en sommigen van hen droegen een lange salafistenbaard.

De eigenaar van de sportschool was 'Jimmy'. Hij was een Britse Pakistaan van ergens begin veertig, in wiens baard hier en daar al wat grijze plukjes zaten. Hij beschouwde het als zijn taak om jonge, in Engeland opgegroeide Pakistani die steeds verder van hun religie verwijderd raakten van de straat te halen, uit de buurt van drugs te houden en weer op het rechte pad te krijgen. En er bestond geen geschikter plaats om deze jongens te indoctrineren dan deze sportschool.

Jimmy en sommigen van de jonge radicalen die de sportschool bezochten waren onder de indruk van het feit dat ik Awlaki kende. Na de trainingssessies gingen we zitten om naar zijn onlinepreken te luisteren. Onder de aanwezigen bevonden zich een aantal radicalen die al tegen de dertig liepen. Jewel Udin had een zachte stem en zamelde plaatselijk geld in voor 'religieuze' doelen. Hij vormde een groot contrast met de buitengewoon luidruchtige Anzal Hussain. Die was ooit een veel te zware spirituele soefimoslim geweest, totdat een plotselinge en totale ommekeer in zijn geloofsbeleving van hem een magere, ongelooflijk serieuze salafist had gemaakt, compleet met een al even serieuze bijpassende baard. Hij had gehoord van de trainingen die ik voor al-Muhajiroun in de Barton Hills had gegeven en had me gevraagd voor zijn groep hetzelfde te doen.

Met als gevolg dat we ons op een weekend met z'n zevenen in een gebutste Mitsubishi Pagero propten en naar Wetherby reden, een plaatsje in het landelijke Yorkshire. Voor 2000 pond per jaar had ik een stukje bebost terrein gehuurd, dat werd omringd door de glooiende akkers van een plaatselijke boer.

Ik had al snel door dat deze groep veel te veel YouTube-filmpjes had gezien. Toen we op de plaats van bestemming aankwamen, stapten Anzal en twee anderen met een walkietalkie in hun hand uit de auto.

'Allahu Akbar', fluisterden ze gespannen terwijl ze bij het bosperceel steels om zich heen keken. Ik stond perplex.

Anzal viel met een machete als een bezetene een stel jonge boompjes aan, terwijl een ander zijn voorbeeld volgde met een bijl.

'Je kunt niet zomaar bomen gaan omhakken, die zijn een schepping van Allah,' schreeuwde ik.

Anzal, die zijn machete net weer omhoog had gebracht, bleef bewegingloos staan. 'Je hebt daar een punt, *bruv*. Subhan'Allah, broeder,' zei hij met zijn vette Birmingham-accent.

Anzal en nog iemand anders van de groep hielden ons die nacht constant wakker door om de paar minuten vanuit hun hangmat via hun walkietalkie jihadistische supplicaties uit te wisselen. *'As salaam aleikum Allah all Mujahideen!'*

De volgende morgen pakte Anzal na de ochtendgebeden een luchtbuks en sloop hij behoedzaam door het bos.

'Ik ga wat konijnen schieten,' kondigde hij aan. Ik vond het een nogal beschamende vertoning.

Toen verstijfde Anzal en trok hij bleek weg. Tussen de bomen door kwam een man met een zwarte hond zijn kant op. Het was de boer, dr. Mike, die vlak naast het bosperceel woonde, en alleen maar even langskwam om ons gedag te zeggen. De hond was een vriendelijk schepsel dat Billy heette en bij het vooruitzicht nieuwe mensen te ontmoeten met zijn staart kwispelde. Dr. Mike was nogal verrast door de aanblik van een groepje jongemannen met lange baarden en een wilde blik in hun ogen en deed Billy onmiddellijk aan de lijn. Anzal trok zich terug alsof hij zojuist een demon had gezien: in sommige fundamentalistische kringen werd een zwarte hond als een vertegenwoordiger van de duivel gezien.

Toen ik later dat jaar de film *Four Lions* zag, had ik het gevoel dat ik een van de scènes al gezien had.

Uiteindelijk bleek dr. Mike datgene wat hij had gezien aan de politie gemeld te hebben. Mijn MI5-handler Andy was razend toen ik hem de keer daarop sprak.

'Waar denk je dat je mee bezig bent, verdomme, iets dergelijks doen zonder dat je daarvoor bij ons om toestemming hebt gevraagd?' tierde hij. Het laatste waar de Britse inlichtingendienst om verlegen zat was dat bekend zou worden dat een MI5-agent aspirant-terroristen trainde.

Ondanks alle informatie die ik over de groep aanleverde, hield MI5 het voor gezien. Op 30 juni 2012, enkele dagen voordat in Londen de Olympische Spelen zouden beginnen, vertrok opnieuw een groep naar Yorkshire.

Alleen hadden ze deze keer een heel arsenaal zelfgemaakte wapens bij zich, waaronder machetes, keukenmessen, geweren met afgezaagde loop, een gedeeltelijk voltooide pijpbom en een uit vuurwerk en schroot samengestelde bom die wel iets weg had van het explosief dat later bij de marathon van Boston tot ontploffing werd gebracht. Net als het explosief dat bij laatstgenoemde aanslag was gebruikt, had de groep de instructies voor het maken ervan gedownload van Awlaki's *Inspire*-magazine.

Hun doelwit was een bijeenkomst van de English Defence League, een extremistische antimoslimgroepering, in Dewsbury, West Yorkshire. Gelukkig voor de EDL was de bijeenkomst al afgelopen voordat de Britse Pakistani ter plekke arriveerden. Hoewel ik MI5 al enkele jaren eerder voor deze cel had gewaarschuwd, ontdekte de politie de wapens en de plannen pas nadat de auto op de terugweg naar Birmingham bij een verkeerscontrole werd aangehouden, waarbij ook nog werd ontdekt dat de auto onverzekerd was.

De politie trof in de auto een boodschap aan die aan de EDL was gericht. 'Vandaag is de dag van vergelding (vooral) vanwege jullie godslastering jegens Allah en Zijn gezegende boodschapper Mohammed. Wij houden meer van de dood dan jullie van het leven.'

Later bleek dat Uddin ook contacten onderhield met een terroristische cel die in september 2011 in Birmingham was gearresteerd en die van plan zou zijn geweest om in het Verenigd Koninkrijk een aantal zelfmoordaanslagen te plegen. Verscheidene leden ervan kende ik nog van Jimmy's sportschool en het militante wereldje in Birmingham, onder wie twee leiders van de cel die in het voorjaar van 2011 in Pakistan door Al Qaida waren getraind. De veiligheidsdiensten vermoedden dat Uddin voor de cellen geld had ingezameld, maar hij was niet gearresteerd.

Het EDL-complot leidde tot een aantal verontrustende vragen. Uddin werd al vijf dagen voordat de mannen naar Dewsbury waren afgereisd door agenten in de gaten gehouden, maar omdat niemand die organisatie had weten te infiltreren, had MI5 het complot niet ontdekt. Agenten hadden gezien dat hij een winkel was binnengaan, waar hij naar later bleek de messen had gekocht, maar ze waren hem niet naar binnen gevolgd.

In juni 2013 werden Anzal Hussain, Jewel Uddin en drie anderen die ik kende vanwege hun aandeel in het EDL-complot tot langdurige gevangenisstraffen veroordeeld.

Maar tegen de tijd dat ze van plan waren de EDL aan te vallen, werkte ik, omdat de Britten niets van de Aminah-missie moesten hebben, allang niet meer voor MI5.

In 2010 bleek dat ik, ondanks het klimmen der jaren en het vaderschap, nog steeds nauwelijks met geld kon omgaan. In plaats van de beloning van 250.000 dollar apart te zetten, stopte ik een groot deel ervan in Storm Bushcraft en het maken van reizen. De PET vond het prachtig. Vanwege het grote aantal Scandinavische Somaliërs die zich bij Al-Shabaab aansloten, wilden ze in Oost-Afrika graag een stel eigen ogen hebben en op deze manier kostte hun dat niets.

Ondanks de Ethiopische interventie en de aanwezigheid van troepen van de Afrikaanse Unie die de Somalische overheid moesten beschermen, was een groot deel van het midden en zuiden van Somalië in handen van Al-Shabaab. En veel uit Europa en Noord-Amerika afkomstige etnische Somaliërs vochten mee met deze groepering. Sommigen daarvan waren al weer naar Noord-Europa teruggekeerd, onder wie een jonge militant die Mohammed Geele heette. Deense rechercheurs hadden ontdekt dat Geele nauwe betrekkingen onderhield met Al-Shabaab en belangrijke Al Qaida-leiders in Oost-Afrika en dat hij, sinds hij halverwege de jaren 2000 in Kenia was geweest, tot een belangrijke speler was uitgegroeid.

In januari 2010 nam Geele een taxi naar de straat in Aarhus waar de cartoonist Kurt Westergaard woonde. Westergaard werd gehaat door radicale islamisten omdat hij in 2005 voor een Deense krant een serie spotprenten van de Profeet Mohammed had gemaakt. Met een bijl en een mes gewapend liep Geele op de voordeur af en verbrijzelde het glas, waardoor er een alarm afging. Voordat de moordenaar hem kon bereiken zag Westergaard kans zich in een speciaal beveiligd vertrek terug te trekken.

Toen enkele minuten later de politie arriveerde, haalde Geele met een van zijn wapens naar hen uit, waarna ze hem in zijn linkerhand en rechterbeen schoten en hij in hechtenis werd genomen.

Geele had ik in de maanden voor de aanslag een keer ontmoet. De PET had me gevraagd bij Kenneth Sorensen langs te gaan, mijn voormalige kameraad in Sanaa, die weer naar Denemarken was teruggekeerd. Met z'n tweeën liepen we Geele in de Somalische moskee in Kopenhagen tegen het lijf, en Sorensen stelde voor te gaan lunchen. In die tijd wees bij Geele niets erop dat hij van plan was aanslagen te plegen, maar als ik toen wat nauwere banden met hem had gehad, had ik die signalen misschien wel gezien.[40]

Het groeiende terrorisme in Oost-Afrika, zowel in Somalië als Kenia, beschouwde ik als een uitnodiging. Ik ging ervan uit dat een bedrijf dat in avontuurlijke ondernemingen was gespecialiseerd voor

Toby en mij een prachtige dekmantel moest zijn om contact met Al-Shabaab te onderhouden. Maar eerst moest ik ervoor zorgen dat Toby een achtergrondverhaal kreeg dat van hem een geloofwaardige partner zou maken.

Toby had zijn baard laten staan, terwijl ik hem alles had verteld wat ik wist over de islam en de kringen waarmee ik omging, en ik gaf duizenden dollars aan hem uit voor cursussen hoe expedities geleid moesten worden. We gebruikten in onze e-mails aan elkaar allerlei Arabische en islamitische uitdrukkingen om in onze contacten een digitaal spoor achter te laten waaruit kon worden opgemaakt dat hij tot het islamitische fundamentalisme was bekeerd.

Daarna liet ik enkele leden van mijn radicale kringetje in het Verenigd Koninkrijk weten dat ik was gaan samenwerken met een lid van de Royal Marines Reserves die tot de islam was bekeerd. Ik stelde Cowern aan Rasheed Laskar voor, iemand die ik nog uit Sanaa kende maar nu ook naar Engeland was teruggekeerd, en aan een aantal radicalen uit Luton. Ik kreeg voor mijn plannen steun van Awlaki.

'Ik was blij toen ik het nieuws over je ngo hoorde, en insha'Allah, je bent de juiste persoon voor die baan. Het is een goed langetermijnidee en zou in de toekomst voor een groot aantal zaken kunnen dienen,' schreef hij me.

Maar de cruciale doorbraak kwam van Al-Shabaab zelf. Via vercijferde e-mails legde ik Warsame en Ikrimah uit hoe het bedrijf het voor mij een stuk gemakkelijker maakte om geld en voorraden naar Somalië te sturen: tenten, hangmatten, zonnepanelen, waterfilters en gps-locators.

'De ngo is een prima dekmantel voor alles wat de zakelijke kant betreft,' schreef Warsame me.

Ikrimah, die bij Al-Shabaab steeds hoger opklom in de hiërarchie, was al even enthousiast over Storm Bushcraft en hij schreef me: 'Hoe is het in Shompole, is het een goed oord? Hoe gaat het met de registratie en met het papieren woord? […] Dit is een heel goed plan voor alle moslims.'

En hij eindigde met: 'Moge Allah dit project zegenen en het uit de buurt houden van het oog en de verdenkingen van de kafir.'

Shompole, een reservaat in de Grote-Riftvallei in het zuiden van Kenia, was een van de plaatsen waar ik overwoog een vestiging van Storm Bushcraft te openen. Het had het grote voordeel erg afgelegen te liggen, dus van nieuwsgierige blikken zouden we daar geen last hebben.

Ikrimahs goedkeuring van het project was essentieel. Zijn geloofwaardigheid binnen Al-Shabaab was door het geld en de spullen die ik had geleverd alleen maar groter geworden, en in zijn tijd in Europa had hij daar intensieve contacten met extremistische kringen onderhouden. Tegenwoordig hield hij toezicht op buitenlandse en westerse rekruten die zich bij de groepering aansloten, van wie de meesten via Nairobi reisden.

Ikrimahs status binnen de groep was ook versterkt door zijn banden met AQAP. En daar waren ik en mijn westerse handlers verantwoordelijk voor. Awlaki had me de vorige september in de compound in Shabwah verteld dat AQAP, dankzij een serie overvallen op militaire konvooien, nu over een heel arsenaal antitankraketten beschikte. Ik gaf het nieuws aan Ikrimah door, wiens belangstelling onmiddellijk gewekt was.

'Zijn de broeders bereid de antitankmijn waarover ze beschikken aan ons te verkopen en hebben ze wapens waarmee een tank van veraf kan worden getroffen, zoals die waarmee Hezbollah de Israëlische Merkeva-tank vernietigt? Of de RPG-29 etc?' vroeg hij.

Ikrimah vroeg om rechtstreeks in contact te worden gebracht met Awlaki, die hij 'Hook' noemde. Begin 2010 begonnen ze vercijferde e-mails uit te wisselen en ontwikkelden ze een plan waarbij Al-Shabaab-rekruten naar Jemen zouden komen om daar getraind te worden om na hun terugkeer aan de strijd deel te nemen of, een stuk onheilspellender nog, naar het Westen gestuurd te worden om daar aanslagen te plegen.

'En wat het reizen naar Hooks verblijfplaats betreft […] toen vertelde Hook me dat ze broeders willen trainen om ze daarna terug te sturen, of naar het Westen,' schreef Ikrimah me later dat jaar.

Naarmate mijn bezoeken toenamen en ik in Kenia een vaste basis kreeg, ontmoette ik afgezanten van Al-Shabaab. De plaatselijke inlichtingendiensten leken overstelpt door de steeds grotere aanwezigheid van de groepering en leken niet in staat een eind te maken aan het rekruteren van jonge Keniaanse moslims. Dan e-mailde ik Warsame of Ikrimah en die gaven dan een nummer door dat ik moest bellen. Dat deed ik dan, waarbij ik gebruikmaakte van een simkaart van Safaricom.

Een favoriet rendez-vous was het Paris Hotel in Nairobi. Daar ook ontmoette ik voor het eerst een kleine, bebrilde Keniaan die door twee Al-Shabaab-contacten naar me toe was gestuurd. Hij wilde Arabisch spreken, maar ik stond erop dat we, om geen aandacht te trekken, Engels spraken. Ik gaf hem 3000 dollar die hij aan Warsame moest geven en die ik van de Deense inlichtingendienst had gekregen om bij die lui in de gunst te blijven. Voor hij vertrok vroeg hij me hem de mobiel te geven die ik gebruikt had om contact met hem op te nemen.

'Die willen we graag even nakijken,' zei hij. Ik realiseerde me dat ik diezelfde telefoon ook had gebruikt om met Deense agenten te bellen en dus moest ik razendsnel nadenken.

'Ik geef mijn telefoon nooit af, onze gemeenschappelijke vriend weet dat,' antwoordde ik.

Anders van de Deense inlichtingendienst vertelde me later dat ik geluk had gehad. Er waren aanwijzingen dat Al-Shabaab in Safaricom was geïnfiltreerd, de Oost-Afrikaanse mobieletelefoonmaatschappij. Als ze mijn simkaart eruit hadden gehaald, hadden ze al mijn telefoontjes kunnen natrekken.

Een paar dagen na die ontmoeting bliezen enkele zelfmoordenaars die deel uitmaakten van een tak van Al-Shabaab zich op in een restaurant en rugbyclub in Kampala, Uganda, waar sportliefhebbers op televisie naar de finale van het wereldkampioenschap voetbal keken. Veel van de lieden die bij deze aanslag waren betrokken, waren Kenianen. Ikrimah vertelde me later dat zijn afgezant een van de mensen was die in Kenia waren gearresteerd op beschuldiging van het helpen voorbereiden van de aanslag. Het politieoptreden hield in dat het voor hem niet langer veilig was om vanuit Somalië naar Nairobi te komen om me te spreken. Ik ben er nooit achter gekomen of hij bij de aanslag in Kampala betrokken is geweest, maar ik had het gevoel dat hij binnen de groepering een grotere operationele rol op zich had genomen. Hij onderhield intensieve betrekkingen met Keniaanse militanten die tot een tak van Al-Shabaab behoorden en hij vertelde me over zijn geregelde tripjes naar Uganda.

Ik was onderhandelingen begonnen met de Keniaanse autoriteiten en de Masai-stam over het vestigen van een outdoorkamp. Naast Shompole probeerde ik ook nog een vervallen resort te huren bij de Masingadam, een dam in de rivier de Tana die was gebouwd om waterkracht op te wekken.

Maar de kosten begonnen me enigszins boven het hoofd te groeien. Geld had de gewoonte razendsnel tussen mijn vingers door te glippen en ik had na mijn CIA-meevaller nauwelijks nog naar mijn inkomsten en uitgaven gekeken. Ik had ruim een kwart van het bedrag in de Keniaanse onderneming gestopt, maar ik kreeg steeds meer de indruk dat het weggegooid geld was. Ik had nog steeds geen basis van waaruit ik aan de volgende fase van mijn inlichtingenwerk kon beginnen. En hoewel de Denen weliswaar morele steun verleenden, vonden de Britten het maar niets dat ik een Brits staatsburger bij mijn plannen had betrokken. Als zou uitlekken dat een reservist van de Royal Marines hulp aan de jihadisten had verleend, moest er een hoop worden uitgelegd.

Eind 2010 was Toby Cowern bezig met de voorbereidingen om vanuit zijn basis binnen de poolcirkel in het noorden van Zweden naar Kenia te verhuizen, toen hij door de Britse ambassade in Stockholm werd gebeld en hem dringend werd verzocht onmiddellijk te komen.

Hij werd door een MI5-agent naar een achterkamertje meegenomen, waar hem te verstaan werd gegeven dat het 'in zijn eigen belang was' om zich terug te trekken uit alle plannen waar ik ook bij was betrokken. De agent zei er niet bij waarom Toby zich van mij moest distantiëren, misschien was dat ook niet nodig. Alleen al het idee van een reservist van de Royal Marines die met Al-Shabaab in contact stond, vormde een veel te groot risico. Toby had geen andere keus dan te gehoorzamen en mijn Keniaanse avontuur begon langzaam maar zeker uit elkaar te vallen.

Mijn vertrouwen in mijn handlers werd niet bepaald groter toen ze me vroegen deel te nemen aan een undercoveroperatie die me waarschijnlijk mijn dekmantel zou kosten.

De Deense inlichtingendienst had gehoord dat een groep radicalen bij een drugsdealer in Kopenhagen een kalasjnikov had gekocht. De kopers waren Zweden van Arabische origine en een aantal van hen had al eens jihadistische slagvelden bezocht.

Een Tunesiër van rond de 45 was de leider van de groep. Hij was recentelijk uit Pakistan teruggekeerd, waar men hem verdacht van het onderhouden van betrekkingen met belangrijke Al Qaida-vertegenwoordigers.

Klang vroeg me of ik naar Kopenhagen wilde gaan, waar enkele leden van de groep verbleven.

'We denken dat ze doelwitten aan het verkennen zijn. We zouden het op prijs stellen als je aansluiting bij hen zoekt en probeert achter hun plannen te komen,' zei hij.

De implicatie dat ik zomaar contact zou kunnen maken met dit groepje dat in Kopenhagen voorbereidingen trof voor een aanslag, was weer zo'n verontrustend teken van Klangs gebrek aan inzicht en misschien zelfs wel een gebrek aan gezond verstand.

'Ben je helemaal gek geworden?' zei ik. 'Ik kén deze knapen niet eens. Denk je niet dat ze me een tikkeltje argwanend zullen bekijken?'

Uiteindelijk bleek het in de gaten houden door zowel de Zweedse als de Deense inlichtingendienst al voldoende om hun plannen te dwarsbomen. Enkele weken later, op de vroege ochtend van 29 december, staken de vier mannen de Sontbrug tussen Malmö en Kopenhagen over. Ze hadden een pistoolmitrailleur, munitie, een geluiddemper en tientallen plastic polsboeien bij zich. Uit afgeluisterde telefoongesprekken kon worden opgemaakt dat ze van plan waren in Kopenhagen de redactielokalen van de *Jyllands-Posten* te bestormen, de krant die als eerste de controversiële cartoons van de Profeet Mohammed had afgedrukt.[41]

Later die dag werd het viertal gearresteerd. Het vermoedelijke Zweeds-Jemenitische brein achter het complot dook onder en wist zich aan aanhouding te onttrekken. Korte tijd later vertrok hij naar Jemen.

Op een zwaarbewolkte dag ergens begin december kwam ik vanuit Kenia op het vliegveld Heathrow aan met de bedoeling mijn toekomst eens aan een nader onderzoek te onderwerpen. De kleur van de lucht paste bij mijn stemming. Misschien was het tijd om met dat spionnengedoe op te houden. Ik had het gevoel dat ik bij alles werd tegengewerkt en dat mijn hulp aan de Deense overheid me alleen maar geld kostte.

Daar stond tegenover dat ik al meer dan tien jaar in jihadistische kringen verkeerde. Ik kende de netwerken en de onderlinge verhoudingen tussen de groepen, ook al was het nog steeds moeilijk om te voorspellen wie van de would-be jihadisten echt operationeel zouden worden.

Op 11 december 2010 werd ik er weer eens aan herinnerd hoe moeilijk dat was. Een man die van plan was om een groot bloedbad aan te richten reed die dag met zelfgemaakte explosieven naar het centrum van Stockholm. Hij parkeerde zijn auto tussen honderden mensen die kerstinkopen deden en stuurde e-mails naar de Zweedse inlichtingendienst en nieuwsagentschappen waarin hij verklaarde dat zijn actie bedoeld was als wraak voor het afdrukken van de spotprenten van de Profeet Mohammed in Zweedse kranten en voor de aanwezigheid van Zweedse militairen in Afghanistan. Vervolgens stak hij zijn auto in brand en wandelde weg.

Zijn plan was te wachten tot zich een hoop mensen om zijn brandende auto hadden verzameld en dan pas met een walkietalkie een snelkookpan te activeren die op de passagiersstoel stond en als ontsteker moest fungeren. Hij was op een dusdanige plaats gaan staan dat de vluchtende menigte zijn kant op zou komen. Dan pas zou hij de springladingen in zijn rugzak en rond zijn middel tot ontploffing brengen.

Maar de explosieven in zijn auto gingen niet af. Op bewakingsca-mera's in een nabijgelegen straat was later te zien dat een man pro-beerde zich op te blazen, waarbij hij zijn uiterste best deed de lading rond zijn middel tot ontbranding te brengen. Uiteindelijk explodeer-de de bom slechts gedeeltelijk, waarbij de man op slag werd gedood. Verder vielen er geen gewonden.

Later die dag kwam ik erachter dat de eenzame aanslagpleger mijn voormalige vriend uit Luton was, Taimour Abdulwahab al-Abdaly. Ik was hem in de stad eens tegen het lijf gelopen in een warenhuis en speelde af en toe wel eens een potje voetbal met hem. Van alle mensen uit mijn kringetje in Luton vond ik hem wel de minst waar-schijnlijke om een aanslag te plegen. Tijdens gesprekken had hij mij zelfs wel eens bekritiseerd vanwege mijn te radicale ideeën. Maar dat was al meer dan vijf jaar geleden.

Taimour, die in Irak een training had ontvangen, handelde in z'n eentje. Het ziet ernaar uit dat niemand uit zijn omgeving in Luton ook maar een flauw idee had dat hij een terroristische aanslag aan het voorbereiden was, met uitzondering van Nasserdine Menni, een asielzoeker uit Algerije die uiteindelijk werd veroordeeld omdat hij het Taimour financieel mogelijk had gemaakt de aanslag uit te voe-ren. Als ik met mijn handlers in Engeland in contact was gebleven, had ik misschien gehoord van Taimours reis naar Irak, wat op zich al waarschuwing genoeg was. Maar nadat de inlichtingendiensten zich van mij hadden gedistantieerd, mocht ik in het Verenigd Koninkrijk geen bronnen meer benaderen. Dus moest ik lachen toen Klang me vanuit Kopenhagen belde.

'De Britten hebben ons gevraagd om contact met je op te nemen aangaande Taimour. Ken jij zijn vrienden in Luton?'

'Volgens mij was hij hier nog niet geradicaliseerd en als dat wel het geval was, dan is het gebeurd nadat ik hem voor het laatst heb gezien en dat is ruim vijf jaar geleden.'

Het idee dat de Britten me als inlichtingenbron naar believen konden in- en uitschakelen, was te gek voor woorden. Maar ik kwam er
al snel achter dat ze niet de enigen waren die me wilden reactiveren
zodra het hun uitkwam.

20

DOELWIT AWLAKI

Begin 2011-zomer 2011

Begin 2011 zat er een dip in mijn inlichtingenwerk. De Denen betaalden me nog steeds een voorschot, maar hadden geen buitenlandse opdrachten voor me. In plaats daarvan concentreerde ik me op het verder ontwikkelen van Storm Bushcraft. Ik begon het bedrijf steeds meer als een echte onderneming te zien in plaats van een dekmantel. Per slot van rekening stopte ik er veel eigen geld in. Ik begon na te denken over een nieuw leven. Mijn onderhandelingen over de aankoop van het resort in de buurt van de Masingadam in Kenia hadden eindelijk een beslissend punt bereikt. Ondanks mijn snel slinkende banksaldo had ik voor de optie het onroerend goed binnen een jaar zonder verder voorbehoud te kunnen kopen 20.000 dollar overgemaakt.

Het grootste deel van de winter zat ik piekerend thuis in Coventry. Ik vond het dagelijks leven een sleur. De sombere lucht en de snel invallende duisternis maakten mijn rusteloosheid alleen maar groter. Hoewel de Britten hun banden met mij hadden verbroken, stond ik nog steeds op de loonlijst van de PET en moest ik nog steeds doen of ik Murad Storm was, de ijverige extremist. Die leugen begon aan me te knagen. Was het het allemaal nog wel waard? De angst die ik voelde om Abdullah Mehdar en Aminah keerde van tijd tot tijd terug en ik was weer vervallen tot zelfmedicatie met cocaïne, die ik thuis en in m'n eentje vreugdeloos opsnoof.

In februari zag ik op Facebook dat mijn middelbare school in

Korsør een reünie hield. Ik meldde me ervoor aan. Ik had met de meeste van mijn vrienden uit mijn tienertijd in Korsør geen contact meer en het leek me leuk om een weekend met hen door te brengen. Maar ik besloot op het laatste moment om toch maar niet te gaan. Ik was bang dat foto's van die gebeurtenis online zouden komen, waarop dan te zien zou zijn dat ik met kafir omging. Ik leefde in een gevangenis die ik zelf had gebouwd.

Het moeilijkste aspect van dat leven was de constante noodzaak om Fadia om de tuin te leiden. Het was me gelukt om de cocaïne voor haar geheim te houden. Maar ik moest wel een verklaring hebben voor mijn frequente reizen naar het buitenland en waar het geld vandaan kwam dat ik in Storm Bushcraft investeerde en voor de onderhandelingen in Kenia. Ik creëerde een fabel die ze leek te geloven. Ik had haar verteld dat ik, nadat ik het geloof had hervonden, in Sanaa enkele devote moslims uit Jemen en Saoedi-Arabië was tegengekomen, die in de wildernis in Kenia een centrum voor godsdienstige jongemannen wilden bouwen. Ik zei erbij dat ze wisten van mijn Bushcraft-ervaringen en dat ze geld bijeen hadden gebracht om mij in te kunnen huren voor het onderzoeken van de mogelijkheden. Het was een kans om iets waardevols op te bouwen, zei ik haar, en misschien dat het ook nog andere mogelijkheden zou bieden. In wat ik haar vertelde zaten weliswaar enkele elementen die klopten, maar centraal in het hele verhaal stond een gigantische leugen. Fadia had geen flauw idee dat ik 250.000 dollar van de Amerikaanse overheid had gekregen – in contanten – en ze had ook geen idee dat die som snel kleiner werd.

In de weekenden dat ik de kinderen bij me had, verlangde ik ernaar om ze te vertellen dat mijn islamitische kleding, mijn baard, mijn gebeden stuk voor stuk niets te betekenen hadden, en dat ik in het geheim strijd leverde tegen het terrorisme. Maar dat heb ik nooit gedaan. Die wetenschap zou hen alleen maar in gevaar hebben gebracht. En mijn oudste kind, Osama, was nog maar net negen.

Het deprimeerde me dat de enige mensen die mijn echte rol kenden, écht wisten waarmee ik bezig was, mijn Deense handlers waren, maar we hadden de laatste tijd alleen nog maar telefonisch contact. Ik voelde me overbodig. Het laatste wat ik verwachtte was een nieuwe toenadering van de kant van de CIA, maar op een ochtend in april kreeg ik een sms'je van de PET. Big Brother was het spoor naar Anwar al-Awlaki kwijt en had mijn hulp nodig.

Volgens Klang hadden de Amerikanen er een 'aanzienlijke som' voor over als ik hen naar de geestelijke kon leiden. Misschien waren de Amerikaanse begrotingsperikelen minder ernstig dan ik had verwacht, of misschien waren ze gewoon wanhopig. Daar was dan ook alle reden toe.

Awlaki fungeerde steeds vaker als het gezicht van Al Qaida. Zes maanden eerder was hij nog betrokken geweest bij een ingenieus AQAP-complot om vrachtvliegtuigen die naar de Verenigde Staten op weg waren op te blazen met explosieven die in printercartidges verstopt zaten. Twee springladingen, ontworpen door meester-bommenmaker Ibrahim al-Asiri, werden in laserprinters gestopt, die vervolgens bij de kantoren van FedEx en UPS in Sanaa ter verzending werden aangeboden. Tijdens de veiligheidscontroles op het vliegveld werden ze niet ontdekt en daarna werden ze aan boord geladen voor de eerste etappe van hun reis naar de Verenigde Staten. Alleen een inlichtingentip naar de Saoedische autoriteiten zorgde ervoor dat functionarissen in Dubai en het Verenigd Koninkrijk de dodelijke lading uiteindelijk nog konden onderscheppen.

Enkele uren later richtte president Obama zich tot de Amerikaanse bevolking en meldde hij dat er een gevaarlijke aanslag was voorkomen.[42]

Al-Asiri had de explosieven zo goed weten te verstoppen dat de explosievenopruimingsdiensten op beide locaties er in eerste instantie van overtuigd waren dat er met de printers niets aan de hand was, zelfs na een grondig onderzoek. Het was de meest geraffineerde Al Qaida-bom waarmee westerse contraterrorismediensten ooit waren geconfronteerd en volgens hen waren de explosieven voldoende krachtig om een vliegtuig te kunnen neerhalen.

Awlaki zelf had bij de voorbereidingen van de aanslag ook een rol gespeeld. Hij had aan Rajib Karim, een British Airways-medewerker in het Verenigd Koninkrijk, gevraagd of hij de technische details kon leveren van de röntgenscanners die op vliegvelden werden gebruikt en of het mogelijk was om pakjes aan boord van een vliegtuig naar de Verenigde Staten te krijgen zonder dat ze werden gescand.

'Onze eerste prioriteit is de Verenigde Staten. Alles wat we daar kunnen doen, zelfs op een kleinere schaal dan in het Verenigd Koninkrijk is gebeurd, daar gaat onze voorkeur naar uit,' schreef hij in een vercijferde e-mail aan Karim.

Volgens de Amerikaanse overheid 'hielp Awlaki niet alleen bij het plannen van en toezicht houden op het complot, maar was hij ook rechtstreeks betrokken bij de details rond de uitvoering ervan. Hij bemoeide zich zelfs met het ontwikkelen en testen van de explosieve ladingen die aan boord van de toestellen meegingen.'

Amerikaanse functionarissen hadden het over Awlaki's betrokkenheid bij 'talrijke andere complotten tegen Amerikaanse en westerse belangen'. En ook als hij er niet rechtstreeks bij betrokken was, dan nog zette hij tot aanslagen aan. Bij bijna alle complotten die in het Westen aan het licht kwamen leek Awlaki de gemeenschappelijke factor. In principe de gevaarlijkste daarvan was het plan van drie jongemannen in de Verenigde Staten, onder wie een genaturaliseerde Afghaan, Najibullah Zazi, om in september 2009 tijdens het spitsuur in New York rijtuigen van de ondergrondse op te blazen. Voor ze tijdens een trip naar Pakistan met Al Qaida in contact waren gekomen, was het trio al geradicaliseerd door op hun iPods naar Awlaki's preken te luisteren. Een andere volgeling van hem was een Amerikaan van Pakistaanse afkomst die in mei 2010 op Times Square probeerde een autobom tot ontploffing te brengen.

De AQAP werd snel een van de meest geperfectioneerde takken van de groepering als het ging om gebruikmaken van internet om contact te onderhouden met volgelingen. In juni 2010 kwam de eerste editie uit van het online-magazine *Inspire*. Awlaki was de drijvende kracht achter het magazine, dat werd geredigeerd door zijn protegé Samir Khan, de Amerikaanse, in Saoedi-Arabië geboren extremist.

In de eerste aflevering stond een handleiding: 'Hoe een bom te maken in de keuken van je moeder', waarin gedetailleerd uit de doeken werd gedaan hoe je van een snelkookpan, gevuld met kruit en schroot, een simpele bom kon maken.[43]

Dus er waren redenen genoeg om Awlaki tot zwijgen te brengen. En de Arabische lente die in de eerste maanden van 2011 uitbrak, zorgde voor een nieuwe. Door de onrust die in Jemen heerste kregen de jihadisten steeds meer ruimte. En in de zuidelijke en oostelijke tribale gebieden profiteerde Al Qaida steeds vaker van het feit dat president Saleh alleen maar bezig was politiek te overleven en steeds onpopulairder werd en rekruteerde het steeds vaker strijders bij stammen die in principe niet onsympathiek tegenover hem stonden.

Awlaki kon in een steeds groter gebied opereren en beschikte over steeds meer hulpbronnen waarmee hij de volgende aanslag op Amerikaans grondgebied kon beramen. In zijn publicaties beloofde AQAP dat zoiets slechts een kwestie van tijd was.

Mijn Deense handlers kenden me goed genoeg om te weten dat ik bereid was om weer aan de jacht op Awlaki deel te nemen, ook al leek Jemen op dat moment te imploderen. Ze wisten hoe frustrerend de laatste maanden voor mij waren geweest.

Begin mei werd ik uitgenodigd voor een vervolggesprek met hen in Kopenhagen, waarbij ook mijn voormalige CIA-handler Jed aanwezig zou zijn. Toen ik op het vliegveld van Birmingham op mijn vlucht wachtte, was er op de televisieschermen voortdurend een en hetzelfde gezicht te zien: dat van Osama bin Laden. Slechts enkele uren daarvoor was een team van de US Navy SEALs Bin Ladens verblijfplaats in Abbottabad in Pakistan binnengevallen. De leider van Al Qaida was gedood en zijn lichaam was snel met een helikopter weggehaald, waarna het lijk na een korte, nogal beschamende plechtigheid in zee was gedumpt. Gewoonlijk namen maar weinig reizigers de moeite op het vliegveld naar het tv-nieuws te kijken, maar nu dromden er hele groepen voor de schermen. De grote kwelduivel van het Westen was verslagen.

Ik dacht aan alle strijders die Bin Laden van achter de hoge muren van zijn comfortabele huis hadden aangemoedigd het martelaarschap te omarmen. Hij mocht dan in jihadistische kringen roem hebben vergaard als vechter, maar ik had zo het gevoel dat de manier waarop hij de laatste paar jaar had geleefd en was gestorven, in een huis vol vrouwen en kinderen, hem toch wel iets van zijn glans had beroofd.

Hoe dan ook, de man die voor generaties jihadisten een bron van inspiratie was geweest, was er niet meer. De fakkel werd doorgegeven, maar aan wie? Heel wat waarnemers, zowel binnen Al Qaida als binnen de inlichtingendiensten die deze organisatie probeerden te vernietigen, zagen Anwar al-Awlaki als een mogelijke kandidaat.

Vanuit Kopenhagen werd ik naar de vakantiewoning in Hornbæk gebracht, waar ik met de Amerikanen de Aminah-missie had voorbereid. Deze keer was de stemming er zelfs nog gespannener.

Tot mijn grote verrassing werd ik door Jed stevig omarmd. Hij leek zich enigszins te generen voor de manier waarop ik na de Aminah-missie zonder verdere plichtplegingen aan de kant was gezet.

'Gefeliciteerd met het feit dat jullie Bin Laden te pakken hebben gekregen,' zei ik.

'Bedankt, man, dit is een grote dag voor ons.'

Klang onderbrak hem en zei: 'Begrijp je wat dit betekent? Awlaki is voor de Amerikanen zojuist de meest gezochte persoon op aarde geworden.'

Dat leek voor Jed de opmerking te zijn waarop hij had gewacht.

'We willen dat je hem vindt. Dat heeft voor mijn regering de hoogste prioriteit.'

'Maak je geen zorgen, ik vind hem wel,' antwoordde ik. Ik was helemaal opgewonden bij het vooruitzicht weer mee te mogen doen.

We spraken af dat ik naar Sanaa terug zou keren en daar zou proberen weer contact met Awlaki op te nemen. Al enkele dagen na onze bijeenkomst liet hij zien hoe moeilijk het was om hem te elimineren, ook al was hij plotseling in het vizier gekomen.

Op 5 mei 2011, nog geen week na Bin Ladens dood, kregen boven Jemen opererende Amerikaanse onbemande vliegtuigjes een pick-up in het oog die vrij snel over een onverharde weg reed en een lang stofspoor achter zich aan trok. Dat gebeurde op zo'n twintig kilometer van Ataq, de stad waar ik drie jaar eerder bij Awlaki op bezoek was geweest. Dit was nog steeds zijn thuisland.

De Amerikaanse inlichtingendiensten vermoedden dat de geestelijke en een stuk of wat van zijn Al Qaida-vriendjes in die wagen zaten. Maar in tegenstelling met de door US Navy SEALS uitgevoerde aanval op Abbottabad was de operatie in Jemen haastig in elkaar geflanst. Een dag eerder had de Jemenitische inlichtingendienst Amerikaanse functionarissen laten weten over informatie te beschikken waaruit kon worden opgemaakt dat Awlaki in een dorpje in de buurt verbleef.

Terwijl enkele Amerikanen real time met de satellietbeelden meekeken, werden er drie raketten gelanceerd. Enkele seconden later boorden die zich in de harde grond, waarbij een enorme stofwolk en puin de lucht in werden geslingerd. Niet een van de drie raketten trof doel.

'We voelden de luchtdruk van de explosie, waarbij alle ramen uit de auto werden geblazen,' vertelde Awlaki later. 'We zagen zelfs een lichtflits, dus dachten we even dat we in een hinderlaag waren gelopen en dat we onder vuur lagen. We hadden het idee dat er een raketgranaat op ons was afgevuurd.'

De pick-up was de gevarenzone uit gescheurd en er als een waanzinnige langs woestijnpaden vandoor gegaan. Ondanks de verwoestingen buiten had niemand in de auto verwondingen opgelopen. Later vertelden dorpsbewoners dat twee broers van wie bekend was dat ze Al Qaida-strijders bescherming boden, snel naar de plaats des onheils waren gereden en erin waren geslaagd het voertuig met Awlaki erin in te halen. Terwijl de Amerikaanse drones nog rondcirkelden, ruilden ze met het gezelschap van Awlaki van auto.

Die switch had ervoor gezorgd dat de geestelijke in leven was gebleven. Enkele minuten later explodeerde de pick-up waar Awlaki net uit was gestapt in een geelbruine vuurbal en waren de twee broers op slag dood.

Toen Awlaki de explosie zag, had hij als een haas dekking gezocht. De chauffeur van de geestelijke was naar een nabijgelegen vallei gereden, waar een paar bomen beschutting boden tegen de drones. Awlaki en zijn kameraden waren snel uitgestapt en waren alle kanten op gehold.

'Ook in enkele andere gebieden vonden luchtaanvallen plaats, maar een van de broers wees me op een stuk of wat steile rotsen in de bergen,' vertelde Awlaki later tegen een vriend. Hij sliep die nacht in de buitenlucht en werd de volgende dag door Al Qaida-strijders opgehaald.

'Er overkomt je iets angstwekkends, maar de Alamchtige Allah laat rust over je neerdalen,' zei hij later tegen die vriend. 'Deze keer hebben elf raketten doel gemist, maar de volgende keer kan de eerste raket gelijk raak zijn.'

Profetische woorden.

De voorbereidingen voor deze opdracht waren aanzienlijk veeleisender dan voor alle eerdere missies. Omdat reizen in tribale gebieden steeds gevaarlijker werd, stuurde de PET me naar een herhalingscursus waar ik opnieuw met vuurwapens vertrouwd werd gemaakt.

Mijn instructeurs, Daniel en Frank, waren mannen van weinig woorden, maar onderwierpen me aan een keihard programma, dat ook het rijden op moeilijk terrein en eerste hulp aan het front omvatte. Op de schietbaan vuurde ik scherpe patronen af met een Heckler & Koch MP5-pistoolmitrailleur, een Magnum-pompgeweer, een kalasjnikov-aanvalsgeweer en een pistool. Ze leerden me, voor het geval ik gewond mocht raken, zowel met de linker- als de rechterhand te schieten, terwijl ik ook oefeningen moest doen waarbij ik met een zwaarder wapen in de richting van het doelwit rende, om pas op de korte afstand snel het pistool te trekken.

Ook werd me geleerd hoe ik moest reageren als mijn voertuig werd aangevallen en hoe ik onder het rijden vanuit de auto moest vuren. Als er langere tijd op me werd geschoten, moest ik wegduiken onder het stuur, omdat het motorblok bescherming bood tegen inkomend vuur.

Daniel vertelde me dat als ik bij een wegblokkade het gevoel had dat mijn leven in gevaar was, ik nooit het raampje naar beneden moest draaien maar dwars door de deur heen moest schieten met een pistool dat ik in een dubbelgevouwen krant verborgen moest houden. Bij een zo'n oefening zat ik gehurkt op het asfalt naast het portier en vuurde ik op een doelwit aan de andere kant van de auto. De 9mm-kogel ging dwars door beide portieren.

Ten slotte werd ik meegenomen naar een leegstaand complex waar me geleerd werd hoe ik uit een gebouw kon ontsnappen en hoe ik moest reageren in het geval ik gegijzeld zou worden. Ik kreeg een MP-5 met inktpatronen, en elke keer dat ik behoedzaam om een hoek keek, had ik een fractie van een seconde de tijd om een doelwit te raken. Terwijl ik het ene vertrek na het andere veiligstelde, moest ik onwillekeurig aan de paintballoefeningen denken waaraan ik tien jaar daarvoor met mijn 'broeders' in het nabijgelegen Odense had meegedaan. Alleen was dit een stuk serieuzer.

Toen ik Frank vertelde dat hij een voormalige Bandido trainde, moest hij lachen.

De Denen leerden me deze vaardigheden niet alleen opdat ik in staat zou zijn me tegen Al Qaida-strijders te beschermen, maar ook voor het geval ik met Jemenitische regeringstroepen of tribale milities te maken zou krijgen. In een explosief land, waar op elkaar het vuur openen een heel normale manier is om onderhandelingen te beginnen, kon ik het doelwit worden van diverse bewapende groepen. Klang vertelde me dat als mijn leven op het spel stond, ik op Jemenitische soldaten mocht schieten.

Na de wapentraining werd ik geëvalueerd door een ernstig kijkende psycholoog die voor de PET werkte om te zien of het verantwoord was dat ik met de missie doorging, en stelde hij me in een hotelsuite ten noorden van Kopenhagen een hele serie vragen.

'Hoe vind je het om naar Jemen terug te gaan?' vroeg hij.

'Ik ben een tikkeltje bezorgd, maar dat lijkt me nogal logisch.'

'Het is goed dat je je zo voelt. Als dat niet het geval was, zou ík me zorgen maken,' antwoordde hij.

'Het idee dat ik achter Awlaki aan moet geeft me een dubbel gevoel. Hij is een vriend van me geweest en ik weet dat hij zijn leven voor me zou geven.' Het was prettig om erover te kunnen praten.

'Dat is normaal, een geweten hebben is alleen maar menselijk,' antwoordde hij.

Ik vertelde hem dat ik af en toe cocaïne snoof om te kunnen omgaan met de stress waarmee het inlichtingenwerk gepaard ging.

'Dat is slechts een tijdelijke oplossing voor een permanent probleem,' antwoordde hij klinisch.

De psycholoog achtte me geschikt om naar Jemen terug te keren. Bij de PET kwam niemand met de suggestie om me voor mijn drugsgebruik te behandelen. Na de trip naar Barcelona had ik Klang verteld dat ik cocaïne gebruikte om angstaanvallen te onderdrukken, maar zijn enige zorg had eruit bestaan dat hij niet wilde dat ik zoiets deed waar hij bij was.

Naarmate de voorbereidingen intensiveerden, waren er hele dagen agenten bij me aanwezig en werden reismogelijkheden besproken, plaatsen waar ik zou verblijven en op welke manier ik contact met Awlaki kon opnemen. Misschien wel het beste advies kreeg ik van een outdoorspecialist van de PET die Jacob heette. Toen we onder het genot van een kop koffie de missie bespraken, keek hij me ernstig aan.

'Jij doet het gevaarlijkste werk dat er op de wereld bestaat. Je moet er wel voor zorgen dat ze dat niet vergeten,' zei hij me. 'Sta erop dat je krijgt wat je nodig hebt. En als je daar bent, ga niet in de buurt van terroristen zitten, want de Amerikanen zullen geen moment aarzelen je te doden.'

Ik wist niet zeker of hij uit ervaring sprak of enigszins overdreef om zijn woorden kracht bij te zetten, maar het was beangstigend. Ik besefte dat ik, als het om een belangrijk doelwit als Awlaki ging, volkomen gemist kon worden.

Eigenlijk kon ik alleen maar op mezelf vertrouwen.

Half mei had ik voor de missie nog een laatste briefing met Jed en mijn Deense handlers, deze keer in een suite in het Marienlyst Hotel in Helsingør. Vanuit de kamer had ik een prachtig uitzicht over de Sont en de Zweedse kust.

In het bijzijn van Jed klapte ik mijn laptop open en activeerde de Geheimen van de Moedjahedien-software. Ik tikte een boodschap voor de geestelijke in, die ik ondertekende met 'IJsbeer', een bijnaam die Awlaki me had gegeven. Daarna tikte ik de publieke sleutel in die van *Inspire*-magazine afkomstig was, drukte op 'vercijferen', waarna ik het geheel naar een e-mailadres verstuurde dat ik uit het *Inspire*-magazine had gehaald.

De Denen gaven me een iPhone. Die was zodanig geconfigureerd dat alles wat ik deed onmiddellijk aan de Deense inlichtingendienst werd doorgegeven. 'Als jij een foto of een filmpje maakt, kunnen we real time meekijken, en als jij een boodschap verstuurt worden we onmiddellijk gewaarschuwd,' legde Klang uit. Het mobieltje was van een Deense simkaart voorzien, wat betekende dat de Deense belastingbetaler straks voor een enorme rekening zou moeten opdraaien.

Toen Jed was verdwenen gaven de Denen me ook nog een Acer-notebook. Ze vroegen me deze nieuwe computer te gebruiken als ik met mijn Al Qaida-contacten communiceerde, in plaats van de Samsung-laptop die Jed me voor de Aminah-missie had gegeven.

'We willen de Amerikanen graag een stapje voor blijven,' zei Klang. De Deense inlichtingendienst liet duidelijk zijn eigendomsrechten gelden.

Op 23 mei vloog ik naar Sanaa. Mijn coverstory was dat ik terug in het land was om in Jemen een filiaal van Storm Bushcraft op te zetten. Fadia was voor me uit gereisd. Ik had haar voorgesteld vast naar haar familie te gaan, zodat ik aandacht aan mijn Bushcraft-onderneming kon besteden. Ze wist dat ik ook wilde kijken hoe de situatie rond Awlaki was, maar ze had nog steeds geen idee waarom de geestelijke zo belangrijk voor me was.

In de hoofdstad was het onrustig door allerlei betogingen, waaronder een sit-in door studenten op het centrale plein. Op de dag dat ik aankwam braken er, nadat president Saleh was teruggekrabbeld met betrekking tot een plan voor een vreedzame overgang, gevechten tussen regeringstroepen en een oppositiefactie uit. Al Qaida kon tevreden zijn, vermoedde ik zo.

Ik vond een huis op de 50ste Straat. Het feit dat het vlak bij het presidentieel paleis lag, zou gezien Salahs onzekere greep op de macht wel eens problemen kunnen opleveren, maar het was een van de betere buurten van de stad. Mijn buurman was de minister van Oliezaken en bijna alle huizen werden bewaakt. Ik betaalde, naar Jemenitische maatstaven, een vrij hoge huur. Maar ik hield me schuil in het volle zicht. De Jemenitische autoriteiten gingen er ongetwijfeld van uit dat een geharde jihadist niet tussen kabinetsleden ging wonen en ik kon deze buitensporigheid tegenover Awlaki en de anderen verantwoorden op dezelfde gronden. Ik gaf ondertussen hoog op over de groei van Storm Bushcraft en mijn plannen om ook in Jemen een vestiging te openen.

Ook had ik het idee dat er misschien een kans was dat Awlaki onder druk van de omstandigheden zou toegeven en het aanbod zou accepteren om samen met Aminah zijn toevlucht bij ons thuis te zoeken, waarbij hij veilig zou zijn voor onbemande vliegtuigjes en raketaanvallen. Per slot van rekening had Bin Laden min of meer hetzelfde gedaan en was een heel eind verwijderd van het strijdtoneel in Waziristan. Dan kon ik de geestelijke misschien aan de Jemenitische autoriteiten overdragen. Dan zou hij in leven blijven en Aminah zou vrij zijn. En ik zou niet elke dag naar mijn snel krimpende banksaldo hoeven kijken.

Jed had met tegenzin gezegd dat het het proberen waard was, maar eigenlijk zou hij Awlaki het liefst 'geëlimineerd' zien.

Toen ik naar Sanaa terugkeerde, verslechterde de veiligheidssituatie met de dag. Op de ochtend van 3 juni schudde ons hele huis door een explosie. Mijn oren tuitten ervan en ik haastte me naar het dak. Ik richtte mijn kijker op een dikke, zwarte rookzuil. Die steeg op in de buurt van het presidentiële paleis en al snel deden de geruchten de ronde dat president Saleh bij een bomaanslag was gedood. Die bleken ongefundeerd, maar de al wat oudere Jemenitische leider liep bij de aanslag, veroorzaakt door een bom die was verstopt in de moskee waar hij een gebedsdienst bijwoonde, ernstige brandwonden op.

Terwijl de president voor een spoedbehandeling naar Saoedi-Arabië werd overgevlogen, kreeg mijn missie meer urgentie. Awlaki had niet geantwoord op mijn e-mail naar *Inspire*-magazine en ik was bang dat hij zich na zijn recente confrontatie met de Amerikaanse drones nog beter verborgen hield. Als er echt een burgeroorlog uitbrak, zou ik misschien niet in Jemen kunnen blijven, laat staan dat ik dan contact met Awlaki kon opnemen. Ik nam contact op met Abdul, de Jemenitische jihadist die ik nog van vroeger kende. Hij had een betrouwbare vriend die Mujeeb heette en die als tussenpersoon fungeerde voor Al Qaida-strijders in het zuidelijke stammengebied.

Nadat ik weer contact met Abdul had opgenomen, kocht ik enkele USB-sticks en schreef ik een boodschap aan de geestelijke, die ik vervolgens met behulp van de Geheimen van de Moedjahedien-software vercijferde. Ik vroeg Awlaki een boodschapper met antwoord naar me toe te sturen. IJsbeer, liet ik hem weten, zou op drie verschillende, door mij gespecificeerde avonden op hem wachten in een restaurant in Sanaa dat we beiden kenden. Ik zette de boodschap op een van de USB-sticks en gaf hem aan Abdul.

'Zeg tegen Mujeeb dat hij dit naar Adil al-Abab moet brengen,' zei ik hem. Al-Abab, een Jemenitische militant met wie ik in 2006 bevriend was geraakt, was nu de religieuze emir van Al Qaida in de tribale gebieden. Ik ging ervan uit dat hij in staat was de USB-stick bij Awlaki af te leveren.

'Ik gebruik Abdul als een laatste redmiddel, want ik vertrouw hem niet voor de volle honderd procent,' schreef ik Awlaki.

Vanwege de twijfels die Awlaki tegenover mij over Abdul had geuit, vond ik het beter mezelf in te dekken. Tegelijkertijd nam ik een behoorlijk risico. Als Abdul achter de inhoud van mijn vercijferde boodschap kwam, zou ik in het gunstigste geval een contactpersoon verliezen en er in het ergste geval een vijand bij krijgen.

Het restaurant waar ik het rendez-vous had afgesproken was al-Shaibani, waar traditionele vleesmaaltijden werden geserveerd en dat ook nog eens vrij dicht bij mijn huis lag. Ik waarschuwde mijn Deense handlers en zij op hun beurt brachten de Amerikanen op de hoogte. Op de eerste van de drie door mij opgegeven data wachtte ik in al-Shaibani af wat er zou gebeuren, terwijl ik ondertussen van mijn thee nipte. Ik had het griezelige gevoel dat ik in de gaten werd gehouden.

Twee in traditionele Jemenitische gewaden gehulde mannen keken net iets te vaak mijn kant op. Misschien maakte ik me te veel zorgen, per slot van rekening bood ik in een Arabische hoofdstad, waar het toch al erg onrustig was, sowieso een nogal ongebruikelijke aanblik. Er verstreek een uur en ik besefte dat de koerier niet meer zou komen. De tweede avond verliep net zo en ik begon bang te worden dat Awlaki mijn boodschap niet had gekregen.

Op de derde avond kwam er een tengere jongeman met een donkere huid naar mijn tafeltje. Hij droeg zijn hoofddoek op de manier zoals dat in Marib de gewoonte was, een provincie die steeds vaker door Al Qaida als toevluchtsoord werd gebruikt. Zo te zien liep hij tegen de dertig.

'Kleur?' vroeg de jongeman me in het Arabisch. '*Akhdar*,' antwoordde ik, het Arabische woord voor groen. Dat was het codewoord dat ik aan Awlaki had doorgegeven. De boodschapper haalde iets uit zijn zak en gaf me vervolgens een USB-stick, dezelfde die ik aan Abdul had gegeven. De jonge koerier gaf me ook 300 dollar, terwijl hij als verklaring naar de USB-stick gebaarde.

'Geef me even de tijd om ernaar te kijken, dan kom ik over vier uur naar het al-Hamra-restaurant in de al-Haddah-straat, oké?' zei ik.

Eenmaal thuis stopte ik de USB-stick met trillende handen in mijn laptop, laadde de Geheimen van de Moedjahedien-software en begon te lezen.

'Ik heb de door jou gestuurde USB-stick ontvangen,' schreef Awlaki, en voegde eraan toe dat het een 'goed idee was om Abdul niet meer voor toekomstige boodschappen te gebruiken'.

Hij vervolgde: 'Drie dingen: als je me mailt, zet dan een datum bij alle boodschappen. Ten tweede: hou er rekening mee dat het een paar dagen duurt voor een e-mail me bereikt, dus als je een afspraak wilt maken, laat me dat dan van tevoren weten. Ten derde: je hoeft als je een e-mail naar *Inspire* stuurt die niet "aan de sjeik" te richten. Alles wat je mailt wordt naar mij doorgestuurd.

Beantwoord deze boodschap met wat je te zeggen hebt, en geef die dan aan de broeder mee,' schreef de geestelijke.

'Deze broeder is voorlopig de boodschapper tussen ons beiden. Belangrijk: de broeder weet niet dat hij boodschappen van mij aflevert en hij weet ook niet waar ik ben, dus vertel hem niet dat de boodschap van mij afkomstig is. Geef hem de stick mee, dan levert hij hem af waar hij hem moet afleveren, waarna de stick bij mij wordt afgeleverd, insha'Allah.'

Awlaki maakte, om zijn boodschap bij mij te krijgen, gebruik van een zogenaamde *cut-out*. Het was een klassieke techniek. Als de jonge Marabi werd opgepakt of gevolgd, kon hij de Amerikanen nooit rechtstreeks naar Awlaki leiden. Hij was slechts één enkele schakel in het geheel en hij had geen idee waar de volgende koerier naartoe zou gaan.

'Bij toekomstige correspondentie is het waarschijnlijk beter als je vrouw de USB-stick aan de broeder overhandigt,' schreef Awlaki me. 'Je moet het zelf weten, maar volgens mij staat vast dat je in de gaten wordt gehouden, en dat zou jou en de broeder wel eens in gevaar kunnen brengen [...] De broeder zegt dat het niet veilig voor hem is regelmatig naar Sanaa te gaan. Dus schrijf alsjeblieft alles wat je me te zeggen hebt in deze boodschap op en stuur me die toe.'

Al die gedetailleerde informatie over veiligheidsmaatregelen maakte één ding duidelijk: Awlaki was bang dat hij verraden zou worden en besefte nu maar al te goed dat hij erg belangrijk was geworden. Dus had hij erop gestaan dat er onderweg verschillende keren van boodschapper werd gewisseld.

'Laat me alsjeblieft weten wat je programma is en graag het laatste nieuws uit het Westen,' schreef hij. En hij had het volgende verzoek: 'Mijn vrouw heeft wat spullen uit Sanaa nodig, zou je vrouw die willen meenemen? We hebben er al eerder mensen op afgestuurd, maar haar smaak zat er niet bij.'

De geestelijke had er een boodschap van Aminah voor Fadia aan toegevoegd: 'Ik mis mijn familie heel erg. Insha'Allah hoop ik hen op een dag weer terug te zien. Je vraagt je misschien af hoe het hier met mij gaat. Het gaat goed met me, alhamdulillah. Na een jaar ben ik wel een beetje gewend aan de omstandigheden waaronder we leven, maar de beperkingen maken het leven wel een stuk gecompliceerder. [...] Ik leer elke dag nog bij. Ik heb zelfs geleerd enkele Jemenitische maaltijden te bereiden.'

Maar haar boodschappenlijstje had maar weinig met het verbeteren van haar Jemenitische kookkunst te maken.

'Stuur alsjeblieft chocolade, Lindt, verschillende smaken, 100 gram, Kinder Bueno 10 stuks, Ferrero Rocher. En ik zou graag wat parfum willen hebben. Dolce & Gabbana, Light Blue. Doos is prachtig hemelsblauw.'

Ik had zo het vermoeden dat ze thuis echt miste.

En toen kwam er een heel ander boodschappenlijstje, een die duidelijk door haar echtgenoot beïnvloed was. Mijn besluit, een jaar eerder, om Fadia mee naar Wenen te nemen en haar met Aminah kennis te laten maken, bleek vruchten af te werpen. Aminah had een aantal gedetailleerde verzoeken: kleding en andere vrouwelijke zaken die ik als oprechte salafist onmogelijk in overweging kon nemen. 'Ik draag geen Jemenitische kleding meer. De spullen die ik heb bevallen me niet en bovendien is het veel te warm om ze te dragen. Het materiaal is niet goed, het is synthetisch. Het is vreselijk.

Zou je alsjeblieft wat Europese kleding voor me kunnen bemachtigen? Die mis ik enorm,' schreef ze. 'Het moeten lange jurken zijn, zonder mouwen [...] de stof moet licht zijn, maar niet doorzichtig [...] en als je een minirokje van spijkerstof kunt vinden, graag strak en zo kort mogelijk.

Verder heb ik nog wat pakken damesverband nodig [...].'

En zo ging de lijst nog een tijdje door.

Ik haalde mijn Deense iPhone tevoorschijn en belde Klang, mijn PET-handler, die duizenden kilometers verderop in Denemarken zat. 'De minister van Landbouw heeft geantwoord en hij heeft een boodschap voor me,' zei ik.

'Wáát?' reageerde Klang, die de codenaam voor de geestelijke blijkbaar vergeten was. (Awlaki's vader was in Jemen minister van Landbouw geweest.)

'Jezus! Dat is groots,' riep hij uit. We vervolgden ons gesprek in een

Deens dialect waarvan we zeker wisten dat niemand in Jemen, zelfs niet bij de Amerikaanse National Security Agency, het begreep.

'Luister, we zouden elkaar op korte termijn ergens moeten ontmoeten, ergens waar het warm is,' zei Klang aan het einde van het gesprek.

Ik schreef een kort antwoord aan Awlaki, sloot mijn laptop af en haastte me naar de winkels. Ik kocht niet alles waar de geestelijke en zijn vrouw om hadden gevraagd. Bovendien hadden zelfs 'luxe'zaken in Sanaa een deerniswekkend aanbod. Daar kwam nog bij dat het belangrijk was dat het tweetal (vooral Aminah) met ons in contact moest blijven voor de andere spullen. Daarna ging ik naar het al-Hamra-restaurant om de plastic zakken met spullen en de boodschap aan de koerier te geven.

Toen ik daar aankwam stond hij buiten op qat te kauwen, bladeren waar een groot deel van de mannelijke bevolking van Jemen aan verslaafd is en waarvan men 'high' kon worden op een manier die erg veel leek op de wijze waarop je dat van amfetaminen of een vierdubbele espresso met een scheutje tequila kunt worden.

'Ik heb niet alles kunnen vinden, maar ik ga binnenkort naar Europa terug en dan koop ik daar de andere spullen wel,' zei ik hem. Ik gaf hem de 300 dollar terug. 'Die kan ik onmogelijk accepteren. Zorg ervoor dat dat geld terugkomt op de plaats waar het hoort,' zei ik.

'Dat zal ik doen,' antwoordde hij en hij verdween haastig in de avond.

De volgende dag stuurde ik Awlaki via *Inspire*, zoals hij had gevraagd, een vercijferde e-mail om zo weer een onlineverbinding tot stand te brengen.

'Ga alsjeblieft naar een nieuwe koerier op zoek,' schreef ik hem. 'De knaap die je hebt gestuurd kauwt op qat en dat vind ik maar niets.' Awlaki had me in het verleden al een paar keer deelgenoot gemaakt van zijn frustratie over het feit dat zo veel van zijn medestanders aan qat waren verslaafd. Het feit dat ik dat spul afkeurde zou hem niet alleen deugd doen, het liet ook zien dat ik operationele veiligheid erg belangrijk vond.

Al Qaida in Jemen wees verslavende middelen over het algemeen af, maar tolereerde het gebruik ervan in sommige gebieden die het controleerde wel omdat er in de islam niet specifiek tegen gewaarschuwd werd en omdat de leiding besefte dat een verbod erop gegarandeerd tot een snelle verdamping van de steun aan de organisatie zou leiden. Er waren zelfs lieden die alleen maar een aanslag konden plegen met hun mond vol qatbladeren.

Kort daarna arriveerde er een vercijferde e-mail met een nieuw verzoek: hexaminetabletten en een koelkast (waarschijnlijk om explosieven in te bewaren), een Leatherman-mes en sandalen die geschikt waren voor elk soort terrein. In dezelfde boodschap stelde Aminah voor om, als het allemaal wat rustiger was geworden, maar eens bij hen op bezoek te komen. Hoewel ze nu al een jaar in Jemen verbleef, had Aminah nog steeds last van chronische naïviteit.

Zoals gewoonlijk voegde ik de boodschap onmiddellijk als bijlage toe aan een bericht naar een concept-e-mailaccount dat ik deelde met de Deense inlichtingendienst, zodat ze daar ook van een en ander op de hoogte waren.

Het was tijd voor een tussenrapportage. Op 28 juni verliet ik Sanaa met bestemming Malaga in Spanje, het warme oord dat Klang me in het vooruitzicht had gesteld. Ik voelde me weer nuttig. Ik beschikte nog steeds over mijn oude vakmanschap. Ik was midden in een opstand aangekomen en toch was het me gelukt om binnen een maand met Awlaki contact op te nemen, die opnieuw zijn vertrouwen in me had uitgesproken.

Tegen alle verwachtingen in hadden we een van de gevaarlijkste mannen ter wereld stevig in het vizier, en ondanks de miljarden die de Amerikanen uitgaven aan hun inlichtingendiensten, was het een kleine Deense eenheid die hierbij het voortouw had genomen. Maar ik besefte dat ik me niet moest laten meeslepen. De Amanah-missie was mislukt en arrogantie leidt tot vergissingen.

Zoals te verwachten was had Klang de keus op Malaga laten vallen omdat híj dat leuk vond en niet omdat het fijn voor mij zou zijn.

'Akhi, wat heb je gedaan? Dit is grandioos!' riep hij uit toen ik de aankomsthal uit kwam. *Akhi*, het Arabische woord voor 'broeder', was de bijnaam die de PET me recentelijk had gegeven. Klang had een zonnebril op en was gekleed in een kakikleurige broek en een poloshirt met een reusachtig Ralph Lauren-logo erop. In scherp contrast daarmee liep Jesper, de voormalige financiële man, in een nogal versleten spijkerbroek en een katoenen short rond.

In een typisch Costa del Sol-hotel ging ik met de Denen in een rustig, schaduwrijk hoekje zitten van het restaurant dat bij het zwembad hoorde. Soren en Anders zagen er gebruind uit.

'Je hebt Big Brother erg blij gemaakt, dit is een gigantische deal voor ze,' vertelde Klang me nadat we clubsandwiches hadden besteld. Blijkbaar had ik ook de Deense inlichtingendienst blij gemaakt, in die mate zelfs dat ze niet minder dan vier vertegenwoordigers naar Malaga hadden gestuurd om me te begroeten.

Ik ontdekte al snel waarom.

'De Amerikanen zijn bereid je vijf miljoen dollar te betalen als je ze naar Awlaki brengt,' zei Jesper.

'Ik begrijp het,' antwoordde ik, hoewel ik het nauwelijks geloofde.

Ze hadden niet gelogen toen ze het over een 'zeer substantieel bedrag' hadden gehad en ze waren er duidelijk op gebrand om Awlaki koste wat kost te pakken te krijgen. Ik nam aan dat het Witte Huis actief belangstelling had gekregen voor de jacht op de man die aanwijsbaar de grootste bedreiging voor het Westen vormde. De betrokken som geld kwam overeen met de beloning die de FBI overhad voor tips die leidden tot de aanhouding van topcriminelen.

'Er is alleen een ding waarbij Jed graag zou zien dat je hem helpt,' zei Klang. 'Zijn bazen zijn nogal geschokt door het feit dat je tegen Awlaki hebt gezegd dat je Abdul, de koerier, niet vertrouwt en willen graag dat je dat toelicht.'

'Dat voel ik zo. Ik wist dat Awlaki hem ook niet voor de volle honderd procent vertrouwde.'

'Oké,' zei Klang. 'Zeg tegen Jed precies hetzelfde, dan kan ons niets gebeuren.'

Deze plotselinge bezorgdheid over de rol van Abdul bracht me enigszins in verwarring.

'Waarom al die drukte?' wilde ik weten. 'Werkt Abdul soms voor hen?'

'Wie weet,' reageerde Klang schouderophalend. Hij vermeed oogcontact en schonk zijn glas nog eens vol. Carlsberg, zag ik, een Deen blijft altijd een Deen, waar hij ook is.

Het intrigeerde me dat van alle mensen die ik in Jemen kende, uitgerekend Abdul wel eens een dubbelagent zou kunnen zijn. Ik kende hem al tien jaar en ik had hem altijd als een toegewijd jihadist beschouwd, iemand die nauwe banden met Al Qaida onderhield en buitengewoon vijandig stond tegenover prowesterse Arabische regeringen en de Verenigde Staten. Maar misschien waren er toch aanwijzingen geweest. Tijdens mijn meest recente verblijf in Jemen had Abdul net iets te enthousiast naar informatie over Awlaki gehengeld. Ook had hij meer contant geld bij zich gehad dan gewoonlijk en hij had een nieuwe auto zonder dat daar een duidelijke inkomstenbron tegenover stond. En hij kauwde tegenwoordig ook al op qat.

Maar het opvallendste, dacht ik, was dat hij tegenwoordig gebruikmaakte van hetzelfde model telefoon, een Nokia N900 met uitklapbaar toetsenbord, dat ik van Jed had gekregen. Zou de CIA Abdul tijdens mijn tien maanden in de wildernis tot informant hebben omgeturnd?

Twee dagen lang werd ik in een hotelsuite gedebrieft. Zelfs MI6 had zich weer in de strijd geworpen en had een jonge agent gestuurd die de bijeenkomst als waarnemer bijwoonde.

Jed stelde zijn vraag over Abdul en ik gaf het antwoord dat we hadden gerepeteerd. Hij gromde 'oké' en noteerde wat in zijn aantekenboekje.

We liepen de lijst met spullen door die Awlaki graag wilde hebben, hexaminetabletten en de koelkast.

'Met die hexamine gaan we niet akkoord,' zei Klang. Dat spul kon worden gebruikt voor het maken van explosieven.

'Dus ik moet terug met lege handen?' repliceerde ik. 'Denk je niet dat dat wel eens een erg amateuristische indruk zou kunnen maken? Of, erger nog, denk je niet dat hij dan wel eens zou kunnen gaan denken dat ik een westerse agent zou kunnen zijn?'

Er viel een onaangename stilte. Klang vond het niet leuk om in het bijzijn van de CIA te worden tegengesproken.

'Zal ik houten tabletten voor hem meenemen?'

De agenten keken elkaar even aan. 'Weet je, je bent slimmer dan je eruitziet,' zei Jesper met een zelfgenoegzaam lachje.

Ik gaf Jed de USB-stick die Awlaki had gebruikt, zodat die geanalyseerd kon worden, en gaf hem ook de resterende sticks die ik gekocht had en voor toekomstige berichten had willen gebruiken. Ik dacht dat de Amerikanen er misschien wel een of ander volgsysteempje in wilden aanbrengen.

'Denk je dat je in staat bent erheen te reizen en bij Awlaki langs te gaan?' vroeg Jed me.

'Misschien, maar de veiligheidssituatie is een stuk slechter geworden,' antwoordde ik, 'vooral in het zuiden. Al Qaida krijgt in bepaalde gebieden steeds meer voet aan de grond en je weet ook niet meer welke legereenheden je nog kunt vertrouwen.'

's Avonds maakte ik een wandelingetje met de Denen en de respectvolle MI6-agent. Langs de straten in de buurt van het hotel stonden dure villa's met weelderige tuinen. Sproei-installaties veroorzaakten een gouden nevel in het avondlicht. In dit deel van Spanje waren grote hoeveelheden Russisch geld terechtgekomen.

'Binnenkort kun je je een van deze huizen permitteren, Akhi,' zei Klang. 'En wee je gebeente als we niet bij je mogen komen logeren.'

We hadden het zelfs over het gemeenschappelijk opzetten van een bedrijf dat we zouden financieren met mijn 'winst', een restaurant of een bar aan het strand. Voor het eerst had ik het gevoel dat mijn Deense handlers niet alleen beroepshalve belangstelling voor mijn succes hadden. Maar ik was nog een heel eind verwijderd van het moment waarop ik Awlaki aan de CIA zou kunnen uitleveren. En zelfs terwijl ik de geur van jasmijn en citroenbomen opsnoof, lukte het me niet om te genieten van het vooruitzicht rijk te worden, want daarvoor had ik wel een man de dood in gestuurd die mijn vriend was geweest.

Jed was in het hotel gebleven: CIA-regels schreven voor dat hij niet samen met mij in het openbaar mocht worden gezien. Nadat we uit het hotel waren vertrokken zag ik hem nog even terug op het vliegveld van Malaga. Hij liep me voorbij en deed net of hij me niet kende, maar ik zag een flauwe glimlach om zijn mond.

Enkele dagen nadat ik uit Malaga was vertrokken, ontdekte ik dat de Verenigde Staten een belangrijke doorbraak hadden gemaakt, maar dan wel ten koste van mijn oude kennis uit Birmingham, Ahmed Abdulkadir Warsame. Na mijn telefoontje waarmee ik verbinding tussen hem en Awlaki had gelegd, had hij regelmatig contact met AQAP opgenomen. Van sommige berichtenwisselingen kreeg ik details van hem te horen, waardoor westerse inlichtingendiensten beter van zijn plannen op de hoogte waren. In 2009 stuurde hij me een e-mail om me te vertellen dat hij naar Jemen wilde om daar de AQAP-leiding te ontmoeten, en hij liet me later weten dat Awlaki hem had uitgenodigd om in Jemen een training te ondergaan.

Warsame nam het aanbod aan. In 2010 reisde hij naar Jemen om een wapentransactie tussen AQAP en Al-Shabaab tot stand te brengen. Tijdens dat bezoek ontmoette hij Awlaki en werd hij getraind in het omgaan met explosieven. Hij was nog geen 25 en was nu al de belangrijkste verbindingsman tussen de twee groeperingen geworden, waarbij hij geld en verbindingsmiddelen van Somalië naar Jemen liet verdwijnen, in ruil voor wapens voor de Somalische strijders.

In april 2011 ging Warsame in een kleine Jemenitische haven aan boord van een dhow, om daarmee de Golf van Aden naar Somalië over te steken. Maar hij werd opgewacht door de Amerikanen, die hem op volle zee gevangennamen. Warsame zou twee maanden aan boord van een amfibisch aanvalsschip van de Amerikaanse marine verblijven, USS Boxer, waar hij een rijke bron van inlichtingen bleek te zijn.[44]

Dus nu had ik geholpen met het uit de circulatie halen van twee van Al-Shabaabs belangrijkste medewerkers, mannen die er geen enkele moeite mee hadden om burgers te doden of te verminken of een golf hulpeloze vluchtelingen te creëren, zolang het hun ideologische zaak maar ten goede kwam. Terwijl de Islamitische Rechtbanken een zekere mate van vrede hadden weten te bewerkstelligen, had Al-Shabaab weinig meer gebracht dan verschrikkingen en hevig lijden.

Awlaki vertelde me later dat Warsame opnieuw alle adviezen naast zich neer had gelegd. Zo was hij constant met zijn mobiel in de weer geweest. Ik vroeg me af of een telefoon die ik ooit aan Warsame had gegeven de Amerikanen had geholpen bij het volgen van zijn bewegingen.

De volgende fase van operatie Awlaki werd besproken in het Marienlyst Hotel in Helsingør. Toen ik de kamer binnenstapte zag ik een nieuw gezicht.

'Laat me je voorstellen aan een van mijn collega's in Sanaa. Je zult begrijpen dat ik je zijn echte naam niet kan geven,' zei Jed.

Met zijn 1 meter 65 had hij misschien wel voor een echte Jemeniet kunnen doorgaan, maar hij vertelde me dat hij Amerikaan van Indiaanse afkomst was. We wisselden een paar woorden in het Arabisch.

Onder het toeziend oog van Jed schreef ik een nieuwe e-mail aan Awlaki met plaatsen en tijden waarop een koerier de tabletten en de sandalen bij mij in Sanaa kon ophalen.

Ik was niet van plan zijn advies op te volgen en mijn vrouw het pakketje te laten afleveren. Ik vercijferde het bericht en drukte op 'verzenden'.

Daarna gingen Jed en Klang eropuit om de spullen te kopen waarom Aminah had gevraagd. Ik kon me goed voorstellen dat het een vreemde aanblik moet zijn geweest: twee mannen die in Kopenhagen door de damesafdeling van verschillende warenhuizen lopen, op zoek naar jurken, topjes, beha's en damesondergoed. Klang grapte later dat hij op de lingerieafdeling in elk geval de weg wist. Ook kochten ze shampoo, crème- en kleurspoelingen. De onkostenafdeling in Langley zou ongetwijfeld wel gewend zijn aan dit soort vreemde aankopen ten behoeve van de Amerikaanse veiligheid.

De twee agenten stopten alles keurig in een sporttas, die door Klang werd bewaard totdat ik gereed was om af te reizen. Ik herinnerde me

de CIA-complotten om Fidel Castro te vergiftigen en ik nam me vei-
ligheidshalve voor om de spullen in Jemen uit de buurt van de toilet-
artikelen van mijn vrouw te houden.

Toch zou ik de door Awlaki gevraagde koelkast weer niet bij me
hebben. Klang vertelde me dat de CIA bezig was er voor de geestelijke
een 'aan te passen', maar dat het nog een paar weken zou duren voor
de klus geklaard was. Ik twijfelde er niet aan of de CIA zou een manier
weten te vinden om ergens in de koelkast een transponder te plaatsen.

Voor ik vertrok, kwam Jed me nog een cadeautje brengen: een Vi-
kinghoorn met daarin een inscriptie in goud. Ik was weer hun krijger,
klaar om opnieuw slag te leveren.

21

EEN LANGE HETE ZOMER

Juli-september 2011

Op 27 juli 2011 vloog ik terug naar Jemen, waar het ongelooflijk warm was. De operatie om Awlaki te neutraliseren werd opgevoerd, maar het land was een mislukte staat, waar de overheid in een groot deel van het zuiden nauwelijks nog iets te zeggen had en in en rond Sanaa de rivaliserende facties voor machteloosheid zorgden.

Ik vroeg me af of de chaos Awlaki ervan had weerhouden een koerier te regelen, want op beide dagen die ik had voorgesteld kwam er niemand opdagen. Had mijn boodschap Awlaki eigenlijk wel bereikt? Vertrouwde hij me nog?

De volgende dag verstuurde ik een vercijferde e-mail naar Awlaki:

'Ik ben terug in Sanaa en heb de spullen van je boodschappenlijstje bij me. Ik heb op donderdag en zaterdag op de broeder gewacht die naar me toe zou komen, maar hij is niet verschenen. Ik bid tot Allah dat alles goed met hem is, insha'Allah.'

Ik gaf hem drie nieuwe tijdstippen en plaatsen door waar de koerier de spullen kon komen ophalen en vertelde erbij dat ik maar een kwartier zou wachten.

'Ik val te veel op en de mensen zien me. Ik zal proberen half september naar je toe te komen, insha'Allah. Pas goed op, habibi,' schreef ik.

Ondanks het enorme risico van zo'n trip zou zoiets het voor de Amerikanen een stuk gemakkelijker maken hem te traceren. Het idee om hem naar de hoofdstad te lokken, had ik ondertussen laten varen.

Op 9 augustus kreeg ik antwoord. Ik kopieerde een ogenschijnlijk willekeurige reeks letters, cijfers en symbolen waaruit de e-mail bestond en koppelde die aan de Geheimen van de Moedjahedien-software op mijn laptop. Daarna tikte ik mijn persoonlijke code in en drukte op 'ontcijferen'.

Er gebeurde niets.

Had ik de verkeerde waarden ingetikt? Of had iemand kans gezien mijn computer te infecteren? Het kostte me moeite kalm te blijven.

Ik begon opnieuw. Een paar seconden later veranderden de willekeurige tekens in begrijpelijke tekst. Ik haalde opgelucht adem.

'*Assalamu alaykum*, sorry man, dat de communicatie met mij zo traag gaat. Ik zal, insha'Allah, iemand op een van de drie tijdstippen naar je toe sturen. Het is een andere broeder dan de eerste keer, dus kunnen we dezelfde codes gebruiken als de vorige keer: hij zegt *lawn* [kleur] en jij zegt *akhdar* [groen]', schreef de geestelijke.

'Probeer alles op te schrijver in een brief aan mij, want het is niet veilig om iemand te vaak naar je toe te sturen. Je moet een nieuw account openen, van waaruit je me kunt mailen als je in Jemen bent, zodat de vijanden niet weten dat je eerst vanuit Europa mailt en dan vanuit Jemen, want op die manier kunnen ze er misschien achter komen wie je bent', voegde Awlaki eraan toe.

Ik kopieerde de boodschap naar de conceptmap van het Telenor-e-mailaccount dat ik met de Deense inlichtingendienst deelde, zodat ze de details aan de CIA en aan hun mannetje in Sanaa konden doorgeven.

Ik was onder de indruk van Awlaki's bewustzijn met betrekking tot operationele veiligheid en over het feit dat hij beslist niet wilde dat ik de aandacht van de westerse inlichtingendiensten zou trekken. Dat was een belangrijk detail. Ik herinnerde me dat hij eens tegen me had gezegd: 'Het is beter een vijand vlak bij je in de buurt te hebben dan een niet al te slimme vriend', een uitspraak die hij misschien had omgekeerd als hij had geweten aan welke kant ik werkelijk stond.

Het eerste rendez-vous was op 12 augustus om half elf 's avonds op het parkeerterrein bij een KFC-restaurant in het centrum van Sanaa.

De rit met mijn Suzuki pick-up vanaf mijn huis zou onder normale omstandigheden een kwartiertje hebben geduurd, maar die avond maakte ik een ruime omweg. Precies zoals mijn instructeurs me in Edinburgh hadden geleerd, reed ik kriskras door de smalle straatjes en sloeg ik volkomen willekeurig links of rechts af.

Ik had enkele wapens bij me in de auto, die ik van Abdul had geleend, waaronder een pistool in het handschoenenkastje en een kalasjnikov onder een plaid op de achterbank. Vuurwapens zijn in Jemen gemeengoed, niet één inwoner zou ervan hebben staan kijken. Ik had Abdul verteld dat ik me wilde kunnen verdedigen voor het geval de Jemenitische veiligheidstroepen het op me hadden voorzien.

Bij de KFC aangekomen wachtte ik nerveus af. Gezien mijn lengte en huidskleur was ik gemakkelijk te identificeren. Van de plaatselijke CIA-man die ik in Kopenhagen had ontmoet was geen spoor te bekennen, maar als hij wist waarmee hij bezig was, hoorde ik hem ook niet te zien.

Ik keek behoedzaam om me heen. Kolonel Sanders met zijn witte schort keek vanaf een felverlicht reclamebord op me neer. Hoog boven de kolonel, verlicht in de donkere avondlucht, waren de zes minaretten en de monumentale witte koepels van het al-Saleh moskeecomplex te zien. De moskee, die was gebouwd in opdracht van de nu in het nauw gebrachte president van het land, was recentelijk voltooid en had alles bij elkaar een kleine honderd miljoen dollar gekost, en dat in het armste land van de Arabische wereld.

Groepjes keurig geklede Jemenitische jongemannen liepen het restaurant in en uit. KFC is voor de meeste bewoners van Sanaa veel te duur, maar op deze avond was het best druk, en dat was ook niet zo heel erg vreemd, want het was Ramadan, en in de avonduren mocht er stevig op los gegeten worden.

Misschien, dacht ik, moest ik maar eens naar binnen gaan voor een portie kipnuggets. Maar toen zag ik hem, terwijl hij dwars over het parkeerterrein mijn kant uit kwam. Hij stak scherp af tegen de lichtjes van de moskee. Hij was ouder dan de andere boodschapper, zo rond de 25 schatte ik, en kleiner. Maar ook hij had een donkere huid en ook hij droeg de onmiskenbare hoofddoek uit de Marib. We wisselden de code uit en ik gaf de koerier de sporttas met de houten tabletten en de andere spullen, waaronder de voor Aminah bestemde kleren.

Ik gaf hem ook een USB-stick met een Word-document dat ik aan de geestelijke had geschreven. Ik wilde dat hij zijn goedkeuring zou geven aan een door mij te vormen 'Islamitische Verdedigingsmacht', die in het Westen moslims tegen islamofobie moest beschermen en daarvoor getraind zou moeten worden in het omgaan met vuurwapens, in vechtsporten en in overlevingsvaardigheden. Dat idee had ik gekregen na de terroristische aanslag en de daaropvolgende schietpartij met veel doden in Noorwegen, een maand eerder gepleegd door de antimoslimextremist Anders Breivik. Als ik Awlaki zover kon krijgen dat hij aan dat project meedeed, had ik nog een goede reden om contact met hem te blijven houden. Ik besefte ook dat zo'n groep grote aantrekkingskracht zou uitoefenen op islamistische extremisten uit heel Europa, waardoor ik misschien op tijd nieuwe doelwitten kon identificeren.

'Is dit voor Samir Khan?' vroeg de koerier.

Die opmerking verraste me. De werkwijze van deze knaap leek nergens op.

Khan, de redacteur van AQAP's onlinemagazine *Inspire*, was geboren in Saoedi-Arabië, maar had het grootste deel van zijn leven in de Verenigde Staten gewoond. Hij was in 2009 naar Jemen verhuisd, waar hij zich aansloot bij Al Qaida en contact zocht met Awlaki. Khan had een ontmoeting met de Nigeriaan die later met explosieven in zijn ondergoed een aanslag wilde plegen, Abdulmutallab, en hielp Awlaki bij het vooronderzoek naar het luchtvrachtsysteem in verband met de geplande aanslagen met printers.

'Nee, mijn broeder, dit is geheim,' berispte ik hem. Met een beteuterd gezicht verdween hij in de duisternis.

Drie dagen later kreeg ik een vercijferde e-mail van Awlaki.

'Assalamu alaykum [...] Ik heb de goederen ontvangen [...] behalve de usb-stick! Een broeder die hem bij mij zou afleveren raakte in moeilijkheden en moest hem vernietigen. Alles liep verder prima, maar nu heb ik de usb-stick niet. De sandalen zitten prima. Ik had gevraagd om hexaminetabletten. Je hebt heel iets anders gestuurd. Als je weer op reis gaat en je ziet ze, neem dan alsnog hexamineta-bletten voor me mee,' schreef hij.

Dus hij had die tabletten inderdaad nodig om explosieven tot ont-ploffing te brengen.

Awlaki vroeg me naar nieuwe informatie met betrekking tot War-sames arrestatie. En hij had nog een duidelijk verzoek: 'Ik hoorde op het nieuws dat *The New York Times* heeft gemeld dat Al Qaida in Jemen grote hoeveelheden castorbonen opkoopt om daar ricine van te maken en daarmee de vs aan te vallen. Kijk eens wat je daarover aan de weet kunt komen.'[45]

Het lukte me het betreffende artikel uit *The New York Times* boven water te krijgen.

'Volgens geheime inlichtingenrapporten zou de tak van Al Qaida in Jemen al langer dan een jaar pogingen doen om grote hoeveelhe-den castorbonen te verwerven, materiaal dat nodig is om ricine te maken, een wit poederachtig vergif dat zo dodelijk is dat een beetje al fataal is als het wordt ingeademd of de bloedbaan bereikt. Volgens inlichtingenfunctionarissen bestaan er aanwijzingen waaruit blijkt dat Al Qaida-mensen proberen castorbonen en ingrediënten om die verder te verwerken naar een schuilplaats in de provincie Shabwah over te brengen, een van de meest onherbergzame tribale gebieden van Jemen en grotendeels in handen van de opstandelingen.'

Ik huiverde. Het zag ernaar uit dat de geestelijke iets van plan was en wilde weten wat erover geschreven werd. Voor het eerst bedacht ik dat het eigenlijk niet meer uitmaakte hoe hij werd tegengehouden. Hij leek er klaar voor te zijn om in welke vorm dan ook aanslagen te plegen in het Westen, met de burgerbevolking als belangrijkste doelwit.

Op 17 augustus vertrok ik vanuit Jemen naar Europa. Elke zo-mer logeerden de kinderen een paar weken bij mij en dan gingen we kamperen, wandelen, kanoën en vissen. Die tijd was me heilig, al moest ik daar de jacht op de meest gezochte Al Qaida-terrorist voor onderbreken. Ook wilde ik me voorbereiden op een al lang geleden geplande trip naar de jungle van Borneo, die ik samen met een vriend uit het Verenigd Koninkrijk zou maken. Ik had het idee dat mijn missie in Jemen nog wel een paar maanden zou kunnen duren, en ik moest hoognodig mijn batterijen weer eens opladen.

Vlak voor mijn vertrek stuurde ik een e-mail naar Awlaki om te zeggen dat ik voor mijn bedrijf, Storm Bushcraft, naar het buitenland moest. Zo wist ik zeker dat hij foto's van de expeditie in Borneo zou zien als hij later de website zou bekijken. Ik vertelde hem dat ik een usb-stick met de krantenartikelen over ricine bij een contactpersoon in de hoofdstad had achtergelaten en gaf hem het betreffende adres en telefoonnummer.

Nadat ik naar Europa was teruggekeerd, legde ik aan Jed en de Denen de situatie uit en gaf Jed het nummer van mijn kennis in Sanaa, zodat de National Security Agency zijn telefoontjes kon volgen.

Aan het eind van de eerste week van september werd ik ge-sms't door mijn contactpersoon in Sanaa. 'Die vent heeft net gebeld en ik zit nu in CityStar op hem te wachten.' Ik belde Klang, zodat hij die boodschap aan de Amerikanen kon doorgeven.

'Het spul wordt opgehaald, hou je gereed,' zei ik hem, en legde hem uit dat het rendez-vous plaats zou vinden in een winkelcentrum in de Jemenitische hoofdstad. Nog geen uur later stuurde mijn contact een sms'je om te zeggen dat het ophalen succesvol was verlopen. Ik stelde me zo voor dat de Amerikanen, door de telefoontjes van deze contactpersoon na te trekken, getuige waren geweest van de overhandiging. Misschien dat de usb-stick de cia deze keer naar Anwar al-Awlaki zou leiden, maar hopelijk niet naar Aminah.

De missie verliep volgens plan. Awlaki vertrouwde me en zodra ik uit het Verre Oosten was teruggekeerd, was ik misschien in staat om naar de Jemenitische woestijn af te reizen voor een ontmoeting met hem. De volgende dag stapte ik aan boord van het vliegtuig naar Maleisië, op weg naar het oerwoud van Borneo. Het was een welkome afwisseling. Niemand kon me daar bereiken en ik moest daar op eigen krachten zien te overleven.

Al enkele dagen na mijn terugkeer kwam de werkelijkheid op de meest brute wijze tussenbeide. Op een frisse dag tegen het einde van september zette ik de televisie aan en werd ik met een ingelaste nieuwsuitzending geconfronteerd. Ik staarde als verlamd naar het scherm.

Eerder die dag – 30 september – waren vanaf een basis in de zuidelijke woestijn van Saoedi-Arabië enkele onbemande vliegtuigjes opgestegen, die even later een groepje pick-ups hadden gesignaleerd die bijeen waren gekomen in het noorden van de Jemenitische provincie al Jawf. Toen de mannen, die net hun ontbijt hadden genuttigd, het lichte geronk opvingen dat ze in de loop van de tijd hadden geleerd te vrezen, haastten ze zich naar hun auto's terug. Een van hen was Awlaki, die juist naar dit deel van het land was getrokken omdat de dreiging van drones in de zuidelijke tribale gebieden van Jemen steeds groter was geworden.

Twee Predator-drones lichtten met hun laser de pick-ups aan, zodat de grotere Reapers een duidelijk doelwit hadden waarop kon worden gericht. De piloten van de Reapers, die de onbemande vliegtuigjes bestuurden vanaf een plek die vele duizenden kilometers van Jemen verwijderd lag, vuurden een aantal Hellfire-raketten op de auto's af. Awlaki en zes andere Al Qaida-strijders waren op slag dood, terwijl van hun voertuigen bijna niets meer over was. Een van de doden was Samir Khan; de CIA had geen idee dat hij met Awlaki meereisde. Hij was nog maar net vierentwintig.

Terwijl ik toekeek, trilde het mobieltje in mijn zak. Het was een sms'je van Klang. 'Heb je het nieuws gezien?'

'Niet te geloven,' antwoordde ik.

'Nee, maar het is de realiteit.'

Amerika had eindelijk de man geliquideerd die ze als een groot en urgent gevaar hadden beschouwd. Awlaki, beweerden de Amerikaanse autoriteiten vervolgens, was bij AQAP opgeklommen tot de belangrijkste planner voor aanslagen in het Westen, en stond op het moment dat hij gedood was op het punt nieuwe aanslagen op Amerikaanse en westerse belangen te laten uitvoeren

'De dood van Awlaki is een grote klap voor het belangrijkste operationele filiaal van Al Qaida,' liet president Obama later die dag tijdens een toespraak in Fort Myer, Virginia, weten. 'Awlaki gaf voor Al Qaida op het Arabisch schiereiland leiding aan operaties in het buitenland. In die rol zorgde hij voor de planning en het aansturen van pogingen om onschuldige Amerikanen te doden [...] en hij heeft diverse keren individuen in de Verenigde Staten en elders op de wereld opgeroepen om onschuldige mannen, vrouwen en kinderen te doden om zo een moorddadige agenda ten uitvoer te brengen.'

22

BREKEN MET BIG BROTHER

Najaar 2011

'Het spijt me, maar wij waren het niet. We zaten er vlakbij, maar wij waren het niet.'

De tekst staarde me aan, zwart op groen. Het was opnieuw een sms'je van Klang, enkele uren nadat de dood van Awlaki was bevestigd.

'Zeg tegen Jed en de Amerikanen dat ze het uitstekend hebben gedaan. Doe ze de groeten en feliciteer ze van me. Hij was een terrorist en moest worden tegengehouden,' antwoordde ik.

Ik moest grootmoedig zijn, ook al betekende het dat ik die vijf miljoen dollar op mijn buik kon schrijven. Het enige wat er voor mij waarschijnlijk nog in zat was een nominatie voor de beste mannelijke bijrol.

Toch was ik geïrriteerd en teleurgesteld dat noch Jed, noch een van mijn andere Amerikaanse contacten, in de dagen die volgden iets van zich hadden laten horen. Ik voelde me ook, hoewel ik mijn best deed het te onderdrukken, verdrietig en behoorlijk schuldig dat Anwar al-Awlaki, met wie ik zo vaak had gesproken, tot as was getransformeerd. Toch wist ik hoe gevaarlijk hij was en hoeveel gevaarlijker hij nog had kunnen worden.

Ik probeerde me te concentreren op een kort uitstapje met mijn kinderen, maar ik was rusteloos. Ik wilde weten wat er was gebeurd.

Twee dagen nadat Awlaki was gedood, kreeg ik een exemplaar van *The Sunday Telegraph* in handen, een Engelse zondagskrant.

'Hoe Amerika eindelijk Anwar al-Awlaki te pakken kreeg', luidde de kop op de voorpagina. Met eronder de tekst: 'De arrestatie van een onbelangrijke koerier was de grote doorbraak die leidde tot de dood van de Al Qaida-leider.'

Eén zin trok mijn aandacht.

'Details van hoe de Verenigde Staten er uiteindelijk in slaagden de belangrijkste Al Qaida-spreekbuis naar het Westen op te sporen, kan vandaag worden onthuld in *The Sunday Telegraph*, die uit betrouwbare bron heeft vernomen dat de belangrijkste doorbraak plaatsvond toen CIA-functionarissen een jonge koerier uit Awlaki's vertrouwenskring wisten aan te houden. De man, die al drie weken geleden door Jemenitische agenten die optraden namens de Agency gearresteerd zou zijn, kwam zelf met bijzonderheden over Awlaki's verblijfplaats over de brug, die uiteindelijk leidden tot de aanval met onbemande vliegtuigjes van afgelopen vrijdag, toen zijn konvooi onder vuur werd genomen toen het door de afgelegen provincie al-Jawf reed, zo'n honderdvijftig kilometer ten oosten van de hoofdstad Sanaa.'

Ik had het gevoel dat mijn keel werd dichtgesnoerd. '*Een jonge koerier* [...] *drie weken geleden* [...]'

Ik las de alinea nog eens. Had de CIA geprobeerd me te beduvelen? Ik moest weer aan Kevins woorden in Edinburgh denken: 'We willen niet dat je verneukt wordt.'

Ik keek nog eens naar de datum van het sms'je dat mijn contact me had gestuurd om te bevestigen dat de USB-stick was opgehaald. Dat was drie weken geleden. Ik belde hem op en vroeg hem hoe het overhandigen in zijn werk was gegaan.[46] Hij zei dat hij om negen uur 's avonds was gebeld. Ze waren een rendez-vouspunt overeengekomen en een half uur later had hij zijn auto bij het City Star-winkelcentrum geparkeerd. Een paar minuten later was er een stoffige Toyota Hilux pick-up gearriveerd. In de cabine zaten twee mannen in tribale kleding: een slungelachtig type achter het stuur en een klein dik kereltje ernaast. Beiden kauwden qat.

De chauffeur was naar hem toe gekomen. Hij was jong, volgens mijn contact, misschien nog niet eens twintig: lang, mager, met een donkere huid en gekleed in een lichtgroene thawb en met Maribi-hoofddoek.

Hij had tegen de chauffeur gezegd dat hij haast had.

'Kan ik de USB-stick krijgen die je van Murad aan me moet geven?' had hij na een korte begroeting gevraagd, waarop mijn contact hem die had gegeven.

'Dank je,' zei de chauffeur. 'We moeten nog een heel eind rijden, dus we moeten nu echt weg.'

De beschrijving kwam nagenoeg overeen met die van de koerier die bij de al-Shaibani-taveerne in Saana de eerste USB-stick met een boodschap aan me had gegeven. Hij kwam ook overeen met die van de jonge koerier zoals hij in het *Sunday Telegraph*-artikel werd omschreven. Ik betwijfelde of de koerier de CIA rechtstreeks naar Awlaki had kunnen leiden, maar hij had ze in elk geval wel naar de volgende boodschapper in de keten gebracht.[47]

Misschien keek ik naar verbanden die er helemaal niet waren. Ik wilde de mening van iemand anders horen.

'Doe me een plezier en kijk eens naar dat artikel in *The Sunday Telegraph* en vertel me dan eens wat je ervan vindt,' zei ik via de telefoon tegen Klang. Ik reed op dat moment dwars door een hevige regenbui nadat ik mijn kinderen bij Karima had afgezet, terwijl mijn stemming met de minuut slechter werd. Ik kon veel hebben, maar ik wenste niet besodemieterd te worden door lieden voor wie ik mijn leven op het spel had gezet.

Klang belde me kort daarna terug.

'Ik zie niet in waarom dat niet ons werk geweest zou kunnen zijn, want daar ziet het wel heel erg naar uit,' zei hij me.

Ik maakte een eind aan het gesprek. De ruitenwissers hadden de grootste moeite de regen bij te houden. Er ging een caleidoscoop aan gevoelens door me heen. Ik had de onverbiddelijke voldoening dat ik bij een succesvolle operatie betrokken was geweest. Maar die voldoening maakte al snel plaats voor wroeging voor de familie van Awlaki en Aminah en toen voor woede omdat de Amerikanen me hadden laten vallen zonder me de erkenning te geven voor de rol die ik had gespeeld.

'Het spijt me dat ik dit moest doen,' zei ik een paar keer hardop, en mijn stem brak. Ik had Awlaki's kinderen leren kennen en nu was ik verantwoordelijk voor de dood van hun vader. Misschien was het een perverse gedachte, maar plotseling had ik het gevoel dat juist hij nog het meest eervol uit deze strijd tevoorschijn kwam. Hij zou bereid zijn geweest zijn leven voor me te geven, maar het zou mijn handlers geen barst hebben geïnteresseerd als ik in dienst van hun overheid de pijp uit was gegaan.

De volgende dag spraken Klang en ik elkaar opnieuw. 'We hebben opnieuw geprobeerd hierover bij de Amerikanen navraag te doen, maar tot nu toe hebben we nog niets van ze gehoord,' vertelde hij me.

Tegen die tijd was mijn verdriet volkomen overstemd door woede. 'Ze kunnen doodvallen! Ik wil nooit meer met die lui samenwerken. Trouwens, jullie kunnen allemaal doodvallen. Als niet míjn koerier ze naar Anwar heeft geleid, waarom hebben ze dan informatie over hem gelekt?' schreeuwde ik in de telefoon.

De volgende dag at ik 's avonds in een halfleeg TGI Friday's-restaurant ergens in de Engelse Midlands, toen aan een tafeltje achter me twee mannen plaatsnamen. Ik werd een tikkeltje nerveus van ze. Uit hun gesprek maakte ik op dat de ene Brit was en de andere Amerikaan. De Britse man bleef zich omdraaien. Hij keek niet naar mij, dat zou te duidelijk zijn geweest, maar naar het stel aan het tafeltje voor me.

Er knapte iets in me. 'Waar kijk je naar?' beet ik hem toe. 'Jij bent Amerikaan, hè,' zei ik tegen de andere man. 'Jij bent van de CIA, hè. Ik ga jullie ontmaskeren, zeker weten. Ik ga naar de media en ga ze precies vertellen wat die regering van jou heeft uitgespookt. Ík zat achter die operatie en die regering van jou heeft me gewoon verneukt.'

Mijn uitbarsting was niet bepaald een staaltje van welsprekendheid, maar ik was driftig en het had het verlangde effect. Het masker viel.

'Als je ook maar iets zegt, zou dat wel eens behoorlijk wat problemen voor je kunnen opleveren,' zei de Amerikaan.

Ze stonden op en vertrokken. Het gezin aan het tafeltje naast me
keek alsof ze zojuist een buitenaards wezen had aanschouwd.

De volgende dag werd ik door Klang, mijn Deense handler, gebeld.
'Wat heb je in dat restaurant allemaal gezegd?' wilde hij weten.

'Hoe weet jij dat?'

'Het incident is bij de plaatselijke politie gemeld,' zei Klang.

Gelul, dacht ik.

'Luister, de Britten en de Amerikanen willen momenteel niets meer
met je te maken hebben,' zei Klang.

Dat gevoel was wederzijds.

Maar de Denen wilden een of andere verzoening tot stand zien te
brengen, met name vanwege mijn dreigement om alles in de openbaarheid te brengen. Ze smeekten me naar Denemarken te komen,
zodat tijdens een bijeenkomst de lucht gezuiverd kon worden. Met
grote tegenzin ging ik akkoord.

Het voelde vreemd aan om weer in de lobby van het Marienlyst
Hotel in Helsingør te staan. Hier hadden we als team belangrijke
missies voorbereid. Maar nu leek het steeds meer een terugblik vol
wederzijdse beschuldigingen te worden. Het was 7 oktober 2011, een
week na de dood van Awlaki.

Mijn PET-handlers hadden dit samen met de Amerikanen georganiseerd en vertelden me dat ik een agent zou ontmoeten die Michael
heette. Jed, kreeg ik later te horen, had Kopenhagen plotseling verlaten, hoewel ik daar nogal sceptisch tegenover stond. De bijeenkomst
zou plaatsvinden in een van de vakantievilla's die bij het hotel hoorden. Misschien was dat wel een teken en wilden ze voorkomen dat ik
in het openbaar een scène zou trappen.

Bij het hotel arriveerden twee auto's met getinte ruiten. Klang en
een lange, gespierde man met donkerbruin haar liepen naar een van
de huisjes, terwijl bureauman Jesper en Marianne, een agente van
ergens in de dertig die af en toe bij bijeenkomsten aanwezig was, bij
de auto bleven wachten.

Jesper gebaarde dat ik met ze mee moest lopen naar de parkeerplaats.

Ze kunnen doodvallen, dacht ik. Zonder dat de Denen het in de gaten hadden haalde ik discreet mijn iPhone tevoorschijn, zette hem op video en drukte op de opneemknop. Toen liep ik naar ze toe terwijl ik probeerde zo dreigend mogelijk te kijken, maar dat kostte me geen enkele moeite.

Mijn besluit om de bijeenkomst op te nemen kwam spontaan. Als ik dan toch zo nodig door de westerse inlichtingendiensten verneukt moest worden, dan wilde ik wel dat ik later mijn kant van het verhaal kon bewijzen. Helemaal aan het begin van de opnamen zijn heel even de blauwe banken en de glimmende marmeren vloeren van de lobby te zien. Nadat ik het mobieltje terug in mijn zak had gestopt ging het beeld op zwart, maar onze stemmen zijn duidelijk te horen.

We liepen naar de vakantiewoningen. In de lucht krasten de zeemeeuwen. Er waren maar weinig mensen buiten en de fraaie blauwwitte ligstoelen die 's zomers langs het water staan waren opgeborgen.

Ik nam de omgeving in me op. Op de vrij ruwe zee was een veerboot op weg naar de Oostzee.

'Je moet met hem praten. Het is niet goed om níét te praten,' zei Jed.[48]

'Ik heb niets tegen hem te zeggen,' zei ik. 'Het is zo duidelijk wat er is gebeurd. Ze hebben een knaap gearresteerd die een ontmoeting met mijn contact heeft gehad en die de usb-stick heeft aangenomen. Het is allemaal zo duidelijk en nu hebben ze zich blootgegeven.'

'Ja, dat is zo, maar hij wil het zelf uitleggen,' zei Jesper.

'Ja,' viel Marianne hem bij. 'Ze moeten de kans krijgen zich te verantwoorden.' Niet voor het eerst vond ik dat ze eruitzag en klonk als een boekhouder.

Ik moest aan onze successen denken, in Somalië, Kenia en Jemen, en hier in Denemarken. Vijf jaar lang was ik aan de frontlijn actief geweest en nu wilde de cia niets meer van me weten.

Toen we het vakantiehuis bereikten, deed Klang de deur open en maakte wat grapjes over het weer. Hij maakte een bezorgde indruk, alsof hij op het punt stond getuige te zijn van iets wat professionals wel een 'psychotische episode' noemen.

'Ik heb niets tegen hem te zeggen,' herhaalde ik.

'We zijn zelf ook op zoek naar antwoorden,' zei Klang. Ik had de playboy van de PET zelden zo ernstig meegemaakt, alsof het voortbestaan van de lange en hechte relatie tussen de CIA en de PET afhankelijk was van het komende half uur.

'Michael' was op en top Amerikaan. Hij had een hoekige kaak en zag eruit als GI Joe zelf. Ik knikte hem heel even toe en bleef Deens tegen Klang praten.

Klang stapte over op Engels, want hij had onmiddellijk door dat ik de Amerikanen wilde beledigen en bood aan koffie te bestellen.

Ik keek naar Michael.

'Je gaat me echt niet overtuigen,' zei ik.

'Jou overtuigen? Ik ben helemaal niet gekomen om jou te overtuigen. Ik ben hier alleen om met je te praten,' zei hij.[49]

Hij sprak traag en nadrukkelijk, met een accent dat volgens mij ergens tussen New York en Boston thuishoorde.

We liepen naar boven, naar het woongedeelte op de eerste etage, en gingen tegenover elkaar zitten met een glazen tafel tussen ons in. Door de ramen viel overvloedig licht naar binnen.

Ik bedacht dat ik hem misschien maar eens een olijftak moest aanreiken.

'Gefeliciteerd [...] Los van wat er is gebeurd, is het een goede zaak dat deze kwaadaardige kerels zijn geëlimineerd, dat is het belangrijkste,' zei ik.

'Inderdaad, inderdaad,' onderbrak Michael me. 'Voor mij is dat ook het belangrijkste. Ik ben hier niet naartoe gekomen om ruzie met je te maken. Ik ben hier omdat ik je respecteer, zo simpel ligt het. Ik weet dat je je belazerd voelt, alleen weet ik niet waarom je je belazerd voelt,' zei hij, en keek me doordringend aan.

Hij gaf een redelijk goede imitatie weg van iemand die heel verbaasd is.

Ik vervolgde: 'Er zijn twee redenen. Om te beginnen wil ik eer bewijzen aan de knaap die is gedood. Ik hoop dat je dat begrijpt. We bewijzen hem eer omdat hij onze vijand was. Maar,' benadrukte ik opnieuw, 'hij moest wel worden geëlimineerd.'

'Dat is zo,' reageerde Michael. 'Hij moest worden geëlimineerd.'

'Ja,' zei Michael. Hij deed zijn best me te kalmeren. Zijn woorden waren een en al kamille.

'Hij was een goede vriend van me. Hij was mijn mentor. Hij was mijn sjeik. Hij was een vriend van me, maar ik heb dit alleen gedaan vanwege het kwaad dat hij vertegenwoordigde […] Ik was er absoluut van overtuigd dat hij geëlimineerd moest worden, dat deze dreiging vernietigd moest worden,' zei ik.

'Absoluut, en ik zal je wat vertellen. Dit soort dingen gebeurt nu eenmaal, ze zijn noodzakelijk,' onderbrak Michael me terwijl hij elke lettergreep van de tweede zin benadrukte met uitgestrekte handen waarmee hij trage hakbewegingen maakte. Ik zag dat hij krachtige handen had. Hij had voor hetzelfde geld bokser kunnen zijn, bedacht ik. Klang vertelde me later dat hij vroeger bij de US Navy SEALS had gezeten.

Daarna probeerde hij me met gevlei tot andere gedachten te brengen.

'Dit hele gebeuren was een groepsinspanning, een teamgebeuren van mijn organisatie, van mij samen met jullie, van Jed samen met jullie […] We hadden ons team, we maakten goede vorderingen met ons project, waarin jij een zeer belangrijke rol speelde.'

Ook deze laatste vier woorden werden met hakbewegingen benadrukt.

'En juist daarom willen heel wat mensen binnen onze overheid – en als ik het heb over heel wat mensen, dan wil ik dat je begrijpt dat het gaat om een select groepje…'

'Ja, we kennen Alex, we kennen George en jij kent alle anderen,' onderbrak ik hem, en herinnerde me de korte ontmoetingen met de hoge inlichtingenfunctionaris uit Washington en het hoofd van het CIA-kantoor in Kopenhagen.

'Ja, maar ik heb het niet over Alex en George, weet je. Ik heb het over…'

'Obama?'

'De president van de Verenigde Staten, oké? Hij weet wie je bent. En de president van de Verenigde Staten weet niet eens wie ík ben, oké? Maar hij weet wat je gedaan hebt. Dus de juiste mensen weten wat je hebt bijgedragen. En daar zijn we je dankbaar voor,' zei Michael met een mate van herhaling die ik nogal overdreven vond.

'Ook ik ben dankbaar,' reageerde ik.

Michael kwam nu echt op gang. Misschien dacht hij dat hij een voorsprong had genomen.

'Ik begrijp best dat je het gevoel hebt en daar gaan we het straks nog over hebben, dat we je verneukt hebben, maar ik heb geen idee waarom je dat denkt. Je hebt waarschijnlijk je eigen redenen en daar zal ik naar luisteren, oké? Maar ik wil je wel zeggen dat als we je echt hadden verneukt, wij nu niet hier zouden zitten. Daar zou ik dan geen enkele reden voor hebben.'

Hij had de gewoonte om achter elk punt dat hij maakte 'oké' te zeggen, alsof hij elke stap in zijn logica door mij bevestigd wilde zien.

'Jullie hebben niet bepaald de reputatie brandschoon te zijn,' zei ik, daarbij doelend op de CIA als instituut.

'Dat klopt en dat is jammer, want we proberen mensen zoals jij alleen maar te beschermen, oké? Uiteraard is er een hoop negatief gedoe, maar daar reageren we niet op omdat dat toch verder niets uithaalt. De mensen lezen wat ze lezen en ze denken wat ze denken, en die lui overtuig je toch nooit.'

De mensen begrepen niet, zei hij, wat het betekende om aan lieden zoals ik te vragen of ze bereid waren 'dag in dag uit hun kloten op het blok te leggen', met ook nog eens groot risico voor hun familie.

'Het is erg zwaar,' reageerde ik, en al helemaal, vond ik, als je toewijding voor een missie werd overschaduwd door het besef dat jouw bazen tot de conclusie waren gekomen dat je medewerking niet langer meer van essentieel belang was.

Michael koos dat moment om over te stappen naar wat echt van belang was. Hij liet zijn stem zakken tot een luid gefluister.

'Luister, Awlaki was een slecht mens, op meerdere manieren. Dat weet jij beter dan ik.'

'Dat heb ik jullie al gezegd nog voordat de Amerikanen in hem geïnteresseerd raakten. Ik heb jullie toen al gezegd: wees voorzichtig, hij gaat een groot gevaar vormen,' reageerde ik.

'Dat klopt,' zei Michael. Hij vervolgde: 'Dus, jij, we maakten samen goede vorderingen met ons project, we waren niet de enigen, oké? Er liepen nog een stuk of wat andere projecten.'

'Mee eens,' gaf ik toe.

'We zaten er heel, heel dichtbij,' zei hij. 'We kwamen er steeds dichterbij en als ik zeg we, dan heb ik het over, je weet wel, ik wil succes boeken.'

Hij zweeg even voor hij met de analogie over de brug kwam die hij duidelijk van tevoren had geoefend.

'Het is net als op het veld tijdens het WK: je holt over het veld en op een gegeven moment ben je in scoringspositie. Een medespeler hoeft de bal alleen maar naar je toe te trappen, maar dat doet-ie niet. Hij schiet zelf en scoort. En dat is dat. En zo is het gegaan.'

Het was een beleefde manier om sorry te zeggen, maar ik was niet van plan het te accepteren.

'Wie was die jongen die je in Sanaa hebt laten arresteren? Een jongen van ergens tussen de vijftien en zeventien?'

'Ik weet helemaal niets van een jongen die gearresteerd is.'

Ik vertelde hem dat drie weken voor Awlaki werd gedood, een Al Qaida-koerier een USB-stick bij me was komen ophalen.

'Hoe weet jij dat hij gearresteerd is?' wilde Michael weten.

'Is dat dan geen toeval, een buitengewoon groot toeval?' vroeg ik.

Michael besefte dat dit een kwestie was die hij onmogelijk kon oplossen.

'Of je vertrouwt ons, of je vertrouwt ons niet, en ik heb zo het gevoel dat dat laatste het geval is.'

'Dat klopt.'

Michael hield vol dat hij van de verschillende plannen om Awlaki te elimineren op de hoogte was gehouden.

'Denk je echt dat als er een koerier is gearresteerd die met een contact van jou in verbinding staat, ik daar niets vanaf zou weten?' zei hij.

Toen ik later naar de opname luisterde, werd ik getroffen door de manier waarop Michael bereid leek alles te zeggen om me maar gunstig te stemmen, behalve toegeven dat mijn werk de CIA rechtstreeks naar Awlaki had geleid.

Nu was het mijn beurt. Met enig genoegen herinnerde ik hem aan het feit dat eerdere pogingen van de Amerikanen om Anwar al-Awlaki op te sporen en te doden waren mislukt. Natuurlijk, ze waren een paar keer dicht in de buurt geweest, maar dat was meestal toeval geweest. Pas nadat ik erbij betrokken was, contact met hem had weten te leggen, spullen aan hem had geleverd en via koeriers boodschappen met hem had uitgewisseld, was hij uiteindelijk gedood.

Ik somde nog wat doorbraken op waar Michael wellicht niets van af wist. Ik was degene die Ahmed Warsame had aangemoedigd betrekkingen tussen Al-Shabaab en Awlaki te ontwikkelen. Ik had hem aangemoedigd naar Jemen te gaan. En, hielp ik Michael herinneren, hij was opgepakt toen hij terugkeerde van een van zijn bezoeken aan Awlaki.

En dan had je nog de kwestie van Saleh Ali Nabhan, die in 2009 een van de gevaarlijkste uitvoerders van Al Qaida was geworden. Die had me zelfs uitgenodigd om naar Somalië te komen. En het waren de BlackBerry en de laptop die ik van Jed had gekregen die hadden geholpen hem op te sporen.

'Boem! Zomaar van de aardbodem gevaagd toen hij onze spullen gebruikte. Dus waarom bedank je me daar niet gewoon voor?'

Michael liet me uitrazen. Misschien dacht hij dat dat stoom afblazen me goed zou doen.

'Wij willen gewoon een bedankje van die overheid van jou, dat ze de feiten accepteren. Wat mij betreft krijgt Obama alle eer, prima. Maar we willen op z'n minst een bedankje, meer niet.

Ik ben altijd eerlijk tegenover die jongens van jou geweest. Ik weet dat jullie mijn telefoon hebben afgeluisterd, afluisterapparatuur hebben geplaatst in mijn huis en in mijn auto's, waar dan ook. Prima. Elke flinter informatie die je van mij hebt,' zei ik, terwijl ik een harde klap op tafel gaf, 'klopte altijd, je zult er niet één leugen in aantreffen.'

'Ik heb je nooit van liegen beschuldigd,' zei Michael.

'Ik heb voor Awlaki zelfs een vrouw gevonden. Heeft een van jouw agenten wel eens een vrouw voor hem gevonden?'

Ik besefte dat Michaels missie alleen maar bedoeld was om toe te zien hoe een vulkaan zich volledig uitputte. Hij zou nooit erkennen dat ik de Amerikaanse inlichtingendienst naar Awlaki had geleid. De klus was geklaard. Het was een Amerikaanse overwinning in de oorlog tegen het terrorisme.

Ik ging staan en schreeuwde naar Klang en Jesper, die beneden waren: 'Hij liegt de hele boel bij elkaar.'

Het initiatief van Denemarken om de lucht te klaren was spectaculair mislukt. Michael stond ook op, liep zonder me aan te kijken of ook maar één woord te zeggen naar beneden en ging de tuin in. Ik zou hem nooit meer terugzien.

Ik ging naar Klang en Jesper.

'Zal ik jullie eens wat zeggen? Ik heb het hele gesprek opgenomen.'

'Dat kun je niet maken,' zei Klang, die keek alsof hij elk moment kon overgeven. Als die geluidsopname in de openbaarheid kwam, zouden zijn superieuren hem wel eens ter verantwoording kunnen roepen vanwege het feit hij me niet van tevoren had gefouilleerd.

'Nee, maar ik heb het wel gedaan. En ik kap ermee,' zei ik.

Later besefte ik waarom de CIA nooit zou erkennen dat ik ze naar Awlaki had geleid. Als ze dat wel zouden doen, zou wel eens bekend kunnen worden dat de Deense inlichtingendienst bij een eliminatie betrokken was geweest en volgens de Deense wetgeving was dat een onrechtmatige daad.

De inlichtingendiensten hadden de gelederen gesloten.

23

TERUG IN DE RING

Eind 2011

De twee weken na Awlaki's dood waren een donkere periode. Ik bleef het gevoel houden dat ik zijn dood op mijn geweten had. Ik bleef het verdriet voor me zien van zijn oude vader, die zo zijn best had gedaan hem te beschermen, van zijn vrouwen en kinderen, en dan met name de vrouw die ik naar Jemen had gestuurd om daar zijn partner te zijn.

Mijn somberheid werd nog versterkt door een vercijferde boodschap van Aminah, die ik een paar weken nadat Awlaki was omgebracht binnenkreeg.

'Ik stuur je deze mail met grote droefheid in mijn hart, maar ook met blijdschap over het shuhada [martelaarschap] van mijn echtgenoot. Alhamdulillah, is hij nu in het *Jannat* [paradijs] en voelt hij alleen maar vreugde en geluk.

Ik wilde contact met je opnemen voor het geval ik naar Europa terugkeer, maar ik heb vier maanden om te beslissen wat ik zal doen. Mijn eerste optie is shuhada […] Moge Allah ons allen *sabr* [geduld] en kracht geven om in deze zeer moeilijk momenten van ons leven door te gaan.

Ik vraag Allah je te zegenen voor de moeite die je hebt genomen om mij met mijn echtgenoot in contact te brengen. Ons huwelijk was een zegening van Allah en ik ben er zo trots op zijn echtgenote te zijn.'

Ik dacht aan de hachelijke situatie waarin ze verkeerde, alleen en hulpeloos. Maar toen herlas ik de e-mail nog eens.

'Mijn eerste optie is shuhada.'

Shuhada: martelaarschap. Om de dood van haar echtgenoot te wreken, was de jonge, enigszins verblinde vrouw die ik nippend van haar koffie in Wenen had achtergelaten blijkbaar bereid zichzelf op te blazen.

In mijn slaap werd ik achtervolgd door Awlaki, die me streng berispte voor wat ik had gedaan.

Overdag was ik minstens net zo rusteloos. Ik moest onafgebroken aan het gedrag van de Amerikanen denken. Ze waren helemaal uit mijn leven verdwenen. Ze hadden niets meer aan me, ze beschouwden me als een dwarsligger. In gedachten kon ik alle clichés in Langley duidelijk horen. En ik wilde bewijzen dat ze verkeerd zaten, het idee uit de wereld helpen dat ik alleen maar een bijrolletje had vervuld. Ik wilde dat ze me weer zouden zien staan.

En ik wilde ook op mijn hoogtepunt afscheid nemen van het inlichtingenwereldje, althans van het opereren in de frontlijn. De frustratie duurde voort. Mijn gedrag zorgde ervoor dat Fadia zich afwisselend zorgen om me maakte of juist geïrriteerd raakte. Ik kon het haar niet kwalijk nemen. Ik was wispelturig en werd om het minste geringste boos, maar ik kon mezelf er nog steeds niet toe brengen haar te vertellen wat er was gebeurd.

Op een nevelige novembermiddag kreeg ik een idee, een manier om weer met de PET in contact te komen en te laten zien dat ik, en zij ook, nog steeds een belangrijke rol konden spelen. Ik mocht dan naast de beloning hebben gegrepen die me voor de Awlaki-missie in het vooruitzicht was gesteld, maar ik kreeg nog steeds een toelage van de PET, en ik wilde geen geld krijgen zonder daar iets tegenover te stellen. Het was tijd om weer aan het werk te gaan.

Tijdens mijn verblijf in Jemen had ik een netwerk leren kennen dat veel breder was dan alleen Awlaki. Ik was als het ware met AQAP opgegroeid, nu de actiefste en dodelijkste tak van dit terroristische netwerk. Awlaki was van buitengewoon groot belang geweest, maar er was nog iemand anders, iemand wiens operationele vaardigheden en leiderschap van nog groter gewicht waren: Nasir al-Wuhayshi.

Nasir al-Wuhayshi, een vertrouweling van Osama bin Laden en iemand die tot 11 september 2001 een belangrijke administratieve rol op diens hoofdkwartier in de buurt van Kandahar had gespeeld, was in oktober 2001, toen de Amerikanen met operatie Enduring Freedom waren begonnen, naar Iran gevlucht. De Iraniërs hadden hem gearresteerd en aan Jemen uitgeleverd, maar zijn ontsnapping uit de gevangenis, in 2006, had zijn geloof in de jihadistische zaak in zijn geboorteland alleen maar versterkt. Al Qaida in Jemen was Al Qaida op het Arabisch schiereiland geworden en Wuhayshi was de emir van de groepering geworden. In augustus 2010 had Bin Laden vanuit Abbottabad een boodschap gestuurd waarin hij Wuhayshi prees om zijn 'bekwame leiderschap' van de groep.

Eind 2011 had Wuhayshi, die bij zijn strijders bekendstond als Abu Basir, AQAP uitgebouwd tot een krachtige strijdmacht. De groepering maakte van president Salehs impopulariteit gebruik om bij welwillende stammen vele duizenden strijders te rekruteren. In april was uit deze organisatie een nieuwe groepering ontstaan, de 'Ansar al-Sharia' – partizanen van de Sharia – die voor een zo breed mogelijke steun onder de bevolking moest zorgen.

Ansar al-Sharia-strijders hadden van de politieke onrust gebruikgemaakt om in delen van de provincies Abyan, Marib en Shabwah de macht te grijpen, waaronder het stoffige stadje Zinjibar aan de zuidkust, dat via de kustweg slechts 65 kilometer van Aden verwijderd was. Dezelfde weg waarlangs ik in september nog had gereden om bij Awlaki op bezoek te gaan.

Er ontstond langzamerhand een Al Qaida-ministaatje, met als centrum het stadje Jaar, dat ter hoogte van Zinjibar ligt, maar dan vijftien kilometer landinwaarts, en met Wuhayshi als onbetwist leider. Zijn aanzien binnen de jihadistische beweging was hierdoor een stuk groter geworden. Hij werd steeds vaker gezien als een potentiële opvolger van bin Laden en Ayman al-Zawahiri als de opperste leider van Al Qaida wereldwijd.

Ik belde Klang in Kopenhagen, want ik wilde dat we bij elkaar kwamen. Maar er lag deze keer niet onmiddellijk een vliegticket voor me klaar. Ik moest dwars door Engeland naar Harwich reizen en daar de veerboot nemen.

Ik gedroeg me schuldbewust toen ik Klang en Jesper ontmoette. Ik wist dat zij mijn laatste kans vormden om het speelveld met een gouden medaille te verlaten. Desalniettemin was ik stilletjes vol vertrouwen: ik wist wat ik deed en er was geen andere agent, waar dan ook, die dicht in de buurt van Wuhayshi kon komen.

'Ik denk dat ik hem binnen een jaar te pakken kan krijgen,' zei ik hun. Klang keek sceptisch, was niet op zijn gemak, leek het wel, alsof hij de barman was aan wie de plaatselijke dronkenlap om een laatste borrel had gevraagd.

Klang zei dat hij blij voor me was dat ik wilde proberen wat oude militante contacten in Jemen nieuw leven in te blazen, als dat inderdaad was wat ik wilde, maar hij stroomde niet bepaald over van enthousiasme. De PET zou zoals gewoonlijk mijn vergoeding aanpassen – als ik in het buitenland actief was betaalden ze wat meer – die dan neerkwam op zo'n 7500 dollar per maand. Maar ik had het gevoel dat ze me alleen maar lastig vonden. Ik was niet langer hun vehikel om uitgebreid met Big Brother te dineren.

Ik gooide mijn kont tegen de krib: ik zou ze eens laten zien wat ik kon. Maar vanaf nu was ik freelancer, iemand die zijn eigen prioriteiten zou moeten stellen, terwijl ik het zonder mijn meest waardevolle contact, Anwar al-Awlaki, moest doen.

Op 3 december keerde ik naar Saana terug en ik voelde me onmiddellijk erg kwetsbaar. Ik had niet alleen geen steun meer van mijn handlers, ik was ook nog eens afhankelijk van Abdul, die nu namens mij hier en daar zijn voelhoorns zou moeten uitsteken. En na Malaga wist ik niet zeker meer waar zijn loyaliteiten lagen. Dat hield een extra gevaar in.

Toen we elkaar ontmoetten was er bij Abdul geen spoor van achterdocht te bekennen en ook had ik niet het idee dat hij iets voor me achterhield. Als hij voor de CIA werkte, dan wist hij zijn zelfbeheersing uitstekend te bewaren. Hij stelde voor dat ik eens met Mujeeb moest praten, die de zomer ervoor in de tribale gebieden mijn eerste boodschap voor Awlaki op een USB-stick bij de religieuze chef van Al Qaida had afgeleverd. Mujeeb, zei hij, ontmoette Wuhayshi regelmatig.

Met z'n drieën kwamen we bij elkaar op het dak van het huis in Sanaa waar ik mijn intrek had genomen.

Mujeeb was klein en mollig, en hij had een lange baard. Hij had altijd een hoofddoek om, maar niet een die aan een bepaalde stam kon worden gerelateerd. Aan het soort auto dat hij reed, een vrij nieuwe Mercedes, was te zien dat het geen standaard-salafist was. Het was een opschepper, iemand die erg trots was op zijn connecties. Hij beweerde dat hij bemiddelde tussen de salafisten in Dammaaj, waar ik ruim tien jaar eerder had gestudeerd, en Al Qaida.[50]

Mujeeb vertelde me dat hij kort daarvoor een brief van de Saoedi's naar Wuhayshi had gebracht waarin een voorstel werd gedaan. De Saoedi's zeiden dat ze Wuhayshi en zijn groep amnestie zouden verlenen en wapens en geld zouden leveren als ze ophielden met hun strijd tegen de Saoedi's en de Amerikanen en in plaats daarvan de sjiitische rebellen in het noorden van Jemen gingen bestrijden. Ik vond dat een nogal onwaarschijnlijk aanbod en ook nog eens een ongehoorde schending van de Jemenitische soevereiniteit, maar met Mujeeb wist je het nooit.

Ik veranderde van onderwerp en begon over de reden waarom ik naar Jemen was gekomen. Ik had mijn presentatie uiteraard van tevoren geoefend, maar nu pas zou ik zeker weten of hij aansloeg.

'In Zweden zijn broeders die klaarstaan om de dood van sjeik Anwar te wreken. Ze zijn ook bereid om trouw te zweren aan AQAP, dus ik ben op zoek naar een manier om contact te maken met Abu Basir [Wuhayshi],' zei ik ze. Ik wilde proberen een manier van communiceren tot stand te brengen via koeriers, zoals ik dat ook met Awlaki had gedaan. Op die manier zou ik me weer als vertegenwoordiger van de groep in Europa kunnen profileren, een bron van voorraden en rekruten.

Ik vertelde ze de waarheid. Kort voordat ik naar Jemen was vertrokken had ik een ontmoeting met een groep uit de Zweedse stad Malmö, die op zoek was naar een overzeese bestemming om daar aan de jihad deel te nemen. Ook met hen was ik in aanraking geko-men omdat ik in de voorafgaande tien jaar talrijke militanten had leren kennen. De Deense inlichtingendienst had me gevraagd bij Abu Arab langs te gaan, de Deense Palestijn die me had opgevangen tijdens mijn bezoek aan Libanon in 2007.

Abu Arab – echte naam Ali al-Hajdib – had vanwege zijn rol bij de extremistische Fatah al-Islam-groep een tijdje in een Libanese ge-vangenis gezeten. De Deense overheid had zich uiteraard van haar plicht gekweten en een vrouwelijke diplomaat naar hem toe gestuurd om te zien hoe het met hem ging in de gevangenis, maar in plaats van haar te bedanken liet hij haar weten dat hij haar zodra hij vrij-kwam zou vermoorden.

Ondanks zijn strafblad had al-Hajdib toch toestemming gekregen zich opnieuw in Denemarken te vestigen. Toen ik hem vertelde dat ik van plan was naar Jemen terug te keren, drong hij er bij mij op aan om met hem mee naar Malmö te gaan, om een broer van hem te ont-moeten die daar woonde, eveneens lid van de jihadistische Hajdib-dynastie. Een andere broer, Saddam, had ik ontmoet vlak voor hij zichzelf opblies toen Libanese veiligheidstroepen op het punt ston-den zijn huis te bestormen. Weer een andere broer zat nog in de ge-vangenis omdat hij in Duitsland explosieven had geplaatst aan boord van een passagierstrein. Hun moeder had alles bij elkaar elf zoons ter wereld gebracht en voor zover ik kon nagaan geen enkele dochter.

Met name twee jongere generatieleden wilden erg graag naar Je-men afreizen. Een daarvan was een neef van Abu Arab, een negen-tienjarige lange, slanke IT-student met een lichte huid en een kort vlasbaardje. Hij droeg westerse kleren om zo min mogelijk op te vallen en geen aandacht te trekken van de veiligheidsdiensten. Zijn neef, die in Gothenburg woonde, wilde ook graag naar Jemen.

De Hajdibs waren bang dat hun woning van afluisterapparatuur was voorzien, dus gingen we wandelen in een van Malmö's vele par-ken. Toen ik ze vertelde dat ik naar Jemen zou terugkeren om na de dood van Awlaki opnieuw contact met AQAP op te nemen, keek de jonge IT-student me opgetogen aan.

'Als het je lukt om opnieuw contact te maken, zouden we graag willen komen om daar *bayat* [een eed van trouw aan Wuhayshi] te doen. En ik kan ze misschien met het *Inspire*-magazine helpen,' zei hij.

Ik beschouwde de Hajdibs als mijn volgende 'Warsame', een kanaal waarlangs ik meer te weten kon komen over AQAP en me een beter beeld kon vormen van hun bedoelingen en allianties. Ik legde het idee aan Klang voor.

'Deze jongens zijn erg gevaarlijk, het zijn tikkende tijdbommen. Misschien is het een goed idee om ze naar Jemen te sturen, dan kunnen we nieuwe contacten leggen met de groep,' zei ik.

Dat vooruitzicht zorgde ervoor dat Klang steeds geïnteresseerder raakte. 'Dan heb jij via de e-mail contact met ze zonder zelf gevaar te lopen.'

Maar we wisten dat dat afhing van het al dan niet contact kunnen maken met Wuhayshi en dat werd aanvankelijk door de PET als een nagenoeg kansloze zaak beschouwd.

Ik vertelde Mujeeb over de Hajdibs. Misschien klinkt het als een vreemde tegenstrijdigheid, maar ik heb bij mijn undercoverwerkzaamheden altijd zo veel mogelijk de waarheid verteld. Dat was vaak de enige manier om mijn verhaal overeind te kunnen houden. Liegen was gemakkelijk, maar je herinneren wát je precies had gelogen, was een stuk moeilijker. Bovendien, als AQAP inderdaad contact opnam met de Zweedse militanten, was het belangrijk dat ze bevestigden wat ik had gezegd.

'Mijn ogen zijn gevuld met tranen om het grote verlies van mijn vriend, mijn broeder en mijn leraar, Shaheed sjeik Anwar al-Awlaki, moge Allah hem aanvaarden als een gelovig mens [...] Amen. Zijn dood moet worden gewroken met bloedvergieten en angst bij de kafir, insha'Allah [...]

Broeder Anwar heeft me gevraagd om in Europa naar broeders op zoek te gaan die bereid zijn hierheen te komen om te trainen en dan naar hun eigen land terug te keren om er voor onze *Dīn* [islam] te werken. Ik heb er enkelen gevonden en ze zijn er thans klaar voor, insha'Allah.'

Ik had nog een andere kaart die ik uit kon spelen. Mijn Keniaanse vriend Ikrimah, de langharige Al-Shabaab-man, wilde, nu Awlaki er niet meer was, Wuhayshi spreken. Als ik die twee met elkaar in contact kon brengen, was ik misschien in de gelegenheid om de verbindingen tussen verschillende Al Qaida-takken in de gaten te houden, iets wat voor een westerse inlichtingendienst toch altijd een hele uitdaging was.

'Broeder Ikrimah in Somalië heeft ook een aantal broeders met een Europees of Amerikaans paspoort gevonden. Ook zij worden niet in de gaten gehouden en zijn bereid terug te keren nadat ze de nodige vaardigheden hebben opgedaan,' schreef ik. 'Deze broeder heeft een speciale boodschap voor je, afkomstig van je eigen leraar in Afghanistan.'[51]

Ook liet ik zien dat ik me heel goed bewust was van zoiets als operationele veiligheid.

'Ik kan in deze boodschap mijn naam niet noemen, niet vertellen hoe ik eruitzie en welke nationaliteit ik heb, want dat is niet veilig […] In de toekomst dient het communiceren te gebeuren via een persoonlijke boodschapper, Adil [al-Abab] kan mijn boodschappen in ontvangst nemen en dan naar jou brengen en jij kunt omgekeerd hetzelfde doen. Het gebruik van e-mails, mobieltjes, sms, telefoons etc. accepteer ik niet.'

Een paar dagen later ontmoetten Mujeeb en ik elkaar opnieuw. Hij vertelde me dat hij net was teruggekeerd van een bijeenkomst met Al Qaida-figuren in de tribale gebieden en dat hij ze de brief had gegeven.

'Als je wilt kan ik eventueel wel een ontmoeting met Abu Basir voor je regelen, misschien in het nieuwe jaar,' zei hij.

'Ja, graag, alsjeblieft,' zei ik snel, maar de angst sloeg me om het hart. Zo'n ontmoeting zou de gevaarlijkste missie worden die ik ooit had ondernomen. Gezien de hevige gevechten tussen regeringstroepen en Al Qaida in de tribale gebieden leek me zoiets trouwens zeer onwaarschijnlijk. Ook al viel AQAP in het zuiden het Jemenitische leger aan, het had wel degelijk verdere aanslagen in Amerika in gedachten.

Mujeeb beloofde me zestien gigabyte onbewerkte beelden van AQAP, die ik dan onder westerse aanhangers kon laten circuleren. Na de dood van Awlaki en Samir Khan was het ze nog niet gelukt een nieuwe editie van *Inspire* te laten verschijnen, en ze waren erop gebrand bekendheid te geven aan de terreinwinst die ze in Zuid-Jemen hadden geboekt. Abdul liet me beveiligingsbeelden zien die recentelijk van de Amerikaanse ambassade in Sanaa waren gemaakt en van het Sheraton Hotel, dat er vlak naast stond. In tegenstelling tot de meeste tophotels was dit helemaal omringd door zandzakken en stonden er militairen op het dak, waarschijnlijk mariniers. Abdul vertelde me dat de groep vermoedde dat de Amerikanen vanuit het hotel een serie contraterroristische operaties aanstuurden.

Gewapend met de beloften van Mujeeb keerde ik vlak voor Kerstmis naar Denemarken terug om daar de PET te briefen. Ze leken geïnteresseerder dan ooit, hoewel we wisten dat nog steeds veel afhing van Mujeebs woord.

Klang stelde me voor om samen met Abu Arab nog eens naar Malmö te gaan om daar met de Hajdib-clan te praten. Wat dat betreft liep de PET een behoorlijk risico, want ze waren absoluut niet bevoegd om een van hun agenten naar Zweden te sturen om daar lukraak naar informatie op zoek te gaan. De PET en de SAPO, de Zweedse inlichtingendienst, werkten bij het oprollen van terroristische samenzweringen weliswaar nauw samen, maar de Zweden zouden het niet leuk vinden als ze erachter kwamen dat de Denen met een freelance-operatie op hún grondgebied bezig waren.

Toch zagen de Denen het als een mooie gelegenheid. De jonge, Engelssprekende IT-student zou wel eens de perfecte kandidaat kunnen zijn om Samir Khan op te volgen als redacteur van *Inspire*-magazine. Dan had ik een sleutelcontact in het hart van de groepering. Het e-mailadres dat *Inspire* had gegeven was de deur waar de aanhangers uit het Westen konden aankloppen om met de groep in contact te komen. Anderhalf jaar nadat Aminah naar Jemen was gereisd, waren we opnieuw plannen aan het smeden om Europese extremisten ernaartoe te sturen, zodat ze zich bij de terroristen konden aansluiten.

De serieuze IT-student wilde nog steeds erg graag. Ik sprak met hem en zijn vader af in een park, voor het geval de SAPO hem nu al afluisterde.

'Ik ben naar Jemen geweest en heb een boodschap aan Wuhayshi doorgegeven en wacht momenteel op zijn antwoord. Ik denk wel dat je je ondertussen maar beter kunt voorbereiden,' zei ik hem.

Hij was op een ingetogen manier blij, als een amateurspeler die plotseling voor het nationale team wordt opgeroepen.

'Ik had graag zelf willen gaan, maar de kafir houden me scherp in de gaten,' zei Abu Arab. Hij straalde van trots dat een nieuwe generatie Hajdibs de kans kreeg de fakkel over te nemen.

Ik keerde voor de kerstdagen naar het Verenigd Koninkrijk terug. Mijn jeugdherinneringen aan de belangrijkste feestdagen van het jaar waren nogal pijnlijk en zelfs als vader had ik mijn eigen kinderen op die dagen bijna nooit bij me gehad. Maar dit jaar was Karima ermee akkoord gegaan de kerst bij mij en Fadia door te brengen. Hoewel mijn kinderen een moslimopvoeding hadden gehad, bedolf ik ze onder de cadeaus en elk moment van ons samenzijn was even kostbaar. Het was een bitterzoete tijd. Ik wist dat ik binnenkort naar Jemen terug zou keren en het kostte me moeite afscheid te nemen.

Voor een missie was ik altijd al onrustig, maar deze keer voelde ik me al helemaal niet op mijn gemak. Als ik Wuhayshi wilde vinden, zou ik me in het hol van de leeuw moeten wagen. Wat me vooral dwarszat, was dat mijn kinderen nooit de waarheid over mijn leven als dubbelagent te weten zouden komen als ik niet levend terugkwam. Het enige wat ze waarschijnlijk op het televisienieuws te horen zouden krijgen was dat ergens in het buitenland weer zo'n Europese jihadist was gedood, en dan zou mijn foto op het scherm verschijnen. In dat geval kon zowel hun moeder als hun stiefmoeder hun niet uitleggen dat mijn leven toch iets anders was verlopen dan je zo op het eerste gezicht zou denken.

Was ik de boksende veteraan wiens carrière net één ronde te veel zou tellen?

24

HET HOL VAN DE LEEUW

Januari 2012

Op 7 januari 2012 stapte ik aan boord van het vliegtuig naar Jemen. Terwijl ik uit het raampje keek luisterde ik op mijn koptelefoon naar de band Metallica. Al vijf jaar lang hielpen hun dreunende nummers me op te peppen voor een volgende missie, maar deze keer had ik het geluid extra hard gezet.

Abdul wachtte me op het vliegveld op, waarna we naar zijn huis reden, een comfortabele bakstenen woning met twee verdiepingen waar ik de komende dagen zou logeren. Wat hij ook mocht doen, zo te zien ging het hem voor de wind.

Mujeeb kwam op bezoek, maar hij had geen nieuws en ook de videobeelden had hij niet bij zich. Het werd tijd om enige druk uit te oefenen.

'Weet je dat de broeders in verschillende delen van Zweden geld bijeen hebben gebracht om mij naar Jemen te laten reizen, zodat ik het materiaal kon ophalen en contact kon maken met Abu Basir?' zei ik geïrriteerd tegen Abdul, gretig gebruikmakend van mijn ervaring met rollenspellen die ik dankzij MI6 in Fort Monckton had opgedaan.

'Mujeeb is zonde van mijn tijd. Volgens mij heeft hij hem helemaal niet ontmoet. Weet je wat, ik ga zelf wel naar Abu Basir, dan kan ik hem gelijk vertellen dat Mujeeb een leugenaar is.'

Ik had gesproken zonder behoorlijk na te denken. Ik had het er in een onbewust moment uitgeflapt en nu zat ik aan een gevaarlijke reis naar de tribale gebieden vast. Ik riep mezelf tot de orde. Ik kon, enkel en alleen om te bewijzen dat de CIA fout zat, toch niet zoiets stoms gaan doen?

Abdul was ongerust. Hij wist Mujeeb zover te krijgen dat hij beloofde een Jemenitische militant te bellen die connecties met AQAP had. De man heette Hartaba. Hij was in het verre verleden in Afghanistan een van de lijfwachten van Bin Laden geweest en in het recente verleden had hij als Awlaki's chauffeur gefungeerd. Hij kende de veiligste, of eigenlijk de minst gevaarlijke, routes naar de gebieden die door AQAP werden beheerst. We zouden elkaar ontmoeten op de weg ten zuiden van Sanaa.

De volgende dag gingen Abdul en ik in zijn Toyota Corolla op weg. Mijn angst, die ik in Engeland zo duidelijk had gevoeld, wilde maar niet verdwijnen. Afhankelijk of hij een dubbel- of driedubbelagent was, kon Abdul me zo uitleveren. Als de CIA hem nu eens voor mij had gewaarschuwd?

Maar mijn eerste zorg was het passeren van de wegversperringen die op de uitvalswegen van Sanaa waren geplaatst. Ik trok voor het eerst in tien jaar een westers kostuum aan en drukte mijn iPhone tegen mijn oor en deed net alsof ik aan het telefoneren was. Ik was een zakenman die een afspraak in Aden had en Abdul was mijn chauffeur.

'Je hoeft er alleen maar belangrijk uit te zien,' zei hij.

Als we ergens moesten stoppen, deed ik mijn best een zo ongeduldig mogelijke indruk te maken. Dat werkte.

Nadat we urenlang hadden gereden, minderde Abdul in de buurt van een stoffige nederzetting vaart. De dorpelingen namen ons argwanend op. Dit was bandietenterritorium, waar de centrale overheid nauwelijks iets te zeggen had. Mijn handpalmen waren nat van het zweet en ik had kromme tenen van de spanning.

Een pezige jongeman stapte achterin. Ik keek om om te zien of hij gewapend was, maar probeerde dat zo nonchalant mogelijk te doen.

'Weet je wie dat is?' vroeg Abdul me. 'De jongere broer van Abu Basir.'

Hij leek als twee druppels water op Wuhayshi. Ik kon hem wel omhelzen van opluchting.

Aan het eind van de middag kwamen we bij een dorpje aan dat een stukje verwijderd lag van de doorgaande weg van Saana naar Aden. Het dorpje leek zo uit het Oude Testament geplukt. Abdul stopte bij iets wat nog het meest op een half afgebouwde schuur leek. 'Dit is Hartaba's huis.'

Hartaba kwam naar buiten om ons te begroeten. Hij was een jaar of 45, maar de jihad had hem vroeg oud gemaakt. Hij had iets weg van een karikatuur: een pezig lichaam en een smal gezicht, grote, enigszins manische ogen en een lange baard. Hij hield zijn hoofd ietsjes scheef om beter te kunnen horen, want door de mishandelingen in de Jordaanse gevangenis was hij aan een oor nagenoeg doof geworden.[52]

In zijn vrijwel lege huis stelde Hartaba ons voor aan twee zwaarbewapende Saoedische strijders. We baden samen en daarna zei Hartaba me dat ik mijn pak moest uittrekken en een traditionele salwar kameez moest aantrekken. Hij gaf me een tribale hoofddoek om mijn gezicht zo veel mogelijk te bedekken, maar toen hij mijn lengte en lichaamsbouw zag, leek hij tot de conclusie te komen dat ik eigenlijk niet te camoufleren was.

Ik zag dat verscheidene van mijn nieuwe metgezellen mobiele telefoons bij zich hadden. Ik zei dat ze de batterijen en de simkaarten eruit moesten halen, zodat de Amerikaanse spionagesatellieten onze positie niet konden bepalen. Het vooruitzicht op het martelaarschap had hen enigszins onverschillig gemaakt, maar ik had absoluut geen haast om het slachtoffer te worden van Amerika's favoriete wapentuig.

In het gouden avondlicht vertrokken we in een Toyota Land Cruiser naar het Al Qaida-bolwerk. Abdul en ik zaten voorin naast Hartaba, de Saoedische strijders en Wuhayshi's broer zaten in de open laadbak. De pick-up zat vol wapens. Ik pakte de kalasjnikov die me in handen was gedrukt wat steviger beet, terwijl de mannen nog een patroonband om mijn nek drapeerden. Het wapen was zo groot dat de loop ervan uit het portierraampje stak.

Abdul had een granaatwerper op zijn schoot liggen. 'Weet je zeker dat dat ding niet afgaat?' vroeg ik aan Hartaba nadat de wagen net door een diep gat in de weg was gestuiterd, waarbij de loop van de granaatwerper tegen het dak van de auto klapte. Abdul maakte een doodsbange indruk en ik vroeg me opnieuw af hoe betrouwbaar hij was.

Hartaba raakte zo geïrriteerd dat hij de wagen tot stilstand bracht om uit te leggen dat het wapen alleen maar afging als je de trekker overhaalde. Hetzelfde soort wapen was gebruikt bij een aanslag op de auto van een belangrijke Britse diplomaat in Sanaa. Hijzelf had toen achter het stuur van de vluchtauto gezeten, voegde hij er met enige trots aan toe.

'De granaat miste de auto op een paar millimeter na.'

Hartaba kreeg wat dit onderwerp betrof de smaak te pakken en onwillekeurig kreeg ik bewondering voor het enorme uithoudingsvermogen van deze man. Hartaba vertelde me dat AQAP-strijders Awlaki alleen maar hadden kunnen identificeren aan de huid op zijn voorhoofd, dat ze in het uiteengerukte karkas van zijn auto hadden gevonden. Het overgrote deel van zijn lichaam was verdampt. Hartaba's ogen glinsterden toen hij het verhaal vertelde.[53]

Hij vertelde ook dat AQAP in de zuidelijke tribale gebieden in Jemen steeds groter en sterker werd. De groep had militaire werkplaatsen overvallen en had machines meegenomen waarmee ze nu zelf munitie kon maken.

We passeerden een controlepost die bemand werd door zuidelijke separatisten die gebaarden dat we door konden rijden. Nog een teken, dacht ik, hoe snel dit land aan het uiteenvallen was. Terwijl we door stoffige nederzettingen stuiterden scandeerden dorpelingen 'Al Qaida, Al Qaida'. Meerdere politiemannen keken de andere kant op. Ik wierp een snelle blik op Hartaba, die in trance geluidloos meezong met de jihadistische *nasheeds* die uit een cassettespeler schalden. Om de laatste door regeringstroepen bemande controleposten te ontlopen verlieten we de weg en deden we de koplampen uit.

Terwijl de maan steeds hoger aan de hemel kwam te staan, reden we met hoge snelheid door de luminescente woestijn. De adrenaline joeg door me heen en ik voelde een golf van vreugde bij het besef dat ik zo diep achter de vijandelijke linies was. Heel even vergat ik op deze volmaakte Arabische avond dat ik met een missie bezig was.

Laat op de avond bereikten we het stadje Jaar. In de tien maanden dat Al Qaida-strijders het er voor het zeggen hadden, had het een gedaantewisseling ondergaan en had het een andere naam gekregen en heette nu 'Emiraat Waqar', het Arabische woord voor waardigheid. Het was nu de hoofdstad van dit nieuwe Al Qaida-staatje. De controlepost die we passeerden werd bemand door strijders van de Ansar al-Sharia. Overal waren de zwarte vlaggen van Al Qaida te zien en in het stadje wemelde het van de strijders. Het was een nieuwe *ground zero* in de oorlog tegen het terrorisme. Op schootsafstand van het stadje lagen Jemenitische troepen, terwijl Amerikaanse, Saoedische en Jemenitische vliegtuigen in de lucht erboven cirkelden. Ik besefte maar al te goed dat ze me momenteel in hun vizier hadden.

We stopten bij iets wat moest doorgaan voor een restaurant. Hartaba stapte uit en ging naar binnen, om even later naar buiten te komen met Adil al-Abab, de religieus leider van AQAP met wie ik zes jaar eerder in Sanaa bevriend was geraakt. Hij had nog bollere wangen dan toen. Geen wonder dat we hem in een van de weinige nog functionerende eethuizen van Jaar aantroffen.

Boven zijn getuite lippen bevond zich nog steeds dezelfde enorme snor en ook zijn baard was nog steeds kort, misschien wel omdat die toch niet langer wilde worden.

'*Masja'Allah!* As salaam aleikum, Abu Osama! Hoe gaat het met je? Hoe gaat het met je zoon Osama?' wilde al-Abab weten.

'Prima. Het gaat goed met ons beiden.'

'We moeten gaan. Als je Abu Basir wilt ontmoeten, is het beter als ze je hier niet zien. En ik wil een oude vriend aan je voorstellen,' zei al-Abab met een brede glimlach.

We stapten in al-Ababs witte Toyota, een overheidsvoertuig dat de groep in beslag had genomen. Hij was een vreselijk slechte chauffeur die waarschijnlijk zichzelf auto had leren rijden nadat hij de wagen had ingepikt. We slingerden door straten vol gaten naar een groot, geel geschilderd huis dat voor religieuze plechtigheden werd gebruikt. Er was nauwelijks meubilair aanwezig, maar er stond wel een grote, goudkleurige en rijkelijk van ornamenten voorziene stoel, waarvan ik later hoorde dat die door de militanten uit het hoofdkwartier van de gouverneur was gehaald.

Het huis was gevorderd door sjeik al-Hazmi, de neef van de prediker van de Moslimbroederschap, Mohammed al-Hazmi. Hij had krulhaar en groene ogen, wat voor een Jemeniet zeer ongewoon is. Al-Hazmi herinnerde zich mij nog van mijn verblijf in Jemen in 2001. Hij moest lachen toen hij me terugzag en we omarmden elkaar. Het was het zoveelste bewijs hoe belangrijk het netwerk was dat ik in de loop der jaren had opgebouwd.

Hij, Abdul, al-Abab en ik spraken tot laat in de avond over de toestand waarin de jihad in Jemen verkeerde. Al-Abab vertelde dat er veel Somaliërs naar Jemen waren gekomen om zich als strijder bij de groep aan te sluiten. Uiteindelijk trok Hazmi zich terug om zich bij zijn gezin boven te voegen, maar al-Abab had voor hij me liet gaan nog één vraag.

'Ben je er klaar voor?' vroeg hij me met een ernstig gezicht.

'Waarvoor?' vroeg ik.

'Ben je bereid de eed af te leggen? Aan Al Qaida, aan onze emir Abu Basir?'

Ik antwoordde dat ik bereid was de eed af te leggen, maar wel onder bepaalde voorwaarden. 'Ik heb sjeik Anwar gezegd dat ik niet met burgerdoelwitten akkoord kan gaan.'

'Dat weten we, Abdul heeft het me verteld,' antwoordde al-Abab.

Dus had ik geen keus, ik stond op het punt officieel lid van Al Qaida te worden.

Hij pakte mijn hand en liet me zweren: 'Ik zal getrouw zijn aan Abu Basir, leider van de gelovigen, in alles wat gehoorzaamt aan de wil van Allah en Zijn Boodschapper. Ik zal vechten voor Allahs zaak.'

'Hamdulillah'!' riep al-Abab uit.

Die nacht sliep ik nauwelijks, want de dood kon overal op de loer liggen. Ik was zelfs bang dat ik me tegenover de broeders zou verraden door in mijn slaap te praten. Ik kwam al voor zonsopgang uit bed en liep met een stelletje Al Qaida-strijders mee om te gaan bidden in de naburige moskee. Bij het eerste ochtendgloren, toen de oostelijke hemel eerst paars en toen roze werd, werd de stilte onderbroken door de droge knallen van mortiergranaten die een eind verderop werden afgevuurd. De Jemenitische strijdkrachten beschoten de stad in een van hun halfslachtige pogingen Jaar terug te veroveren.

De strijders haastten zich naar het front en lieten me alleen achter, maar voor ze vertrokken deden ze wel vanbuiten de zware poort op slot. Ik hoorde het gerommel van de artillerie en het gebulder van straaljagers. Toen klonk er het harde, zuigende geluid van een explosie vlak in de buurt, gevolgd door een oorverdovend geraas. Ik hoorde het gekrijs van vrouwen en kinderen.

Als de regeringstroepen dit gebouw nu eens als richtpunt namen? vroeg ik me plotseling af. Ik ging naar het dak, maar dat was te hoog om ervan af te springen. Ik kon geen kant op.

Plotseling werd ik overvallen door een misselijkmakend besef waarbij de beschieting volledig in het niets viel.

Ik had mijn North Face-rugzak in de auto van sjeik al-Abab laten liggen. In een van de zijzakken zat een USB-stick met de heimelijk in Denemarken gemaakte opnamen van mijn gesprek met CIA-agent Michael.

Ik was dat ding helemaal vergeten.

Het spel was uit.

In gedachten zag ik mijn vrouw en kinderen in het verre Europa en vroeg me af hoe ze op het nieuws zouden reageren. Ik ging op de vloer liggen en tuurde verslagen naar het plafond. Had ik maar wat minder van die afschuwelijke executievideo's gezien.

Na een uur of wat keerde sjeik al-Abab naar het huis terug, samen met wat strijders en Abdul, die zo te zien behoorlijk getraumatiseerd was. Ik probeerde er zo ontspannen mogelijk uit te zien, maar had het gevoel dat ik elk moment kon overgeven. De sjeik glimlachte.

'Je had dit in de auto laten liggen,' zei hij terwijl hij me de rugzak aanreikte. Toen ik even alleen was, zag ik dat de USB-stick er nog in zat. Ik had wel kunnen juichen van opluchting.

Een paar minuten later was het tijd om verder te gaan. Ik stapte achter in een Toyota 4x4, met naast me Abdul en een jonge Saoedi. Al-Abab zat, gewapend en al, naast de chauffeur. Na een tijdje draaide hij zich om en zei dat we ons voorover moesten buigen en naar de vloer moesten kijken. We mochten pas weer overeind komen als dat ons gezegd werd. Zo reden we nog een paar minuten door.

Toen de auto stopte kwam er een nieuwe passagier naast me zitten. Ik keek op en zag de onmiskenbare gelaatstrekken van Nasir al-Wuhayshi: pluizige baard, kleine, dicht bij elkaar staande ogen met erboven zijn tribale hoofddoek en zijn karakteristieke brede grijns.

'Salaam,' zei hij opgewekt. Er zat een *miswak* in een van zijn mondhoeken, een stokje dat in Jemen als tandenstoker wordt gebruikt en als zodanig ooit door de Profeet was aanbevolen.

Op de een of andere manier was hij tengerder dan ik had verwacht.

'Murad, ik weet wie je bent. Anwar heeft me over je verteld en ik heb je brief ontvangen. Ik kan je vertellen dat het goed gaat met Aminah. Moge Allah je belonen voor wat je voor haar en sjeik Anwar hebt gedaan,' zei hij.

We vertrokken, met achter ons aan nog een auto met daarin Wuhayshi's zwaarbewapende lijfwachten. We reden naar een kleine boerderij even buiten Jaar, waar we uitstapten en naar een maïsveld liepen. In de schaduw van enkele bomen werd een maaltijd uitgepakt die uit schapenvlees en rijst bestond. De schaduw bood ook enige beschutting tegen de drones, die niet ver weg konden zijn.

Ik kon niet alles op wat me werd voorgezet. Vriendelijk schoof de Al Qaida-leider onopvallend steeds stukken lamsvlees mijn kant op, maar at zelf nauwelijks iets. Geen wonder dat hij zo mager was.

Vervolgens gaf sjeik al-Abab een verzoek van de jonge, bebaarde Saoedische strijder die blijkbaar op korte termijn het martelaarschap ambieerde aan Wuhayshi door. Wuhayshi dacht daar even over na en aarzelde toen, want er waren nog heel wat kandidaten voor hem en hij zou toch echt op zijn beurt moeten wachten. De jonge Saoediër leek erg teleurgesteld. Ik had me het liefst even geknepen om er zeker van te zijn dat ik niet droomde: een discussie tijdens de lunch wie er aan de beurt was om een zelfmoordaanslag te mogen plegen.

Ik vond Wuhayshi een fascinerende man. Hij bezat dezelfde zacht uitgesproken nederigheid als zijn mentor, Bin Laden, en straalde hetzelfde charisma uit. Zijn strijders liepen met hem weg en deden alles voor hem. Geen wonder dat de mensen hem als de nieuwe leider van heel Al Qaida zagen.

Voor het eten had ik mijn mouwen opgerold en Wuhayshi zag een van mijn tatoeages. Die moest de hamer van de Noorse god Thor voorstellen maar had ook best voor een christelijk symbool door kunnen gaan. 'Is dat een kruis?' vroeg Wuhayshi, en trok een wenkbrauw op.

'Nee,' antwoordde ik, nerveus lachend, om de Al Qaida-emir vervolgens snel te vertellen dat ik al lang geleden Thor op mijn onderarm had laten tatoeëren. Ik gaf Wuhayshi een beknopte les Noorse mythologie. Gelukkig moest hij ook lachen.

In feite dateerde die tatoeage niet eens uit mijn bikerdagen. Nog geen jaar eerder was ik in Kopenhagen een tattooshop binnengelopen en had ik het ding op mijn onderarm laten inkten. Dat was niet echt verstandig geweest. Als een militante aanhanger had gezien dat ik plotseling de hamer van Thor had laten zetten, had ik wel wat moeten uitleggen. Misschien dat ik onbewust aan het dwangbuis van mijn dekmantel probeerde te ontsnappen en mijn oude identiteit probeerde terug te krijgen.

Wuhayshi stuurde de anderen naar de overkant van de zanderige akker, zodat we even met z'n tweeën konden praten.

'Het is goed dat je hier bent,' zei Wuhayshi. 'Ik stond op het punt de stad uit te gaan, maar toen ik hoorde dat je hier was, heb ik mijn reis onmiddellijk uitgesteld.'

Ik vertelde hem dat ik bayat had gezworen, maar dat ik eerder al aan Awlaki had laten weten dat ik geen burgerslachtoffers op mijn geweten wilde hebben.

'Ik ken je standpunt, maar je moet wel weten dat er binnen de islam, als het de kafir betreft, geen burgers bestaan. Het zijn mensen die voor de daden van hun land verantwoordelijk zijn en zelf hun regering hebben gekozen,' antwoordde Wuhayshi. Daar heb je hun afkeer van democratie weer, dacht ik bij mezelf.

Er viel een korte pauze.

'Maar als ik een keus heb, dan richt ik me op militaire doelwitten,' voegde Wuhayshi eraan toe.

Gepassioneerd sprak Wuhayshi over de dag dat heel Jemen onder islamitische heerschappij zou zijn gebracht. 'De Hadith zegt dat de islam vanuit Abyan zal worden gevestigd,' zei hij, precies zoals Awlaki had gedaan.

Wuhayshi bevestigde het Saoedische vredesaanbod waarover Mujeeb me had verteld, maar zei erbij dat hij dat onmiddellijk had afgewezen.

Ik vertelde hem over de brief die mijn Al-Shabaab-contact Ikrimah hem wilde sturen, afkomstig van zijn voormalige leraar, en bood aan om als brug te fungeren tussen AQAP en de Somalische groep militanten. Ik moest hem laten zien dat ik wel eens nuttig zou kunnen zijn.

'Ik ben degene geweest die Warsame naar je toe heeft gestuurd,' zei ik hem.

'O ja, de broeder die op zee werd gearresteerd. Hij was een heel goede broeder en was altijd in de voorhoede te vinden. Hij is geen moment bang geweest. Het is zonde dat de kafir hem nu in handen hebben.'

'We hebben momenteel contact met enkele broeders in Somalië.'

Ik vertelde hem ook over de militante groep in het Zweedse Malmö en over de behoefte die bij me leefde om Awlaki's dood te wreken.

Hij was vooral in de jonge IT-student geïnteresseerd.

'Spreekt hij Engels?' vroeg hij.

'Ja.'

'Dan kan hij voor *Inspire* werken, dat zullen we dan eens gaan regelen,' antwoordde hij. We spraken een tijdje over Awlaki. En vervolgens hadden we het over de zestien jaar oude zoon van de geestelijke,

Abdulrahman, die een maand na zijn vader bij een aanval met een onbemand vliegtuigje werd gedood. Ik herinnerde me hem nog van die avond in 2006, toen hij als jongetje trots zijn huiswerk aan zijn vader had laten zien en met mijn zoon Osama had gespeeld.

Hoewel de aanval in eerste instantie op andere strijders was gericht, had hij in de Verenigde Staten voor nogal wat controverse gezorgd vanwege de leeftijd van Abdulrahman en vanwege het feit dat hij Amerikaans staatsburger was. Wuhayshi vertelde me dat Abdulrahman vlak voor zijn dood officieel tot de groepering was toegetreden.

Ik vertelde Wuhayshi dat Awlaki voor zijn dood aan mij had gevraagd voor bepaalde spullen te zorgen. Ik doelde daarbij op de koelkast en de hexaminetabletten. Uit de manier waarop hij antwoordde kon duidelijk worden opgemaakt dat hij wist waarover ik het had.

'Moet ik doorgaan met de missie?' vroeg ik.

'Ja, breng die spullen maar hierheen,' reageerde Wuhayshi.

Wuhayshi wilde dat ik kennis zou maken met de belangrijkste bommenmaker van AQAP, Ibrahim al-Asiri, die volgens hem 240 kilometer verderop in Azzan verbleef, diep in de provincie Shabwah.

Azzan was een troosteloos stadje halverwege de kust en Ataq, de plaats waar Anwar al-Awlaki's zoon enkele maanden eerder bij een Amerikaanse drone-aanval was gedood. Al Qaida had het stadje een paar weken voor die aanval in handen weten te krijgen.

'Asiri is bij de Amerikanen tegenwoordig nummer drie op de lijst van meest gezochte personen,' voegde hij er met enige voldoening aan toe.

Al-Asiri stuurde nu de aanslagen aan die de groepering in het buitenland pleegde. Hij zou vast geïnteresseerd zijn in de Zweedse broeders die bereid waren naar Jemen te komen.

Er werkte al een Zweed voor de bommenmaker. Anders, de inlichtingenanalist van de PET, had me verteld dat het vermoedelijke Zweeds-Jemenitische brein achter het complot tegen de *Jyllands-Posten* in december 2010 naar Jemen was ontsnapt en zich waarschijnlijk bij al-Asiri had aangesloten.[54]

Al-Asiri had zijn eigen broer de dood ingejaagd. Hij had het ondergoedexplosief in elkaar gezet dat op eerste kerstdag 2009 vlucht 253 boven Detroit bijna naar beneden had gehaald en hij had de zogenaamde printerbommen ontwikkeld. Hij was, simpel gezegd, een van de gevaarlijkste terroristen ter wereld.

Een ontmoeting met al-Asira zou ongetwijfeld de deuren tot de CIA weer voor me openen, compleet met rode loper. Maar naar hem toe gaan om hem te ontmoeten was het noodlot tarten. De USB-stick bevatte mijn enige opname van de ontmoeting met de CIA-man in Helsingør. Als ik dat ding weggooide, was ik ook uiterst belangrijk materiaal kwijt waarmee ik kon bewijzen dat ik voor inlichtingendiensten had gewerkt. Maar als ik hem bewaarde, zouden mijn dagen wel eens geteld kunnen zijn. Ik vermoedde dat de veiligheidsmaatregelen rond al-Asira nog een stuk intensiever zouden zijn dan bij Wuhayshi het geval was en ik liep wel degelijk het risico dat mijn USB-stick zou worden gevonden.

Ik moest onmiddellijk een beslissing nemen. 'Sjeik, ik ben bang dat dat niet mogelijk is. Ik heb de militairen bij de controlepost gezegd dat ik op weg was naar Aden, dus is de kans groot dat als ze me daar niet binnenkort zien arriveren er alarm wordt geslagen,' zei ik tegen Wuhayshi.

Het was een zwak excuus, maar ik wist dat de Jemenitische overheid, onder druk van de Amerikanen, probeerde bij te houden waar westerlingen in hun land naartoe gingen.

'Dan kun je beter naar Aden doorreizen. Maar als je daar bent, moet je e-mailaccounts met Abdul en Hartaba opzetten zodat we met elkaar kunnen communiceren,' reageerde Wuhayshi.

We stapten weer in en Wuhayshi gaf me een rondleiding door het Al Qaida-emiraat. 'Zorg er wel voor dat je gezicht niet te zien is, want er zouden wel eens spionnen in de buurt kunnen zijn,' zei al-Abab tegen me.

De stad was een alternatief universum. Oude, roestige politieauto's patrouilleerden op straat, met achter het stuur zwaar bebaarde islamistische strijders. De islamitische wetgeving was ingevoerd, en iedereen moest die strikt naleven. Deed je dat niet dan werd je streng gestraft.

Al enkele dagen na mijn bezoek aan Jaar bereikten de door Al Qaida uitgedeelde straffen een nieuw dieptepunt toen een islamitische rechtbank een man die van spionage voor de Amerikanen werd verdacht ter dood veroordeelde om hem vervolgens te kruisigen. Bewoners vertelden later dat zijn lijk nog dagenlang in een hoofdstraat van Jaar had gehangen. Als ze mijn werkelijke bedoelingen hadden geweten, had mij waarschijnlijk hetzelfde lot gewacht.[55]

De verzameling wetten die door Al Qaida werd ingevoerd, werd de *Hoedoed* genoemd, een middeleeuwse vorm van rechtspleging die in het overgrote deel van de moslimwereld als verouderd werd beschouwd. De Al Qaida-persoon die een grote rol speelde bij het in Jemen opzetten van en het toezicht houden op deze Hoedoed-rechtbanken, was niemand minder dan sjeik Adil al-Abab, de beminnelijke religieuze emir van AQAP, dezelfde persoon die zijn omvangrijke lichaam naast mij op de achterbank had gepropt.

Later zou Wuhayshi de door AQAP gebezigde rechtspleging een prachtig voorbeeld van terughoudendheid noemen. Een paar maanden later adviseerde hij de Al Qaida-groep die het in een deel van Mali in West-Afrika voor het zeggen had: 'Probeer het uitvoeren van islamitische straffen zo veel mogelijk te voorkomen, tenzij het beslist noodzakelijk is [...] we hebben deze aanpak ook bij de bevolking hier toegepast en dat heeft goede resultaten afgeworpen.'

Terwijl we door Jaar reden, wees Wuhayshi op de verschillende openbare werken die in gang waren gezet. Al Qaida deelde voedsel uit, sloeg bronnen en bouwde watertanks, bracht dat water met tankwagens rond en zorgde voor gratis elektriciteit in gebieden waar zoiets tot dan toe onbekend was, terwijl de organisatie daarnaast ook nog voor andere zaken zorgde die de centrale regering in Sanaa decennialang had verwaarloosd.

Voor Wuhayshi was dit niet meer dan een middel om een doel te bereiken. In zijn brief met adviezen aan de jihadisten die het noorden van Mali bezet hielden, schreef hij: 'Probeer hun hart te veroveren met zaken die het leven aangenamer maken en in hun dagelijkse behoeften voorzien, zoals voedsel, elektriciteit en water. Deze voorzieningen hebben veel invloed op de mensen en zorgen ervoor dat ze sympathiek staan tegenover onze ideeën.'

We stopten bij een begraafplaats voor Al Qaida-martelaars aan de rand van de stad, waar de woestijn begon, rijen graven die slechts door een kleine steen werden gemarkeerd. Hun puriteins geloof verbood het bouwen van grote graftombes. Er lagen hier honderden strijders begraven, maar je kon er dwars doorheen lopen zonder te beseffen dat het een begraafplaats was. Wuhayshi verrichtte een supplicatie – *As salaam aleikum ya ahlul-qubur!...*' [Vrede zij met u, o bewoners van het graf] – waarna we verdergingen.

Ik vertelde Wuhayshi dat ik van plan was in het Verenigd Koninkrijk een opleiding tot lijfwacht te volgen. 'Dan kun je mijn persoonlijke bewaker worden,' antwoordde hij. Hij wees me erop dat zijn eigen lijfwachten hem na de picknick niet eens achterna waren gekomen.

'Ze hebben niet eens gezien dat ik met jou in de auto ben gestapt, je had me voor hetzelfde geld kunnen ontvoeren,' zei hij. We lachten. Het grensde aan het absurde.

Het was tijd voor de AQAP-leider om te vertrekken. Hij omarmde me en stapte vervolgens samen met Adil al-Abab in de auto. 'Wacht hier, ik ben zo weer terug,' zei de religieuze emir van de AQAP tegen Abdul en mij.

Een uurtje later kondigde het geluid van gierende remmen zijn terugkeer aan. Al-Abab kwam met een ernstig gezicht naar ons toe. Had iemand hem over de USB-stick verteld? Maar hij richtte zich tot Abdul.

'Alhamdulillah, we denken dat je broer zojuist martelaar is geworden. Zou je willen meegaan om naar zijn lichaam te kijken?'

Abdul, die door zijn blootstelling aan het front in Jaar toch al aangeslagen was, zag geen kans voldoende moed bijeen te schrapen om mee te gaan. Hij vroeg me of ik naar het lichaam wilde kijken, ik had zijn broer per slot van rekening in Sanaa een paar keer ontmoet. Ik werd naar een geïmproviseerd mortuarium meegenomen waar het lijk naartoe was gebracht. De man had afschuwelijke verwondingen opgelopen. Een mortiergranaat was ter hoogte van een wang zijn schedel binnengedrongen en had de linkerhelft van zijn hersenpan weggeslagen, terwijl zijn borst vol zat met granaatscherven. Maar de rechterkant van zijn gezicht was nog min of meer intact en zijn mond was tot een glimlach vertrokken. Hij leek inderdaad op Abduls broer. Ik staarde naar zijn gezicht.

Ik ging naar Abdul terug om het hem te vertellen en deze keer ging hij met me mee om zelf te kijken. 'Het is hem,' zei hij. Hij hurkte naast hem neer en was enkele ogenblikken stil om hem de laatste eer te bewijzen. Toen kwam hij overeind en draaide hij zich om, maar vervolgens aarzelde hij, draaide zich weer naar het lichaam om en inspecteerde de tanden van de dode.

'Deze man heeft geen vullingen, hij is mijn broer niet,' zei hij, en voor het eerst sinds we waren gearriveerd zag ik een glimlach op zijn gezicht verschijnen. Ik vond het een passende afsluiting van een uiterst surrealistisch bezoek.

Ik was blij dat ik binnenkort naar Aden op weg zou zijn. Als ik hier bij een raketaanval of door een mortier werd gedood, zouden ze me begraven in die anonieme strook grond waar al die Al Qaida-martelaren lagen en zou de waarheid over aan welke kant ik vocht tegelijkertijd voor altijd met mij ten grave worden gedragen.

We namen afscheid van Adil al-Abab en de andere strijders, onder wie de Saoedische jongeman die zo graag een zelfmoordaanslag wilde plegen en Wuhayshi's jongere broer. De Saoediër kuste me op het voorhoofd, waarna Wuhayshi's jongere broer me ernstig aankeek: 'Heb je de martelaren lief?'

'Ja,' antwoordde ik. Ik kreeg het gevoel dat ook hij graag een van hen wilde worden.

'Moge Hij die je liefheeft mij liefhebben omdat ik jou liefheb,' zei hij.

'As salaam aleikum,' antwoordde ik, vrede zij met je. Hij zou die ironie nooit begrijpen.

Ik stapte met Hartaba en Abdul in de auto voor de gevaarlijke rit naar Hartaba's dorpje, waar we Abduls auto ophaalden. Tijdens de hele rit naar Aden zag ik voortdurend de gezichten van Jesper en Klang voor me zoals ze tijdens de komende debriefing tegenover me zouden zitten. Ik had met de leider van Al Qaida op het Arabische schiereiland geluncht en wat grapjes uitgewisseld.

Wuhayshi's opdracht voor mij in Aden was simpel: maak drie e-mailaccounts aan zodat we in de toekomst met elkaar kunnen communiceren en geef de bijzonderheden daarvan aan Abdul mee, die ze op zijn beurt aan Wuhayshi's mannen in de stad zal doorgeven.

Nadat ik die accounts in een internetcafé had aangemaakt, parkeerde Abdul de auto in een winkelstraat in Aden, in de buurt van een callcenter, de veiligste plek om Wuhayshi's contacten te bellen. Ik zag tientallen klanten in en uit lopen.

Ik vond het nogal lang duren, terwijl ik Abdul met elke minuut die voorbij tikte minder ging vertrouwen.

Plotseling werd mijn aandacht getrokken door iets aan de overkant van de straat. Daar was een auto gestopt, waarvan de chauffeur met een emmer water en een spons een van de achteruitkijkspiegels ging schoonmaken en daarbij af en toe opkeek. Hij was redelijk goed getraind in het onopvallend waarnemen, alleen beging hij de fout steeds weer dezelfde spiegel schoon te maken. En zoiets was in Aden, met al het stof en de chaos, volkomen zinloos.

Stond ik op het punt slachtoffer van een hinderlaag te worden? Toen Abdul eindelijk naar buiten kwam, was ik opgelucht maar ik had ook behoorlijk de pest in.

'De mannen van de emir zijn over een uurtje hier, dan kan ik ze de e-mailadressen laten zien, blijf jij maar in de auto.'

Veel keus had ik niet. Toen ze uiteindelijk arriveerden, zag ik dat Wuhayshi's afgezanten er niet bepaald uitzagen als jihadist. Beide mannen waren gladgeschoren en hadden een donkere huid, zoals zo veel mensen in Aden, en ze droegen een lange thawb. Ze begroetten Abdul en gingen een winkel binnen. De man die enthousiast zijn spiegel schoonmaakte was ook nog steeds aanwezig. Hij keek ze met een drijfnatte spons in de hand na.

Toen Abdul weer terug in de auto was, zei ik hem dat ik wilde rijden, en nam vervolgens een willekeurige route om eventuele volgers van me af te schudden. Ik liet allerlei scenario's de revue passeren. Aan wiens kant stond Abdul eigenlijk? Had Al Qaida iemand gestuurd die de overdracht in de gaten moest houden? Of was Abdul zo lang in het callcenter gebleven omdat hij een CIA-handler moest bellen, die vervolgens surveillance moest regelen, zodat de Amerikanen de vertegenwoordigers van Wuhayshi in Aden in de gaten konden houden? Terwijl ik koortsachtig nadacht, vroeg ik me ook af of dit allemaal deel uitmaakte van een Amerikaanse list om Abdul mijn plaats in Jemen te laten innemen. Had hij Wuhayshi's mensen heel andere e-mailadressen gegeven, zodat hij wel en ik niet met Wuhayshi contact kon maken? Hij kende heel wat jihadisten, maar gezien alle voorzorgsmaatregelen die de AQAP-leiding had genomen, stond hij te laag in de pikorde om door Wuhayshi in audiëntie te worden ontvangen. Hij beschikte maar over één manier om tot de top van Al Qaida door te dringen en die liep via mij. Maar dat maakte me ook kwetsbaar.

Ik was opgelucht toen ik uit Aden vertrok en van Abduls gezelschap was verlost. Misschien was het paranoia, maar ik had wel vreemder dingen meegemaakt. Eenmaal terug in Sanaa belde ik Klang op.

'Ik heb zojuist de grote man ontmoet,' meldde ik hem in een vet Deens dialect.

25

OPERATIE AMANDA

Januari-mei 2012

Een onvermijdelijk onderdeel van een succesvolle missie is een uitnodiging van de PET voor de debriefing. Deze keer koos Klang voor Lissabon.

Ik werd ondergebracht in het luxueuze Altis Avenida Hotel. Klang en Jesper hadden een jonge analist meegebracht die ze de bijnaam 'de Maagd' hadden gegeven. Al snel werd duidelijk waarom. 'Dit is het geweldigste wat ik ooit heb meegemaakt,' zei hij me opgewonden.

De spymaster van de PET, Tommy Chef, arriveerde later, nadat hij zijn programma had omgegooid. Hij gaf me een envelop met 100.000 Deense kronen, zo'n 15.000 dollar. Tijdens de debriefing merkte ik hoeveel het Deense team al wist over de mensen die ik in Jaar had ontmoet. Zouden ze die informatie van de Amerikanen hebben gekregen dankzij de welwillende medewerking van Abdul? Als dat zo was, was het wel erg stom van ze om dat tegenover mij door te laten schemeren.

We beseften dat we in de gelegenheid waren om in de koelkast die Wuhayshi nog steeds graag van me wilde hebben een volgsysteem te monteren. Die koelkast zou waarschijnlijk naar Ibrahim al-Asiri gaan, de bommenmaker, om daar explosieven in te bewaren, en bood ons op die manier een unieke kans hem tot doelwit te maken, terwijl we zo ook Wuhayshi konden lokaliseren. Ik zei tegen de agenten dat ik bereid was om binnen twee weken naar Jemen terug te keren.

'Eerlijk gezegd dachten de meeste mensen op kantoor dat het afgelopen met je was,' vertelde Jesper me op het balkon van ons hotel nadat de zakelijke besprekingen er voor die avond op zaten. 'Slechts weinigen van ons dachten dat je nog door kon gaan na wat er met Anwar is gebeurd.'

Hij zweeg even. We keken naar het verkeer dat beneden op de Praça dos Restauradores voorbijreed.

'Het is maar verdomde goed dat je aan onze kant staat. Denk je eens in welke problemen je voor ons had kunnen veroorzaken,' vervolgde hij en gaf me een klap op mijn rug.

Uiteraard organiseerde Klang weer een avondje uit. We bezochten enkele van de exclusiefste nachtclubs die er in Lissabon te vinden waren en gingen ook nog naar een privéclub, waarbij de champagne rijkelijk vloeide. De uiteindelijke rekening voor de Deense belastingbetaler bedroeg alles bij elkaar 8000 dollar. De Deense agenten verzekerden zich die avond allemaal van een 'gezelschapsdame'. Zelfs Tommy Chef bleef aan een Oost-Europese dame hangen. Toen ik terugging naar het hotel, lag hij nog met haar verstrengeld op de bank.

Kort daarna reisde ik naar Denemarken om daar opnieuw een bijeenkomst met de Hajdib-clan te regelen, die plaats zou vinden in Malmö, aan de overkant van de Sont.

Abu Arab en zijn neef zaten, zo te zien ongevoelig voor de felle februarikou, op een bankje in het park en luisterden geboeid naar de details van mijn reis en mijn ervaringen in Jaar. Het was alsof ik voor het eerst Homerus' *Ilias* reciteerde. De IT-student wilde weten hoe snel hij kon vertrekken. Ik vertelde hem dat ik op instructies van de AQAP-leiding wachtte.

Wat ik niet wist was dat de PET met betrekking tot de bezigheden in Malmö eindelijk open kaart was gaan spelen met de Zweedse inlichtingendienst. De Zweden haalden er onmiddellijk een dikke streep door. Het idee dat Zweedse staatsburgers erop uit werden gestuurd om zich bij een terroristische groepering aan te sluiten, was niet één maar drie bruggen te ver.

Nadat ik in Kopenhagen was teruggekeerd, liet ik Klang duidelijk merken dat ik de pest in had: 'Hoe moet ik verdomme mijn netwerken in stand houden als op deze manier het kleed onder me vandaan wordt getrokken?'

Daar had hij geen antwoord op, de beslissing was van hogerhand gekomen.

Uiteindelijk bleek dat we een veelbelovende kans aan ons voorbij hadden laten gaan. Korte tijd later deed AQAP een nieuw nummer van *Inspire*-magazine het licht zien, met daarin een stuk getiteld: 'Kom in opstand en sluit je bij ons aan.' Van nu af aan, stond erin te lezen, moesten 'zij die onder de vijanden van de islam een slachting wilden aanrichten' voor hun doelwitten eerst toestemming vragen bij het militaire comité van AQAP. Het magazine gaf e-mailadressen en details hoe je de Geheimen van de Moedjahedien-software kon downloaden. In principe was het een bemiddelaar geworden voor aspirant-terroristen uit het Westen. Als onze IT-student bij *Inspire* betrokken was geraakt, hadden we zicht gehouden op het overzeese rekruteringsbeleid van AQAP en op de complotten die werden gesmeed door zijn aanhangers in het Westen.

Hoe dan ook, het contact met Wuhayshi was verloren gegaan: er kwamen geen antwoorden meer op de vercijferde boodschappen naar de drie e-mailaccounts die ik in Aden had geopend. Misschien had Abdul opzettelijk andere e-mailadressen doorgegeven dan ik had aangemaakt. Ik had een vercijferde e-mail naar Aminah gestuurd om te zeggen dat ik contact met Wuhayshi wilde opnemen, omdat ik een verbinding tot stand wilde brengen tussen hem en mijn contacten bij Al-Shabaab, maar ook daar kreeg ik geen antwoord op. Ik vroeg me af of het Aminah soms al gelukt was het martelaarschap te bereiken.

Van de Deense inlichtingendienst hoorde ik wekenlang niets en de nachtmerries keerden terug, die door mijn gedenkwaardige bezoek aan Jaar toch al erger waren geworden. Pas begin maart werd ik door de PET ontboden. Klang had een bijeenkomst georganiseerd in dezelfde vakantievilla van het Marienlyst Hotel als waarin ik enkele maanden eerder tegenover de CIA-agent had gestaan.

Het was het soort weer dat je beter binnen kon zijn. Vanaf het Kattegat stond een ijzige wind die de golven tegen het strand deed stuk-slaan. Klang en ik gingen in de keuken zitten.

'We hebben met de Amerikanen gesproken,' zei hij. 'Ze zijn bereid je een miljoen dollar te betalen als onze missie naar Wuhayshi leidt, en een miljoen voor al-Asiri.

Verder bieden ze nog een miljoen dollar voor Qasim al-Raymi. En als het je lukt ons later naar Ikrimah al-Muhajir te brengen, willen ze daar een miljoen kronen voor neertellen [circa 180.000 dollar].'

Ik liet de mannen op het lijstje in gedachten even de revue passeren. Al-Raymi was een belangrijke plaatsvervanger van Wuhayshi. Klang zou me later vertellen dat de Amerikanen vermoedden dat Aminah na Awlaki's dood met hem was gaan samenwonen.

Ikrimah, mijn langharige Keniaanse contact, was binnen de gelederen van Al-Shabaab duidelijk opgeklommen. Uit zijn e-mails aan mij zou je kunnen afleiden dat hij contact had met Ahmed Abdi Godane, de schimmige en meedogenloze leider van Al-Shabaab. Een maand eerder had Godane de groepering formeel laten samengaan met het wereldwijde Al Qaida-netwerk en leek hij vastbesloten dat om te vormen van een opstandige militie tot een terreurgroep die klaarstond om in Afrika en elders aanslagen te plegen.

Ikrimah had zijn tenten tegenwoordig opgeslagen in de Somalische havenstad Kismayo. In het afgelopen najaar hadden Keniaanse troepen en strijdkrachten van de Afrikaanse Unie een offensief tegen Al-Shabaab geopend, waarbij aanhangers van de groep uit Mogadishu en sommige bolwerken in het zuiden werden verdreven.

Als reactie daarop had de groepering gezworen dat Kenia daarvoor 'in ernstige mate de gevolgen zou dragen'. In een e-mail aan mij vertelde Ikrimah dat hij ernaar verlangde 'wraak te nemen' op de Keniaanse overheid.

Uit zijn e-mail maakte ik op dat hij nog steeds nauw samenwerkte met buitenlandse strijders die binnen Al-Shabaab actief waren, onder wie mijn Amerikaanse vriend uit Sanaa, Jehad Serwab Mostafa, die binnen Al-Shabaab bekendstond als 'Afmed Gure'.[56]

Ikrimah werkte ook samen met misschien wel de meest gezochte vrouw ter wereld, Samantha Lewthwaite, de weduwe van Germaine Lindsay, een van de mannen die op 7 juli 2005 in Londen de aanslagen hadden gepleegd. Ze was moeder van vier kinderen en werd door de Britse populaire pers de 'Witte Weduwe' genoemd en bevond zich nu ergens in Oost-Afrika, op de vlucht nadat de Keniaanse politie haar in Mombassa bijna had gearresteerd.[57]

'In Kenia gaat het echt slecht omdat de kafir hun uiterste best doen om ons schade te berokkenen,' e-mailde Ikrimah me. 'Dus je moet extra voorzichtig zijn dat je geen spoor achterlaat, want ze zitten nu achter een zuster aan die weduwe is van een van de broeders die de 7/7-aanslagen hebben gepleegd (de Jamaicaanse broeder) en ze beschuldigen haar van het financieren en organiseren van terroristische acties.'[58]

Ikrimah had ook vriendschap gesloten met een Amerikaan die tot een prominent woordvoerder van Al-Shabaab was uitgegroeid, Omar Hammami. Hammami, die uit Alabama kwam, was bekend geworden door jihadistische raps op YouTube en door andere buitenlanders op te roepen zich bij Al-Shabaab aan te sluiten.

Hammami was een excentriekeling en onvoorspelbaar en had recentelijk ruzie gekregen met Godane, de leider van Al-Shabaab, over de te volgen strategie, waardoor Hammami zijn leven niet meer zeker was. In maart zou hij een buitengewone video openbaar maken, waarin hij beweerde dat de leiding van Al-Shabaab van plan was hem uit de weg te ruimen. Ikrimah had me al verteld dat hij bang was dat zijn relatie met Hammami hem misschien ook wel in moeilijkheden kon brengen. In een e-mail vroeg hij me of ik, mocht hij worden gedood, voor zijn vrouw en kinderen wilde zorgen.[59]

Al-Shabaab werd verscheurd door interne conflicten en het zag ernaar uit dat Ikrimahs klim binnen de hiërarchie voor nieuwe gevaren had gezorgd.

Terwijl ik Klangs woorden tot me door liet dringen, besefte ik dat ik niet zozeer werd gemotiveerd door de bedragen die me werden geboden om deze CIA-doelwitten te neutraliseren, maar dat ik graag uit de mond van de Amerikanen wilde horen dat ze me weer nodig hadden, gedreven door gekwetste trots en de angst dat ik wel eens door Abdul vervangen zou kunnen worden.

Aan Klangs boodschap met betrekking tot de financiële beloning zaten echter nog wel wat voorwaarden vast. 'Daar komt wel bij dat wij er tien procent van willen hebben, Akhi. We willen er nog wel wát lol aan beleven. Dan kunnen we voor je onderhandelen.'

Ik knikte maar zei niets. Dit was het toppunt. Een vertegenwoordiger van Harer Majesteits koningin Margrethes regering eiste een percentage van een beloning die ik wellicht ooit van de Verenigde Staten zou krijgen.

Ik vond het jammer dat ik het gesprek niet op mijn iPhone kon opnemen, zoals ik gedaan had tijdens de laatste keer dat ik in dit huis op bezoek was geweest. Ik vroeg me af of de PET in z'n totaliteit stuurloos was of dat ik gewoon de pech had om aan de minst betrouwbare werknemer van de dienst gekoppeld te zijn.

Klang rook een kans en was blijkbaar bereid een zeer groot persoonlijk risico te nemen.

'Big Brother wenst niet langer meer rechtstreeks zaken met je te doen, zodat wij je van nu af aan zullen aansturen,' zei hij. Ik had geen keus. Ik had al veel te veel geld in Storm Bushcraft gestoken en had de toeslag voor missies in het buitenland dan ook hard nodig.

De Amerikanen wilden me duidelijk op afstand houden. Misschien vertrouwden ze me niet, misschien vonden ze me een te groot risico. Michael, met wie ik een paar maanden geleden in hetzelfde huisje had gezeten, had ongetwijfeld een vernietigend rapport geschreven. Maar ik had mijn leven op het spel gezet om Wuhayshi te ontmoeten en was nog steeds van plan de hoofdprijs binnen te halen.

'Welke garantie krijg ik dat je me deze keer niet belazert?' vroeg ik.

'Die krijg je niet,' antwoordde Klang met een zelfvoldaan lachje waardoor ik zin kreeg hem op zijn gezicht te timmeren.

'Ik wil zeker weten dat er goed voor mijn vrouw en kinderen wordt gezorgd als mij iets overkomt,' zei ik hem. Mijn uitstapje naar Jaar had me doen beseffen welke gevaren er nog allemaal voor me op de loer konden liggen.

'Dan kunnen ze aanspraak maken op één miljoen kronen [180.000 dollar],' zegde Klang toe.

'Ik zou het een stuk prettiger vinden als de Amerikanen dat vast vooruitbetaalden,' antwoordde ik. Vanuit het graf kon ik het niet voor mijn gezin opnemen.

'We zullen eens kijken.'

Klang beloofde me dat de PET ervoor zou zorgen dat mijn vrouw nog voor mijn vertrek een definitieve verblijfsvergunning voor Denemarken zou krijgen. Ik wilde er zeker van zijn dat ze, mocht ik komen te overlijden, in Europa kon blijven wonen.

Ik ging naar Engeland terug om te bedenken wat me te doen stond.

Tegen alle verwachtingen in had ik me toch weer teruggevochten. Als freelancer stond ik op vertrouwelijke voet met een van de belangrijkste mannen van Al Qaida. Daar stond tegenover dat ik nauwelijks steun ondervond van mijn handlers, terwijl ze wel steeds meer eisen gingen stellen. En de situatie in Jemen was aanzienlijk verraderlijker dan toen ik contact met Awlaki had gemaakt, nu net een jaar geleden.

Twee weken later kwamen Jesper en Soren, de teamleider, naar Engeland. Ze hadden van de Britse inlichtingendienst toestemming gekregen om mij op Brits grondgebied te ontmoeten. Klang was er niet bij. Zijn betrouwbaarheidsverklaring was tijdelijk ingetrokken nadat hij vanwege een vechtpartij in een pizzeria in Kopenhagen was gearresteerd. Bij een ander incident dat zijn carrière waarschijnlijk geen goed zou doen, was hij tijdens de kerstviering op kantoor betrapt terwijl hij in het toilet seks had met de maîtresse van de directeur-generaal van de PET, Jakob Scharf.[60] Misschien werd ook Klang door demonen achtervolgd.

Tijdens het ontbijt in het hotel kwamen Soren en Jesper over de brug met het laatste bod van de Amerikanen met betrekking tot het 'voorschot' op de levensverzekering waarom ik had gevraagd.

'Ze zijn bereid om op voorhand vijftigduizend dollar te betalen, maar dan ook geen cent meer,' zei Jesper. De voormalige medewerker van het fraudeteam was duidelijk tot cijfertjesman gebombardeerd.

Het was niet bepaald het bedrag waarop ik had gehoopt, maar ik was weer terug op weg naar de top en alles had zijn tijd nodig.

'Daar kan ik mee leven.'

Soren vertelde me dat het plan bijna rond was. Net als in januari zou ik er samen met Abdul naartoe rijden om de spullen met de verborgen volgsystemen bij Wuhayshi af te leveren.

'Wanneer vertrek ik?'

'Binnenkort,' zei Soren.

Ze hadden de aanvraag tot verblijfsvergunning voor mijn vrouw bij zich en hielpen me met het invullen ervan.

'Straks zit er tussen haar en een Deens staatsburger geen enkel verschil meer,' verklaarde Jesper.

Daarna reden we naar een landelijke omgeving. Ik had ze beloofd een stukje met quads te gaan rijden. Even later scheurden we over allerlei paden en zaten we binnen de kortste keren onder de modder. Het was het perfecte middel om de druk van de ketel te halen. Het enige schoonheidsfoutje was dat Jesper zijn enkel brak toen zijn voet klem kwam te zitten. Ik was verbijsterd toen ik de verzekeringspapieren zag die ze hadden ingevuld. Ze hadden hun echte namen gebruikt en Soren had als huisadres een adres opgegeven dat vlak in de buurt van het PET-hoofdkwartier in Søborg lag. Werden die jongens dan nooit verstandig?

Eind maart was ik me op mijn moeilijkste en mogelijk laatste missie aan het voorbereiden, toen er een e-mail in mijn postvak plofte. Het bericht was vercijferd en was afkomstig van Aminah. Ze leefde nog.

'Ja, ja,' mompelde ik in mezelf. Ik had het schuldgevoel dat ik haar mee naar Jemen had gelokt nooit van me kunnen afschudden.

Ze zei dat ze al maanden van de buitenwereld was afgesneden en pas kortgeleden de e-mail had gekregen die ik haar het vorig jaar had gestuurd. Haar brief was lang en onsamenhangend en zat vol verwijzingen uit de Koran. Ondanks alles had ze haar geloof nog steeds behouden.

Aminah deed mij en haar 'lieve zuster' Fadia de hartelijke groeten en had het vervolgens over de dromen die ze had gehad waarin haar echtgenoot werd gedood, dromen die zelfs na zijn dood nog steeds terugkwamen. Ik voelde met haar mee.

'Twee weken na zijn shuhada zag ik hem in mijn droom [...] We praatten met elkaar en ik vertelde hem dat ik een aanslag wilde plegen waarmee ik martelaar kon worden en hij vond dat een prachtig idee. Hij was daar erg blij mee. In mijn droom was hij zo dichtbij en tegelijkertijd zo ver weg.

Hij zag er zo mooi uit in zijn witte gewaad, blozend en stralend verscheen hij boven me [...] Hij was gelukkig en glimlachte, en hij zei tegen me: Aminah, kom naar me toe, kom naar me toe.'

Maar ze liep nog steeds op aarde rond, dankzij niemand anders dan Nasir al-Wuhayshi.

'Ik wilde iets doen wat tot het martelaarschap zou leiden, maar sjeik Basir [Wuhayshi] zei dat zusters zich voorlopig nog niet moesten bezighouden met dat soort operaties, want dat zou veel problemen voor hen meebrengen, en de regering zou om te beginnen de Ansar-zusters opsluiten en dat zou erg slecht zijn. Dus ik kan de operatie niet doen, maar ik bid om shuhada, ik wil gedood worden, net als mijn echtgenoot. Insha'Allah.'

In plaats daarvan werd ze aan het werk gezet, een blonde verschoppeling van de Balkan die zich nu volledig aan Al Qaida wijdde.

'Nu ik voor *Inspire* werk, heb ik contact met broeders, alhamdulillah.'

Maar, en daar dook mijn schuldgevoel weer op, Aminah voelde zich ook van alles en iedereen gescheiden en angstig.

'Ik heb al een jaar niets van mijn familie gehoord en weet niet wat er gebeurt. Ik stuur brieven naar mijn zus, maar die reageert niet. Ik weet niet of ze door de overheid of door de geheime dienst onder druk wordt gezet [...] Toen sjeik Nasir niet met mijn martelaarschapsoperatie akkoord ging heb ik hem gevraagd of ik terug kon, maar hij antwoordde dat dat niet mogelijk was. Hij zei dat mijn regering me in de gevangenis zou stoppen. Dat wist ik niet [...] En mijn echtgenoot zou hem hebben gezegd dat als hij mocht omkomen, hij niet wilde dat ik terugkeer.

Kun jij nagaan of ik op een CIA-lijst van gezochte personen sta of op een lijst van mensen die niet mogen vliegen?' vroeg ze.

Hoewel ik sympathie voor haar voelde, was ze voor mij ook een mogelijke link om weer met Wuhayshi in contact te komen, waarna ik de tweede fase van de missie in gang kon zetten. Ze stond ongetwijfeld in rechtstreeks contact met hem.

'Insha'Allah zul je rechtstreeks een mail van Amir [Wuhayshi] ontvangen. Ik heb een boodschap naar hem toe gestuurd. Insha'Allah ben je in staat om contact tussen Somalië en Jemen te maken.'

Ze eindigde met een fatalistische notitie:

'Dus voorlopig zit ik hier. Tot er verandering in de situatie komt, insha'Allah. Shuhada zou het beste voor me zijn.'

Ik had visioenen van een dubbele triomf: Aminah redden en tegelijkertijd Wuhayshi van een elektronisch volgsysteem voorzien.

De opdracht om naar Jemen af te reizen kwam eind april. Dat was geen moment te vroeg, want ik stond al ruim drie maanden klaar om te vertrekken en begreep niet waarom de PET het zo lang liet duren. Die onwetendheid zorgde er ook voor dat mijn relatie met Fadia steeds verder onder druk kwam te staan. Ze begreep maar niet waarom ik zo geïrriteerd was en constant op mijn telefoon keek om te zien of er nog sms'jes waren binnengekomen. Ik was 's nachts zo rusteloos en mompelde dusdanig in mijn slaap, in het Deens uiteraard, dat ze me op een gegeven moment vroeg of ik op de bank wilde slapen.

Er was nog net tijd voor een laatste uitstapje met mijn kinderen. Ik nam ze mee naar Waterworld, een groot overdekt complex in de buurt van Birmingham. Ze waren in hun element, gleden van de waterglijbanen en sprongen in de zwembaden en vijvers. Ik probeerde te doen alsof ik ervan genoot, maar meer dan eens voelde ik tranen bij me omhoogkomen.

Ik ging naar Kopenhagen om de laatste bijzonderheden van de missie te bespreken en een antwoord naar Aminah in elkaar te zetten. 'Ik ben nog steeds niet over het verlies van de sjeik heen[...],' schreef ik haar. 'Ik heb mijn vriend en broeder de leraar verloren, moge Allah hem als een Shaheed aanvaarden.

Wat betreft de CIA moet je me even de tijd geven, want ik kan vanuit mijn stad niet in hun website. Ook ben ik je exacte naam zoals die in je paspoort staat vergeten, dus mail me die alsjeblieft nog even toe, insha'Allah. Ik denk niet dat het een groot probleem is als ze erachter komen dat je met de sjeik getrouwd bent geweest. Vertel ze maar dat je gegijzeld bent en dat je geen kans hebt gekregen te ontsnappen. Je hebt geen enkele misdaad begaan en ze kunnen ook niet bewijzen dat je met hem getrouwd bent geweest.'

Door Aminah te gebruiken om in de buurt van Wuhayshi te komen, voelde ik me een verrader, maar ik rechtvaardigde dat tegenover mezelf door te hopen dat ik haar, als we met elkaar in contact zouden blijven, ooit nog eens zou kunnen helpen.

'Ik ben het met sjeik Abu Basir eens, onderneem geen acties zonder daar eerst goed over na te denken, insha'Allah. Het is erg belangrijk dat je deze boodschap aan sjeik Abu Basir geeft,' schreef ik. 'Zeg hem dat ik de spullen voor je echtgenoot heb en de spullen waar hij om heeft gevraagd. De goederen staan klaar en ik denk dat ik rond de 10de [mei] bij hem kan zijn, insha'Allah.'

Er was nog een andere boodschap die ze voor me moest doorgeven, een die Wuhayshi duidelijk moest maken hoe belangrijk het was dat hij met mij in contact bleef.

'Somalië [...] ze zeuren dat ik weer naar Jemen moet komen. Zeg hem dat Abu Musab al-Somali en Ikrimah van plan zijn om z.s.m. te komen; zo te zien is het erg belangrijk.'

Ik zou haar hulp wel eens nodig kunnen hebben: elke weg bracht gevaren met zich mee.

'Ik heb gehoord dat Hartaba is gedood. Klopt dat? Dan vraag ik aan Allah of hij hem wil aanvaarden. Hij vormde mijn enige toegang tot sjeik Abu Basir. Hoe moet ik nu bij hem in de buurt komen?'

Ik beloofde dat ik kleren voor haar zou meenemen, zei dat ze goed op zichzelf moest passen en besloot met de woorden: 'Je broeder IJsbeer.'

Helsingør, een badplaats iets ten noorden van Kopenhagen, beviel de PET blijkbaar wel. Ze nodigden me uit naar een zomerhuis vlak in de buurt ervan te komen om de volgende stappen te bespreken. De felle winterstormen hadden plaatsgemaakt voor een zacht voorjaar en het Kattegat was nu een kalme, blauwgroene watermassa.

Vanwege het belang van de missie maakte Klang weer deel uit van het team. We gingen in het woonvertrek zitten.

'We hebben het over de situatie rond Aminah gehad,' vertelde Jesper me. 'We hebben het gevoel dat als ze naar Europa terugkeert dat wel eens gevaarlijk voor haar zou kunnen zijn. Zoals je al in je e-mail hebt geschreven, bestaat er geen enkele garantie dat ze wordt gearresteerd en dan zitten we met een tikkende tijdbom opgezadeld.'

Ik vroeg me af of hij een tijdbom tegen onschuldige burgers bedoelde of voor de Deense inlichtingendienst. Misschien waren ze tot de conclusie gekomen dat haar verhaal hen wel eens in verband zou kunnen brengen met een operatie die juridisch gezien van geen kant klopte.

Ik vroeg mijn handlers waarom het zo lang had geduurd voor ze me terug naar Jemen lieten gaan. Klang kwam met het verhaal dat dat kwam doordat de Amerikanen bezig waren spionagesatellieten te herpositioneren die eerder Afghanistan in de gaten hadden gehouden, maar echt geloven deed ik dat niet.

We bespraken de missie. Ik zou Abdul in Sanaa ontmoeten, waarna we de spullen per auto zouden gaan afleveren.

'Het is echt belangrijk dat je bij Abdul in de buurt blijft,' zei Klang.

'Denk jij nou echt dat ik gek ben,' repliceerde ik. 'Denk je nou echt dat ik niet weet dat hij voor de Amerikanen werkt?'

Klang stak zijn armen omhoog. 'Goed, oké, hij werkt voor ze, maar wat de Amerikanen betreft weet je dat niet, oké?'

Eindelijk werden mijn vermoedens bevestigd. Ik had geprobeerd Abdul na Lissabon uit te rangeren door middel van een bondig e-mailtje waarin ik ze vertelde dat ik op het vliegveld van Kopenhagen was aangehouden door leden van de Deense veiligheidsdienst, die me waarschuwden dat ze wisten van mijn bezoek aan Zuid-

Jemen. Blijkbaar had iemand zijn mond voorbijgepraat, schreef ik aan Abdul, en ik had zo het vermoeden dat hij het was.

Iets dergelijks was natuurlijk helemaal niet gebeurd, maar ik wilde ze uit hun tent lokken. Er was geen antwoord gekomen en dat was voor mij bevestiging genoeg.

'Ik heb iets voor je,' zei Jesper, op die manier van gespreksonderwerp veranderend.

Hij kwam terug met een make-updoos. 'Een cadeautje voor Aminah van de Amerikanen.'

Het was een grote ovale plastic doos. Toen ik het deksel opendeed, bevond zich aan de binnenkant ervan een spiegel en in de doos zelf zaten keurige rijtjes lippenstift, nagellak en oogschaduw.

'Wees er voorzichtig mee, het is een erg duur ding,' zei Klang.

Jesper zei dat als Aminah verloofd mocht zijn, of misschien al was getrouwd, met Qasim al-Raymi, een van Wuhayshi's belangrijke plaatsvervangers binnen AQAP en de op een na machtigste commandant ervan, de Amerikanen dankzij het in de make-updoos weggewerkte volgsysteem misschien in staat waren om vast te stellen waar de man ergens uithing.

'Als Abu Basir besluit die make-updoos in mijn bijzijn te verpletteren en hij vindt dat zendertje, wat zeg ik dan tegen hem?' vroeg ik. Ik voelde me niet op mijn gemak. Twee jaar eerder hadden de Denen het te gevaarlijk gevonden om mij een voor Aminah bestemde en met identieke apparatuur uitgeruste beautycase mee te geven. Was ik inderdaad overtollig geworden?

'Dan geef je Abdul gewoon de schuld en dan moet hij de zondebok maar zijn,' antwoordde Klang.

Niet voor het eerst was ik verbijsterd door Klangs domme naïviteit. Het was nooit zijn probleem, altijd mocht iemand anders het oplossen. Hij stapte overal luchtig overheen.

'Nee, dat was ik niet van plan,' antwoordde ik. 'Je hebt me zojuist verteld dat hij voor ons werkt. We staan aan dezelfde kant.'

Daar had hij geen antwoord op, maar in plaats daarvan gaf hij me een nieuwe iPhone die hij van de Amerikanen had gekregen.

'Door dit ding zijn we in staat je bewegingen real time te volgen. Laat hem altijd ingeschakeld staan. Als jou iets overkomt kun je ons om hulp bellen, maar doe dat alleen in uiterste nood.'

De Denen gaven me ook nog een sporttas met kleding voor Aminah.

Die avond zag ik op mijn kamer in het zomerhuis het televisienieuws. Dat opende met Jemen: er was een nieuw AQAP-complot verijdeld dat gericht was op vliegtuigen die naar de Verenigde Staten onderweg waren. Ibrahim al-Asiri had speciaal hiervoor zijn meest geperfectioneerde bom tot dan toe gemaakt, maar de man die AQAP had geselecteerd om de aanslag te plegen, een Saoedische rekruut met een Brits paspoort, bleek een mol die voor de inlichtingendiensten werkte.[61]

De operatie met de Saoediër had tot gevolg dat de agent en een andere informant, waarschijnlijk zijn handler, overhaast uit Jemen moesten worden weggehaald. Misschien dat mijn eigen missie daardoor vertraging heeft opgelopen: de westelijke inlichtingendiensten hadden blijkbaar al een mol in de buurt van de AQAP-leiding. Maar nadat hij daar was weggehaald, kwamen ze weer naar mij toe.

In Jemen woedde een ondoorzichtige strijd, wat een en ander alleen maar ingewikkelder maakte. Er was een nieuwe president, Abd Rabbu Mansour Hadi. Wat hem ontbrak aan machtsbasis, compenseerde hij met politiek gemanipuleer en de belofte meer met Washington samen te werken.

Hij concentreerde zich op het terugveroveren van de gebieden in het zuiden die onder controle van Al Qaida stonden. De groepering had het nog steeds voor het zeggen in een kuststrook die grensde aan een van de drukste scheepvaartroutes ter wereld, terwijl ook enkele steden landinwaarts nog door hen werden beheerst. Tenzij het Jemenitische leger, dat nauwelijks bevoorraad werd en waar het duidelijk aan leiderschap ontbrak, snel in actie kwam, zou zelfs Aden in handen van de fundamentalisten kunnen vallen.

Regeringstroepen, ondersteund door tribale milities, waren aan een voorjaarsoffensief begonnen. Wuhayshi's strijders boden fel verzet, maar de luchtaanvallen werden steeds intensiever, ongetwijfeld geholpen door de Amerikaanse inlichtingendienst, en de troepen van het regime rukten dan ook steeds verder naar Jaar op.

Toen ik een verslag van die gevechten las, kwam er één simpele vraag bij me op.

'Hoe moeten Abdul en ik in godsnaam met een auto dwars door dat oorlogsgebied komen?'

De volgende dag vroeg ik aan mijn Deense agenten hoe het stond met de 50.000 dollar die ze mijn gezin hadden toegezegd.

'Daar wordt aan gewerkt en staat kort nadat je uit Jemen bent teruggekeerd op je rekening,' antwoordde Jesper.

Áls ik terugkeer, dacht ik somber.

Ik kon geen kant meer op. Ze wisten dat ik erop gebrand was te gaan, me erop had geconcentreerd, en daar maakten ze misbruik van.

Jesper gaf me het immigratiedocument voor mijn vrouw, maar in plaats van een permanente verblijfsvergunning bleek het er een voor slechts vijf jaar te zijn. Ik was woedend. Als ik stierf, was er geen enkele garantie dat ze na die vijf jaar ook nog mocht blijven, terwijl ze in Jemen groot gevaar zou lopen als bekend werd dat ik informant was geweest.

'We hebben haar nooit een permanente verblijfsvergunning toegezegd,' zei Jesper.

Ik kon mijn oren niet geloven. De veiligheid van mijn vrouw was het allerbelangrijkste, belangrijker dan het geld dat ik met deze missie zou verdienen.

Ik stormde de villa uit terwijl ik Jesper toeschreeuwde: 'Weet je wat? Van mij hoeft het niet meer.' Zoals altijd hield ik het eerst voor gezien en ging ik daarna pas onderhandelen.

Die avond bracht ik door in het huis van mijn moeder in Karsør. Ze wist van mijn werk af maar was een en al discretie geweest. Ik vertelde haar van mijn frustraties.

'Ik durf bijna te wedden dat Abdul niet eens in Jemen is. En als hij daar niet is, zullen ze ongetwijfeld willen dat ik er in m'n eentje naartoe rij, om dan ergens onderweg bij een vuurgevecht te worden gedood,' zei ik haar.

Ze begreep er niets van. Waarom zou ik aan zoiets meedoen? Ze keek me vol ongeloof aan, maar het was niet voor het eerst dat ik die gelaatsuitdrukking bij haar had gezien.

Ik belde het nummer in Jemen dat ik van Abdul had gekregen. Zijn vrouw nam op. 'Mijn man is er niet,' zei ze.

In een nijdige bui negeerde ik de telefoontjes van de Deense inlichtingendienst, maar na twee dagen nam ik toch op en kreeg Klang aan de lijn. Ik vertelde hem dat ik hem alleen maar wilde ontmoeten als zijn baas, Tommy Chef, erbij was. We spraken af in het Scandic Hotel in Ringsted, halverwege Korsør en Kopenhagen. Toen ik daar aankwam stond Tommy Chef vlak voor de ingang sms'jes te bekijken.

'Hallo, Morten. Fijn je weer te zien. Mijn verontschuldigingen voor al die misverstanden. Laten we naar binnen gaan, dan kunnen we praten – met z'n tweeën.'

Toen we in zijn suite aankwamen, ging hij tegenover me op een bank zitten en keek me strak aan.

'Sorry voor de verwarring. Mijn agenten waren helemaal niet gemachtigd om je die documenten voor je vrouw toe te zeggen. Daar moet toch echt het een en ander voor geregeld worden, want je kunt niet zomaar een verzoek voor een permanente verblijfsvergunning indienen. Maar ik heb de zaak naar me toe getrokken en ik kan je persoonlijk garanderen dat ze een permanente verblijfsvergunning krijgt. Wat het geld betreft, ook dat garandeer ik je persoonlijk, zodra je terug bent wordt het uitbetaald.'

Zijn stem klonk kalm en ingetogen, alsof hij de rommel opruimde die een paar kwajongens hadden aangericht.

'Ik ben blij dat te horen,' antwoordde ik. 'Maar Abdul is het land uit. Hoe wilde je dat ik dat stammengebied bereik?' vroeg ik.

'Ja, dat weten we. Geloof het of niet, hij zit momenteel in China. Maar hij keert een dag nadat jij in Sanaa bent aangekomen naar Jemen terug. Het is allemaal onder controle.'

Hij zweeg even om zijn volgende woorden extra effect mee te geven.

'Morten, dit is een van de belangrijkste missies in de geschiedenis van de Deense inlichtingendienst. Onze directeur, Jakob Scharf, volgt alles op de voet. Het is echt van het grootste belang dat je dit afmaakt.'

De raadsman was zojuist coach geworden.

Ik had nog één verzoek. Ik wilde dat Klang en Jesper met me mee naar Korsør gingen om mijn moeder van de missie op de hoogte te brengen. Ik wilde een verzekeringspolis, een soort aansporing die ervoor moest zorgen dat ze me zouden blijven beschermen. Ze moesten beseffen dat als mij iets mocht overkomen mijn moeder naar de media zou stappen om te vertellen waar ik in die uithoek van Jemen werkelijk mee bezig was geweest, dat ik daar contact met de AQAP-leiding had gehad. Wat ze niet wisten, was dat mijn moeder een afdruk had van de foto van ons drieën in het Blue Lagoon-bad in Reykjavik.

'Ga naar Korsør en doe daar wat je moet doen, dan gaan we vanavond samen wat eten,' zei Tommy Chef, een en al charme. Glimlachend legde hij geruststellend heel even zijn hand op mijn schouder.

Mijn moeder woonde in een stille straat in Korsør. De achtertuin lag er keurig onderhouden bij, met een schommel en een glijbaantje voor de kleinkinderen die, jammer genoeg, zelden op bezoek kwamen. Eindelijk had ze een zachtaardige, fatsoenlijke man gevonden waarmee ze haar leven wilde delen, een man die ik aardig ben gaan vinden. Het interieur van het huis was een hindernisbaan voor stuntelaars: overal porseleinen beeldjes, kussens en allerlei andere voorwerpen die allemaal een eigen plaatsje hadden.

Klang en Jesper arriveerden in spijkerbroek en T-shirt en leken niet bepaald op hun gemak. Ik was ervan overtuigd dat dit voor het eerst was dat ze de moeder van een agent moesten uitleggen wat haar zoon deed, als schooljongens die op toestemming wachtten om een stukje te mogen fietsen. Mijn moeder ontving ze met ingetogen Deense hoffelijkheid. Haar echtgenoot had ze naar de keuken verbannen, want hij mocht de medewerkers van de Deense geheime dienst niet zien.

Ze liepen naar de zitkamer, pakten een rijk versierd kussen en hielden dat onhandig vast. Het licht viel door de tuindeuren naar binnen. Het was het toonbeeld van voorstedelijke ordelijkheid.

Klang en Jesper probeerden zich, zonder veel succes overigens, een beeld te schetsen van mijn familieachtergrond. Hoe kon een keurig gezin als dit zo'n kleine crimineel voortbrengen? Van de lange en pijnlijke voorgeschiedenis waren ze niet op de hoogte.

Zo zaten we zwijgend bij elkaar terwijl mijn moeder koffiezette. Klang nam een slokje uit een nogal broos porseleinen kopje en zette dat toen behoedzaam op het schoteltje terug. Geamuseerd zag ik dat hij doodsbang was iets te breken.

'Mevrouw Storm,' begon hij met een gekunstelde opgewektheid. 'U moet goed begrijpen dat Morten een uniek iemand is, en dat komt doordat hij overal ter wereld heel wat moslims kent.'

'Is het een gevaarlijke klus?' vroeg ze.

'Ja, maar hij doet het om het terrorisme te bestrijden,' zei Jesper. 'Dat is voor de hele wereld van groot belang.'

'Daarom heeft hij van de Amerikanen 250.000 dollar gekregen,' kwam Klang tussenbeide.

'Hij heeft het koffertje hierheen gebracht,' zei mijn moeder. 'Maar toen geloofde ik zijn verhaal dat hij voor de inlichtingendienst werkte maar half en half.'

'We kunnen u eigenlijk alleen maar vertellen dat hij op het punt staat naar Jemen terug te keren,' zei Klang.

'Loopt hij daar gevaar?' vroeg ze, wat nadrukkelijker deze keer.

'Er zitten altijd risico's aan vast,' antwoordde Klang behoedzaam.

Mijn moeder keek me aan alsof ze me eraan wilde herinneren dat ik altijd al voor problemen had gezorgd en dat ik dat op mijn zesendertigste nog steeds deed. Maar toen we tegen de avond wegreden voelde ik me gerustgesteld. Zowel Klang als Jesper was heel even uit de schaduw getreden.

Er lag nog een andere bonus op me te wachten. We reden naar een restaurant bij een vissershaven, waar we werden opgewacht door Tommy Chef. De specialiteit van het huis was haring die op verschil-

398

lende manieren was bereid en die we wegspoelden met een sancerre. Het was een uitstekend diner, en dat alles op kosten van de overheid.

Tommy Chef depte met een witlinnen servet behoedzaam zijn mond.

'We hebben eens nagedacht, Morten. We bieden je iets aan wat we nog nooit eerder aan een burgeragent hebben aangeboden. Als je eenmaal bent teruggekeerd, hebben we een baan voor je. Want we willen niet dat je na deze missie zomaar stopt. We willen dat je doorgaat, niet in het veld, maar op het front waar de cyber-jihadisten actief zijn, om te proberen die knapen online te infiltreren. En misschien heb je zin om samen met Anders agenten op te leiden.'

Ik was opgetogen bij het vooruitzicht op een baan waarbij ik van mijn adressenboekje gebruik zou kunnen maken. Al enkele dagen nadat ik er de brui aan had gegeven, leek er plotseling toch nog een toekomst voor me weggelegd. Het huwelijksleven en het feit dat ik al wat ouder werd, hadden me blijkbaar toch wat milder gemaakt.

Toen we weggingen legde Tommy Chef een arm om mijn schouder.

'Je bewijst ons allemaal een grote dienst.'

'Weet je wat? We dragen deze klus aan Amanda op,' zei ik, refererend aan de codenaam van Elizabeth Hanson, de CIA-agent die me had gerekruteerd en die in december 2009 in Camp Chapman, in de buurt van Khost in Afghanistan, bij een zelfmoordaanslag om het leven was gekomen.

We noemden de missie 'Operatie Amanda'.

26

CHINESE FLUISTERINGEN

Mei 2012

11 mei 2012. Het was een perfecte voorjaarszonsopgang. Terwijl ik van Helsingør naar Kopenhagen reed, keek ik naar de tractoren die op de onberispelijke akkers heen en weer reden. Het was een rustig plattelandsbeeld dat volkomen in strijd was met de innerlijke onrust waaraan ik ten prooi was. Mijn laatste buitenlandse opdracht was begonnen. Ik had de 'aangepaste' make-updoos voor Aminah (en Qasim al-Raymi) in mijn koffer zitten, terwijl ik ook een kampeerkoelkastje voor Wuhayshi bij me had, dat waarschijnlijk bij Ibrahim al-Asiri terecht zou komen en dat ook van een volgsysteem was voorzien. Ik nam aan dat het dezelfde koelkast was die de CIA voor Awlaki had geprepareerd.

De avond ervoor waren alle Deense agenten onder aanvoering van Tommy Chef aanwezig geweest bij een diner dat te mijner ere werd gegeven. Jammer genoeg voelde het als een afscheid en ik verkeerde dan ook in een behoorlijk sentimentele stemming. Van Tommy Chef kreeg ik 5000 dollar om mijn onkosten mee te kunnen betalen.

Op het vliegveld van Kopenhagen moest nog één ding worden geregeld. Jesper vulde een officieel formulier in waarin werd vermeld dat er een pakje hexamine bij me in beslag was genomen. De PET vond het nog steeds geen prettig idee dat ik hexamine aan Al Qaida zou leveren, maar dan kon Wuhayshi tenminste zien dat ik het had geprobeerd.

Tegen de tijd dat ik in Doha op het vliegtuig naar Sanaa overstapte, was ik zo gespannen als wat. Ik begon overal vraagtekens bij te plaatsen: bij Tommy Chefs geruststellende woorden, bij de belofte van de Denen voor een permanente verblijfsvergunning voor mijn vrouw, bij Abduls loyaliteit en zijn reactie na de ontvangst van mijn nogal beschuldigende e-mail. Waarom was hij naar China vertrokken? Was hij soms op de vlucht? En zo ja, voor wie dan? Ik had het gevoel dat ik tegen een steile helling op moest met links en rechts diepe ravijnen en losliggende rotsblokken. Stuk voor stuk gevaren die mijn einde konden betekenen. Maar het bereiken van de top, de westerse inlichtingendiensten naar Wuhayshi en al-Asiri leiden, zou tot mijn rehabilitatie leiden. En, niet onbelangrijk, financiële onafhankelijkheid.

In de douanehal op het vliegveld van Sanaa keurde niemand de koelkast een blik waardig, de functionarissen waren gewend aan buitenlanders die van alles meebrachten. Ik betrok een gemeubileerd appartement dat ik op de 50ste Straat had gehuurd, de doorgaande weg die dwars door het zuidelijk deel van de stad liep. En ik wachtte af.

Tommy Chef had me verzekerd dat Abdul de dag na mijn aankomst uit China zou terugkeren. Ik had geen idee hoe hij daar zo zeker van kon zijn, en zoals ik al vermoedde kwam Abdul op de afgesproken dag niet opdagen. Ik kreeg last van claustrofobie, voelde me opgesloten in het appartement, bezig met een missie waar ik geen steek verder mee kwam omdat mijn contactman nog niet terug was.

Ik kreeg van Abduls bezorgde vrouw het telefoonnummer waarop hij in China bereikbaar was en stuurde hem een sms'je.

'Kom maar hierheen,' reageerde hij.

'Waarom kom je niet terug naar Jemen?' reageerde ik.

'Dat kan niet, broeder, maar ik moet je nodig spreken.'

Enkele seconden later ging mijn mobiel over. Het was Abdul. Hij klonk geïrriteerd.

'Murad, je moet hierheen komen. Wat ik je wil zeggen kan ik je niet via de telefoon vertellen.'

'Dus als ik het goed begrijp wil je dat ik naar China kom?'

'Ja, je moet komen, het is heel belangrijk.'

'Daar moet ik even over nadenken,' antwoordde ik vol ongeloof.

Ik belde Soren in Denemarken en nam door dat te doen een wel-overwogen risico met betrekking tot de beveiliging.

'Als je gaat, denk je dan dat je hem kunt overhalen terug te komen?' vroeg hij.

'Ja,' antwoordde ik.

'Dan zou ik maar een ticket kopen,' zei hij. 'Maar gebruik daar niet de iPhone voor die je van ons hebt gekregen.'

Misschien had Abdul voor China gekozen omdat hij zeker wilde weten dat hij buiten het bereik was van de ogen en oren van de CIA.

Ik was nog maar nauwelijks in Jemen gearriveerd of ik was al weer op weg. Ik moest in Doha overstappen voor de negen uur durende vlucht naar Hongkong. Vanuit het vliegtuig keek ik naar beneden naar het uitgestrekte, gecultiveerde hart van India en naar de mystie-ke groene heuvels van Myanmar en raakte onwillekeurig opgewon-den, ondanks de onvoorspelbaarheid van deze missie. Ik genoot nog steeds van het vooruitzicht ergens aan te komen waar ik nog nooit eerder was geweest. En de aanblik van Hongkong en het aanvliegen ervan waren spectaculairder dat ik me ooit had kunnen voorstel-len: enorme, tegen steile hellingen aan gebouwde wolkenkrabbers en houten jonken met oranje zeilen die tussen de eilanden door voeren.

Ik stak van het vliegveld naar het vasteland over en liep het Shenzhen-station binnen, een enorm glazen bouwwerk. Ik dacht aan Jemen. Sanaa lag negen uur en negentig jaar van hier verwijderd. Ik liet de Arabische wereld ver achter me.

De nieuwe hogesnelheidsverbinding tussen Shenzhen en Guang-zhou was kort daarvoor geopend en overbrugde de 110 kilometer in ongeveer dertig minuten.

Abdul had gezegd dat hij me op het station van Guangzhou zou op-halen, een van de opkomende megasteden van China. Tussen al die duizenden Chinese forensen die zich van en naar de treinen haast-ten, was hij met zijn donkere huid en bijna broze gestalte moeiteloos te vinden. We omarmden elkaar. Hij maakte een gespannen indruk

'Wat is er aan de hand?' vroeg ik hem.

'Dat kan ik je nog niet zeggen. We hebben onze telefoons bij ons, dus is het niet veilig,' reageerde hij.

Ik bracht mijn bagage naar het appartement waar hij verbleef en legde de goedkope mobiel erbovenop. Hij vertelde me dat hij naar Guangzhou was gegaan omdat hij enkele Jemenitische zakenlieden kende die hier woonden. We liepen over drukke markten en pleinen waar werd gerolschaatst en waar acrobaten hun kunsten vertoonden. Langs de brede rivier die dwars door de stad liep stonden hoge wolkenkrabbers.

Onze bestemming was een soort badhuis. Voordat we in de jacuzzi stapten kleedden we ons in elkaars bijzijn uit. Abdul wilde er zeker van zijn dat wat hij te zeggen had niet zou worden opgenomen. Toen we met z'n tweeën in het borrelende water zaten, draaide Abdul zich zorgelijk kijkend naar me om.

'Ik moet je iets vertellen.'

Ik onderbrak hem. 'Herinner jij je de e-mail nog die ik je heb gestuurd over wat ze me op het vliegveld van Kopenhagen hebben verteld. *Ik weet het...*'

Ik wilde hem voor zijn. Ik denk dat dat deel uitmaakte van de krachtproef die ik tussen ons beiden voelde ontstaan.

'Maar de CIA, de mensen daar... zijn van plan je te doden als je met mij naar het zuiden reist, samen met de terroristen,' flapte hij er uit.

'Subhan'Allah, wát?'

'Murad, ze zijn niet van plan je in Sanaa te doden. Ze willen je ombrengen als je in gezelschap van Abu Basir en de andere broeders bent,' vervolgde hij.

Hij vertelde me dat hij van zijn CIA-handler 25.000 dollar had gekregen om een SUV van het type Toyota Prado te kopen. Hij had de auto naar een werkplaats gebracht die ook door de Agency werd gefrequenteerd, waar de SUV van een satellietzender werd voorzien die door middel van een knop onder de stoel kon worden geactiveerd. Tijdens een testrit had de apparatuur perfect gefunctioneerd.

'Eén klik gaf aan dat je bij me in de auto was gestapt. Twee klikken betekenden dat we Sanaa hadden verlaten. Drie klikken zou hun vertellen dat we op dezelfde locatie waren als het doelwit. En vier klikken betekenden dat ik je alleen bij het doelwit had achtergelaten.'

Hij greep mijn schouder beet. 'En vervolgens zou je worden gedood. En tegen de buitenwereld zou worden gezegd dat je terrorist was, net als de anderen.'

Alleen mijn moeder zou weten dat het anders zat. Het klonk geloofwaardig, maar ik was nog niet overtuigd.

Hij klom uit de jacuzzi. 'Murad, je kunt me een klap in mijn gezicht geven, je kunt me haten, maar ik kon de gedachte dat jou iets zou overkomen niet verdragen. Ik moest er niet aan denken om er met jou heen te rijden. Daarom ben ik uit Jemen weggegaan.'

Ik had nog geen woord gezegd. De CIA had me gemeden en toch wilden ze dat ik naar Jemen terug zou keren. Ze wisten dat ik een jaar eerder in Kopenhagen het gesprek met een van hun agenten had opgenomen, terwijl ik ook had gedreigd alles in de openbaarheid te brengen. En dan was er ook nog de iPhone die ik constant aan moest laten staan.

Ik herinnerde me nu ook weer de waarschuwing van Jacob, de outdoorinstructeur: *Ga niet in de buurt van terroristen zitten, want de Amerikanen zullen geen moment aarzelen je te doden.*

Abdul was niet bepaald de meest betrouwbare bron, maar hij leek zich oprecht zorgen te maken. Zou hij bang zijn samen met mij gedood te worden?

'Hoe lang werk je al voor de Amerikanen?' vroeg ik uiteindelijk.

'Herinner je je nog dat ik je jaren geleden verteld heb dat ik op een gegeven moment door de veiligheidsdienst in Djibouti ben gearresteerd? Daarna ben ik door hen gerekruteerd. Ik had geen andere keus. Het spijt me dat ik tegen je heb gelogen.'

'Heb je de CIA over me verteld?' vroeg ik.

'Ik heb de Amerikanen alleen maar verteld dat je het niet met de broeders eens was wat betreft het plegen van aanslagen op burgers.'

Abdul was niet gemakkelijk te doorgronden, maar hij leek geen flauw vermoeden te hebben dat ik ook wel eens voor een westerse inlichtingendienst zou kunnen werken. Ik moest me echt beheersen om het hem niet te vertellen.

'Moge Allah je belonen voor het feit dat je me dit hebt verteld,' zei ik hem.

Hij stortte in. 'Murad, ik wil niets meer met de Amerikanen te maken hebben. Denk je dat je me zou kunnen helpen bij het krijgen van politiek asiel in Denemarken?' Ik beloofde voor hem te informeren maar dat het een moeilijke zaak zou worden.

Nadat we terug bij hem thuis waren, bad ik samen met hem. Het was nu niet het geschikte moment om minder waakzaam te zijn.

Die nacht kostte het me de grootste moeite in slaap te vallen. Ik wist niet of ik Abdul moest geloven of niet. Ik wist nu dat hij in dezelfde mate tegen mij had gelogen als ik tegen hem. Maar één idee bleef bij me bovenkomen: zou het kunnen zijn dat hij probeerde me bang te maken, om dan naar Jemen terug te keren en de spullen zélf af te leveren? Door zichzelf in mijn gezelschap in Jaar te laten zien, was zijn geloofwaardigheid bij Wuhayshi een stuk groter geworden. En hij kon zeggen dat ík hem had gevraagd de spullen af te leveren. Op die manier kregen de Amerikanen rechtstreeks toegang tot AQAP en hadden ze mij niet meer nodig.

Toen bedacht ik nog iets: was Abdul weer in de schoot van Al Qaida teruggekeerd, zoals de Jordaanse driedubbelagent Humam al-Balawi, die in Afghanistan Elisabeth Hanson en de andere CIA-agenten had gedood? Of probeerde hij me in opdracht van Wuhayshi uit? Als ik naar Jemen terugkeerde en Al Qaida niet waarschuwde voor Abduls verraad, zouden ze beseffen dat ik een spion was.

Ik had het gevoel dat ik geblinddoekt Rubiks kubus op de juiste kleuren moest sorteren.

De volgende ochtend werd ik gewekt door het gezoem van een inkomend sms'je. Jesper vroeg me of ik Abdul al had weten over te halen terug te keren.

Ik antwoordde: 'Ik denk niet dat hij naar Jemen gaat zolang daar nog gevochten wordt. Hij is ervan overtuigd dat ik er zal worden gedood en dat hij daar dan ook gaat sterven.'

In een vervolg-sms'je vroeg ik om een onderhoud met mijn hand-lers in Doha, tijdens mijn terugreis naar Jemen. Jesper zei dat de Amerikanen er ook zouden zijn en vroeg of ik Abdul op andere ge-dachten kon brengen. Later die avond, 19 mei, verstuurde ik opnieuw een sms'je: 'Het ziet er niet goed uit [...] de man wil momenteel niet reizen.'

Een paar minuten later kwam Jespers antwoord: 'Wil je hem naar de autosleutels vragen?'

Ik staarde naar het schermpje. Wilden de Denen soms dat ik in mijn eentje naar het zuiden reed? Speelden ze onder één hoedje met de CIA? Of wilden de Amerikanen alleen hun hightechauto terug?

Ik was absoluut niet van plan om Abdul naar de autosleuteltjes te vragen. Ik sms'te: 'Ik heb het wat de auto betreft geprobeerd, maar jammer genoeg nee. Over een of twee maanden wil hij het wel doen. Momenteel wil hij even rust en is hij van plan naar de EU te reizen.'

Op dat moment begon Abduls scenario, dat aanvankelijk zo bizar had geleken, er steeds aannemelijker uit te zien.

Twee dagen later nam ik mijn intrek in het Möwenpick Hotel, vlak bij de luchthaven van Doha. Jesper en Soren waren al gearriveerd en ik ontmoette ze bij het ontbijt.

Ik vertelde ze over Abduls waarschuwing, waarbij ik mijn best deed sceptisch te klinken, maar ik wilde graag zien hoe ze reageer-den. Beiden ontkenden het categorisch.

'Waar is Big Brother?' vroeg ik.

'Ze zijn in het hotel, maar ze willen geen rechtstreeks contact met je,' antwoordde Jesper.

'Fantastisch,' reageerde ik.

'Luister, Akhi, deze missie is erg belangrijk voor ons. Denk je dat je in staat bent om de spullen in je eentje naar Zuid-Jemen te brengen?' vroeg Soren.

'Je probeert zeker lollig te zijn,' antwoordde ik terwijl ik ineen-kromp toen ik dit onbezonnen voorstel hoorde. Zelfs als Abdul me met zijn waarschuwing níét had afgeschrikt, dan nog was ik niet van plan om in m'n eentje Jemens oorlogsgebied binnen te rijden.

Ik vroeg ze de Amerikanen een ander voorstel te doen, dat ik een koerier zou regelen die de campingkoelkast, de make-updoos en de andere spullen dan in Sanaa kon komen ophalen.

'Die methode is beproefd en vertrouwd, hij heeft bij Nabhan en Awlaki gewerkt,' zei ik.

'Dat zou best wel eens een goed idee kunnen zijn,' zei Jesper. Hij zei dat hij ernaar zou informeren.

Nadat ze waren verdwenen, ging ik in de lobby zitten en staarde afwezig naar gasten die lachend en pratend in en uit liepen, allemaal mensen die in alle rust en vrede over de wereld reisden.

Na een tijdje kwamen ze terug.

'Big Brother zegt dat dat idee met een koerier geen optie is,' zei Jesper op een zakelijke toon. 'Ze staan erop dat jij de spullen persoonlijk bij Abu Basir aflevert.'

'Ik denk niet dat ik dat prettig vind,' antwoordde ik met een understatement dat zijn weerga niet leek te hebben.

Ik was verbijsterd door de Amerikaanse hardnekkigheid waarmee ze wilden dat ik de spullen persoonlijk zou afleveren. Ik had al diverse keren met succes van koeriers gebruikgemaakt, zelfs op aandringen van de Amerikanen, om goederen bij Awlaki te krijgen en via hem ook bij AQAP. Die opzet had ook in Somalië gewerkt. De Amerikaanse weigering om zelfs maar over deze benadering te praten, zorgde ervoor dat ik steeds banger werd voor een valstrik. Ik vroeg me af of ze sowieso in het hotel aanwezig waren.

'Je hoeft ons niet onmiddellijk antwoord te geven, slaap er maar eens een nachtje over,' antwoordde Jesper.

De volgende dag, 22 mei, gingen Jesper, Soren en ik lunchen bij L'wzaar, een duur visrestaurant in Doha. Het was van boven tot onder bekleed met een mozaïek van blauwmarmeren tegels en zorgde in de drukkende hitte van de Perzische Golf voor enige verkoeling. Aan de ene kant zag ik het rustige water van de Golf, terwijl aan de andere kant een heel stel koks bezig was met het bereiden van vis.

'Dus je denkt erover na?' vroeg Jesper.

Ik liet even een stilte vallen.

'Ik denk dat ik het voor gezien hou,' zei ik.

Jesper en Soren keken elkaar aan.

'Je moet het zelf weten, jij bent aan zet,' reageerde Soren.

En zo, in een visrestaurant aan de kust van de Perzische Golf, viel het gordijn over een reis die vijftien jaar eerder begonnen was in het islamistische broeinest Dammaaj, aan de andere kant van Arabië.

Ruim vijf jaar opereren in de voorste linies eindigde in een anticlimax. En ook was het, voor mij althans, onverklaarbaar. De Verenigde Staten, die de 'Oorlog tegen het Terrorisme' boven aan hun agenda hadden staan, hadden een prachtige kans laten lopen om twee van hun gevaarlijkste tegenstanders te neutraliseren, Nasir al-Wuhayshi en Ibrahim al-Asiri, en de actiefste tak van Al Qaida een gevoelig verlies toe te brengen.

Maar deze beslissing bleek al snel een ernstige beoordelingsfout te zijn.

De volgende dag, 23 mei, vloog ik terug naar Jemen om mijn eigendommen op te halen. Nadat ik was geland kreeg ik van Soren een sms'je waarin hij me vroeg de koelkast en de make-updoos in te leveren bij CIA-agenten in Sanaa. Het laatste waar de Amerikanen behoefte aan hadden was dat de volgapparatuur in verkeerde handen zou vallen.

Ik beloofde hem dat ik met mijn zilverkleurige Suzuki met daarin de spullen naar het handelscentrum in Sanaa zou rijden, iets wat in Jemen nog het meest op een winkelcentrum leek.

'Doe de kleinere doos in de grotere doos en zet het geheel op de achterbank, pal achter de chauffeursstoel,' luidde Sorens boodschap.

Maar zelfs tijdens deze laatste fase werden de plannen nog gewijzigd. In een volgend sms'je vroeg Soren me om de doos op het asfalt van de parkeerplaats neer te zetten. Dat heb ik gedaan, maar ik was woedend. Er liepen veiligheidstroepen rond. Als die hadden gezien dat ik een grote doos onbeheerd op de parkeerplaats had achtergelaten, in een land waar heel wat bommen ontploften, had ik wel eens in grote problemen kunnen raken.

Een paar minuten later stuurde Soren een boodschap van zijn CIAcontact door: 'Ik bevestig hierbij dat de spullen zijn opgepikt. Zeg maar tegen je jongen dat hij goed werk heeft afgeleverd.'

Ik antwoordde: 'Bericht ontvangen, geen dank.' Hadden telefoons maar een knopje waarmee je kon laten zien dat je het ironisch bedoelde.

27

EEN SPION IN DE KOU

2012-2013

In juli 2013, net een jaar na mijn laatste missie in Jemen, onderschepte de National Security Agency in hun uitgestrekte complex in Fort Meade, Maryland, een onlinebericht, dat vervolgens door de filters van een van de krachtigste supercomputers ter wereld werd geleid. Toen de boodschap uiteindelijk was ontcijferd en vertaald, leidde die tot groot alarm.

We zullen een aanslag uitvoeren die het aanzien van de geschiedenis zal veranderen.

Binnen enkele uren was het hele Amerikaanse inlichtingenapparaat gemobiliseerd en probeerde men de reikwijdte van de geplande aanslag vast te stellen. Het was duidelijk dat de top van Al Qaida een ambitieuze aanslag in gang had gezet, maar er was maar bitter weinig bekend over het hoe, wanneer en waar. Het Amerikaanse ministerie van Buitenlandse Zaken nam een ongekende stap en sloot op voorhand meer dan twintig ambassades en consulaten in Arabische en moslimlanden.

Het werd al snel duidelijk dat het centrum van de bedreiging in Jemen gezocht moest worden, met de Amerikaanse ambassade in Sanaa als een van de meest voor de hand liggende doelwitten. De opsteller van de boodschap die tot de hoogste staat van paraatheid leidde was niemand minder dan mijn gids in Jaar, Nasir al-Wuhayshi, de leider van AQAP. In een van mijn laatste rapporten had ik mijn handlers verteld dat Wuhayshi opdracht had gegeven de omgeving van de Amerikaanse ambassade in Sanaa goed te verkennen. Daarna was hij benoemd als plaatsvervanger van Ayman al-Zawahiri, de tweede man van Al Qaida wereldwijd. De man die ooit de protegé van Osama bin Laden was geweest, was nu de gezalfde opvolger van Zawahiri.

Wuhayshi's schepping, een islamitisch emiraat in de zuidelijke tribale gebieden van Jemen, had zijn reputatie in jihadistische kringen overal ter wereld alleen maar versterkt. Zijn mannen hadden het in Jaar en een groot deel van het zuiden van Jemen vijftien maanden lang voor het zeggen gehad. Ze hadden zich er alleen maar teruggetrokken toen ze met een overweldigende vijandelijke vuurkracht werden geconfronteerd, bijeengebracht door Jemenitische regeringstroepen en loyalistische tribale milities en ondersteund door Amerikaanse drone-aanvallen.

Maar zelfs nadat ze zich noodgedwongen in wat meer afgelegen gebieden had teruggetrokken, was AQAP doorgegaan met het uitvoeren van zelfmoordaanslagen, het liquideren van hoge militairen en het leggen van hinderlagen voor Jemenitische troepen. Of zoals Adil al-Abab had genoteerd in een van zijn laatste missives voordat hij door een drone werd gedood: een nieuwe generatie jihadisten had de vuurdoop gekregen.

Voor de westerse inlichtingendiensten waren de prioriteiten van AQAP minder duidelijk: was het nog steeds Wuhayshi's bedoeling om er een staat te creëren die geheel op de islamitische wetgeving was gestoeld, probeerde hij de Jemenitische overheid zo veel mogelijk gebied te ontzeggen of zag hij, nu hij recentelijk tweede man van Al Qaida was geworden, de wereldwijde jihad als zijn belangrijkste missie? Misschien dat ik daar met een bezoekje of twee achter had kunnen komen. Hoe dan ook, als ik begin 2012 goedkeuring had gekregen om de aflevering van de koelkast te organiseren, had Zawahiri zeer waarschijnlijk naar een andere tweede man op zoek gemoeten.

Sinds het niet doorgaan van mijn laatste missie, was ik mijn troost weer in de cocaïne gaan zoeken. Dan was de frustratie een paar uur lang verdwenen, maar na elke keer high zijn waren de hartkloppingen erger. Ik maakte me zorgen over het geld, waarvan ik een groot deel in Storm Bushcraft had gestopt, hoewel ik daarbij vervolgens zowel een zakenpartner als een basis in Kenia was kwijtgeraakt.

Al vijf jaar lang pendelde ik heen en weer tussen twee werelden en twee identiteiten, waarbij één verkeerd woord me het leven had kunnen kosten. Ik was in vertrek- en aankomsthallen in diverse delen van de wereld van identiteit veranderd en had tussen het atheïsme en de fundamentalistische islam gereisd, tussen het Engels en Arabisch, tussen t-shirts en thawbs, tussen agent zijn voor westerse inlichtingendiensten en gezworen lid van Al Qaida. Terwijl mijn medereizigers hun rugleuning naar achteren deden en naar de film keken, concentreerde ik me op de missie of probeerde ik me de details te herinneren van de missie die ik net achter de rug had.

Wilde ik in leven blijven dan moest ik constant alert zijn. Tot voor kort was het voor mijn werk noodzakelijk geweest dat mijn misleiding een zekere gelaagdheid had: de westerse agent die net deed of hij een klusjesman van Al Qaida was, die weer net deed of hij een bedrijf had dat in avontuurlijke reizen was gespecialiseerd.

Zelfs thuis, in Engeland of Denemarken, speelde ik nog steeds toneel en was ik de bekende militante islamist Murad Storm. In Londen of Kopenhagen, Luton of Aarhus, Birmingham of Odense liepen nog voldoende radicalen op straat rond om ervoor te zorgen dat ik geen moment mijn masker kon laten zakken. In het begin was het vrij gemakkelijk geweest om een rol te spelen, maar hoe verder ik van die begindagen als radicale fundamentalist verwijderd raakte, hoe moeilijker het werd om nog met enige overtuigingskracht de rol van jihadist te spelen.

Alleen ergens diep op het platteland of in een afgelegen nachtclub kon ik Morten Storm zijn en een biertje achteroverslaan. In ging er maar van uit dat ik daar nauwelijks echte jihadisten tegen het lijf zou lopen. Maar toch was ik ook daar op mijn hoede.

Deze levensstijl zorgde ervoor dat ik op een gegeven moment op het randje van een zenuwinstorting balanceerde. In het verleden was ik gedreven geweest door de noodzaak dat de volgende aanslag moest worden voorkomen, door de opwinding van het spionagespel en de kameraadschap met mijn handlers. Maar de hardnekkigheid waarmee ze wilden dat ik in m'n eentje naar de tribale gebieden van Jemen zou reizen, maakte me bang. Abduls waarschuwing weerklonk nog steeds in mijn oren en ik begon te twijfelen of het het wel waard was. Ik had Wuhayshi weten op te sporen, waarbij ik risico's had gelopen die aan het waanzinnige grensden, terwijl de westerse inlichtingendiensten vervolgens een prachtige kans hadden laten liggen.

Ik had geluk gehad, maar geluk had de gewoonte op een gegeven moment op te zijn. Het was tijd om naar de achtergrond te verhuizen, een van de vele analisten die hun best deden om de bedoelingen van terroristen, waar dan ook ter wereld, te doorgronden.

Op 12 juli 2012 vloog ik van Manchester naar Kopenhagen om eens te praten over de belofte die Tommy Chef mij in dat visrestaurant had gedaan. De PET had voor die ontmoeting een kamer in het Hilton Hotel op het vliegveld geregeld. Ik was ongerust: de Denen hadden al zo veel beloften gebroken, terwijl de definitieve breuk met de Amerikanen buitengewoon vervelend was verlopen. Misschien was het verstandig, dacht ik, om het een en ander vast te leggen. Ik haalde mijn iPod tevoorschijn om te kijken of hij was ingeschakeld.

Ik werd opgewacht door Jesper, die me vertelde dat Klang (die na een vernederende periode waarin hij alleen maar de gegevens van aspirant-vluchtelingen had mogen natrekken zijn vroegere functie had teruggekregen) en Anders op korte termijn zouden arriveren.

'Iedereen is op vakantie,' zei Jesper, terwijl hij met een half oog naar de televisie keek die in een hoek van de kamer stond en waarop de Tour de France te zien was.

Hij reikte naar de tas van zijn laptop en haalde een stapel biljetten van honderd dollar tevoorschijn.

'Hier heb je 10.000 dollar,' zei hij, en gaf me het geld, alsof dat midden in een gesprek de normaalste zaak van de wereld was.

'Is dit van de Amerikanen afkomstig?' vroeg ik, me bewust van het feit dat ik elk woord opnam.

'Dit is voor de trip, meer kon ik niet voor je doen, Akhi. Ik hoop dat het voldoende is,' antwoordde Jesper. Hij zag dat het geld geen kalmerende invloed op me had.

'Akhi, wat gaan we doen?' vroeg hij.

'Ik weet het niet, we zijn met vakantie totdat de Amerikanen zich er weer mee gaan bemoeien,' reageerde ik sarcastisch.

Ik wachtte nog steeds op een uitleg voor de gebeurtenissen in Doha.

'Ik was er in januari helemaal klaar voor. Ik was bij Abu Basir en er klaar voor en stond twee weken later klaar om naar Jemen terug te keren. Waarom is alles uitgesteld? Mijn fout is het niet.'

'Niemand wijst met een beschuldigende vinger naar jou, daarom hebben ze je die 10.000 dollar gegeven.'

Ik legde Jesper uit dat het voor mij gevaarlijk was om naar Jemen terug te keren.

'Misschien dat Abdul een dubbelrol speelt. Naast de CIA zou hij ook best voor Al Qaida kunnen werken,' zei ik. 'Misschien is het een test,' vervolgde ik. 'Als ik naar Abu Basir terugga en hij vraagt me: "Waarom heb je me nooit over Abdul verteld?"...'

Ik liet de consequenties van het niet kunnen beantwoorden van die vraag in de lucht hangen.

'Denk je echt dat Abdul me zou redden als hij een verrader is van zijn eigen broeders bij Al Qaida?'

'Ik denk niet dat de Amerikanen ooit nog met Abdul zullen samenwerken,' merkte Jesper op.

Ik geloofde hem niet, maar zijn antwoord was desalniettemin nuttig. De PET-agent had zojuist nog eens herbevestigd dat Abdul door de CIA was gerekruteerd, en dat had ik nu op tape staan.

Ik vertelde hem dat ik het niet onmogelijk achtte dat Abduls waarschuwing een Amerikaanse manoeuvre was om van mij af te komen, zodat hij mijn plaats als belangrijkste informant bij Al Qaida in Jemen kon innemen.

Jesper zei dat hij nog steeds niet begreep waarom de Amerikanen niet akkoord waren gegaan met mijn plan om Wuhayshi met behulp van koeriers in de gaten te houden.

'Jesper, ik heb het niet alleen over Abu Basir [Wuhayshi]. Ik heb het ook over de bommenmaker. Ze weten dat ik degene ben die contact had kunnen leggen met die twee jongens en toch willen ze daar verder niets mee doen. Ik ben teleurgesteld. Het moet iets met mij te maken hebben.'

'De reden waarom ze met jou gestopt zijn, is omdat ze hebben gezegd dat het te gevaarlijk voor je is,' zei Jesper.

In Qatar was ik het geweest die zich zorgelijk over de gevaren in Jemen had uitgelaten, niet de Amerikanen. Zou Jesper dat simpelweg vergeten zijn? Probeerde hij de geschiedenis te herschrijven? Of was hij gewoon niet al te slim?

Er werd op de deur geklopt. Anders en Klang waren gearriveerd.

We belden de roomservice en bestelden wat sandwiches. Klang wilde er een biertje bij.

Ik besloot ze te vragen naar de functie die Tommy Chef me had aangeboden, de baan in de achterhoede.

'Ik denk dat ik de baan maar aanneem,' zei ik.

'Ik ben bang dat je om die te krijgen de missie in Jemen had moeten uitvoeren. Die kunnen we je nu niet meer geven,' antwoordde Jesper.

Zoals ik al had vermoed, hielden ze zich ook deze keer niet aan hun belofte. Ik had het gevoel dat ik me aan mijn deel van de afspraak had gehouden, en dat nu het kleed onder me vandaan werd gerukt. Niemand had me verteld dat ik, wilde ik die baan krijgen, als tegenprestatie nog een keer bij Wuhayshi langs had moeten gaan.

'En hoe zit het met mijn vrouw? Hoe zit het met haar papieren?'

'Daar zijn we nog mee bezig,' zei Jesper.

Ik geloofde er geen woord van.

Toen kwam Klang. Hij was niet onvoorbereid en kwam met een ander voorstel, hoewel het onduidelijk was of zijn superieuren ermee akkoord gingen. Ik moest mezelf aanbieden als vertegenwoordiger voor Al-Shabaab in Europa. Als dat lukte, dan was ik degene die voor militanten in Europa onderduikadressen moest regelen en beschikte de Deense inlichtingendienst vroegtijdig over informatie met betrekking tot eventueel geplande terroristische aanslagen.

Ik ging niet op het aanbod in.

'Als ik het bijltje er nu bij neergooi, wat kan ik dan verwachten?' vroeg ik.

'Als je nu stopt, mag je een dankbare PET verwachten,' zei Jesper zo neutraal mogelijk.

'Dan komen we waarschijnlijk met een soort overeenkomst waarin je verklaart dat je je terugtrekt, dat je met pensioen gaat, bij wijze van spreken. Ja, ik denk dat ons dat wel moet lukken,' vervolgde hij, een en al de financiële man.

Hij en Anders lieten weten dat ze me als afvloeiingspremie een jaarsalaris konden meegeven. Anders leek mijn enige echte bondgenoot en leek maar al te goed te beseffen hoe waardevol informatie uit de eerste hand was.

'Je stond op het punt om de lieden te grazen te nemen die een aanslag op ons wilden plegen,' zei Anders, verwijzend naar Ibrahim al-Asiri en de AQAP-medewerkers die beschuldigd werden van het plannen van aanslagen in het buitenland.

'Is het niet waanzinnig dat de Amerikanen me hebben tegengehouden?' zei ik.

Hij knikte.

We bespraken nog enkele andere opties, maar misschien met uitzondering van Anders probeerden ze me alleen maar naar de mond te praten.

Het was tijd om te vertrekken. De agenten omarmden me. Anders bleef nog even bij me achter. 'Ik weet dat je wat Awlaki betreft bent beduveld,' zei hij oprecht geëmotioneerd en schudde me de hand.

Mijn status binnen de PET was wekenlang onduidelijk. Op 30 juli kwam een Western Union-overmaking binnen ten bedrage van 2466 pond, afkomstig van Jesper, mijn maandelijkse toelage. Maar wat de toekomst betrof hoorde ik helemaal niets, totdat ik half augustus werd gebeld.

Het was Jesper. Hij begon met wat vrijblijvende opmerkingen over wie er met vakantie was en over de Engelse zomer.

'Goed,' zei hij vervolgens kortaf, 'de PET heeft besloten dat je aanspraak kunt maken op een afvloeiingspremie van zes maanden.'

'In eerste instantie had je het over twaalf maanden,' reageerde ik.

'Met meer gaan ze niet akkoord,' zei hij.

Ik werd gedumpt. Maar ik had nieuws voor ze.

'Ik heb contact opgenomen met de Deense krant *Jyllands-Posten* en ze willen graag eens met me praten.'

Enkele seconden lang heerste er een totale stilte.

'Ik bel je terug,' zei hij uiteindelijk. Hij klonk zorgelijk en zag ongetwijfeld de vette krantenkoppen al voor zich over bezoekjes aan nachtclubs in Lissabon en overvloedige champagne en dat allemaal op kosten van de Deense belastingbetaler.

Ik had contact met de *Jyllands-Posten* opgenomen omdat ik genoeg had van alle gebroken beloften van de PET. Ik wilde niets liever dan de waarheid rond Awlaki naar buiten brengen en ik wist dat ik over voldoende bewijsmateriaal beschikte om mijn kant van het verhaal te onderschrijven. En ik had ook het idee dat de boel in de openbaarheid brengen me tegen smerige spelletjes zou beschermen. Abduls waarschuwing bleef me achtervolgen.

Er was nog een andere reden. Veel van mijn kennissen en sommige familieleden dachten nog steeds dat ik een radicale extremist was en omging met terroristen die eigenlijk achter de tralies hoorden te zitten. Het was hoog tijd om ze te laten weten dat dat niet zo was. En ik wilde me hard maken voor andere informanten die hun leven voor westerse inlichtingendiensten op het spel zetten.

Toen Jesper me terugbelde, was dat met een uitnodiging voor een bijeenkomst met Tommy Chef – chef probleemoplosser – in het Admiral Hotel in Kopenhagen, met uitzicht over het water.

De volgende dag vloog ik naar de Deense hoofdstad, zonder te weten of Tommy met een oplossing of met bedekte bedreigingen zou komen. Hij begroette me vriendelijk, maar ik was niet bepaald in de stemming voor beleefdheden.

'Hoe zit het met de baan die je me hebt beloofd?' wilde ik weten.

'O, daar kunnen we niet aan beginnen,' reageerde hij.

Hij keek naar buiten, naar de haven, waar een houten vaartuig langs de kade lag.

'Dat is een mooi schip. Wilde je dat gaan doen? Ga je leren zeilen?'

Ik had het er wel eens over gehad dat ik misschien zou proberen werk te krijgen als bewaker aan boord van een schip dat tegen piraten moest worden beschermd.

'Nee, ik wil niet leren zeilen,' antwoordde ik kortaf.

Hij bleef naar de boot turen, maar draaide zich uiteindelijk om en keek me aan.

'Als we nou eens eerst afspreken dat je die journalisten belt en ze laat weten dat ze niet hoeven te komen.'

'Ik weet niet zeker of ik dat wel doe. Jullie hebben me belazerd en jullie hebben tegen me gelogen. Ik ben klaar met jullie.'

De ontmoeting had nog geen tien minuten geduurd.

Ik liep door Kopenhagen en had een gevoel van vrijheid, hoewel die vrijheid doortrokken was van een zekere bezorgdheid. Ik was totaal op mezelf aangewezen, terwijl de Deense inlichtingendienst zijn uiterste best zou doen me in diskrediet te brengen. Ook de toezegging voor een permanente verblijfsvergunning voor mijn vrouw zouden ze ongetwijfeld naast zich neerleggen. Met het gevoel dat ik me van mijn ketens had ontdaan, kwam ook het besef van isolement en kwetsbaarheid.

Ik kon in elk geval nog enige troost putten uit de paniek die op de bovenste verdieping van het PET-hoofdkwartier moest zijn uitgebroken. In de uren voor mijn geplande ontmoeting met de *Jyllands-Posten*, op 27 augustus, werd ik nog een paar keer door Jesper gebeld, die elke keer wanhopiger klonk. Ook die gesprekken nam ik op. Ze kwamen nu plotseling met twaalf maanden afvloeiingspremie over de brug. Ik zei dat ik geen belangstelling had. Er werd opnieuw gebeld: twee jaar salaris als ik mijn mond hield. Ook dat wees ik af. Uiteindelijk kwam er een aanbod van 270.000 dollar, zo'n 1,5 miljoen Deense kronen, dat de toch al zo lankmoedige belastingbetalers van het koninkrijk Denemarken zouden moeten ophoesten om te voorkomen dat er allerlei gênante details over hun inlichtingendienst op straat zouden komen te liggen en, erger nog, dat de politiek zich ermee zou gaan bemoeien.

'Over het geld dat je van ons krijgt hoef je tegenover niemand verantwoording af te leggen,' zei Jesper.

Ze boden mij een belastingvrije oprotpremie aan. Ik was geen belastingdeskundige, maar dat leek me verboden, zowel volgens de Deense wetgeving als die van het Verenigd Koninkrijk.

'Maar wat me vooral dwarszit is de manier waarop je me vorig jaar met betrekking tot Anwar hebt behandeld,' zei ik.

'Ja, ja, maar daarom proberen we het juist nu goed met je te maken,' reageerde hij.

Daarna volgde een niet bepaald subtiele bedreiging over de consequenties als ik met de pers zou praten.

'Je hebt maar weinig tijd om erover na te denken, want er zijn wat mensen die maar al te graag even met je zouden willen babbelen […] Het probleem is alleen dat als je met ze praat er geen weg terug meer is.'

Jesper herhaalde zijn verkooppraatje nog eens.

'Het aanbod waarmee ze nu komen, zoiets heb ik nog nooit, nooit eerder meegemaakt. Zie het als erkenning. Ze geven toe dat ze fouten hebben gemaakt. En dat kun je positief opvatten.'

Ik vertelde hem dat ik erover na moest denken. Ik had het geld dringend nodig, want in een cv van een informant zitten heel wat hiaten en alles wat ik uit die lui kon persen was meegenomen. Fadia en ik moesten ook leven en ik wilde een nieuwe start maken, los van mijn voormalige 'broeders'. Mezelf opnieuw uitvinden was geen goedkope zaak. En dit was mijn enige kans.

Ik bedacht een voorstel en belde Jesper op. In ruil voor vier miljoen Deense kronen (700.000 dollar) konden ze mijn computers en mijn bestand met e-mails en geluidsopnamen krijgen en zou ik mijn mond houden over mijn werkzaamheden voor de westerse inlichtingendiensten. Hij belde terug met de mededeling dat de PET niet hoger kon gaan dan hun laatste aanbod.

'Nou, dat kan ik onmogelijk accepteren. Dan kan ik je alleen maar bedanken, Jesper, en kan ik alleen maar zeggen dat de leiding zich zou moeten schamen.'

'Ik zou hetzelfde willen zeggen. Soms was je best een tikkeltje lastig, maar ik heb me met jou geen moment verveeld,' zei hij met veel gevoel voor understatement.

Op de een of andere manier moet de Deense inlichtingendienst hebben ontdekt dat ik al een gesprek had gehad met drie journalisten van de *Jyllands-Posten*, want op 19 september belde Jesper opnieuw. De PET zou me het equivalent van vijf jaar salaris geven plus een bedrag ineens van bijna 700.000 Deense kronen: in totaal bijna 2,2 miljoen Deense kronen, zo'n 400.000 dollar.

Ik vroeg Jesper of hij het op papier wilde zetten.

'Het is heel moeilijk om zoiets ondertekend te krijgen. Maar misschien geeft het je een veiliger gevoel als je een keertje met Jakob praat,' zei hij, verwijzend naar Jakob Scharf, de directeur van de PET.

Na nog wat gemarchandeer over bepaalde details belde ik Jesper nog één keer op.

'Afgesproken,' zei ik tegen Jesper.

'Dank je. Dat was verdomde moeilijk,' antwoordde hij.

Maar nog niet zo moeilijk als wat hierop volgde. Nog diezelfde middag vertelden de verslaggevers van de *Jyllands-Posten* me dat de Deense televisie van plan was naar buiten te brengen dat ik voor de PET had gewerkt. Klaarblijkelijk was het televisiestation door de PET benaderd in een poging de schade zo veel mogelijk te beperken: zorg ervoor dat je als eerste met modder gooit en gooi dan zo veel mogelijk. Ik had geen idee of ze bij de PET nu echt de weg kwijt waren of dat ze dit al hadden bedacht tijdens de zich voortslepende onderhandelingen. Hoe dan ook, later bevestigde een journalist van dat televisiestation tegenover mij dat hij door de Deense inlichtingendienst was gebeld met het verzoek hun kant van het verhaal te mogen vertellen.

Ik had zo het gevoel dat de PET zich niet aan de overeenkomst zou houden. Ik vermoedde dat hun aanbod alleen maar een list was geweest om me los te weken van het elektronisch bewijsmateriaal dat ik had verzameld. Woedend belde ik Jesper om hem te zeggen dat de deal niet doorging.

Jesper meldde nadrukkelijk dat, als ik me van mijn dekmantel ontdeed, de PET me niet langer zou beschermen.

'Als jij van plan mocht zijn met je verhaal in de openbaarheid te treden, enkel en alleen om wraak te nemen, moet je wel eerst bedenken of het dat wel allemaal waard is. Dan kun je niet meer vrijelijk met je kinderen reizen. Dan zien ze hun grootouders nooit meer. Enkel en alleen omdat jij zo nodig die voldoening wilt hebben,' zei hij me in een zeldzame aanval van boosaardigheid.

Maar zijn steeds wanhopiger argumenten waren aan dovemansoren gericht.

Vlak voor het eerste artikel in de *Jyllands-Posten* verscheen, op 7 oktober 2012, stuurde ik een sms'je naar Jesper.

'Ik wilde je alleen even laten weten dat ik al onze gesprekken heb opgenomen,' meldde ik hem.

'Waarom heb je dat gedaan?' wilde hij weten.

'Omdat ik spion ben. Je hebt het me zelf geleerd.'

EPILOOG

Op een niet nader genoemde plaats
in het Verenigd Koninkrijk, voorjaar 2014

Het eerste artikel in de *Jyllands-Posten*, verschenen op 7 oktober 2012, veroorzaakte in Denemarken een sensatie. In het stuk werd beschreven welke rol ik had gespeeld bij het voor de CIA en de PET opsporen van Awlaki, zodat hij met behulp van een drone kon worden uitgeschakeld. Dat zorgde in Denemarken voor behoorlijk wat tumult, want daar is het de overheid ten strengste verboden aan dit soort eliminaties mee te werken. De journalisten van de *Jyllands-Posten* kregen later voor hun artikelenreeks de European Press Prize 2012, een prijs die toen voor het allereerst werd uitgereikt.

Het nieuws werd al snel wereldwijd opgepikt. In december 2012 was ik te gast bij *60 Minutes* van CBS, de bekende Amerikaanse nieuwsshow, voor een interview dat zich concentreerde op mijn rol bij het opsporen van Awlaki.

Na al die jaren in de schaduw te hebben geopereerd, voelde het bijna surrealistisch aan mijn naam in de krant en op televisie te zien en mijn werkzaamheden voor de westelijke inlichtingendiensten openbaar gemaakt te zien worden. Het gaf uiteraard voldoening om naar buiten te kunnen treden met volgens mij zowel de successen als de minder florissante kanten van mijn werk ten behoeve van de inlichtingendiensten, maar als er geen camera's op me waren gericht, voelde ik me kwetsbaar. Mijn vrouw Fadia had nog steeds grote moeite met het besef dat ik haar zo'n tijd en met zo veel leugens had misleid.

Een paar weken voor de *Jyllands-Posten* mijn verhaal publiceerde, stelde ik haar voor eens een lange wandeling door de natuur te maken. Ik koos daarvoor een prachtige nazomerdag uit. De lucht geurde naar gerst en tarwe, die op dat moment werden geoogst. We gingen aan de rand van een akker zitten en ik had er zelfs aan gedacht picknickspullen mee te nemen.

Terwijl we in de lucht naar de veldleeuweriken keken, vertelde ik haar alles: hoe ik was gerekruteerd, over mijn werk in Jemen en Kenia, in Libanon en Birmingham, Denemarken en Zweden, mijn ruzie met de CIA en de PET, mijn rol bij het elimineren van Awlaki, het geld, de cocaïne en mijn missie naar het zuiden van Jemen om daar Wuhayshi te ontmoeten. Ons huwelijk had onder de spanningen al behoorlijk te lijden gehad en ik waarschuwde Fadia dat de druk alleen nog maar groter zou worden zodra mijn verhaal in de krant zou staan. Ik hoefde geen bescherming van de inlichtingendiensten te verwachten en er liepen heel wat mensen rond die me graag een kopje kleiner zouden zien. Onze wereld zou een stuk kleiner worden en we zouden altijd op onze hoede moeten zijn.

Fadia raakte getraumatiseerd.

'Waarom?' vroeg ze. 'Waarom durfde je me niet te vertrouwen? Vijf jaar lang alleen maar leugens. En heb je ook maar enig idee hoe eenzaam ik ben geweest? Je was bijna nooit thuis en als je er wel was, dan alleen lichamelijk. Je was in gedachten altijd ergens anders.'

Ik probeerde haar uit te leggen dat ik haar had willen beschermen, dat het beter was dat ze van niets wist, dat ik haar daarom zo min mogelijk had verteld.

'Maar ik ben je vrouw,' zei ze, terwijl ze me aankeek met ogen die gezwollen waren van het huilen.

In het najaar van 2012 waren de spanningen die waren ontstaan door mijn 'uit de kast komen' zo groot geworden, dat we afspraken uit elkaar te gaan, voorlopig althans. Bij mij werd een posttraumatisch stresssyndroom vastgesteld. Ik kon niet werken, terwijl ik in het Verenigd Koninkrijk, waar ik nog steeds woonde, ook geen nieuw sofinummer kreeg, uit angst dat een bij de overheid werkende militante sympathisant achter mijn identiteit zou komen.

Vanaf het moment dat de *Jyllands-Posten* op 7 oktober uitkwam, was ik een getekend man. Op jihadistische fora en Facebook-pagina's overheerste haat en werd ik bedreigd, en mijn familie had het niet meer. Onder militanten was Anwar al-Awlaki een geliefd iemand geweest. Zijn dood wreken zou een hele eer zijn, een daad waar Allah ongetwijfeld glimlachend op zou neerzien. Mijn bittere ruzie met de Deense inlichtingendienst betekende, zoals Jesper al had uitgelegd, dat ik geen hulp van mijn eigen overheid hoefde te verwachten.

Een van de Amerikanen die ik in Dammaaj had leren kennen, Khalid Green, had een YouTube-filmpje gemaakt waarin hij me beschuldigde net te hebben gedaan of ik van Allah had gehouden, maar dat ik in feite de islam had verraden.

'Iemand die we als een kameraad en een vriend hebben beschouwd,' sprak hij met monotone stem terwijl hij voor een boekenkast vol islamitische geschriften zat, 'en die samen met ons in het gerespecteerde kenniscentrum in het kamp te Dammaaj bij sjeik Muqbil heeft gestudeerd [...] om dan te ontdekken dat deze persoon voor de CIA heeft gewerkt.'

Anderen in mijn omgeving waren ook geschokt, maar daar zaten ook lieden bij die met tegenzin toegaven dat ze onder de indruk waren. Rasheed Laskar, de jongeman uit Groot-Brittannië die ik in Sanaa had leren kennen, schreef op een islamistische blog onder de naam Abu Mu'aadh: 'Ik kende Murad sinds 2005/6 en we hebben een tijdje samen in Jemen gewoond [...] Toen Deense vrienden me het nieuws vertelden was ik geschokt [...] hij had inderdaad contact met sjeik Anwar raheemahullah.

Geloof me, als dit – zijn hele ex-CIA-PET-agentenverhaal– waar is, en het dateert echt al vanaf 2006, dan heeft hij zijn werk, in die dagen, fantastisch gedaan.

Ik heb sinds 2005/6 veel contact met Murad gehad [...] ik heb nooit vermoed dat hij agent zou kunnen zijn. Ik ken wel veel broeders die regelmatig in Arabische gevangenissen hebben gezeten, die gemarteld zijn, zijn uitgewezen en van het ene land naar het andere zijn opgejaagd (en soms zelfs zijn vermoord) die één ding gemeen hadden: het waren allemaal kennissen van Murad Storm.

Ik vraag Allah vanuit het diepst van mijn hart om hem te geven wat hij verdient, zowel in dit leven als in het hiernamaals.'

Uit zijn toon meende ik te kunnen opmaken dat hij in dit geval niet aan 72 maagden dacht.

Veel ernstiger was dat in augustus 2013 een groep Denen die naar Syrië waren afgereisd en zich daar bij een tak van Al Qaida hadden aangesloten videobeelden de wereld in stuurden waarin ze opriepen mij te vermoorden, samen met nog wat bekende Denen die ze als vijanden van de islam beschouwden.

'Het is van het grootste belang dat we deze *murtadeen* en de kafir die de islam aanvallen met onze kalasjnikovs doden,' zei een Deense jihadist die zich Abu Khattab noemde in de camera, met op de achtergrond een Syrisch stadje dat boven op een heuvel was gebouwd. Hij was een volgeling van een in Denemarken opererende tak van al-Muhajiroun.

Vervolgens gleed de camera langs zes foto's die aan een muur waren bevestigd. De eerste foto die in beeld komt is die van mij, gevolgd door die van Naser Khader, een gematigd moslimpoliticus in Denemarken van wie ik ooit had geroepen dat hij vermoord moest worden, plus nog foto's van Anders Fogh Rasmussen, de Deense secretaris-generaal van de NAVO, en van cartoonist Kurt Westergaard. Dan verschijnt er tekst in beeld: 'Vijanden van de islam'.

De strijders hurken neer, richten hun geweer, schreeuwen 'Allahu Akbar!' en vuren een salvo op de foto's af. Op een ander filmpje, geplaatst door hetzelfde groepje jihadisten in Syrië, was Shiraz Tariq te zien, een Pakistaanse extremist met wie ik tien jaar eerder nog in Odense een potje paintball had gespeeld.

In een vervolgvideo werd Abu Khattab gevraagd waarom ik op die dodenlijst moest.

'Hij had als opdracht onze geliefde sjeik Anwar al-Awlaki te doden.'

Op mijn Facebook-account dook een wel zeer bedreigende boodschap op. De schrijver ervan was Abdallah Andersen, een van de

Denen die veroordeeld waren vanwege hun betrokkenheid bij het terroristische complot in Vollsmose in 2006. Hij zat niet meer in de gevangenis, maar hij had nog steeds dezelfde jihadistische denkbeelden en noemde zich op zijn Facebook-profiel tegenwoordig 'Abu Taliban'.

'Hoe gaat het met je gezin? Iedereen haat je. Iedereen wil je dood,' zei hij.

Ik gaf die mededeling aan de Deense politie door. Iedereen die op die 'dodenlijst' stond en tot dan toe niet onder politiebescherming stond, had van de PET 24-uursbewaking aangeboden gekregen, behalve ik. Wekenlang reageerde de PET niet op mijn e-mails, terwijl mijn verhaal al uitgebreid door de Deense media was behandeld. Ze hebben me nooit bescherming aangeboden.

Maar in de openbaarheid treden had ook zijn leuke kanten, en dan met name het herstel van mijn reputatie bij mensen die mijn vrienden waren geweest voordat ik in de wereld van de radicale islam verdween. Heel wat van hen hadden alle banden met mij verbroken, terwijl sommige anderen me alleen maar gestoord hadden gevonden. Met uitzondering van mijn moeder, en recentelijk Fadia, had ik niemand verteld dat ik agent was geworden.

Verscheidene van mijn vrienden en familieleden geloofden me niet toen ik ze in de weken voor de openbaarmaking de waarheid vertelde. Misschien vonden ze mijn toch al onwaarschijnlijke verhaal net iets te veel van het goede.

De artikelenreeks in de *Jyllands-Posten* gaf mijn verhaal geloofwaardigheid. Langzaam maar zeker was ik in staat om enkele oude vriendschappen nieuw leven in te blazen. Ik kreeg de gelegenheid om een hoop mensen mijn excuses aan te bieden. Mijn excuses voor mijn gedrag. Mijn excuses voor het zomaar verdwijnen. Mijn excuses voor de leugens. Maar boven alles mijn verontschuldigingen voor het feit dat ik jullie haatte omdat jullie mijn geloof niet aanvaardden.

Veel van mijn voormalige vrienden, onder wie ook Vibeke, mijn eerste liefde, waren verbijsterd toen ze mijn verhaal hoorden.

'Ik heb het geen moment vermoed,' zei ze. 'Ik dacht echt dat je gek was geworden. Je verdween steeds naar het buitenland en je was constant aan het bidden. Ik kende je niet meer terug.'

Het was ook een hele opluchting om niet meer te hoeven doen alsof ik een geharde salafist was. Murad Storm behoorde eindelijk tot het verleden en met hem waren ook de islamitische gewaden, de baard en de geveinsde gebeden verdwenen. Het was fijn om weer een spijkerbroek en een t-shirt te kunnen dragen, en ergens een biertje te kunnen drinken zonder je zorgen te hoeven maken dat daardoor je dekmantel eraan zou gaan.

Begin 2014 verscheen ik op de Deense televisie om mijn verontschuldigingen aan te bieden aan Naser Khader, de gematigde moslimpoliticus tot wiens moord ik ooit had opgeroepen. Nu bevonden we ons beiden in het vizier van Al Qaida, dat hadden de videobeelden uit Syrië wel duidelijk gemaakt. Na het losbarsten van de spotprentcontroverse had Khader opnieuw de toorn van de jihadisten over zich afgeroepen door dapper het recht op vrije meningsuiting van de cartoonisten te verdedigen.

Ik gaf hem een tekening die mijn dochter Sarah op mijn verzoek had gemaakt. Ze had mij afgebeeld terwijl ik hem mijn excuses aanbood. 'Naser, kerel. Ik zat er helemaal naast. Het spijt me! Vergeef me!' stond er in de tekstballon. En eronder had ze geschreven: 'Over vrijheid van meningsuiting kan niet worden onderhandeld. Lang leve democratie.'

Hij omarmde me en zei dat hij me alles vergaf. 'Ik ben zeer geroerd en ik vind dit buitengewoon aardig van je. Ik ga dit thuis ophangen,' zei hij. We hadden beiden tranen in onze ogen, want we hadden al heel wat meegemaakt en misschien dat er nog meer over ons heen zou komen.

Naser vertelde me dat hij al ruim tien jaar eerder door de PET was gewaarschuwd dat ik dreigementen had geuit. Sinds die tijd was hij al heel wat keren met de dood bedreigd. Hij vroeg me mee te doen aan een initiatief om Deense jongelui die zich door het extremisme hadden laten meeslepen te deradicaliseren. Ik nam dat aanbod onmiddellijk aan. Als ik kon meehelpen ook maar één persoon van het moordzuchtige wereldbeeld van Al Qaida te verlossen, zou dat de schaamte die ik nog steeds voelde enigszins wegnemen.

Nadat ik in de openbaarheid was getreden, hadden de Deense, Britse en Amerikaanse inlichtingendiensten een voorspelbare muur van stilte opgetrokken. Nadat ik hun had verteld dat ik alles in de openbaarheid zou brengen, had de PET geprobeerd hun sporen uit te wissen door het als dekmantel fungerende bedrijfje Mola Consult snel op te doeken.[62]

Jakob Scharf, het hoofd van de PET, beperkte zich tot een zorgvuldig verwoorde verklaring.

'Gezien het operationele werk van de PET, kan en zal de PET niet publiekelijk bevestigen dat specifieke personen als inlichtingenbron voor de PET werkzaam zijn geweest [...] maar de PET heeft nooit deelgenomen aan operaties die ten doel hadden burgers te doden en heeft dit soort operaties ook nooit ondersteund. Dus kan worden gesteld dat de PET niet heeft bijgedragen aan de militaire operatie die uiteindelijk heeft geleid tot de dood van al-Awlaki in Jemen.'

Zijn ontkenning bij 'de militaire operatie' betrokken te zijn geweest, was een uiterst precieze formulering. Niemand beschuldigde de Denen ervan dat ze de drones hadden aangestuurd die Awlaki uiteindelijk hadden gedood, maar een van hun medewerkers had tijdens de jacht op de man wél de weg gewezen. En niet om naar zijn gezondheid te informeren.

De onthullingen hadden tot gevolg dat Deense parlementariërs vonden dat er nieuwe toezichtregels voor de PET moesten komen. In januari 2013 had ik een ontmoeting met enkele parlementariërs. Rond diezelfde tijd kondigde het Deense ministerie van Justitie aan dat er een raad van toezicht zou komen die het doen en laten van de Deense inlichtingendiensten moest controleren. De minister van Justitie, Morten Bødskov, een goede vriend van Jakob Scharf, zei dat de nieuwe raad 'voor het juiste evenwicht tussen een effectieve inlichtingendienst en een goede rechtspleging zou zorgen'.

In maart 2013 kreeg mijn relaas steun van een zwaargewicht. Hans Jørgen Bonnichsen, Scharfs voorganger als hoofd van de PET, verklaarde tegenover de Deense televisie dat het beschikbare bewijsmateriaal hem volledig had overtuigd en dat het bureau mij had gebruikt om in het buitenland terroristen op te sporen, zodat ze vervolgens door de Verenigde Staten uit de weg konden worden geruimd. 'Ik heb geen enkele reden om te twijfelen aan het feit dat ze hebben meegewerkt,' zei hij.

Het establishment sloot de gelederen. De twee belangrijkste politieke partijen in Denemarken blokkeerden een parlementaire enquête. Het was waarschijnlijk geen toeval dat juist zij aan de macht waren toen ik voor de PET werkte.[63] Ze dachten blijkbaar dat het verhaal vanzelf zou doodbloeden. Een tijdlang had ik de indruk dat ze gelijk zouden krijgen. De Denen zijn trots op de transparantie van hun democratische instituties, maar ik was al langere tijd van mening dat ze daarbij iets te veel op de staat vertrouwden. Het leek wel of ze zelfgenoegzaam waren geworden.

In de periode dat ik voor de PET werkte, had ik met een instantie te maken waar competente, fatsoenlijke mensen werkten, maar waar ook heel wat lieden zaten die niet in staat waren fatsoenlijk inlichtingenwerk te verrichten. Er liepen veel te veel voormalige politiemensen rond die het grootste deel van hun werkzame leven bij de zedenpolitie of de narcoticabrigade hadden gezeten. Ze leken niet in staat om uit het buitenland afkomstige inlichtingen op de juiste waarde te schatten terwijl ze geen enkel inzicht in het terrorisme hadden. Weer anderen leken het bureau als een soort melkkoe te beschouwen en mij als een gemakkelijke inkomstenbron en een goede reden voor het maken van dure uitstapjes.

Eind 2013 barstte de bom en stonden de Deense kranten vol verhalen over het liederlijke gedrag binnen de PET. Het eerste geval had betrekking op het kerstfeestje voor het personeel, dat een jaar eerder behoorlijk uit de hand was gelopen. Er werd onder andere onthuld dat directeur Scharf, in een zeldzaam gebaar van transparantie, dronken had staan vrijen in een gang die voornamelijk uit glazen wanden had bestaan, zodat iedereen het goed had kunnen zien. Dan was Klang in het kiezen van een locatie voor de tête-à-tête met de maîtresse van Scharf een stuk discreter geweest.

Er volgden nieuwe openbaringen over ruzies binnen de inlichtingendienst en over de dure uitstapjes die Scharf en leidinggevenden naar verre buitenlanden maakten. Volgens interne klachten die naar de media werden gelekt, had Scharf zich tijdens enkele bijeenkomsten in Washington, DC, 'onvoorbereid' en 'onnozel' gedragen, en had hij meer belangstelling gehad voor allerlei uitstapjes, zodat de CIA nog maar nauwelijks vertrouwen in hem had. Insiders binnen de overheid onthulden dat het vertrouwen in hem eigenlijk al was verdwenen nadat ik met mijn verhaal naar buiten was gekomen. De CIA verwachtte van de inlichtingendiensten van hun bondgenoten dat ze hun informanten in toom konden houden.

Uiteindelijk werd bekend dat Scharf ondergeschikten opdracht had gegeven de bewegingen van een Deens parlementslid na te trekken. Het schandaal had tot gevolg dat zowel Scharf als zijn baas, minister van Justitie Morten Bødskov, gedwongen was ontslag te nemen. Al die onthullingen zorgden ervoor dat mijn verhaal weer in de belangstelling kwam te staan. Scharfs voorganger, Bonnichsen, verscherpte zijn kritiek op de PET nog met de verklaring dat mijn onthullingen over de Deense betrokkenheid bij eliminatieplannen in het buitenland zo ernstig waren, dat ze in feite grond vormden voor een strafrechtelijk onderzoek.

Het tij leek te keren. Aan het eind van het jaar kwam de zwaar onder vuur liggende inlichtingendienst onder nog grotere druk te staan toen de *Jyllands-Posten* onthulde dat de PET me na het filmpje met de Syrische doodsbedreiging had geweigerd bescherming te bieden.

'Vindt de inlichtingendienst het gewoon om een voormalige employé die zich – terecht – door de islamisten bedreigd voelt, drie weken op antwoord te laten wachten?' verklaarde de voorzitter van de Deense volkpartij tegenover een krant.

Mijn jihadistische netwerk was zo omvangrijk dat er nauwelijks een maand voorbijging zonder dat er een voormalige kompaan werd gearresteerd of als een rijzende ster binnen een terreurgroep werd geïdentificeerd. Kenneth Sorensen, die in Sanaa tot mijn kringetje had behoord, vond in maart 2013 de dood toen hij in Syrië met jihadisten meevocht, een van het verbijsterende aantal van 2000 Europese militanten die erheen waren getrokken om te vechten. Jihadisten in Syrië plaatsten als een soort in memoriam een martelaarsfilmpje op internet. De beelden toonden een gezicht dat onder het geronnen bloed zat, waarna zijn medestrijders met een bulldozer aarde over zijn naamloze graf schoven.

Dat lot had ook mij beschoren kunnen zijn, want een van mijn handlers bij de PET had me geprobeerd wijs te maken dat Sorensen in 2013 als dubbelagent werkzaam was.

Abu Khattab, de Deense jihadist die had opgeroepen mij te vermoorden, sneuvelde ook bij gevechten in Syrië, evenals mijn voormalige paintballmaatje Shiraz Tariq.

In februari 2014 pleegde Abdul Waheed Majeed, de Brits-Pakistaanse volgeling van al-Muhajiroun en de man die tijdens Omar Bakri's lezingen in Luton zo aandachtig notities had gemaakt, als eerste Brit een zelfmoordaanslag in Syrië. Hij was gerekruteerd door Jabhat al-Nusra, Al Qaida's onderafdeling in Syrië. Op een filmpje dat door deze groepering op internet werd geplaatst, was hij te zien in een wit tuniek en een zwarte islamistische bandana om het hoofd en staat hij naast een zwaar gepantserde truck. De opnamen zijn van vlak voor de aanslag, als hij nog vrolijk met enkele andere strijders staat te praten. Terwijl die 'Allah Akbar!' roepen, zet hij koers naar de centrale gevangenis van Aleppo, waar hij de met explosieven gevulde vrachtwagen in een enorme vuurbal laat ontploffen.

Slechts een klein aantal van mijn jihadistische contacten werd door de maatschappij ter verantwoording geroepen. Clifford Newman, de Amerikaanse bekeerling die 'de Amerikaanse taliban' John Walker Lindh had geholpen Afghanistan te bereiken, zat van 2004 tot 2009 in Dubai in de gevangenis vanwege een poging tot diefstal. Daarna verdween hij in de Verenigde Staten nog eens drie jaar achter de tralies voor het ontvoeren van een kind.

Aminah is, voor zover ik weet, in Jemen gebleven en is nog steeds even toegewijd aan de zaak van haar overleden echtgenoot. Op 18 juli

2012, vlak voordat ik uit het inlichtingenwereldje stapte, kreeg ik nog een laatste vercijferde boodschap van haar.

Ze vertelde me dat ze enkele maanden onder Wuhayshi's bescherming had geleefd, maar omdat de regeringstroepen steeds meer tribale gebieden heroverden, was ze op een gegeven moment naar het dorpje van Awlaki verhuisd en hoopte ze uiteindelijk naar Sanaa terug te kunnen keren.

'Je bent altijd in mijn dua's. Soms moet ik huilen als ik denk aan alles wat je voor mij en mijn lieve Anwar hebt gedaan, moge Allah hem genadig zijn.'

Wat zou ze me nu haten.

Wat Abdul betreft, die keerde uiteindelijk naar Jemen terug en ik kreeg een boodschap van hem waarin hij zijn vorige beschuldigingen herriep als zouden de Amerikanen hebben gewild dat ik naar Zuid-Jemen ging en dat ze van plan zouden zijn geweest me daar te doden.

'De yanks hebben nooit maar dan ook nooit gezegd dat ze jou iets wilden aandoen. Ze hebben nooit gezegd dat ze je zouden doden, de auto was niet voor jou,' schreef hij.

Maar hij hield vol dat de CIA hem had gewaarschuwd dat ik op weg terug naar Jemen was. Als dat waar is, dan was dat een ongelooflijke schending van vertrouwen.

'Ze zeiden: Morten komt eraan, laat alles achter en blijf bij hem, want we denken dat hij iets van plan is.'

De gedachte dat ik ook wel eens een agent zou kunnen zijn, lijkt bij Abdul geen moment te zijn opgekomen.

'Ik wilde niet dat je naar Jemen zou komen en weer naar het zuiden zou gaan om daar nog nauwer bij de dwalenden betrokken te raken, want dan had je op een dag wel eens een doelwit kunnen worden. Ik heb het hele verhaal verzonnen, zodat je niet naar Jemen zou komen en niet in dit ellendige land in de problemen zou raken.'

Abdul zei dat zijn CIA-handlers woedend waren geweest dat hij naar China was gegaan en daar een ontmoeting met mij had gehad. Daarna had hij de band met hen verbroken.

Ik zal nooit weten welke plannen de CIA met mij had. Het is niet ondenkbaar dat iemand binnen de Agency me uit de weg geruimd wilde hebben en dat Abduls laatste boodschap aan mij een wanhopige poging was om zijn en hun sporen uit te wissen. Misschien was Abdul een dwangmatige leugenaar. Misschien waren de Amerikanen oorspronkelijk van plan geweest om ons beiden naar het zuiden van Jemen te laten terugkeren, om daar een missie te volbrengen die wellicht had meegeholpen de AQAP-top te elimineren.

Terugkijkend op de hectische gebeurtenissen van 2011 en 2012 denk ik dat ik voor de CIA niet langer belangrijk was, nog net nuttig genoeg om in m'n eentje voor een laatste missie naar Zuid-Jemen gestuurd te worden, en daar wellicht nog succes te boeken, hoewel zij en de Denen maar al te goed wisten dat ik daarbij enorme risico's liep.

Vaststaat wel zo'n beetje dat een reële kans om Wuhayshi en de andere AQAP-leiders te elimineren teniet werd gedaan door een verkeerde aanpak van die laatste missie. Hoewel ze in de tweede helft van 2012 behoorlijk wat gebied verloor, bleef de groepering een belangrijke bedreiging vormen, ook buiten Jemen.

In september 2012 namen drie AQAP-leden deel aan een terroristische aanslag op de Amerikaanse diplomatieke compound in Benghazi. Tijdens een grote bijeenkomst in het voorjaar van 2014 liet Wuhayshi zijn strijders duidelijk weten dat aanvallen op het Westen prioriteit hadden en loste hij nog een andere belofte in door verschillende strijders te begroeten die recentelijk uit de gevangenis waren bevrijd.

Inlichtingendiensten hadden het vermoeden dat Ibrahim al-Asiri een nieuwe generatie explosieven aan het ontwikkelen was die moeilijker door scanners waren op te sporen. In februari 2014 waarschuwde het Amerikaanse Department of Homeland Security de luchtvaartmaatschappijen nadat uit inlichtingen zou zijn gebleken dat hij bezig was een nieuwe schoenbom te ontwikkelen. Deze Saoedische terrorist werd elk jaar inventiever, terwijl hij leerlingen de fijnere technische kneepjes bijbracht, zodat er nog effectiever terreur kon worden gezaaid. Men maakte zich dusdanig grote zorgen over de steeds stoutmoediger optredende AQAP, dat de Verenigde Staten en Jemen in april 2014 grootschalige luchtaanvallen uitvoerden. Toen de oorspronkelijke Engelstalige versie van dit boek een week later ter perse ging, was nog niet zeker of er sleutelfiguren waren gedood.

De tijdelijke sluiting van Amerikaanse ambassades in de zomer van 2013, van Libië in het westen tot Madagaskar in het zuiden en Bangladesh in het oosten, liet zien welk groot deel van de wereld onveilig voor westerlingen was geworden. De zwarte vlaggen van Al Qaida wapperden in de woestijnen van Mauritanië, vlak bij de Atlantische kust, in de Sinaï, in een groot deel van Syrië, in het westen van Irak en in het zuiden van Somalië. In veel van deze gebieden speelde AQAP een belangrijke rol, was ze er aanwezig of had er contacten. Ze was de primus inter pares van alle Al Qaida-dependances.

Ook Al-Shabaab verplaatste, nadat het formeel met Al Qaida was gelieerd, zijn zwaartepunt van het organiseren van opstanden in Somalië naar het meer 'klassieke' terrorisme. En ik kende enkele van de meest bedreven uitvoerders daarvan.

Op de ochtend van zaterdag 21 september 2013 trokken minstens vier zwaarbewapende, in jeans en T-shirt gestoken terroristen al schietend door het luxueuze Westgate-winkelcentrum in Nairobi. Bij het beleg, dat vier dagen duurde en wel geënt leek op de aanslagen in Mumbai in 2008, kwamen meer dan zestig mannen, vrouwen en kinderen om het leven.

Al-Shabaab beweerde dat de aanslag een represaille was voor het militaire offensief dat Kenia in 2011-'12 in Somalië had geopend, waarbij de groepering uit de havenstad Kismayo werd verdreven, waar de organisatie een groot deel van zijn inkomsten vandaan haalde.

Het vermoedelijke meesterbrein achter deze aanslag was niemand anders dan mijn belangrijkste contactman bij Al-Shabaab, Ikrimah, de langharige, Noors sprekende Keniaan.

In tegenstelling tot de Amerikaanse jihadist Omar Hammami, die een week voor de aanslag op Westgate werd gedood, had Ikrimah

434

de machtstrijd binnen Al-Shabaab overleefd. De Keniaanse inlich-tingendienst vermoedde dat hij vanwege zijn militante contacten in Kenia de belangrijkste planner van aanslagen in dat land was gewor-den.[64] Een van zijn eerdere plannen, die eind 2011 door Keniaanse veiligheidstroepen werd verijdeld, betrof gelijktijdige aanslagen op het Keniaanse parlement, op kantoren van de Verenigde Naties in Nairobi en politici, aanslagen, zo ontdekte de Keniaanse inlichtin-gendienst, die waren geaccordeerd door Al Qaida in Pakistan.[65]

Precies twee weken nadat de terroristen de aanval op de Westgate Mall hadden geopend, landde een team US Navy SEALs, afkomstig van dezelfde eenheid die Osama bin Laden had gedood, met een snel vaartuig op de kust van Somalië. Het was een maanloze nacht. Hun opdracht was Ikrimah te ontvoeren uit de Al-Shabaab-compound ten zuiden van Mogadishu. Maar deze keer mislukte de missie. De Amerikanen werden voortijdig gesignaleerd en Al-Shabaab-strijders kwamen hevig vurend uit hun compound tevoorschijn.

In verschillende verslagen werd gesuggereerd dat Ikrimah door het raam van de compound door enkele SEALs zou zijn gezien, maar dat ze niet bij hem konden komen. De Amerikaanse commando's bleven onder hevig vuur liggen en probeerden een manier te verzinnen om dichter bij hun doelwit te komen, maar al snel ontdekten ze dat er ook vrouwen en kinderen in het complex aanwezig waren (dat zal zeker geen toeval zijn geweest). De missie werd afgebroken.

Ikrimah ontsnapte en werd vervolgens nog gevaarlijker. Hij was nu niet alleen in de gelegenheid om nieuwe terroristische aanslagen in Oost-Afrika te organiseren, feit dat hij een aanval van US Navy SEALs had overleefd, verhoogde bovendien zijn prestige binnen de organi-satie aanzienlijk. In onze berichtenwisseling tussen 2008 en 2012 liet Ikrimah duidelijk merken dat zijn ambities veel verder reikten dan alleen Afrika. Zijn hoofddoel was westerse Al-Shabaab-rekruten zo-danig opleiden dat ze in staat waren aanslagen te plegen in de landen waar ze oorspronkelijk vandaan kwamen. Als hij er uiteindelijk in zou slagen met Wuhayshi contact te leggen, de leider van Al Qaida in Jemen, konden beide mannen hulpbronnen uitwisselen die nodig waren bij het voorbereiden van aanslagen in het Westen en tegen westerse doelwitten elders in de wereld.

Je zou kunnen zeggen dat Ikrimah in zekere zin door de westerse inlichtingendiensten zelf is gecreëerd. De CIA, MI6 en de PET hebben hem geholpen op te klimmen binnen de gelederen van Al-Shabaab, omdat de spullen en contacten die ik hem aanreikte indruk op zijn superieuren maakten. Maar mijn contacten met Ikrimah hadden tot waardevolle resultaten geleid, waaronder de eliminatie van een van de gevaarlijkste Al Qaida-medewerkers in Oost-Afrika, Saleh Ali Nabhan, en het bood ons zicht op de operaties van Al-Shabaab. Ikrimah helpen was de prijs die betaald werd om later sterker uit de strijd tevoorschijn te kunnen komen.

Na de aanslag op Westgate vroeg ik me af of Ikrimah misschien zou zijn gearresteerd of gedood als ik mijn relatie met hem had laten voortbestaan. Als het me was gelukt om in Kenia Storm Bushcraft op te zetten, had ik misschien meer inzicht gehad in zijn positie bij Al-Shabaab en had ik meer af geweten van zijn plannen en misschien zelfs wel van de rekruten die hij trainde. Uiteraard zou het moeilijk zijn geweest, misschien zelfs wel gevaarlijk, om een ontmoeting met hem te organiseren. Halverwege 2012 maakte ik uit Ikrimahs e-mails op dat hij nog maar zelden een voet buiten Somalië zette. Maar het moet mogelijk zijn geweest om hem uitrusting in handen te spelen waarin een volgsysteem was verborgen precies zoals ik voor Nabhan had geregeld.

Volgens mij was het voor de westerse inlichtingendiensten veel gemakkelijker geweest om Ikrimah van het slagveld te elimineren als ze wat meer gebruik hadden gemaakt van het vertrouwen dat hij in mij had. En zelfs als het ons niet zou zijn gelukt om hem via zo'n apparaatje als doelwit te markeren, dan nog was het mogelijk geweest dat hij informatie met me had willen delen en misschien had hij dan wel iets laten doorschemeren over de aanslagen die hij aan het voorbereiden was.

Mijn 'pensionering' betekende ook dat de westerse inlichtingendiensten een stuk moeilijker een vinger konden krijgen achter een van de lastigste uitdagingen die het werk kende: het opsporen van 'lone wolfs' die van plan waren een aanslag te plegen. Die zijn voor organisaties die zich met het contraterrorisme bezighouden nog steeds het moeilijkst te detecteren, omdat ze qua communicatie vaak geen enkel spoor achterlaten. Al Qaida had daar het grote voordeel al van ingezien en had in 2011 een filmpje op internet gezet met als titel *Je bent alleen maar voor jezelf verantwoordelijk*, waarin volgelingen in het Westen werden opgeroepen soloaanslagen te plegen.

De aanslagen tijden de marathon van Boston in april 2013 en de moord op en de poging tot onthoofding van Lee Rigby, een Britse militair, op straat in Woolwich in Zuidoost-Londen, de maand erop, maakten duidelijk dat dit soort aanslagen in de toekomst wel eens veel vaker zou kunnen voorkomen. In beide gevallen werden de aanslagen gepleegd door in het Westen wonende militanten die onafhankelijk handelden van welke groep dan ook. Ik kende hun motivatie en hun weg naar radicalisering, omdat ik diezelfde weg had afgelegd.

Een van de twee moordenaars in Woolwich, Michael Adebolajo, een Britse bekeerling van Nigeriaanse afkomst, was ooit volgeling geweest van mijn voormalige groepering, al-Muhajiroun en ik was hem tijdens een lezing in Luton wel eens tegengekomen.

Dit soort lone wolf-aanslagen is bijna niet te voorkomen, tenzij er iemand in de buurt is die een verandering in het gedrag of optreden signaleert, aan wie op een gegeven moment een vreemde vraag wordt gesteld of die in vertrouwen wordt genomen. Tijdens mijn loopbaan heb ik westerse inlichtingendiensten twee keer op de hoogte gebracht van terroristische complotten die waren opgezet door geradicaliseerde fanatiekelingen die vastberaden waren om in Europa op straat bloedbaden aan te richten, enkel en alleen omdat de samenzweerders me in vertrouwen hadden genomen.

Awlaki's preken en geschriften bleken, zelfs vanuit het hiernamaals, inspiratie geboden te hebben voor de aanslagen in zowel Boston als Woolwich. De aanslagplegers in Boston zetten een snelkookpanbom in elkaar waarvoor ze de handleiding uit het *Inspire*-magazine hadden gehaald.⁶⁶ Awlaki's preken waren onder geradicaliseerde moslims in het Westen na zijn dood alleen maar populairder geworden, want hun boodschap was even eenvoudig als fascinerend: de Verenigde Staten en hun vrienden zijn in oorlog met de islam en Allah gebiedt dat moslims terug moeten vechten met alle middelen waarover ze beschikken.⁶⁷

Het was een boodschap die heel wat mensen had aangesproken die zich gemarginaliseerd, gediscrimineerd en ontworteld voelden – of simpelweg eenzaam.

Na publicatie van het eerste artikel in de *Jyllands-Posten* werd ik door de krant in een plattelandshotel ergens in Engeland ondergebracht, zowel voor mijn eigen veiligheid als om me uit de buurt van concurrerende media te houden. Maar ik vond het toch beter om even bij het plaatselijke politiebureau langs te gaan.

De goed bedoelende brigadier achter de balie dacht dat ik in de war was toen ik hem mijn verhaal vertelde en hem zei dat ik graag beschermd wilde worden.

'Google mijn naam maar eens,' zei ik. 'Morten Storm.'

Een seconde later was de voorpagina van de *Jyllands-Posten* te zien, met daarop een foto van me.

Op een bureau waar men over het algemeen alleen maar met luidruchtige dronkaards te maken had, was ik op slag een nogal ongebruikelijk sujet.

'Een ogenblikje, meneer,' zei de brigadier.

Een uur later arriveerden er twee rechercheurs, die onmiddellijk erkenden dat ze geen flauw idee hadden wat ze met me aan moesten.

'Ik heb nog nooit iemand zoals u ontmoet en dat zal ook niet zo snel meer gebeuren,' zei een van hen met een spottend glimlachje. Dus werd ik aan een hoger echelon overgedragen, aan mijn oude vrienden van mi5.

De volgende dag stapte er een vrouw van middelbare leeftijd met een onopvallend gezicht, getuite lippen en een kort, uiterst praktisch kapsel het politiebureau binnen. Ze werd vergezeld door een man die zich voorstelde als Keith, een lange, vriendelijke man van even in de vijftig. Ik vertelde zo veel van mijn verhaal als maar mogelijk was en zei erbij dat ik het idee had dat de Amerikanen van plan waren geweest me in Jemen te doden. Het tweetal maakte aantekeningen maar zei bijna niets.

Af en toe stak de brigadier zijn hoofd om de hoek van de deur om te kijken of we nog iets wilden drinken. Hij genoot zichtbaar van het 007-circus dat zijn tenten in zijn bureau had opgeslagen.

Geen van beide mi5-mensen zei veel – tot aan het einde van de sessie.

'Je moet goed begrijpen,' zei de vrouw, 'dat we tegenover jou geen enkele verplichting hebben, want je werkt niet meer voor ons. Dat is een probleem tussen jou, de Deense overheid en de Amerikanen. Ik heb geen idee waarom je ons erbij zou willen betrekken.'

Ik moest weer denken aan het telefoongesprek dat ik met mijn mi5-handler Kevin had gevoerd toen ik in april 2010 op het punt had gestaan van het vliegveld van Birmingham te vertrekken: *'Morten, als je nu afreist, moet je wel beseffen dat we elkaar niet meer terug zullen zien.'*

Toch maakte mi5 zich blijkbaar dusdanige zorgen over mogelijke negatieve gevolgen van verdere onthullingen dat ze me uitnodigden voor een vervolggesprek in een nabijgelegen stad. Een omvangrijke en vlot pratende Londenaar die zich Graham noemde, een man die volgens mij tegen zijn pensionering aan zat, kwam de gelederen versterken.

mi5 wilde de hoofdpunten van een mogelijke deal onderzoeken. Toen we in een vergaderzaal neerstreken, hielden op het parkeerterrein van het hotel ettelijke rechercheurs een oogje in het zeil. Deze keer moest ik mijn mobiel inleveren. De naamloze vrouw met de praktische schoenen wilde meer weten over de komende afleveringen van mijn verhaal in de *Jyllands-Posten*. Tot dat moment was er nog maar één artikel verschenen. Als ik de krant zou laten weten dat ze niets meer mochten publiceren en zou afzien van andere interviews, inclusief een optreden in *60 Minutes*, wilde de Britse inlichtingendienst wel overwegen me ergens in het buitenland te installeren, in Canada of Australië bijvoorbeeld. Anders was misschien ook nog een aanstelling bespreekbaar als trainer van informanten die binnen de moslimgemeenschap moesten opereren, of voormalige agenten helpen bij de overgang naar hun pensionering. Ze vroegen me zelfs of ik een verhandeling over beide onderwerpen wilde schrijven.

Maar dan was er nog wel sprake van een proeftijd van zes maanden, waarin ik volkomen van de radar diende te verdwijnen. Ik zou slechts beperkt omgang met mijn kinderen krijgen en MI5 zou me financieel niets verplicht zijn. Ik moest weer aan het lot van de Deense informant denken die Klang had geholpen bij het oprollen van het complot in Vollsmose, maar die vervolgens naar het buitenland had moeten vluchten, waar hem een uiterst ongelukkige ballingschap wachtte.

Er werd gesproken over cosmetische chirurgie en een plaatsje in het getuigenbeschermingsprogramma. Maar mijn uiterlijk laten veranderen, zelfs zodanig dat mijn eigen kinderen me niet meer zouden herkennen, vond ik te ver gaan.

Ik zei ze dat ik over hun voorwaarden zou nadenken, maar ondertussen maakte ik een afspraak met de psycholoog van de veiligheidsdienst die ik vier jaar eerder tijdens de teambuildingsessie in Schotland had ontmoet.

Een paar weken later werd ik uitgenodigd naar een hotel in Manchester te komen. Daar trof ik de psycholoog die ik kende als Luke uit Aviemore. Hij omarmde me en leek oprecht blij me terug te zien. Maar toen ik hem mijn ervaringen vertelde verscheen er al snel een zorgelijke blik op zijn gezicht. Ik had het gevoel dat ik elk moment in huilen kon uitbarsten.

'Denk je dat ik gek ben om te denken dat de Amerikanen me dood willen? Ben ik paranoïde?' vroeg ik.

'Luister,' zei hij. 'Je bevindt je in een erg moeilijke situatie. Angst is heel iets anders dan paranoia, die gebaseerd is op wat had kunnen gebeuren en op wat er nog kan gebeuren. Je zou wel eens de juiste beslissing genomen kunnen hebben door niet naar het zuiden van

Jemen af te reizen. Misschien was je daar inderdaad omgebracht en, ja, dat zou de Amerikanen misschien wel eens geen barst hebben kunnen schelen. En ik begrijp waarom je naar de media bent gelopen. Het is een vorm van zelfbescherming.'

Luke maakte overduidelijk dat ik hulp nodig had. Mijn worsteling om alles wat ik had meegemaakt te verwerken was nog maar net begonnen, zei hij. En hoewel hij er begrip voor kon opbrengen, moest ik onmiddellijk ophouden met cocaïne te gebruiken. Hij benadrukte net iets te overvloedig dat hij onafhankelijk van de veiligheidsdiensten opereerde, maar ik merkte wel dat hij het af en toe over 'wij' had in plaats van 'ik'. En het stond hem duidelijk niet vrij me te begeleiden of me een bepaalde behandeling aan te raden.

Het was een lang en pijnlijk gesprek. Maar ik had in elk geval mijn zegje kunnen doen. Na afloop omarmde hij me opnieuw.

Ik moest nog steeds op het voorstel van MI5 reageren. Ze vonden het al niet leuk dat ik vertrokken was uit een hotel dat zowel de *Jyllands-Posten* als ik zich niet kon veroorloven en naar huis was gegaan. Mijn alomvattende wantrouwen jegens de diensten deed me aarzelen. Ik kon onmogelijk een half jaar onderduiken, zonder werk, inkomen of bescherming, vanwege een miniem kansje weer terug bij de kudde te mogen komen.

Tijdens een laatste bijeenkomst in een saaie vergaderruimte van een of ander hotel vertelde ik Graham dat ik het aanbod van MI5 niet zou accepteren. Er zaten te veel risico's aan vast en ik had nog wat vertrouwenskwesties.

Hij leek teleurgesteld maar was niet verrast. Hij schudde me de hand en pakte me even bij de schouder.

'Oké, ik begrijp het,' zei hij. 'Pas goed op jezelf. Ik denk dat je wel weet hoe je dat het beste kunt aanpakken.'

Toen ik door de winderige, regenachtige straten naar huis liep, begon de ware omvang van de uitdaging tot me door te dringen.

Ik had ervoor gekozen het in m'n eentje te doen. Ik zou geen last meer hebben van valse verwachtingen en ik zou nooit meer misleid worden door valse beloften. Ik kon me vrijelijk uitspreken maar ik zou altijd over mijn schouder moeten kijken. En ik kon naar mijn kinderen kijken met het idee dat ik een kleine bijdrage had geleverd de wereld tot een beter oord te maken.

Mijn zoon Osama besloot mij als onderwerp voor een schoolproject te nemen. Hij scande een foto van mij en schreef een opstel met als titel: 'Mijn vader, de held'. Ik heb het hem uiteraard van de schoolcomputer laten halen, maar ik was wel trots op hem. Plotseling had ik het gevoel dat al die keren betraand afscheid nemen toch nog ergens goed voor waren geweest.

Nu zou ik weer helemaal opnieuw moeten beginnen en moeten zien af te rekenen met mijn demonen. Ik moest me ook zien aan te passen aan een leven zonder de opwinding die hoorde bij het reizen naar gebieden die door terroristen werden beheerst, en ik moest zo veel mogelijk op de achtergrond proberen te blijven, terwijl ik tegelijkertijd een verhaal naar buiten moest brengen waar de mensen die binnen de westerse gemeenschappen voor de veiligheid verantwoordelijk waren lessen uit konden trekken.

Af en toe werpen voorbijgangers me een blik toe, maar ze weten niet welke rol ik heb gespeeld bij het beschermen van hun manier van leven.

Met een licht schouderophalen of het optrekken van een wenkbrauw lees ik in de media de verhalen over mensen die ik heb gekend en de bedreiging die ze vormden, de aanslagen die ze van plan waren uit te voeren (of misschien al ten uitvoer hadden gebracht) en de miljoenen ponden en dollars die worden uitgegeven om deze mensen tegen te houden. Leden van een groepering die ik nog vanuit Luton kende werden in 2013 veroordeeld omdat ze van plan waren met een bom in een op afstand bestuurde speelgoedauto een Britse legerbasis op te blazen, een van de vele voorvallen.

Af en toe, als ik met mijn boodschappen bij de kassa van de supermarkt sta, word ik geconfronteerd met een krantenkop die betrekking heeft op een van mijn voormalige 'broeders' die uiteindelijk toch de Rubicon van alleen praten naar daadwerkelijke terreur is overgestoken. Terwijl ik haastig het artikel scan op zoek naar details, drukt de caissière me wat munten in de hand en zegt ze afwezig: 'Wees voorzichtig.'

Glimlachend verlaat ik de winkel en mompel in mezelf: 'Wees voorzichtig.'

NOTEN

1. Fadia is niet haar echte naam. Voor haar veiligheid en die van haar familie heb ik haar een schuilnaam gegeven.

2. Sjeik Muqbil bin Haadi was een plaatselijke prediker uit de Wadi'a-stam, die twee decennia lang in Saoedi-Arabië had gestudeerd, om vervolgens te worden gearresteerd en het land uit te worden gezet. Hij werd ervan verdacht contact te hebben gehad met de jihadistische groep die in 1979 kort maar op gewelddadige wijze de Grote Moskee in Mekka had bezet. Ondanks zijn voortdurende kritiek op de verhoudingsgewijs seculiere Jemenitische regering van president Ali Abdullah Saleh mocht Muqbil ongehinderd zijn leer blijven verkondigen. Dat kwam deels omdat hij verkondigde dat in opstand komen tegen het gezag alleen maar was toegestaan als dat gezag uit ongelovigen bestond. Muqbil was niet ingegaan op toenaderingspogingen van Osama bin Laden, die in Jemen veel Al Qaida-strijders rekruteerde, hoofdzakelijk arme en ongeletterde jongemannen die gemakkelijk over te halen waren om elders aan de jihad deel te nemen. Hij had aan Muqbil gevraagd of hij voor een toevluchtsoord en wapens voor zijn strijders kon zorgen, maar dat had Muqbil geweigerd, omdat hij bang was dat te veel toenadering van de kant van Bin Laden wel eens onwelkome consequenties tot gevolg zou kunnen hebben. Muqbil schreef polemieken tegen allerlei aspecten van populaire cultuur, zoals televisie, en tegen andere islamitische sekten. Hij beschouwde de gelijkheid van man en vrouw, en democratie, als onislamitisch. En tot de vijanden van de islam behoorden zowel de communisten als Amerika.

3. Sommige Houthies in het noorden van Jemen onderschrijven een vorm van sjiisme die wel wat lijkt op de vorm die in Iran wordt aangehangen. Anderen onderschrijven een Zayditisch sjiisme, een 'revivalistische' beweging die vooral rond Sa'dah aanhangers heeft. Tot de revolutie van 1962 hadden Zayditische imams, die beweerden dat ze direct van de Profeet Mohammed afstamden, het in Noord-Jemen voor het zeggen. Hoewel de geloofsovertuiging van de Zaydieten dichter in de buurt ligt van de soennitische islam dan welke vorm van sjiisme ook, beschouwen soennieten van de harde lijn hen als afvalligen.

4. Al-Zindani zou later door sommigen worden omschreven als de spiritueel leider van Al Qaida in Jemen. In 2004 werd hij door de Verenigde Staten bestempeld als 'wereldwijd terrorist', waarbij werd aangetekend dat hij al lange tijd betrekkingen onderhield met Osama bin Laden. In feite liet hij zich voor niemands karretje spannen. Hij stond niet onsympathiek tegenover Bin Ladens wereldbeeld, maar was wel jaloers op zijn status en vrijheid. Begin jaren negentig bijvoorbeeld had hij geweigerd een plan van Bin Laden te steunen om het Saleh-regime omver te werpen.

5. Bij de bijna gelijktijdig gepleegde aanslagen op 7 augustus 1998 op de Amerikaanse ambassades in Nairobi en Dar es Salaam kwamen ruim tweehonderd personen om, onder wie twaalf Amerikanen.

6. Barbi keerde uiteindelijk naar North Carolina terug. De laatste keer dat ik iets van hem hoorde was rond 2009. Hij was met een Somalische vrouw getrouwd en werkte in een fabriek.

7. Tariq beweerde dat hij connecties had met de Pakistaanse terroristische groepering Lashkar e Taiba, en dat hij verscheidene jongemannen per trein naar Pakistan had gebracht. Hij werd eind 2013 in Syrië gedood toen hij daar meevocht aan de kant van aan Al Qaida gelieerde jihadisten.

8. Karima is een schuilnaam. Ik gebruik haar echte naam niet omdat haar identiteit uit veiligheidsoverwegingen onbekend moet blijven.

9. Tot mijn kringetje behoorde een Marokkaan die Said Mansour heette en die met een Deense vrouw was getrouwd. Hij kwam vaak bij me thuis en bracht het grootste deel van zijn tijd door met het samenstellen van cd's en dvd's met preken en toespraken van Al Qaida-figuren. Hij zou ook in contact hebben gestaan met Omar Abdel Rahman, de blinde Egyptische geestelijke die veroordeeld was vanwege betrokkenheid bij de eerste aanslag op het World Trade Center in 1993. Nadat zijn huis drie keer door de politie was binnengevallen, werd Mansour de eerste persoon in Denemarken die in staat van beschuldiging werd gesteld en werd veroordeeld op basis van nieuwe wetgeving die aansporen tot terrorisme strafbaar maakte. Maar hij kwam in 2009 vrij en verdween ondergronds. Nadat hij weer een tijd gevangengezeten had, werd hij in februari 2014 opnieuw gearresteerd vanwege aansporing tot geweld.

10. Cindy is niet haar echte naam. Ik heb een schuilnaam gebruikt.

11. Omar Bakri kondigde in oktober 2004 aan dat al-Muhajiroun zou worden ontbonden, en verklaarde bij die gelegenheid dat het beslist noodzakelijk was dat de moslims 'samen dienden te gaan als één globale sekte tegen de kruisvaarders en bezetters van het moslimland', maar in feite was de opheffing een truc om het onderzoek naar de organisatie te frustreren. De groep ging gewoon door met zijn activiteiten en doet dat nog steeds. Al-Muhajiroun is al verschillende keren van naam veranderd om te voorkomen dat de organisatie verboden zou worden. Recentelijk was de groep nog actief onder de naam Sharia4UK.

12. Abu Hamza is in 2004 in staat van beschuldiging gesteld voor het aanzetten tot moord op niet-moslims en het aansporen tot raciale haat. Enkele dagen na mijn ontmoeting met Robert zou het proces tegen Hamza beginnen. Nadat hij was veroordeeld en zijn gevangenisstraf had uitgezeten, werd hij in 2012 aan de Verenigde Staten uitgeleverd om daar terecht te staan op beschuldiging van terrorisme.

13. Awlaki beweerde later dat hij in die periode een reis naar Afgha-

nistan had gemaakt om daar aan de jihad deel te nemen, maar vertelde erbij dat hij pogingen om daadwerkelijk strijd te leveren had opgegeven nadat de moedjahedien Kabul hadden 'geopend'. Hoewel er nauwelijks aanwijzingen bestaan dat hij halverwege de jaren negentig al geradicaliseerd was, had Awlaki toen al connecties die ongebruikelijk en niet te verklaren waren. In 1999 begon de FBI een onderzoek naar Awlaki's relaties met een van de mannen in de kring rond Omar Abdel Rahman, de zogenaamde Blinde Sjeik, die in 1993 werd veroordeeld wegens het voorbereiden van een bomaanslag op het World Trade Center in New York, maar dat onderzoek kreeg verder geen vervolg.

14. Handgeschreven notities van speciale agenten, vrijgegeven in 2013 in het kader van de wet op de openbaarheid van bestuur en op internet gezet door Judicial Watch, laten zien dat Awlaki tussen november 2001 en januari 2002 regelmatig werd geschaduwd. Zijn komen en gaan bij zijn huis in de buitenwijk Falls Church werd vastgelegd, net als zijn ritten met zijn witte Dodge Caravan, de tijden waarop hij gebruikmaakte van zijn mobiel en zijn bezoeken aan de moskee en de Islamic Society in Woodlawn, Maryland.

Op 15 november 2001 werd hij gevolgd naar de studio van de National Public Radio in Washington, DC, waar hij deelnam aan een forumgesprek ten behoeve van de radioshow *Talk of the Nation*.

Uit het schaduwen van Awlaki bleek dat hij geen contacten onderhield die de veiligheid van de VS in gevaar zouden kunnen brengen, maar liet wel zien dat hij een nagenoeg dwangmatige behoefte had aan seks. Agenten ontdekten dat Awlaki regelmatig hotels in de buurt binnenging en daar dan over het algemeen hoogstens een uurtje bleef. Vervolgens namen ze contact op met prostituees van wie bekend was dat ze vanuit die hotels opereerden.

Op 9 november had een prostituee een ontmoeting met FBI-agenten in het Loews Hotel in Washington. Ze liet hun aantekeningen zien met betrekking tot een klant die haar vier dagen eerder voor orale seks 400 dollar in contanten had betaald. De naam die ze genoteerd had was Anwar Aulaqi, met een adres in Falls Church. Een andere prostituee, die vanuit het Washington Suites Hotel opereerde, vertelde agenten dat ze op 23 november een klant had gehad die 'groot en mager was, een volle baard had en uiterst voorkomend was. Hij beweerde uit India afkomstig en computertechnicus te zijn', volgens de aantekeningen van de agenten naar aanleiding van het gesprek met de vrouw. Ze herkende Awlaki van een foto die haar werd getoond en zei dat hij 400 dollar had betaald om een uur met haar alleen te mogen zijn.

Uit de documenten kan worden opgemaakt dat Awlaki in de winter van 2001 in een stuk of wat hotels in de omgeving van Washington nog een aantal ontmoetingen met prostituees heeft gehad. Hij betaalde voor diverse gunsten tussen de 220 en 400 dollar. Een prostituee die hem in het Melrose Hotel heeft ontmoet, vertelde agenten dat hij erg veel op Osama bin Laden leek. In totaal heeft de FBI zeven vrouwen ondervraagd over hun ontmoetingen met Awlaki, maar hij is nooit in staat van beschuldiging gesteld.

15. Ali's achternaam is om juridische redenen weggelaten.

16. Een ander lid van de studiekring was Abdullah Mustafa Ayub, een Australische militant wiens vader naar verluidt een leidende positie bekleedde bij de terroristische groep Jamaat al-Islamiyya. Ayubs bekeerde moeder, Rabiah Hutchison, een voormalig surfmeisje dat in Australië de bijnaam 'de moeder van de radicale islam' had, stond nog ongunstiger bekend. Volgens geruchten heeft Osama bin Laden in Afghanistan ooit een relatie met haar gehad.

17. Abu Talha al-Sudani werd verdacht van betrokkenheid bij de bomaanslagen van Al Qaida op de Amerikaanse ambassades in Nairobi en Dar es Salaam in 1998. In 2003 gaf hij opdracht tot het isoleren van een Amerikaanse militaire basis in Djibouti. Hij werd in 2007 in Somalië gedood bij een luchtaanval .

18. Uit documenten verkregen door de groep Judicial Watch in het

kader van de wet op de openbaarheid van bestuur, die in juli 2013 op internet zijn gezet, kan de conclusie worden getrokken dat de belangstelling van de FBI voor Awlaki in de jaren nadat hij de Verenigde Staten had verlaten alleen maar groter is geworden. In een memo met de classificatie 'geheim', afkomstig van het FBI-kantoor in San Diego en gedateerd 1 december 2006, wordt om toestemming gevraagd Awlaki, die op dat moment in de gevangenis zat, te mogen ondervragen.

'Aulaqi heeft de Verenigde Staten begin 2002 verlaten. Sinds die tijd, en sinds hij in september 2001 is ondervraagd, is er belangrijke informatie over Aulaqi boven water gekomen,' stond erin te lezen. 'Momenteel is onbekend of het verhoor een of twee dagen zal duren en of er een leugendetector gebruikt zal worden. Gedetailleerde verzoeken zullen vanuit San Diego worden gedaan zodra de Jemenitische autoriteiten toestemming hebben gegeven Aulaqi te ondervragen,' vervolgt het memo.

In hetzelfde document wordt gewag gemaakt van een FBI-ondervraging van een man met de naam Eyad al-Rababah, die enkele van de 11 september-kapers had geholpen bij het vinden van onderdak in Virginia en bij het verkrijgen van illegale rijbewijzen. Al-Rababah 'verklaarde later dat hij [de 9/11-kapers] Hani Hanjour en Nawaf Alhamzi [sic] had ontmoet in de Dar al-Hijrah-moskee in het bijzijn van Anwar Aulaqi'.

Er waren nog heel wat andere onderwerpen waarover de FBI het met Awlaki wilde hebben, waaronder 'zijn buitenlandse reizen in 2000 en 2001, zijn relatie met personen uit San Diego die bij het internationaal terrorisme betrokken zouden zijn, zijn betrokkenheid bij het in de Verenigde Staten bijeenbrengen van fondsen voor bekende terroristische organisaties, en zijn betrokkenheid bij criminele activiteiten in een poging terroristische organisaties te ondersteunen'.

19. Hij gebruikte niet zijn eigen naam.
20. Saddam al-Hajdib kende het nieuwe, door Al Qaida in Irak benoemde hoofd operaties, een Egyptenaar die Abu Hamza al-

Muhajir heette, die deze post samen met een Irakees bekleedde nadat Abu Musab al-Zarqawi in juni 2006 bij een Amerikaanse aanval om het leven was gekomen. Al-Hajdib had kort daarvoor grote geldbedragen vanuit Irak naar Libanon overgebracht en was bij het passeren van de grens genoodzaakt geweest een Syrische militair te doden.

21. Youssef al-Hajdib, die werd opgepakt toen hij probeerde uit Denemarken te ontsnappen, werd tot levenslang veroordeeld zonder de mogelijkheid tot voorwaardelijke vrijlating, een straf waar hij in het gerechtshof op reageerde door beide middelvingers op te steken.

22. Een van de Deense agenten vertelde me later dat de operatie tot arrestaties had geleid.

23. Tot de andere gasten behoorden een jonge zwarte Zuid-Afrikaan en een negentienjarige Somaliër die Issa Hussein Barre heette. Laatstgenoemde zou korte tijd later van mijn relatie met Warsame gebruikmaken om deel te nemen aan de strijd in Somalië. De gewoonlijk vrij voorzichtige MI5 keurde zelfs betalingen in contanten aan hem goed, geld voor zijn bruiloft, zodat ik mijn relatie met hem kon gebruiken om informatie los te krijgen. Helaas vond hij de dood toen hij voor Al-Shabaab vocht, een jonge echtgenoot geofferd aan een zaak die steeds onmenselijker werd.

24. Misschien ging het niet alleen om de smaak. Osama bin Laden bezat winkels waar de allerbeste Jemenitische honing werd verkocht, en gebruikte de opbrengst daarvan om Al Qaida te financieren.

25. Avdič werd in 2005 gearresteerd in verband met terreurplannen die in Bosnië werden ontdekt. Een jury bepaalde dat er voldoende bewijs was om hem te veroordelen, maar een paar dagen later werd hij vrijgesproken door een uit drie personen bestaande jury die het daarmee niet eens was.

26. De Deense krant in kwestie was de *Jyllands-Posten*, die in september 2005 de controversiële spotprenten van de Profeet Mohammed publiceerde.

27. Tot de enthousiaste consumenten van Awlaki's video's behoorden onder anderen 'Toronto 18', die in 2006 van plan was in Canada aanslagen te plegen, en de Britse Al Qaida-cel die in hetzelfde jaar trans-Atlantische vliegtuigen wilde opblazen. Ook enkele samenzweerders die in 2007 van plan waren om aanslagen te plegen op de militaire basis Fort Dix, New Jersey, luisterden graag naar de preken van de geestelijke.

28. Een kopie van deze beelden heb ik altijd bewaard, alsmede tientallen foto's die tijdens deze reis zijn gemaakt.

29. Ik beschik nog over de kwitanties voor de overboekingen naar Warsame: 100 dollar in maart 2008, 200 dollar in juli 2008, 138 dollar in januari 2009 en 500 dollar in januari 2010.

30. Al-Muhajir is het Arabische woord voor 'buitenlander'. Zijn echte naam was Mohamed Abdikadir Mohamed.

31. Later werden Klang, Trailer en Soren tijdens een plechtigheid in Washington, DC, geëerd voor hun rol in de missie die leidde tot de succesvolle uitschakeling van Nabhan. Klang vertelde me dat ze van de Amerikanen een gouden munt hadden gekregen. Hij zei dat de US Navy SEALS hun doelwit inderdaad dankzij de apparatuur hadden kunnen vinden. Ik heb voor mijn hulp bij het opsporen van Nabhan niet om beloning gevraagd en die is mij ook niet aangeboden.

32. Awlaki herhaalde zijn zorg over de techniek met de concept-e-mails nog eens in een vercijferde boodschap aan mij, verstuurd in februari 2010: 'Ik heb van enkele broeders gehoord dat het systeem met de concepten niet helemaal veilig is omdat de vijand weet dat de broeders er gebruik van maken.' In dezelfde e-mail vertelde hij me ook dat hij zelf geen e-mails meer opende. Hij was waarschijnlijk overgestapt op een koerier, die zijn e-mails voor hem opende en verzond.

33. Ik ontmoette Mears later tijdens een door hem gegeven cursus ergens binnen de poolcirkel waarvoor ik me had opgegeven. Hij heeft nooit iets van mijn inlichtingenwerk af geweten.

34. Volgens een verklaring van de Jemenitische ambassade in Washing-

ton zou Awlaki 'vermoedelijk' aanwezig zijn geweest op de plaats van de Al Qaida-bijeenkomst ten zuiden van de hoofdstad Sanaa.

35. Explosievendeskundigen kwamen later met de theorie dat de bom niet was afgegaan omdat Abdulmutallabs transpiratie de hoofdlading had gedesensibiliseerd: het gevolg van het feit dat hij het explosieve ondergoed al drie weken lang droeg, tijdens de hele reis van Jemen dwars door Afrika naar Nigeria. Maar iedereen was het erover eens dat hij angstwekkend dicht in de buurt was gekomen van het neerhalen van een Amerikaans verkeersvliegtuig boven een belangrijke stad.

36. Binnen enkele weken ondernamen advocaten van het Amerikaanse ministerie van Justitie een ongekende stap en schreven ze een kort memorandum waarin het doelbewust elimineren van een Amerikaans staatsburger in het buitenland werd gerechtvaardigd.

37. Op 29 januari stuurde Awlaki me de volgende vervolg-e-mail: 'Een paar dagen [voordat] sjeik Abdullah [Mehdar] stierf (tussen haakjes, hij was het stamhoofd) sprak ik met hem over jou en hadden we het nog over jouw verblijf daar. Hij was een dappere en oprechte broeder. Een paar weken voor zijn dood heb ik hem nog aangeraden om, mochten er regeringstroepen aanvallen, zich in de bergen terug te trekken. Dat weigerde hij en hij vertelde me dat hij zich in dat geval zou doodvechten, maar nooit zou terugtrekken, en dat is dan ook gebeurd. Alhamdulillah, met zijn familie gaat het goed.'

38. Enkele weken later maakte AQAP een korte video openbaar waarin werd beweerd dat de aanval op Mehdars compound een gezamenlijke Amerikaans-Jemenitische operatie was geweest. Amerikaanse functionarissen hebben nooit in het openbaar erkend dat bij de operatie Amerikaanse special forces betrokken zijn geweest.

39. Storm Bushcraft was niet alleen een dekmantel voor mijn reizen naar het buitenland. In oktober 2009 hielp MI5 me bij het inschrijven van een bedrijf dat 'HelpHandtoHand' heette, dat we om-

schreven als een non-gouvermentele organisatie die hulp leverde aan de armen in Afrika en het Midden-Oosten. Ik opende zelfs een Twitter-account om voor deze nieuwe onderneming reclame te maken, maar ik was al snel genoodzaakt er een einde aan te maken toen MI5 in april 2010 haar banden met mij verbrak.

40. De PET maakte zich ook zorgen over de invloed van Abu Musab al-Somali, een Somalische vluchteling die ik nog kende uit mijn radicale tijd, en die naar Somalië was teruggekeerd. Uit onderschepte telefoongesprekken was gebleken dat een aantal Somalische extremisten in Denemarken contact met hem had. Al-Somali was als jonge asielzoeker naar Denemarken gekomen en was daarna naar Jemen verhuisd en was daar in 2006 gearresteerd, samen met nog een aantal leden uit mijn kring in Sanaa, voor zijn aandeel in een plan om vanuit Jemen wapens naar militanten in Somalië te smokkelen. Maar hij was slechts tot twee jaar gevangenisstraf veroordeeld en na zijn vrijlating was hij de Golf van Aden overgestoken naar Somalië. De Deense inlichtingendienst maakte zich nu zorgen dat hij wellicht aanslagen in Denemarken zou kunnen beramen.

41. De mannen reisden op 28 december naar Denemarken en werden de volgende dag gearresteerd. Mounir Dhahri was de Tunesische leider van de cel. Een ander lid ervan, Munir Awad, een Zweed van Libanese komaf, wiens lange, uitstekend verzorgde krullen tot op de schouders vielen, had in Somalië bij de Unie van Islamitische Rechtbanken gevochten.

Westerse inlichtingendiensten dachten dat het plan deel uitmaakte van een grotere samenzwering van Al Qaida om over heel Europa verspreid aanslagen te plegen op de manier die eerder in Mumbai was toegepast, waardoor het Amerikaanse ministerie van Buitenlandse Zaken zich in oktober genoodzaakt zag om Amerikanen in Europa ernstig te waarschuwen.

42. Later onthulden de Britse autoriteiten dat een van de springladingen zodanig was afgesteld dat hij boven de Amerikaanse Oostkust tot ontploffing zou komen.

43. In de jaren daarna zou de handleiding nog vele malen worden gedownload door militanten aan beide kanten van de Atlantische Oceaan en worden gebruikt voor diverse terroristische acties, inclusief de aanslag tijdens de marathon van Boston.

44. Op een gegeven moment werd hij naar een rechtbank in New York overgebracht, waar hij schuld erkende op negen aanklachten wegens terrorisme, waaronder het deelnemen aan een samenzwering en het leveren van materiaal aan Al-Shabaab en AQAP.

45. Hoewel ik dat toen niet wist, was Awlaki op dat moment bezig een islamitische rechtvaardiging voor chemische en biologische aanvallen op de Verenigde Staten en andere westerse landen op te stellen. 'Het gebruik van giftige stoffen en chemische en biologische wapens tegen bevolkingscentra is toegestaan en wordt krachtig aanbevolen, omdat het voor de vijand grote gevolgen heeft,' schreef de geestelijke in een artikel dat later dat jaar in het *Inspire*-magazine verscheen.

46. Ik ben in het bezit van een geluidsopname, die ik aan Paul Cruickshank en Tim Lister ter beschikking heb gesteld, van een telefoongesprek waarin mijn contact de details van de overdracht bevestigt.

47. Er bestond een recent precedent voor zo'n operatie. De CIA heeft Osama bin Laden weten te lokaliseren via zijn meest vertrouwde boodschapper, Abu Ahmed al-Kuwaiti. Deze koerier was het enige contact tussen de leider van Al Qaida en zijn belangrijkste ondergeschikten. Bin Ladens manier van werken kwam sterk overeen met die van Awlaki: hij stelde op de computer boodschappen samen, zette die op een USB-stick en gaf die dan aan een koerier mee.

48. Fragmenten van dit gesprek met de Deense agenten zijn de woordelijke weergave van de door mij gemaakte opname.

49. Fragmenten van dit gesprek met Michael zijn de woordelijke weergave van de door mij gemaakte opname.

50. AQAP had voorgesteld de studenten in Dammaaj te oefenen in het gebruik van wapens, zodat ze in het omringende gebied tegen

de Houthies, een sjiitische revitalisatiebeweging, konden worden ingezet. De Houthies hadden van de politieke onrust gebruikgemaakt om in het noorden van Jemen gebied in te nemen. Ook dat was een van de oorzaken dat Jemen, ondanks zijn ongelooflijke armoede en het nagenoeg ontbreken van olievoorraden, voor het hele gebied rond de Arabische Golf van groot belang was. In 2009 stuurde Saoedi-Arabië troepen de grens over om de Houthies aan te pakken, omdat het zich zorgen maakte over zijn eigen veiligheid en vanwege (tot nu toe nog niet bewezen) vermoedens dat de Houthies werden gesteund door Iran.

51. Ikrimah had me recentelijk gemaild met de vaag of ik bij Wuhayshi een lange brief wilde afleveren, afkomstig van een islamitische leraar die de AQAP-leider vele jaren eerder in Afghanistan les had gegeven. De leraar was kort daarvoor in Somalië om het leven gekomen.

52. Nadat Hartaba eind 2001 uit Afghanistan was gevlucht, werd hij in Jordanië gearresteerd. Hij werd aan Jemen uitgeleverd, maar ontsnapte daar in 2006 samen met Wuhayshi en andere Al Qaida-leden uit de gevangenis.

53. Hartaba zei ook dat Awlaki kapot was toen hij hoorde dat Bin Laden was gedood. Hartaba had geprobeerd hem met practical jokes een beetje op te beuren.

54. Al-Asiri was vooral gevaarlijk vanwege zijn uitgebreide scheikundige kennis, die hij had opgedaan tijdens zijn studie aan de Koning Saoed-universiteit in Riyad en die hij nu doorgaf aan leerling-bommenmakers. Zoals honderden andere jonge Saoedi's was hij vastbesloten in Irak tegen de Amerikaanse bezetting te vechten. Hij werd door Saoedische veiligheidstroepen gearresteerd toen hij probeerde de grens naar Irak over te steken, maar werd na een korte periode in de gevangenis, waar hij nog verder radicaliseerde, vrijgelaten. Nadat zijn militante cel in Riyad door Saoedische veiligheidstroepen was ontmanteld, vluchtten al-Asiri en zijn broer naar Jemen.

55. Later dat jaar werd in de tribale gebieden een Jemenitische

vrouw onthoofd die door de strijders van hekserij werd beschuldigd, waarna ze met haar hoofd door de straten trokken. Haar misdaad bestond eruit dat ze genezeres was en gebruikmaakte van natuurlijke kruiden. Eind 2012 rapporteerde Amnesty International over de vreselijke mensenrechtenschendingen waaraan de groepering in Jaar zich tegenover bewoners die zich volgens hen niet aan de 'islamitische wetten' hielden schuldig hadden gemaakt, zoals standrechtelijke executies, het afhakken van ledematen en het toedienen van zweepslagen.

56. Jehad Serwan Mostafa zou wel eens een rol gespeeld kunnen hebben bij het samengaan van Al Qaida en Al-Shabaab in februari 2012. In oktober 2011 was hij te zien in een Al-Shabaab-video waarin hij beweerde dat hij door Zawahiri als vertegenwoordiger naar Somalië was gestuurd om daar voedsel te distribueren voor slachtoffers van de hongersnood. Het is zeer waarschijnlijk dat hij tijdens de besprekingen die aan de nauwe samenwerking voorafgingen als koerier tussen de top van de twee organisaties heeft gefungeerd.

57. In juli 2014 was Lewthwaite nog steeds op de vlucht.

58. Ikrimah voegde eraan toe dat de financiële situatie steeds moeilijker was geworden nadat in Kenia het Hawala-transfersysteem steeds intensiever door inlichtingendiensten in de gaten werd gehouden. Dit informele banksysteem werd door jihadisten gebruikt om geld naar de medestanders in Somalië over te maken.

59. Ikrimah vroeg me of hij zijn vrouw en kinderen naar Dammaaj in Jemen of naar een soortgelijk religieus instituut kon sturen. 'Ik denk aan de toekomst van de kinderen, ik wil dat ze een fatsoenlijke islamitische opleiding krijgen [...] er kan te allen tijde iets gebeuren,' schreef hij in maart 2012 in een e-mail.

60. Scharf zou tijdens zijn ambtsperiode als hoofd van de PET nog in diverse schandalen verwikkeld raken. Maar rond die tijd bekleedde hij die functie een kleine vijf jaar en was hij binnen het Deense establishment een machtige figuur met veel connecties. Voordat hij benoemd werd tot directeur-generaal van de inlich-

tingendienst was hij plaatsvervangend hoofd van de nationale Deense politie geweest.

61. De man had de groep begin 2012 geïnfiltreerd, nadat hij het jaar ervoor door de Saoedische contraterrorismedienst was gerekruteerd. Voordat hij overliep had hij lange tijd in het Verenigd Koninkrijk gewoond, waar hij in radicale kringen had vertoefd, net als ik. Zijn achtergrond had hem geloofwaardigheid gegeven, terwijl hij dankzij zijn Britse paspoort zonder visum naar de Verenigde Staten kon reizen.

62. Volgens het centraal register van de Deense Kamer van Koophandel is Mola Consult op 31 augustus 2012 ontbonden.

63. Op 3 oktober 2011, drie dagen nadat Awlaki bij een aanval met een onbemand vliegtuigje werd gedood, volgde Helle Thorning-Schmidt, van de Sociaal-Democratische Partij, Lars Løke Rasmussen van de Venstre-partij op als eerste minister. Laatstgenoemde was eerste minister van 2009 tot 2011. Daarvoor werd deze functie bekleed door Anders Fogh Rasmussen van de Venstre-partij.

64. Ikrimah was in Kenia bezig een netwerk op te zetten dat aanslagen moest voorbereiden. Volgens een Keniaans overheidsrapport uit 2013 had hij in juli 2013 een medewerker gestuurd 'om jongeren te trainen, voorbereidingen te treffen voor een grootschalige aanslag en om op instructies te wachten'.

65. Voordat de Keniaanse politie eind 2011 arrestaties verrichtte, hadden de samenzweerders al mensen getraind die de aanslag moesten uitvoeren, waren er in Nairobi en Mombasssa onderduikadressen geregeld, waren er vanuit Somalië explosieven aangevoerd en was men al begonnen met het assembleren van de bommen. De 'Witte Weduwe', Samantha Lewthwaite, zou bij deze cel horen, maar het lukte haar zich in Mombassa aan arrestatie te onttrekken. Het groene licht voor het complot, dat van Al Qaida in Pakistan moest komen, zou Ikrimah wel eens gekregen kunnen hebben van onze wederzijdse Amerikaanse vriend, Jehad Serwan Mostafa, tenminste, als hij inderdaad een paar maanden eerder in Pakistan Zawahiri heeft ontmoet.

66. De handleiding, met als titel 'Hoe een bom te maken in de keuken van je moeder', stond in de eerste aflevering van *Inspire*-magazine, uitgekomen in juni 2010, en aangetroffen op de computer van een van de aanslagplegers in Boston.
67. De dood van Awlaki inspireerde eind 2011 een New Yorkse extremist, Jose Pimentel, tot het plannen van een bomaanslag die bedoeld was om de dood van de geestelijke te wreken.

DRAMATIS PERSONAE

Bødskov, Morten	Deense minister van Justitie van 2011 tot 2013.
Bonnichsen, Hans Jørgen	Voormalig directeur van de Deense inlichtingendienst PET.
Butt, G.M.	Brits-Pakistaanse kioskeigenaar in Milton Keynes.
Cindy	Mijn vriendin in Luton.
Cowern, Toby	Reservist bij het Engelse Korps Mariniers die ik in dienst nam om het bedrijfje te runnen dat als mijn dekmantel fungeerde.
Fadia	Mijn Jemenitische echtgenote; een pseudoniem.
Hadi, Abd Rabbu Mansour	President van Jemen sinds 2012.
Hulstrøm, Mark	Mijn bokscoach en smokkelbaas in Korsør.
Karima	Mijn Marokkaanse vrouw; een pseudoniem.
Khader, Naser	Deense moslimpoliticus.
Lisbeth	Mijn moeder.
Mears, Ray	Bekende Britse outdoor/survivalinstructeur.
Nagieb	Documentairemaker die in 2006 met me mee naar Jemen is geweest.
Osama	Mijn zoon.

Mark Hulstrøm.

Enkele maanden na de dood van zijn vader kwam Awlaki's zoon om bij een aanval met een drone.

Onderhandelingen met de Masai in Shompole, Kenia.

Toby Cowern in het noorden
van Zweden, maart 2010.

Hier bied ik Naser Khader
op tv mijn excuses aan.

PET-directeur Jakob Scharf
(Danmarks Radio).

Rosenvold, Michael	Leider van de Bandidos in Denemarken.
Sage	Aminahs verloofde.
Saleh, Ali Abdullah	President van Jemen van 1990 tot 2012.
Samar	Mijn christelijke Palestijnse vriendin in Korsør.
Sarah	Mijn dochter.
Scharf, Jakob	Directeur van de Deense inlichtingendienst PET van 2007 tot 2012.
Stevens, Cat	Britse zanger die tegenwoordig bekend is onder de naam Yusuf Islam.
Suleiman	Moslimvriend die ik in 1997 in Denemarken in de gevangenis ontmoette.
Tony	Hoofdportier in de Shades-nachtclub in Leighton Buzzard.
Vibeke	Mijn eerste vaste vriendin.
Westergaard, Kurt	Deense cartoonist die in 2005 verantwoordelijk was voor een controversiële afbeelding van de Profeet Mohammed.
Ymit	Turkse jeugdvriend in Korsør.

Militanten en islamisten

Abab, sjeik Adil al-	Jemenitische geestelijke die de religieuze leidsman van AQAP werd.
Abdaly, Taimour	Iemand die ik in Luton kende en
Abdulwahab al-	die in 2010 in Stockholm een zelfmoordaanslag pleegde.
Abdelghani	Islamist die ik uit Denemarken kende en die me een uitnodiging van de Unie van Islamitische Rechtbanken stuurde.

Abdul	Jemenitische vriend die als koerier voor Al Qaida werkte.
Abdulmutallab, Umar Farouk	Nigeriaanse pleger van de 'onder goedaanslag' aan boord van Northwest vlucht 253 boven Detroit.
Abu Bilal	Zweeds-Ghanese kamergenoot in Dammaaj.
Abu Hamza	Radicale Marokkaanse prediker in Aarhus.
Adebolajo, Michael	Brits-Nigeriaans radicaal die in 2013 in Londen een Britse militair doodde.
Ahmed, Zohaib	Britse extremist die veroordeeld is voor het voorbereiden van een aanslag op de EDL (English Defence League) in 2012.
Ali	Deense bekeerling en medelid van Awlaki's studiekring in Sanaa.
Aminah	Kroatische bekeerlinge die met Awlaki wilde trouwen. Echte naam: Irena Horak.
Andersen, Abdallah	Deense bekeerling uit Odense. In 2006 veroordeeld wegens het voorbereiden van een terroristische aanslag.
Arab, Abu	Deens-Palestijnse extremist die ik in Libanon heb ontmoet. Echte naam: Ali al-Hajdib.
Asiri, Abdullah al-	Broer van Ibrahim al-Asiri bij wie in het rectum een bom was ingebracht.
Asiri, Ibrahim al-	Belangrijkste bommenmaker van AQAP.
Avdic, Adnan	Bosnische extremist. Vriend in Denemarken die werd vrijgesproken van het voorbereiden van terroristische acties.

Awlaki, Abdulrahman al-	Zoon van Awlaki.
Awlaki, Anwar al-	Amerikaans-Jemenitische terroristische geestelijke.
Awlaki, Omar al-	Broer van Awlaki.
Bakri, Mohammed, Omar	Syrische stichter van de Britse extremistische groepering al-Muhajiroun.
Balawi, Humam al-	Jordaanse 'driedubbelagent', verantwoordelijk voor zelfmoordaanslag op CIA-personeel in Afghanistan.
Barbi, Rashid	Veteraan van het Amerikaanse leger die met mij naar Dammaaj reisde.
Bin Laden, Osama	Stichter van Al Qaida en leider tot 2011.
Choudary, Anjem	Plaatsvervanger van de stichter van al-Muhajiroun, Omar Bakri Mohammed.
Geele, Mohammed	Somaliër die is veroordeeld vanwege een aanslag met een bijl op de Deense cartoonist Kurt Westergaard in 2010.
Godane, Ahmed Abdi	De leider van Al-Shabaab. Alias: Muktar al-Zubayr.
Hajdib, Saddam al-	Broer van Abu Arab en belangrijk lid van de Libanese terroristische groepering Fatah al-Islam.
Hajdib, Youssef al-	Broer van Abu Arab, veroordeeld wegens het voorbereiden van een aanslag op een Duitse trein in 2006.
Hajuri, sjeik Yahya al-	Een leraar in Dammaaj.
Hammami, Omar	Amerikaans lid van Al-Shabaab uit Alabama. Alias: Abu Mansoor al-Amriki.
Hartaba	Awlaki's chauffeur en voormalige lijfwacht van Bin Laden.
Hasan, Nidal	Majoor van het Amerikaanse leger die verantwoordelijk is voor de schietpartij in 2009 in Fort Hood, Texas.

Hazmi, Mohammed al-	Geestelijke van de Moslimbroederschap in Sanaa.
Hazmi, sjeik al-	Geestelijke met banden met AQAP die ik in 2001 in Sanaa heb ontmoet, neef van Mohammed al-Hazmi.
Hussain, Anzal	Britse extremist die veroordeeld is voor het voorbereiden van een aanslag op de EDL (English Defence League) in 2012.
Ibrahim	Radicale Algerijn in Aarhus.
Ikrimah	Somalisch-Keniaanse Al-Shabaab-medewerker die ik in Nairobi heb ontmoet. Echte naam: Mohamed Abdikadir Mohamed.
Ja'far Umar Thalib	Oud-student uit Dammaaj en leider van de Indonesische terroristische groepering Laskar Jihad.
Jimmy	Eigenaar van een sportschool in Birmingham die populair was bij extremisten.
Khan, Samir	Amerikaanse redacteur van AQAP's *Inspire*-magazine.
Khurshid, Hammad	In Denemarken geboren Pakistaan die veroordeeld is omdat hij in 2007 in Denemarken een aanslag had willen plegen.
Lewthwaite, Samantha	Zogenoemde 'Witte Weduwe' van een van de mannen die op 7 juli 2005 in Londen een aanslag hebben gepleegd. Op de vlucht in Oost-Afrika.
Majeed, Abdul Waheed	Volgeling van Omar Bakri die in Syrië als eerste Brit een zelfmoordaanslag pleegde.
Masri, Hussein al-	Medewerker van de Egyptische

	Islamitische Jihad die ik in Sanaa heb ontmoet.
Mehdar, Abullah	Jemenitische tribale leider uit de kring rond Anwar al-Awlaki.
Menni, Nasserdine	Algerijnse vriend uit Luton, veroordeeld wegens het inzamelen van fondsen ten behoeve van de pleger van de aanslag in Stockholm, Taimour Abdulwahab al-Abdaly.
Misri, Abdullah	Jemeniet die de financiën en wapens voor AQAP regelde.
Mostafa, Jehad Serwan	Amerikaans lid van de studiekring van Awlaki in Jemen die later een belangrijke uitvoerder van Al-Shabaab werd.
Moussaoui, Zacarias	Fransman van Marokkaanse afkomst die ik in Londen heb ontmoet en die later de 'twintigste kaper' van 11 september 2001 zou worden.
Mujeeb	Jemenitische islamist die bemiddelde tussen de salafisten en AQAP.
Mukhtar	Franse moslimvriend en huisgenoot van Zacarias Moussaoui in Brixton.
Muqbil, sjeik	Salafistische stichter van het Dammaaj-instituut.
Nabhan, Saleh Ali	Keniaanse Al Qaida-medewerker die verantwoordelijk was voor de aanslagen op de Amerikaanse ambassades in Oost-Afrika in 1998.
Newman, Clifford Allen	Amerikaanse bekeerling die ik samen met zijn zoon Abdullah in Dammaaj heb ontmoet. Alias: Amin.
Ramadan, Mustapha Darwich	Medegevangene in Denemarken die heeft deelgenomen aan de onthoofding van Nick Berg.

Raymi, Qasim al-	Op één na belangrijkste man van AQAP in Jemen.
Reid, Richard	Zogenoemde 'schoenbomman', die in december 2001 een aanslag wilde plegen in een vliegtuig dat van Parijs naar Miami op weg was.
Saheer	Brit van Pakistaanse afkomst uit Birmingham. Voormalige bajesklant die aanslag wilde plegen op Deense krant.
Salim	Brit van Pakistaanse afkomst en volgeling van al-Muhajiroun. Zijn vader was eigenaar van een taxibedrijf waar ik in Birmingham voor werkte.
Samulski, Marek	Australisch-Pools medelid van Awlaki's studiekring in Sanaa.
Somali, Abu Musab al-	Somalische terrorist die ik nog uit Denemarken kende.
Sorensen, Kenneth	Tot de islam bekeerde Deen die in 2006 in Sanaa bij me verbleef.
Sudani, Abu Talha al-	Belangrijke Soedanese medewerker van Al Qaida in Oost-Afrika.
Tabbakh, Hassan	Syrische vluchteling die is veroordeeld voor het beramen van een aanslag in het Verenigd Koninkrijk in 2007.
Tariq, Shiraz	Pakistaanse vriend uit de extremistische kring in Odense.
Tayyib, Mahmud al-	Saoediër die ik in de moskee bij Regent's Park heb ontmoet en die me heeft aangeraden in Dammaaj te gaan studeren.
Tokhi, Abdelghani	Deens staatsburger van Afghaanse afkomst en veroordeeld wegens zijn

	aandeel van de geplande aanslag van 2007.
Uddin, Jewel	Brits-Pakistaanse extremist die veroordeeld is voor het voorbereiden van een aanslag op de EDL (English Defence League) in 2012.
Uqla, sjeik Humud bin	Saoedische geestelijke die een fatwa heeft uitgevaardigd ter ondersteuning van de aanslagen van 11 september 2001.
Usman, Mohammed	Brit van Pakistaanse afkomst die ik in september 2009 ontmoette in het vliegtuig naar Jemen.
Warsame, Ahmed Abdulkadir	Somalische vriend die een belangrijk medewerker van Al-Shabaab is geworden.
Wuhayshi, Nasir al-	Leider van AQAP en voormalige naaste medewerker van Bin Laden.
Zaher, Mohammad	Palestijn uit Odense, veroordeeld wegens het voorbereiden van een aanslag in 2006.
Zarqawi, Abu Musab al-	Jordaanse stichter van Al Qaida in Irak.
Zawahiri, Ayman al-	Leider van Al Qaida sinds 2011.
Zindani, Abdul Majid al-	Hoofd van de Moslimbroederschap in Jemen en stichter van de al-Imam-universiteit.

RADICALEN UIT HET WESTEN

Mohammad Zaher
(Danmarks Radio).

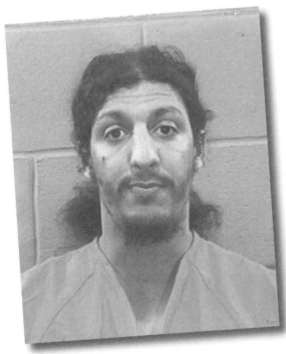

Richard Reid, mijn voormalige
vriend uit Brixton en de
zogenoemde 'schoenbomman'.

Anzal Hussain
(politiefolder).

Abdallah Andersen
(BT.DK).

De Deense militant Abu
Khattab (midden) laat in
2013 weten dat ik voor mijn
leven moet vrezen.

Mohammed al-Hazmi.

Adil al-Abab.

Abdul Majid al-Zindani.

Ibrahim al-Asiri,
de belangrijkste
bommenmaker van AQAP.

Jehad Serwan Mostafa
(*The Guardian*).

Mijn contactmensen bij de diverse inlichtingendiensten

Alex	Hoge Amerikaanse inlichtingenman die toezicht hield bij de Aminah-missie.
Amanda	De CIA-agente Elizabeth Hanson, die me rekruteerde voor de CIA.
Anders	Inlichtingenanalist van de PET, gespecialiseerd in islamistisch extremisme en terrorisme.
Andy	Mijn senior handler bij MI5. Voormalige politieman.
Boeddha	Een van de twee PET-agenten die me hebben gerekruteerd.
Daniel	Wapeninstructeur in Denemarken.
Emma	Mijn tweede MI6-handler.
Frank	Wapeninstructeur in Denemarken.
George	Bureauchef van de CIA in Kopenhagen.
Graham	MI5-medewerker die ik ontmoette in 2012.
Jed	Mijn belangrijkste CIA-handler.
Jesper	Handler van de Deense inlichtingendienst die in 2010 bij het team kwam. Was daarvoor bij het fraudeteam werkzaam.
Joshua	CIA-agent die ik in 2007 tegelijkertijd met Amanda heb ontmoet.
Kevin	MI5-handler die aan Andy moest rapporteren.
Klang	Mijn belangrijkste PET-handler en de man die me als agent rekruteerde. Aanvankelijk stelde hij zich als Martin Jensen voor.

Luke	Psycholoog die voor MI5 werkt.
Matt	Mijn eerste MI6-handler.
Michael	CIA-beambte die ik na de dood van Awlaki in Denemarken heb ontmoet.
Rob	SAS-trainer op een oefenterrein van MI6 in de buurt van Loch Ness.
Robert	MI5-functionaris die me vlak voor de aanslagen in Luton heeeft benaderd.
Soren	Teamleider van de PET-agenten die mij aanstuurden.
Steve	Instructeur in het trainingscomplex van MI6 in Fort Monckton.
Sunshine	Vrouwelijke MI5 agent die aan Andy rapporteerde. Mijn belangrijkste contactpersoon bij MI5.
Tommy Chef	Directeur Operaties bij de PET.
Trailer	Een van mijn handlers bij de Deense inlichtingendienst; voormalig landbouwer.

ARCHIEF VAN EEN AGENT

Jihadistische communicatie

Officiële uitnodiging van de Unie van Islamitische Rechtbanken om naar Somalië te komen.

E-mailcorrespondentie van Awlaki in mijn Yahoo-account.

Interface van de Geheimen van de Moedjahedien-software, met de publieke sleutel van Awlaki, 'hereyougo', die hij gebruikte om met mij te communiceren.

20:54

Aminah Muslimah Fisabilillah

Assalamu alaykom

Eid Mubarak to you and your family. Can you tell me please what do you mean specifically when you type in your post on the wall of group od support Shaikh Anwar al-Awlaki? What kind of support and are you in direct contact with Shaikh?

Aminahs allereerste Facebook-boodschap aan mij.

Aminah snijdt hier op Face-book de mogelijkheid aan om met Awlaki te trouwen.

Aminah Muslimah Fisabilillah

No problem, I think you mixed South East Europe with South Croatia

I have one question tho. Do you know personally AAA? And if it is so, may I be so liberal to ask you something?

11:23

Murad Al-Danimarki

Yes I do know him. Feel free to ask

11:32

Aminah Muslimah Fisabilillah

As I told you before I do not have mahram, and I sent Shaikh a letter by mail, I am not sure if I had his correct email address, but actually I was wondering will he search for a second wife, I proposed him a marriage, and I do not know how silly it is. But I tried. Now, as I am in contact with you there is a possibility for you to get know me better in a way you can recommended me to a Shaikh, if you are interested in it and if you want to help me, inshaallah. You can see I am a revert, convert on Islam alhamdiduliah. I seek a way how to get out of this country, and I search a husband who will teach me and whom I can help a lot. I deeply respect him and the all things he do for this Ummah and I want to help him in any way.

What do you think about that?
JazzakAllah khayrun

11:38

Murad Al-Danimarki

Waleikum Salaam Warahmatullah

Sister, I was with him for 3 months ago, and he asked the same, if I could help him getting married to a revert sister. Subhan'Allah how Allah plans. But sister by getting married to him, means that you may never again come to croatia as you know his current situation. I can however travel with you to him, as there is no way for you otherwise to know his whereabout. Could I get your personal details to forward them to him today? I will write down his requirement for marriage, as he told me to search.

Regarding the sister first of all thanks for keeping me in mind:) so far I am interested. I just need a few clarifications from you and then I need you to pass on a message to her:
1. How did you get to know about her?
2. Are you communicating with her in a secure manner?
3. I want all my communications with her to pass through you. But just in case you got cut off the internet if you could pass on to me an email for her that I would only use if I am unable to communicate with you. My name in any on-line communications with her should be Sami
4. What do you suggest in terms of how to get her here?

Fragment uit Awlaki's e-mail waarin hij zegt dat hij wel in Aminah geïnteresseerd is.

Awlaki vertelt me in een vercijferde boodschap dat hij als bijlage een filmpje van hem heeft bijgevoegd, dat ik aan Aminah moet doorgeven.

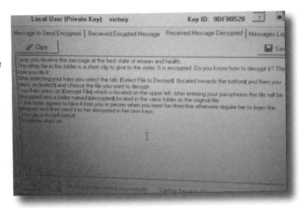

Assalamu alaykum
Alhamdulillah we got married. May Allah reward you for all what you have done. However, according to your description of her I expected something different. I am not saying that you tricked me or anything; I am just saying that I expected something different.
I do not blame you or your wife because I believe you were sincere and you were doing your best.

.
.
.

So she turned out to be different then what you described. Masha Allah she turned out to be better than I expected and better than you described:)

Awlaki's vercijferde e-mail van 28 juni 2010 waarin hij zijn mening geeft over zijn nieuwe vrouw Aminah.

Sister, please can I ask you a favor. If it is possible for you to go and buy some stuff for me. So far everybody who bought it, majority I didn't like. And it is hard for sisters here to buy some western clothes. I give up of Yemeni clothes. All I have I don't like and it is too hot to wear it. Fabrics are not good, synthetic, it's just horrible.
So please if you can find some European clothes. I miss it so much. I just need few dresses (2) and skirts (2) and top (4). All simple without any glittering stuff and pleats, I hate it. Dresses should be long, without sleeves - like top, wide but tight in top part and all in one piece. Not 2 pieces like Yemeni dresses. Fabric should be light, non-transparent. Skirts also should be long and light fabric, wide, solid. Tops whatever you find simple and nice. Colors and patterns never mind, just please avoid pink and orange color. White, black, different shades of blue and green. Floral pattern is nice, and solid is just fine. And if you can find denim mini skirt, size 40 or L, tight and very short. ?
Next I need 10 packages of feminine pads; it's called FAM.thin, regular with wings, made in Lebanon. Package is white and green color with sunflower. I am sure you will find it.

Fragment uit een verzoek om kleding en cosmetische artikelen die Awlaki op verzoek van Aminah heeft toegevoegd en bestemd was voor Fadia.

if some of hooks men r still interested to come here then let me know so that arrangements could be done ....
and as for going to hooks place ... then i was told by hook that they want to train brothers and then send them
back or to the west ... i told him i need advanced training so he told me its on and off so it could take long an
i have to be patient .. for me i can b patient and learn more of deen and improve arabic inshaAllah
question 1 ... if they gonna train brothers from here what kinda traing is it gonna be?
question 2 ... the anti tank mine that brothers got will they be willing to sell them to us and do they have
weapons that can hit a tank firm far like the ones hisbullah used to destroy israel merkeva tank? or rpg 29 etc?
question 3 .... regarding the project how is it coming so far? how is shompole, is it a good place? how is the
regestration and paper word going on? update me inshaAllah and inshaAllah this wil b a very good project to
muslims inshaAllah
i checked the site and its really interesting for people who love nature and hicking and expedition may Allah
bless this project and keep it away from the eyes and suspicions of the kufar
akhii al habib take good care of yourself especially in yemen after wat happened in usa .. and the yemen
furniture business u told me abt .. check on it if it would b worth dealing with it but let it b like something for
mustaqbal inshaAllah

bro in iman
ik

Fragment uit een vercijferde e-mail die Ikrimah me in november 2010 heeft gestuurd, waaruit kan worden opgemaakt dat Awlaki en hij van plan waren om medestanders naar het Westen te sturen om daar aanslagen te plegen. Hij was ook enthousiast over mijn Storm Bushcraft-onderneming in Kenia.

The sandals are good. The tablets I was looking for are hexamine. The ones you sent are something else. If you are traveling again then see if you can get me hexamine tablets.

Please send any messages from my wife's sister.
If you are going on-line please send me all what is available on the arrest of our Somali brother.
Also I heard on the news that the New York Times reported that al Qaeda in Yemen is buying a lot of castor beans to make ricin and attack the US. Find me what you can on that. You could do a search for: Yemen + ricin

Fragment uit een vercijferde e-mail van Awlaki, waarin hij me vraagt hem het artikel over ricine uit *The New York Times* toe te sturen.

Assalamu alaykom we rahmetullahi

I am sending you this mail with great sorrow and sadness in my heart but again happines for my husband Shuhada. Alhamdidullah he is now in the Jannat and do not feel anything but joy and happines. Alhamdidullah, Allah grant him Shuhada what he wanted and grant him the higest rank of Jannat.

My husband give me this in case something happend to him so I can contact you. Actually I wanted to contact you in case I will go back in Europe, but I have 4 months to decide what to do.

My first option is shahada inshaAllah

Fragment uit een e-mail van Aminah waarin ze me vertelt dat ze een zelfmoordaanslag wil plegen om de dood van Awlaki te wreken.

Kenya is getting really bad coz the kufar are doing all their effort to harm us. And they monitor the hawala (dahabshil ,qaran etc) accusing them of helping and financing mujahidin. So you need to be extra carefull they dont get a single trace of anything coz they are now tracing a sister who was a window of one of the london 7/7 bomber (the jamecan brother) and they are accusing her of financing and organising "terorisim" so please watchout when you are here coz they may put you in a case that you dont know.

Ikrimahs vercijferde e-mail waarin hij verwijst naar de Witte Weduwe, Samantha Lewthwaite, maart 2012.

Spionnenmemorabilia

Het Ascot Hotel in Kopenhagen, waar ik vaak ontmoetingen had met leden van westerse inlichtingendiensten.

Visitekaartje voor Storm Bushcraft.

Visitekaartje voor de Alum Rock Cab Company, het taxibedrijf waarvoor ik werkte.

Vrijwaringsclausule voor Jespers quadverzekering.

Jimmy's sportschool.

Kaartje met de groeten van Klang, Trailer, Boeddha en Jed.

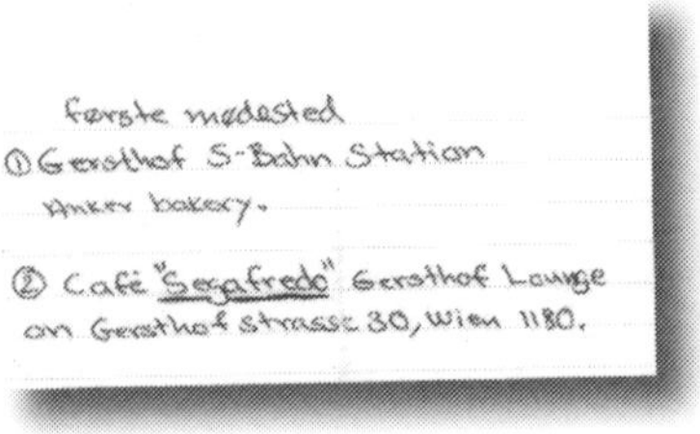

[handwritten note top-left:]
første mødested
① Gersthof S-Bahn Station
Anker bakery.

② Café "Segafredo" Gersthof Lounge
on Gersthof strasse 30, Wien 1180.

Aantekeningen voor mijn eerste
ontmoeting met Aminah in Wenen. De
CIA wilde dat ik haar naar een bar-
restaurant zou meenemen, maar dat
vond ik geen goed idee en ben toen met
haar naar een McDonald's gegaan.

[handwritten note top-right:]
10:00 am meeting at McDonalds. Cover story, gifts, money.
meeting up after embassy, going to buy ticket, travel security
view emails, only use it until you arrive to X.
hghxthg99@gmail.com - Send your public key - you got a number
buy a mobile phone in X, you will get a new laptop.
Flight details to Sh. +385 92 28 666 76 - mobile
...2010
...@gmail.com
islam 786 islam
africansunrise 2010@gmail
islam 786 islam

Aantekeningen voor de laatste
keer dat ik Aminah in Wenen zou
ontmoeten.

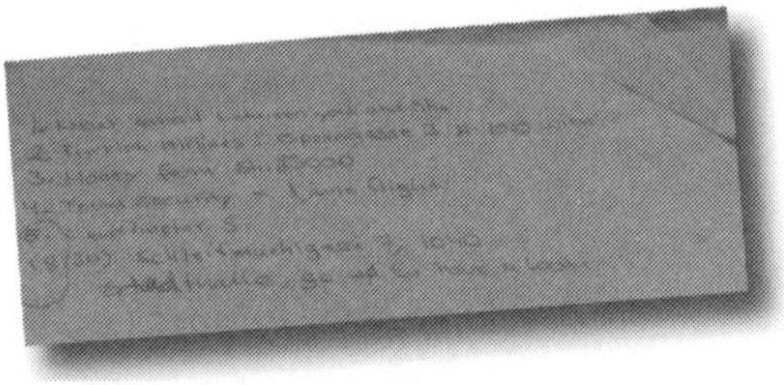

Aantekeningen van vlak voordat Aminah naar
Jemen zou afreizen.

Sms'je van Klang – 'Je hebt zojuist
veel, heel veel geld verdiend.'

[phone screen:]
Klang
Læg den lille boks i den
store boks og placér den
på bagsædet lige bag
førersædet.
From:Klang
23/05/12 16:57
Options   Reply   Back

'Doe de kleinere doos in de
grotere doos en zet het geheel
op de achterbank, pal achter de
chauffeursstoel,' sms'te Soren
me in Jemen, gebruikmakend van
Klangs telefoon nadat mijn laatste
missie niet doorging.

De 10.000 dollar die ik in de kamer van het
Hilton Hotel van Jesper kreeg.

Papieren sporen

Overmaking van PET via Western Union. Opmerkelijk is dat de afzender als adres Soburg opgeeft, de wijk waar het hoofdkwartier van de PET is gevestigd.

Door Klang betaalde hotelrekening. Het adres is van Mola Consult, het pseudobedrijf dat door de PET als dekmantel werd gebruikt.

Rekening voor een door MI5 goedgekeurde overboeking naar de Somalische terrorist Ahmed Abdulkadir Warsame.

Rekening voor beschermende handschoenen die ook voor Ahmed Abdulkadir Warsame waren bestemd.

Visumstempels voor een missie naar
Libanon in 2007.

Visumstempels voor Hongkong en China,
waar ik in mei 2012 Abdul heb opgezocht.

Ondertekening van het contract voor
het ontwikkelen van Masinga Dam.

regarding the money, pls tell the sister that the hook wants her to have 3000 dollars with her which you
will provide at the next meeting in vienna.   this is perfect cover for your next trip to see her.

have a safe trip and good luck,

your brothers

E-mail van mijn CIA-handlers Jed en George
van vlak voor een van mijn reizen naar Wenen.

Bewijs van inbeslagname van de
hexaminetabletten, getekend
door Jesper voordat ik in mei
2012 naar Jemen zou afreizen.

Vrijwaringsclausule voor
Sorens quadverzekering.

DANKBETUIGINGEN

Morten Storm

Graag wil ik al mijn familieleden en vrienden in Denemarken, Zweden, Noorwegen, Nederland, het Verenigd Koninkrijk, Kenia en de rest van de wereld bedanken voor hun steun.

Dank ook aan Paul Cruickshank en Tim Lister, voor de manier waarop jullie in de weken dat we bij elkaar waren dit alles op meesterlijke wijze tot een zinnig geheel hebben gemaakt en voor de vele maanden die jullie bezig zijn geweest om elk detail van mijn verhaal na te trekken en laag voor laag mijn herinneringen bloot te leggen. Ik zal voor altijd bij jullie in het krijt blijven staan. Paul ontmoette ik voor het eerst tijdens mijn 'radicale jaren', toen hij in 2005 naar Luton kwam om verslag te doen over de extremistische groepering al-Muhajiroun. Hij is tegenwoordig analist op het gebied van terrorisme bij CNN en samensteller van een kortgeleden verschenen vijfdelige serie over het wetenschappelijk onderzoek rond Al Qaida. Het lijkt al weer een mensenleeftijd geleden dat we elkaar in Luton voor het eerst spraken.

Paul en Tim doen al jarenlang verslag over Al Qaida-gerelateerd terrorisme en internationale veiligheid en hebben hun waardevolle expertise gebruikt om van dit relaas een samenhangend geheel te maken. Tim reisde al door Jemen lang voordat ik dat deed en wist, anders dan ik, zelfs Afghanistan te bereiken, waar hij voor CNN verslag deed van de Amerikaanse bombardementen op de schuilplaats van Bin Laden in Tora Bora.

Dank ook aan Carsten Ellegaard Christensen, Orla Borg, Morten Pihl en Michael Holbek Jensen, allen verslaggever bij de *Jyllands-Posten*, die het verhaal over mijn werk voor westerse inlichtingendiensten naar buiten hebben gebracht. Jullie hebben terecht de European Press Prize 2012 gewonnen, die toen voor het eerst werd uitgereikt. Ook mijn dank aan alle Deense journalisten die in me hebben geloofd en die me hebben gesteund.

Ook wil ik graag onze literair agenten bedanken, Richard Pine en Euan Thorneycroft, en onze redacteuren Joel Rickett bij Viking en Jamison Stoltz bij Grove Atlantic, voor het feit dat ze me de kans hebben gegeven mijn verhaal aan de wereld te vertellen. Als door dit boek ook maar één persoon wat beter gaat nadenken voor hij het pad van het gewelddadig extremisme betreedt, is het het waard geweest.

Ook wil ik Irena Simonsen, de Deense politica, dankzeggen voor haar enorme hulp en steun, en tevens een woord van dank aan mijn advocaat, Karoly Nemeth, voor al zijn goede raad en steun in Denemarken.

Er zijn nog verscheidene andere mensen die ik wil bedanken voor hun steun, onder wie Nic Robertson van CNN, Mark Stout van het Washington Spy Museum, Frederick Obermaier van de *Süddeutsche Zeitung*, Howard Rosenberg van *60 Minutes* en Bent Skjaerstad van TV2 in Noorwegen. Ook mijn dank aan Joost in Nederland. Heel wat mensen kan ik uit veiligheidsoverwegingen niet bedanken, maar de betrokkenen weten precies om wie het gaat.

Dank ook aan de bands Metallica, Slayer en Anthrax, voor jullie grandioze muziek. Jullie hebben me geholpen bij het opladen vóór een missie en bij het stoom afblazen erna.

Ten slotte heel veel dank aan de aardige, vriendelijke en grootmoedige mensen en families die ik in het Midden-Oosten en in Noord- en Oost-Afrika heb ontmoet. Ze hebben me verrijkt met een enorme kennis en ze hebben me geleerd hoe ik een eerzaam leven kan leiden en een genereus mens kan worden.

Dank je, Morten Storm, voor het feit dat je ons hebt toegestaan diep in je leven te graven in een periode die voor jou en je gezin bijzonder zwaar moet zijn geweest. We waren bij je toen Al Qaida-types uit Syrië door middel van een online-video jou dreigden om te zullen brengen, en we waren onder de indruk van je gevoel voor humor en evenwichtigheid.

Een woord van dank aan je vrienden, je familie en je ex-vriendin die we in Denemarken hebben ontmoet. Dank ook aan de Deense politica Irena Simonsen voor haar uitnodiging bij haar thuis, waar ze ons heeft geholpen de dynamiek binnen de Deense politiek te begrijpen.

Heel veel dank ook aan Richard Pine, onze literair agent bij Inkwell in New York, die dit alles mogelijk heeft gemaakt. Ook een hartelijk woord van dank aan Euan Thorneycroft bij A.M. Heath in Londen, die er samen met Richard voor heeft gezorgd dat dit verhaal wereldkundig kon worden gemaakt, en voor zijn waardevolle commentaar.

We hadden het geluk over twee van de beste redacteuren in de uitgeverswereld te kunnen beschikken: Joel Rickett bij Penguin en Jamison Stoltz bij Grove Atlantic. Dank voor de manier waarop jullie naadloos hebben samengewerkt en voor jullie briljante suggesties en ideeën, die het boek aanzienlijk hebben verbeterd. Dank ook aan het team van medewerkers dat jullie heeft geholpen het boek tot stand te brengen, onder wie Ellie Smith, Allison Malecha, Ben Brusey, Sara Granger en de perklaarmaker Mark Handsley.

Dank ook aan Eliza Rothstein en Lyndsey Blessing bij Inkwell voor al jullie hulp en het feit dat dit boek in diverse talen wordt vertaald. Eveneens een woord van dank aan Taryn Eckstein voor haar juridische adviezen.

Eveneens dank aan Carsten Ellegaard Christensen van de *Jyllands-Posten*. Je bent een professional en Morten mag van geluk spreken dat hij jou als eerste heeft benaderd met zijn verhaal. Dank voor al je hulp bij ons bezoek aan Kopenhagen en voor het ons op de hoogte houden van je onderzoek. Jij en je collega's bij de *Jyllands-Posten* verdienen alle hulde voor het als eerste naar buiten brengen van dit verhaal.

Een speciaal woord van dank aan de Kroatische journalist Sandra Veljkovic van de Kroatische krant *Večeřnji List*, voor haar hulp met betrekking tot Aminahs kant van het verhaal. Dank ook aan Bent Skjaerstad van de Noorse televisiezender TV2, voor het delen van informatie met betrekking tot Ikrimahs tijd in Noorwegen.

Heel veel dank aan Nic en Margaret Lowrie Robertson, en aan Ken Shiffman, voor hun adviezen rond dit project. We zijn ook dank verschuldigd aan Magnus Ranstorp, een van de belangrijkste wetenschappers in Scandinavië op het gebied van contraterrorisme, die zijn vakkundige oog over de tekst heeft laten gaan en de Deense context aan zijn veelomvattende inzichten heeft getoetst.

Dank ook aan al diegenen die de verschillende versies van het boek hebben gelezen en met kostbare feedback zijn gekomen. Sommigen zullen naamloos moeten blijven vanwege de gevoelige positie die ze bekleden, maar jullie weten maar al te goed om wie het gaat.

Uiteraard ook dank aan onze vrienden en gezinnen, die ons duldden terwijl wij een jaar lang van de kaart verdwenen om dit boek te schrijven.

En ten slotte dank aan onze echtgenotes, voor hun liefde, steun, adviezen, ideeën… en het overtikken.

REGISTER

487

492

495